Ser semejante a

Jesús

Ser semejante a

Jesús

Lecturas devocionales para adultos

Elena G. de White

ASOCIACIÓN CASA EDITORA SUDAMERICANA
Av. San Martín 4555, B1604CDG Florida Oeste
Buenos Aires, República Argentina

Título Original: *To Be Like Jesus*

Dirección editorial: Aldo D. Orrego
Traductor: David Pío Gullón
Tapa: Néstor Rasi
Diagramación: Eval Sosa

Derechos reservados © 2004 por
Asociación Casa Editora Sudamericana

Impreso y distribuido en Norteamérica por
PUBLICACIONES INTERAMERICANAS
División Hispana de la Pacific Press® Publishing Association:
P. O. Box 5353, Nampa, Idaho 83653, EE. UU. de N. A.

Primera edición: 2004
12.500 ejemplares en circulación

ISBN 0-8163-9384-2

Printed in the United States of America

04 05 • 02 01

PUBLICACIONES
ADVENTISTAS DEL 7º DIA

Prefacio

Ser semejante a Jesús: esta es la meta expuesta por Juan el Amado. "El que dice que permanece en él, debe andar como él anduvo" (1 Juan 2:6). Y Pedro declaró: "Cristo padeció por nosotros, dejándonos ejemplo, para que sigáis sus pisadas" (1 Ped. 2:21). En apoyo de esta meta emocionante, escribió Elena de White: "Hablen como Cristo habló. Trabajen como Cristo trabajó. Debemos mirar a Cristo y vivir. Al contemplar su hermosura desearemos practicar sus virtudes y su justicia".[1]

Este libro, preparado en las oficinas del Patrimonio White, está designado para ayudar a los lectores a fijar sus ojos en Jesús, observando cómo vivió, estudiando sus actitudes y prácticas, y animándolos a seguir su ejemplo. ¿Cuán importante fue la oración en su vida? ¿Cómo se relacionó con los escritos inspirados? ¿Cómo usó su tiempo y otros talentos dados por Dios? ¿Cuál fue su actitud hacia el mundo natural, hacia la ley moral y hacia el sano vivir? Las lecturas diarias están agrupadas alrededor de estos y otros temas prácticos, mes por mes, ayudando a dejar bien sentado que la salvación involucra mucho más que simplemente decir "Creo". Significa amarle, obedecerle y tratar de ser semejante a él.

Las lecturas devocionales han sido seleccionadas de un amplio espectro de artículos, libros y cartas de Elena de White, escritos en un período de muchas décadas. Para limitarlas a una simple página, se han omitido porciones repetitivas o menos pertinentes del mensaje original, pero estas omisiones, indicadas por puntos suspensivos, de ninguna manera deforman o cambian el significado del pasaje original. Al final de cada lectura se indica la fuente de la cual fue tomada.

La mayoría de los textos usados en la versión castellana al comienzo de las lecturas para cada día, así como los que aparecen en las lecturas, están citados de la versión Reina-Valera, revisión de 1960, pero unos pocos están tomados de la versión de la Biblia de Jerusalén (BJ) y de la Nueva Versión Internacional (NVI), porque en esos textos el lenguaje que incluye ambos géneros presenta con más exactitud el significado del escritor bíblico.

Por la misma razón, sin hacer ningún cambio en el pensamiento de Elena de White, este libro usa el lenguaje inclusivo en los casos donde es claro que Elena de White intentó incluir tanto a hombres como a mujeres en un pasaje.

Debido a que algunas personas usarán este libro devocional no sólo durante el año para el cual fue publicado, sino durante algún año bisiesto, se han incluido 366 lecturas.

Durante una experiencia difícil, en su prolongado ministerio de 77 años, Elena de White escribió: "Jesús es mi precioso Salvador. Deseo copiar el Modelo. ¡Qué riguroso en los principios y recto en la conducta fue Jesús! No le dio lugar a Satanás cuando fue tentado. ¡Cuán despierto tuvo que estar para percibir las asechanzas del tentador! Oh, si anduviéramos y trabajáramos como Jesús trabajó, ¡cuán estrictos seríamos en nuestras transacciones comerciales con los creyentes y con los incrédulos!; ¡cuán tiernos, compasivos, mansos y humildes de corazón llegaríamos a ser porque aprendimos de él!... Necesitamos contemplarlo más resueltamente para que podamos ser cambiados a su imagen".[2]

Es nuestra esperanza y oración que este libro de mensajes devocionales pueda ayudar a cada lector a alcanzar la meta presentada en las palabras de este antiguo himno familiar:

Ser semejante a Jesús, este es mi canto
en el hogar y entre la multitud.
Ser semejante a Jesús, durante todo el día;
quiero ser semejante a Jesús.

LOS FIDEICOMISARIOS DEL PATRIMONIO WHITE
Silver Spring, Maryland

---

[1] *Alza tus ojos*, p. 342.
[2] *Manuscript Releases*, t. 7, p. 146.

Jesús, nuestro Modelo, dependía de la oración

Y Cristo, en los días de su carne, ofreciendo ruegos y súplicas con gran clamor y lágrimas al que le podía librar de la muerte, fue oído a causa de su temor reverente. Hebreos 5:7.

La noche se estaba acercando cuando Jesús llamó a su lado a tres de sus discípulos, Pedro, Santiago y Juan, y los condujo a través de los campos, y por una senda escarpada, hasta una montaña solitaria... La luz del sol poniente se detenía en la cumbre y doraba con su gloria desvaneciente el sendero que recorrían. Pero pronto la luz desapareció tanto de las colinas como de los valles y el sol se hundió bajo el horizonte occidental, y los viajeros solitarios quedaron envueltos en la oscuridad de la noche...

Finalmente Cristo les dice que no han de ir más lejos. Apartándose un poco de ellos, el Varón de dolores derrama sus súplicas con fuerte clamor y lágrimas. Implora fuerzas para soportar la prueba en favor de la humanidad. Él mismo debe establecer nueva comunión con la Omnipotencia, porque únicamente así puede contemplar lo futuro. Y vuelca los anhelos de su corazón en favor de sus discípulos, para que en la hora del poder de las tinieblas no les falte la fe...

Al principio los discípulos unen sus oraciones a las suyas con sincera devoción; pero después de un tiempo los vence el cansancio y, a pesar de que procuran sostener su interés en la escena, se duermen. Jesús les ha hablado de sus sufrimientos; los trajo consigo esta noche para que pudiesen orar con él; aún ahora está orando con ellos. El Salvador ha visto la tristeza de sus discípulos, y ha deseado aliviar su pesar dándoles la seguridad de que su fe no ha sido inútil... Ahora, su principal petición es que les sea dada una manifestación de la gloria que tuvo con el Padre antes que el mundo fuese, que su reino sea revelado a los ojos humanos, y que sus discípulos sean fortalecidos para contemplarlo. Ruega que ellos puedan presenciar una manifestación de su divinidad que los consuele en la hora de su agonía suprema, con el conocimiento de que él es seguramente el Hijo de Dios, y que su muerte ignominiosa es parte del plan de la redención.

Su oración es oída. Mientras está postrado humildemente sobre el suelo pedregoso, los cielos se abren de repente, las áureas puertas de la ciudad de Dios quedan abiertas de par en par, y una irradiación santa desciende sobre el monte, rodeando la figura del Salvador. Su divinidad interna refulge a través de la humanidad, y va al encuentro de la gloria que viene de lo alto. Levantándose de su posición postrada, Cristo se destaca con majestad divina. Ha desaparecido la agonía de su alma. Su rostro brilla ahora "como el sol" y sus vestiduras son "blancas como la luz".–*El Deseado de todas las gentes*, pp. 388, 389.

7

El ejemplo de Cristo nos da poder para resistir la tentación

Aconteció que cuando todo el pueblo se bautizaba, también Jesús fue bautizado; y orando, el cielo se abrió, y descendió el Espíritu Santo sobre él en forma corporal, como paloma, y vino una voz del cielo que decía: Tú eres mi Hijo amado; en ti tengo complacencia. Lucas 3:21, 22.

Los profesos seguidores de Cristo pueden ser hechos fuertes en el Señor si aprovechan las provisiones hechas para ellos por medio de los méritos de Jesús. Dios no ha cerrado los cielos para no oír las oraciones humildes de almas humildes y creyentes. La oración humilde, sencilla, ferviente y perseverante del que es fiel, entra en el cielo ahora tan seguramente como lo hizo la oración de Cristo [cuando fue bautizado]. El cielo se abrió cuando oró, y esto nos muestra que podemos ser reconciliados con Dios, y que se establece la comunicación entre Dios y nosotros por medio de la justicia de nuestro Señor y Salvador. Cristo tomó sobre sí la humanidad, y sin embargo estuvo en una relación íntima y estrecha con Dios. Unió la humanidad con su naturaleza divina, haciendo posible también para nosotros el llegar a ser participantes de la naturaleza divina, y así huir de la corrupción que hay en el mundo a causa de la concupiscencia [2 Ped. 1:4].

Cristo es nuestro ejemplo en todo. En respuesta a la oración que elevó a su Padre el cielo se abrió, y el Espíritu, semejante a una paloma, descendió sobre él. Por el Espíritu Santo es como Dios, además de establecer comunicación con el ser humano, también mora en el corazón de los que son fieles y obedientes. Los que lo busquen en forma sincera, con el fin de recibir sabiduría para resistir a Satanás, recibirán luz y fortaleza en la hora de la tentación. Debemos vencer del mismo modo como Cristo triunfó.

Jesús comenzó su ministerio público con una súplica ferviente. Con ello nos dejó un ejemplo acerca de la importancia que tiene la oración para adquirir una experiencia cristiana victoriosa. Su constante comunión con el Padre constituye un modelo que haríamos bien en imitar...

Debemos depender de Dios para experimentar una vida cristiana victoriosa, siguiendo el ejemplo que Cristo legó al abrir un camino que nos conduce a la fuente de fortaleza que nunca falla, y de la cual podemos obtener gracia y poder para resistir al enemigo y salir victoriosos.–*Signs of the Times*, 24 de julio de 1893. (Ver *Recibiréis poder*, p. 16.)

Acercándonos a Dios con reverencia

Y les dijo: Cuando oréis, decid: Padre nuestro que estás en los cielos, santificado sea tu nombre. Lucas 11:2.

Para santificar el nombre del Señor se requiere que las palabras que empleamos al hablar del Ser Supremo sean pronunciadas con reverencia. "Santo y temible es su nombre" (Sal. 111:9). Nunca debemos mencionar con liviandad los títulos ni los apelativos de la Deidad. Por medio de la oración entramos en la sala de audiencia del Altísimo y debemos comparecer ante él con pavor sagrado. Los ángeles velan sus rostros en su presencia. Los querubines y los esplendorosos y santos serafines se acercan a su trono con reverencia solemne. ¡Cuánto más debemos nosotros, seres finitos y pecadores, presentarnos en forma reverente delante del Señor, nuestro Creador!

Pero santificar el nombre del Señor significa mucho más que esto. Podemos manifestar, como los judíos contemporáneos de Cristo, la mayor reverencia externa hacia Dios y, no obstante, profanar su nombre continuamente. "El nombre de Jehová" es "fuerte, misericordioso y piadoso; tardo para la ira y grande en misericordia y verdad... que perdona la iniquidad, la rebelión y el pecado" (Éxo. 34:5-7). Se dijo de la iglesia de Cristo: "Se la llamará: Jehová justicia nuestra". Este nombre se da a todo discípulo de Cristo. Es la herencia del hijo de Dios. La familia se conoce por el nombre del Padre. El profeta Jeremías, en tiempo de tribulación y gran dolor, oró: "Sobre nosotros es invocado tu nombre; no nos desampares" (Jer. 14:9).

Este nombre es santificado por los ángeles del cielo y por los habitantes de los mundos sin pecado. Cuando oramos "Santificado sea tu nombre", pedimos que lo sea en este mundo, en nosotros mismos. Dios nos ha reconocido delante de la humanidad y ángeles como sus hijos; pidámosle ayuda para no deshonrar el "buen nombre que fue invocado sobre" nosotros (Sant. 2:7).

Dios nos envía al mundo como sus representantes. En todo acto de la vida, debemos manifestar el nombre de Dios. Esta petición exige que poseamos su carácter. No podemos santificar su nombre ni representarlo ante el mundo, a menos que en nuestra vida y carácter representemos la vida y el carácter de Dios. Esto podrá hacerse únicamente cuando aceptemos la gracia y la justicia de Cristo.–*El discurso maestro de Jesucristo*, pp. 91, 92.

Orar por el pan cotidiano

El pan nuestro de cada día, dánoslo hoy. Mateo 6:11.

Como hijos, recibiremos día tras día lo que necesitamos para el presente. Diariamente debemos pedir: "El pan nuestro de cada día, dánoslo hoy". No nos desalentemos si no tenemos bastante para mañana. Su promesa es segura: "Habitarás en la tierra, y te apacentarás de la verdad". Dice David: "Joven fui, y he envejecido, y no he visto justo desamparado, ni su descendencia que mendigue pan" (Sal. 37:3, 25)...

El que alivió los cuidados y las ansiedades de su madre viuda y la ayudó a sostener la familia de Nazaret, simpatiza con toda madre en su lucha por proveer alimento a sus hijos. Quien se compadeció de las multitudes porque "estaban desamparadas y dispersas" (Mat. 9:36), sigue teniendo compasión de los pobres que sufren. Les extiende la mano para bendecirlos, y en la misma plegaria que dio a sus discípulos nos enseña a acordarnos de los pobres...

La oración por el pan cotidiano incluye no solamente el alimento para sostener el cuerpo, sino también el pan espiritual que nutrirá el alma para vida eterna. Jesús nos propone: "Trabajad no por la comida que perece, sino por la comida que a vida eterna permanece" (Juan 6:27). Nos dice Jesús: "Yo soy el pan vivo que descendió del cielo; si alguno comiere de este pan, vivirá para siempre" (Juan 6:51). Nuestro Salvador es el pan de vida; cuando miramos su amor y lo recibimos en el alma, comemos el pan que desciende del cielo.

Recibimos a Cristo por su Palabra, y se nos da el Espíritu Santo para abrir la Palabra de Dios a nuestro entendimiento y hacer penetrar sus verdades en nuestro corazón. Hemos de orar día tras día para que, mientras leemos su Palabra, Dios nos envíe su Espíritu con el fin de revelarnos la verdad que fortalecerá nuestra alma para las necesidades del día.

Al enseñarnos a pedir cada día lo que necesitamos, tanto las bendiciones temporales como las espirituales, Dios desea alcanzar un propósito para beneficio nuestro. Quiere que sintamos cuánto dependemos de su cuidado constante, porque procura atraernos a una comunión íntima con él. En esta comunión con Cristo, mediante la oración y el estudio de las verdades grandes y preciosas de su Palabra, seremos alimentados como almas con hambre; como almas sedientas seremos refrescados en la fuente de la vida.–*El discurso maestro de Jesucristo*, pp. 95, 96.

Tener un espíritu perdonador

Si perdonáis a los hombres sus ofensas, os perdonará... vuestro Padre celestial; mas si no perdonáis a los hombres sus ofensas... tampoco vuestro Padre os perdonará vuestras ofensas. Mateo 6:14, 15.

Nuestro Salvador le enseñó a los discípulos a orar así: "Perdónanos nuestras deudas, así como nosotros perdonamos a nuestros deudores" (Mat. 6:12). Se pide aquí una gran bendición basada en ciertas condiciones. Nosotros mismos declaramos las condiciones. Pedimos que la misericordia de Dios hacia nosotros sea medida por la misericordia que le manifestamos a los demás. Cristo declara que ésta es la regla por la cual el Señor tratará con nosotros. (Se cita Mat. 6:14, 15.) ¡Qué condiciones maravillosas!, pero cuán poco se las entiende o se les hace caso.

Uno de los pecados más comunes, y al que le acompañan los resultados más perniciosos, es el abrigar un espíritu no perdonador. Cuántos hay que albergan la animosidad o la venganza y después se inclinan ante Dios y le piden ser perdonados como ellos perdonan. Seguramente no comprenden verdaderamente el significado de esta oración, o de lo contrario no se atreverían a pronunciarla. Dependemos cada día y cada hora de la misericordia perdonadora de Dios, y si es así, ¡cómo podemos abrigar amargura y malicia hacia nuestros prójimos pecadores! Si los cristianos practicaran los principios de esta oración en todas sus relaciones diarias, ¡qué cambio bendito se produciría en la iglesia y en el mundo! Sería el testimonio más convincente que se podría dar de la realidad de la religión de la Biblia...

El apóstol nos amonesta: "El amor sea sin fingimiento. Aborreced lo malo, seguid lo bueno. Amaos los unos a los otros con amor fraternal; en cuanto a honra, prefiriéndoos los unos a los otros" (Rom. 12:9, 10). Pablo quiere que distingamos entre el amor puro y altruista que es impulsado por el Espíritu de Cristo, y el fingimiento sin sentido y engañoso que abunda en el mundo. Esta vil falsificación ha extraviado a muchas almas. Haría desaparecer la distinción entre lo bueno y lo malo estando de acuerdo con los transgresores en vez de mostrarles lealmente sus errores. Una conducta así nunca brota de una amistad verdadera. El espíritu que lo impulsa mora sólo en el corazón carnal.

Aunque el cristiano será siempre bondadoso, compasivo y perdonador, no puede sentir armonía con el pecado. Aborrecerá el mal y se aferrará a lo que es bueno, aunque tenga que perder la asociación o amistad con los no religiosos. El Espíritu de Cristo nos llevará a odiar el pecado, mientras al mismo tiempo estaremos dispuestos a hacer cualquier sacrificio para salvar al pecador.–*Testimonies for the Church*, t. 5, pp. 170, 171.

Poseer un corazón lleno de gratitud

*Entonces cantó Moisés y los hijos de Israel este cántico a Jehová, y dije-
ron: Cantaré yo a Jehová, porque se ha magnificado grandemente; ha
echado en el mar al caballo y al jinete. Jehová es mi fortaleza y mi cántico, y ha sido mi salvación.* Éxodo 15:1, 2.

Como una voz que surgiera de gran profundidad, elevaron las huestes
de Israel ese sublime tributo. Las mujeres israelitas también se unie-
ron al coro. María, la hermana de Moisés, las dirigía mientras cantaban
con panderos y danzaban. En la lejanía del desierto y del mar resonaba el
gozoso coro...

Este canto y la gran liberación que conmemoraba hicieron una impresión imborrable en la memoria del pueblo hebreo. Siglo tras siglo fue
repetido por los profetas y los cantores de Israel para atestiguar que Jehová es la fortaleza y la liberación de los que confían en él. Este canto no
pertenece sólo al pueblo judío. Indica la futura destrucción de todos los
enemigos de la justicia, y señala la victoria final del Israel de Dios. El profeta de Patmos vio a la multitud vestida de blanco, "los que habían alcanzado la victoria", que estaban sobre "un mar de vidrio mezclado con fuego... con las arpas de Dios... Y cantan el cántico de Moisés siervo de Dios,
y el cántico del Cordero" (Apoc. 15:2, 3)...

Tal fue el espíritu que saturaba el canto de liberación de Israel, y es
el espíritu que debe morar en el corazón de los que aman y temen a Dios.
Al libertar nuestra alma de la esclavitud del pecado, Dios ha obrado para
nosotros una liberación todavía mayor que la de los hebreos ante el Mar
Rojo. Como la hueste hebrea, nosotros debemos alabar al Señor con nuestro corazón, nuestra alma y nuestra voz por "sus maravillas para con los
hijos de los hombres" (Sal. 107:8). Los que meditan en las grandes misericordias de Dios, y no olvidan sus dones menores, se llenan de felicidad
y cantan en su corazón al Señor. Las bendiciones diarias que recibimos de
la mano de Dios y, sobre todo, la muerte de Jesús para poner la felicidad
y el cielo a nuestro alcance, debieran ser objeto de constante gratitud.

¡Qué compasión, qué amor sin par, nos ha manifestado Dios a nosotros, perdidos pecadores, al unirnos a él para que seamos su tesoro celestial!–*Patriarcas y profetas,* pp. 293, 294.

Orar en el nombre de Jesús

Hijitos míos, estas cosas os escribo para que no pequéis; y si alguno hubiere pecado, abogado tenemos para con el Padre, a Jesucristo el justo.
1 Juan 2:1.

Tenemos un abogado ante el trono de Dios, que está envuelto por el arco iris de la promesa, y estamos invitados a presentar nuestras peticiones ante el Padre en el nombre de Cristo. Dice Jesús: Pidan lo que deseen en mi nombre, y les será hecho. Al presentar mi nombre, dan testimonio de que me pertenecen, que son mis hijos e hijas, y el Padre los tratará como a su propio Hijo y los amará como me ha amado a mí. Su fe en mí los llevará a ejercer un afecto íntimo y filial hacia mí y el Padre. Soy la cadena de oro por la cual el corazón y el alma de ustedes están unidos en amor y obediencia a mi Padre. Exprésenle a mi Padre el hecho de que mi nombre les es precioso, que me respetan y me aman, y pueden pedir lo que deseen. Él perdonará sus transgresiones y los adoptará en su familia real: los hará hijos de Dios, coherederos con su Hijo unigénito.

Por medio de la fe en mi nombre les impartirá la santificación y la santidad que los hará aptos para su obra en un mundo de pecado, y los calificará para una herencia inmortal en su reino. El Padre ha abierto de par en par no sólo todo el cielo, sino también todo su corazón a los que manifiestan fe en el sacrificio de Cristo, y quienes por medio de la fe en el amor de Dios vuelven a ser leales a él. Los que creen en Cristo como el Portador del pecado, la propiciación por nuestros pecados, como el que intercede en su favor, pueden, por medio de las riquezas de la gracia de Dios, reclamar los tesoros del cielo...

La oración del corazón contrito abre la mina de provisiones y se aferra del poder Omnipotente. Esta clase de oración capacita al suplicante para entender lo que significa aferrarse de la fuerza de Dios, y hacer la paz con él. Esta clase de oración nos motiva a tener una influencia sobre aquellos con los que nos relacionamos... Es nuestro privilegio y deber llevar la eficacia del nombre de Cristo en nuestras peticiones, y usar los mismos argumentos que Cristo usó en favor de nosotros. Entonces nuestras oraciones estarán en completa armonía con la voluntad de Dios.–*Signs of the Times*, 18 de junio de 1896.

Nuestras oraciones serán contestadas

Porque entonces te deleitarás en el Omnipotente, y alzarás a Dios tu rostro. Orarás a él, y él te oirá; y tú pagarás tus votos. Job 22:26, 27.

En la oración por sus discípulos, Cristo dijo: "Y por ellos yo me santifico a mí mismo, para que también ellos sean santificados en la verdad" (Juan 17:19). En su oración Cristo incluye a todos los que escucharían las palabras de vida y salvación por medio de los mensajeros a los que envía...

¿Podemos comprender por la fe el hecho de que somos amados por el Padre así como su Hijo es amado? Si pudiéramos asirnos de esto y obrar de acuerdo con esto, tendríamos la gracia de Cristo, el aceite dorado del cielo derramado en nuestra pobre alma, sedienta y agostada. Nuestra luz ya no sería por más tiempo vacilante y parpadeante, sino que brillaría en medio de las tinieblas morales que como una mortaja funeral están envolviendo al mundo. Por la fe deberíamos escuchar la intercesión prevaleciente que Cristo presenta continuamente en favor de nosotros, mientras dice: "Padre, aquellos que me has dado, quiero que donde yo estoy, también ellos estén conmigo, para que vean mi gloria que me has dado; porque me has amado desde antes de la fundación del mundo" (Juan 17:24)...

Nuestro Redentor nos alienta a que presentemos súplicas continuamente. Nos hace las promesas más resueltas, para que no supliquemos en vano. Dice: "Pedid, y se os dará; buscad, y hallaréis; llamad, y se os abrirá. Porque todo aquel que pide, recibe; y el que busca, halla; y al que llama, se le abrirá" (Luc. 11:9).

Después presenta el cuadro de un niño que le pide pan a su padre, y muestra cuánto más está dispuesto el Señor a concedernos nuestras peticiones de lo que los padres están a conceder la petición de sus hijos...

Nuestro precioso Salvador es nuestro hoy. En él se centran nuestras esperanzas de vida eterna. Él es el único que presenta nuestras peticiones ante el Padre y nos comunica la bendición que habíamos pedido.–*Signs of the Times*, 18 de junio de 1896.

¡No sólo orar, sino también pedir y trabajar!

Me dijo el rey: ¿Qué cosa pides? Entonces oré al Dios de los cielos, y dije al rey: Si le place al rey, y tu siervo ha hallado gracia delante de ti, envíame a Judá, a la ciudad de los sepulcros de mis padres, y la reedificaré. Nehemías 2:4, 5.

Mientras Nehemías imploraba la ayuda de Dios, no se cruzó de brazos, pensando que no tenía más responsabilidad en el cumplimiento de su propósito de restaurar Jerusalén. Con admirable prudencia y previsión, procedió a tomar todas las providencias necesarias para asegurar el éxito de la empresa...

El ejemplo de este santo hombre debiera ser una lección para todos los hijos de Dios, con el fin de que no sólo oren con fe, sino que también trabajen con diligencia y fidelidad. ¡Cuántas dificultades encontramos, cuán a menudo impedimos que la Providencia obre en favor de nosotros, debido a que se considera que la prudencia, la previsión y el esmero tienen poco que ver con la religión! Es esta una gran equivocación. Es deber nuestro cultivar y ejercitar toda facultad que nos haría obreros más eficientes para Dios. Hoy en día, la consideración cuidadosa y los planes bien pensados son tan esenciales para el éxito de las empresas sagradas como en el tiempo de Nehemías...

Los hombres de oración deben ser hombres de acción. Los que están listos a trabajar y dispuestos a hacerlo, hallarán las formas y los medios. Nehemías no dependió de la incertidumbre. Los medios de los cuales carecía los solicitó de quienes podían otorgarlos.

El Señor conmueve aún el corazón de reyes y gobernantes en favor de su pueblo. Los que trabajan para él han de valerse de la ayuda que él induce a los hombres y a las mujeres a dar para el avance de su causa. Los agentes de los cuales provienen estas dádivas pueden abrir caminos por los cuales la luz de la verdad pueda ser dada a muchos países entenebrecidos. Estas personas pueden no tener simpatía hacia la obra de Dios, ni fe en Cristo, ni conocimiento de su Palabra; pero sus dones no han de ser rechazados por ese motivo.

El Señor ha colocado sus bienes en manos de los no creyentes así como en las de los cristianos; todos pueden devolverle lo que le pertenece para la realización de la obra que debe ser hecha en favor de un mundo caído. Mientras estemos en este mundo, mientras el Espíritu de Dios contienda con el corazón humano, hemos de recibir y hacer favores.–*Southern Watchman*, 15 de marzo de 1904. (Ver *Servicio cristiano*, pp. 296, 297, 214, 209.)

Orar en sumisión a la voluntad de Dios

Velad, pues, en todo tiempo orando que seáis tenidos por dignos de escapar de todas estas cosas que vendrán, y de estar en pie delante del Hijo del Hombre. Lucas 21:36.

Oren a menudo a su Padre celestial. Cuanto más a menudo se dediquen a la oración, tanto más cerca será llevada su alma dentro de la sagrada proximidad de Dios. El Espíritu Santo intercederá en favor del que ora con sinceridad con gemidos que no pueden ser expresados con palabras, y el corazón será ablandado y subyugado por el amor de Dios. Las nubes y sombras que Satanás echa sobre el alma serán disipadas por los brillantes rayos del Sol de justicia, y las cámaras de la mente y del corazón serán alumbradas por la luz del Cielo.

No se desanimen si parece que sus oraciones no obtienen una respuesta inmediata. El Señor ve que la oración está mezclada a menudo con mundanalidad. Los seres humanos oran por aquello que satisfará sus deseos egoístas, y el Señor no cumple sus pedidos en la manera que ellos esperan. Los pone a prueba, los lleva a través de humillaciones hasta que vean más claramente cuáles son sus necesidades. No da a los seres humanos aquellas cosas que complacerán un apetito pervertido y que resultaría en perjuicio del agente humano, llevándolo a deshonrar a Dios. No da a las personas aquello que complacerá su ambición y obrará simplemente para su autoexaltación. Cuando acudimos a Dios debemos estar dispuestos a someternos y a ser contritos de corazón, subordinándolo todo a su santa voluntad.

En el Getsemaní, Cristo oró a su Padre diciendo: "Padre mío, si es posible, pase de mí esta copa" (Mat. 26:39). La copa que pidió que fuese pasada de él, que parecía tan amarga a su alma, era la copa de la separación de Dios a consecuencia del pecado del mundo. Él, que era perfectamente inocente e inmaculado llegó a ser como un culpable delante de Dios, para que el culpable pudiera ser perdonado y permanecer como inocente delante de Dios.

Cuando se le aseguró que el mundo no podría ser salvado de ninguna otra manera que no fuera por su sacrificio, dijo: "Pero no sea como yo quiero, sino como tú". El espíritu de sumisión que manifestó Cristo al ofrecer su oración ante Dios, es el espíritu que es aceptable a Dios. Que el alma sienta su necesidad, su impotencia, su insignificancia, que todas sus energías estén inspiradas en un ferviente deseo de ayuda, y la ayuda vendrá.–*Review and Herald,* 19 de noviembre de 1895. (Ver *En los lugares celestiales*, p. 91.)

Permanecer cerca de Dios para evitar las tinieblas

Orando en todo tiempo con toda oración y súplica en el Espíritu, y velando en ello con toda perseverancia y súplica por todos los santos.
Efesios 6:18.

Algunos no son naturalmente piadosos, y por lo tanto deberían reforzar y cultivar el hábito de hacer un examen íntimo de su vida y sus motivos, y deberían fomentar de un modo especial el amor por los ejercicios religiosos y por la oración secreta. Con frecuencia se los escucha hablar de dudas e incredulidad, y se explayan en las prodigiosas luchas que han tenido que librar con sentimientos de incredulidad y duda. Se espacian en influencias desalentadoras como para afectar su fe, esperanza y valor en relación con la verdad y en el triunfo final de la obra y la causa en la cual están comprometidos, como si fuera una virtud especial encontrarse en el lado de los que dudan.

A veces parece que realmente se complacieran en insistir en la posición del infiel, y fortalecen su incredulidad con cada caso que pueden encontrar como excusa de sus tinieblas. A los tales les diría: "Sería mejor que bajaran enseguida y dejaran los muros de Sion hasta que lleguen a estar convertidos"...

Pero, ¿cuál es la razón de esas dudas, de esa oscuridad e incredulidad? Respondo: Estos hombres y estas mujeres no están en una relación correcta con Dios. No son honestos y sinceros con su propia alma. Han descuidado cultivar la piedad personal. No se han separado de todo egoísmo, ni del pecado y los pecadores. Han fallado en estudiar la vida abnegada y de renunciamiento de nuestro Señor, y han fallado en imitar su ejemplo de pureza, devoción y abnegación.

El pecado que los asedia fácilmente ha sido fortalecido por la complacencia. Por su propia negligencia y pecado se han separado de la compañía del Maestro divino...

Estamos comprometidos en una obra exaltada y sagrada. Los que profesan ser llamados para enseñar la verdad a quienes moran en tinieblas, no deben ser ellos mismos núcleos de incredulidad y de tinieblas. Deberían vivir cerca de Dios, donde puedan ser luz en el Señor. La razón por la cual no son luz, es porque no están obedeciendo la Palabra de Dios; por lo tanto, se expresan palabras de duda y de desánimo, cuando deberían escucharse sólo palabras de fe y de santa alegría.—*Testimonies for the Church*, t. 2, pp. 513-516.

Orar para reflejar el insondable amor de Cristo

El que no escatimó ni a su propio Hijo, sino que lo entregó por todos
nosotros, ¿cómo no nos dará también con él todas las cosas?
Romanos 8:32.

¿Quién puede medir el amor que sintió Cristo por el mundo perdido mientras pendía de la cruz sufriendo por los pecados de la raza culpable? Este amor fue inconmensurable, infinito.

Cristo demostró que su amor era más fuerte que la muerte. Estaba cumpliendo la salvación de la humanidad; y aunque sostenía el más espantoso conflicto con las potestades de las tinieblas, en medio de todo ello su amor se intensificaba... Pagó el precio para comprar la redención de la humanidad cuando, en la última lucha de su alma, expresó las palabras bienaventuradas que parecieron repercutir por toda la creación: "Consumado es"...

No podemos medir la longitud, anchura, altura y profundidad de un amor tan asombroso. La contemplación de las profundidades inconmensurables del amor del Salvador debieran llenar la mente, conmover y enternecer el alma, refinar y elevar los afectos, y transformar completamente todo el carácter...

Algunos tienen opiniones limitadas acerca de la expiación. Piensan que Cristo sufrió tan sólo una pequeña parte de la penalidad de la ley de Dios; suponen que, aunque el amado Hijo de Dios soportó la ira de Dios, fue porque él primero advertía a través de sus dolorosos sufrimientos el amor y la aceptación del Padre; que los portales de la tumba se iluminaron delante de él con radiante esperanza, y que tenía evidencias constantes de su gloria futura. Este es un gran error. La más punzante angustia de Cristo provenía de que él comprendía el desagrado de su Padre. La agonía que esto le causaba era tan intensa, que el ser humano puede apreciarla tan sólo débilmente...

Este es un amor que ningún lenguaje humano puede expresar, pues supera todo conocimiento. Grande es el misterio de la piedad. Nuestra alma debe ser vivificada, elevada y arrobada por el tema del amor del Padre y del Hijo hacia el ser humano. Los discípulos de Cristo deben aprender aquí a reflejar en cierto grado este misterioso amor; así se prepararán para unirse con todos los redimidos que atribuirán "al que está sentado en el trono, y al Cordero... la alabanza, la honra, la gloria y el poder, por los siglos de los siglos" (Apoc. 5:13).–*Joyas de los testimonios*, t. 1, pp. 229, 230, 232.

Obtener fuerza espiritual por medio de la oración

Levantándose muy de mañana, siendo aún muy oscuro, salió y se fue a un lugar desierto, y allí oraba. Marcos 1:35.

Porque la vida de Jesús fue una vida de confianza constante, sostenida por la comunión continua, su servicio para el cielo fue sin fracaso ni vacilación. Diariamente asediado por la tentación, constantemente contrariado por los dirigentes del pueblo, Cristo sabía que debía fortalecer su humanidad por medio de la oración. Con el fin de ser útil a la humanidad, debía comulgar con Dios, y obtener de él energía, perseverancia y constancia.

El Salvador amaba la soledad de la montaña para estar en comunión con su Padre. Durante el día trabajaba ardorosamente para salvar a hombres, a mujeres y a niños de la destrucción. Sanaba a los enfermos, consolaba a los que lloraban, devolvía la vida a los muertos, e infundía esperanza y alegría a los que desesperaban. Terminada su labor del día se apartaba, noche tras noche, de la confusión de la ciudad, y se postraba ante su Padre en oración. Con frecuencia seguía elevando sus peticiones durante toda la noche; pero salía de estos momentos de comunión vigorizado y refrigerado, fortalecido para el deber y la prueba.

¿Están los ministros de Cristo tentados y fieramente azotados por Satanás? Así también lo fue Aquel que no conoció pecado. En la hora de angustia se volvía hacia su Padre. Siendo él mismo una fuente de bendición y fuerza, podía sanar a los enfermos y resucitar a los muertos; podía dar órdenes a la tempestad y ésta le obedecía; sin embargo, oraba muchas veces con fuerte clamor y lágrimas. Oraba por sus discípulos y por sí mismo, identificándose así con los seres humanos. Él era poderoso en la oración. Como Príncipe de la vida, tenía poder con Dios, y prevalecía...

Los que enseñan y predican más eficazmente son quienes esperan humildemente en Dios, quienes tienen hambre de dirección y gracia. Velar, orar, trabajar, tal es la consigna del cristiano. La vida de un verdadero cristiano es una vida de oración constante. Él sabe que la luz y fuerza de un día no bastan para las pruebas y los conflictos del siguiente. Satanás está de continuo cambiando sus tentaciones. Cada día nos veremos colocados en circunstancias diferentes; y en las escenas desconocidas que nos aguardan, estaremos rodeados de nuevos peligros y constantemente asaltados por tentaciones nuevas e inesperadas. Es únicamente por la fuerza y gracia recibidas del cielo como podemos esperar vencer las tentaciones y cumplir los deberes que se nos presentan.–*Obreros evangélicos*, pp. 269-271.

Rogar por sabiduría y poder

*Como el ciervo brama por las corrientes de las aguas, así clama por ti,
oh Dios, el alma mía. Mi alma tiene sed de Dios, del Dios vivo.*
Salmo 41:1, 2.

Los que en Pentecostés fueron dotados con el poder de lo alto, no quedaron desde entonces libres de tentación y prueba. Como testigos de la verdad y la justicia, eran repetidas veces asaltados por el enemigo de toda verdad, que trataba de despojarlos de su experiencia cristiana. Estaban obligados a luchar con todas las facultades dadas por Dios para alcanzar la medida de la estatura de hombres y mujeres en Cristo Jesús. Oraban diariamente en procura de nuevas provisiones de gracia para poder elevarse más y más hacia la perfección.

Bajo la obra del Espíritu Santo, aún los más débiles, ejerciendo fe en Dios, aprendían a desarrollar las facultades que les habían sido confiadas y llegaron a ser santificados, refinados y ennoblecidos. Mientras se sometían con humildad a la influencia modeladora del Espíritu Santo, recibían de la plenitud de la Deidad y eran amoldados a la semejanza divina.

El transcurso del tiempo no ha cambiado en nada la promesa de despedida de Cristo de enviar el Espíritu Santo como su representante. No es por causa de alguna restricción por parte de Dios por lo que las riquezas de su gracia no fluyen hacia los seres humanos sobre la tierra. Si la promesa no se cumple como debiera, se debe a que no es apreciada debidamente. Si todos lo quisieran, todos serían llenados del Espíritu. Dondequiera la necesidad del Espíritu Santo sea un asunto en el cual se piense poco, se ve sequía espiritual, oscuridad espiritual, decadencia y muerte espirituales. Cuandoquiera los asuntos menores ocupen la atención, el poder divino que se necesita para el crecimiento y la prosperidad de la iglesia, y que traería todas las demás bendiciones en su estela, falta, aunque se ofrece en infinita plenitud...

Deberían reunirse grupos de obreros cristianos para solicitar ayuda especial y sabiduría celestial para hacer planes y ejecutarlos sabiamente. Debieran orar especialmente porque Dios bautice con una rica medida de su Espíritu a sus embajadores escogidos en los campos misioneros. La presencia del Espíritu en los obreros de Dios dará a la proclamación de la verdad un poder que todo el honor y la gloria del mundo no podrían conferirle.–*Los hechos de los apóstoles*, pp. 40-42.

Orar silenciosa y continuamente

Alégrese el corazón de los que buscan a Jehová. Buscad a Jehová y su poder. 1 Crónicas 16:10, 11.

La oración no es entendida como se debiera. Nuestras oraciones no son para informar a Dios de algo que él no sabe. El Señor está al tanto de los secretos de cada alma. Nuestras oraciones no tienen por qué ser largas ni decirse en voz alta. Dios lee los pensamientos ocultos. Podemos orar en secreto, y Aquel que ve en secreto oirá y nos recompensará en público.

Las oraciones dirigidas a Dios para contarle todas nuestras desgracias cuando en realidad no nos sentimos desgraciados, son oraciones hipócritas. Dios tiene en cuenta el corazón contrito. "Porque así dijo el Alto y Sublime, el que habita la eternidad, y cuyo nombre es el Santo: Yo habito en la altura y la santidad, y con el quebrantado y humilde de espíritu, para hacer vivir el espíritu de los humildes, y para vivificar el corazón de los quebrantados" (Isa. 57:15).

La oración no tiene por objeto obrar un cambio en Dios; nos pone a nosotros en armonía con Dios. No reemplaza al deber. Dios nunca aceptará en lugar del diezmo la oración hecha con frecuencia y fervor. La oración no pagará nuestras deudas a Dios...

La fuerza adquirida por medio de la oración a Dios nos preparará para nuestros deberes cotidianos. Las tentaciones a que estamos diariamente expuestos hacen de la oración una necesidad. Con el fin de ser mantenidos por el poder de Dios mediante la fe, los deseos de la mente debieran ascender continuamente en oración silenciosa.

Cuando estamos rodeados por influencias destinadas a apartarnos de Dios, nuestras peticiones de ayuda y fuerza deben ser incansables. A menos que así sea, nunca tendremos éxito en quebrantar el orgullo y en vencer el poder que nos tienta a cometer excesos pecaminosos que nos apartan del Salvador. La luz de la verdad, que santifica la vida, descubrirá al que la recibe las pasiones pecaminosas de su corazón, las cuales se esfuerzan por conseguir el señorío y hacen necesario tener todo nervio en tensión y ejercitar todas las facultades para resistir a Satanás y vencer por los méritos de Cristo.–*Mensajes para los jóvenes*, pp. 245, 246.

Llevar a los hijos en oración a Jesús

Entonces le fueron presentados unos niños, para que pusiese las manos sobre ellos, y orase; y los discípulos les reprendieron. Mateo 19:13.

En el tiempo de Cristo las madres le llevaban a sus hijos para que les impusiera las manos y los bendijese. Así manifestaban ellas su fe en Jesús, y también el intenso anhelo de su corazón por el bienestar presente y futuro de los pequeñuelos confiados a su cuidado. Pero los discípulos no podían reconocer la necesidad de interrumpir al Maestro tan sólo para que se fijara en los niños, y en una ocasión en que alejaban a unas cuantas madres, Jesús los reprendió y ordenó a la muchedumbre que diese paso a esas madres fieles y a sus niñitos. Dijo él: "Dejad a los niños venir a mí y no se lo impidáis; porque de los tales es el reino de los cielos" (Mat. 19:14).

Mientras las madres recorrían el camino polvoriento y se acercaban al Salvador, él veía sus lágrimas y cómo sus labios temblorosos elevaban una oración silenciosa en favor de los niños. Oyó las palabras de reprensión que pronunciaban los discípulos y prestamente anuló la orden de ellos. Su gran corazón rebosante de amor estaba abierto para recibir a los niños. A uno tras otro tomó en sus brazos y los bendijo, mientras un pequeñuelo, reclinado contra su pecho, dormía profundamente. Jesús dirigió a las madres palabras de aliento referentes a su obra, y ¡cuánto alivió así su ánimo! ¡Con cuánto gozo se espaciaban ellas en la bondad y misericordia de Jesús al recordar aquella memorable ocasión! Las misericordiosas palabras de él habían quitado la carga que las oprimía y les habían infundido nueva esperanza y valor. Se había desvanecido todo su cansancio.

Fue una lección alentadora para las madres de todos los tiempos. Después de haber hecho lo mejor que está a su alcance para beneficiar a sus hijos, pueden llevarlos a Jesús. Aun los pequeñuelos en los brazos de la madre resultan preciosos a los ojos de él. Y mientras la madre anhele verlos recibir la ayuda que ella no puede darles, la gracia que no puede otorgarles, y se confíe a sí misma y a sus hijos en los brazos misericordiosos de Cristo, él los recibirá y los bendecirá; dará paz, esperanza y felicidad tanto a ella como a ellos.–*El hogar adventista,* pp. 248, 249.

Una oración que nos incluye

Y Jesús decía: Padre, perdónalos, porque no saben lo que hacen. Y repartieron entre sí sus vestidos, echando suertes". Lucas 23:24.

Una gran multitud siguió al Salvador al Calvario, y muchos de sus integrantes se burlaban de él y lo ridiculizaban; pero muchos lloraban y repetían sus alabanzas. Los que habían sido sanados de diversas enfermedades, los que habían resucitado de entre los muertos, se refirieron con voz fervorosa a sus maravillosas obras, y manifestaron el deseo de saber qué había hecho para que se lo tratara como un malhechor...

El Señor no formuló queja alguna; su rostro seguía pálido y sereno, pero grandes gotas de sudor corrían por su frente. No hubo mano piadosa que enjugara de su rostro el rocío de muerte, ni palabras de simpatía e inmutable fidelidad que sostuvieran su corazón humano. Estaba pisando totalmente solo el lagar, y del pueblo, nadie estuvo con él. Mientras los soldados llevaban a cabo su odiosa tarea, y él sufría la más aguda agonía, oró por sus enemigos: "Padre, perdónalos, porque no saben lo que hacen".

Su mente se apartó de sus propios sufrimientos para pensar en el pecado de sus perseguidores y en la terrible pero justa retribución que les caería. Se compadeció de ellos en su ignorancia y su culpa. No invocó maldición alguna sobre los soldados que lo maltrataban tan rudamente. No invocó venganza alguna sobre los sacerdotes y príncipes, que fueron la causa de todo su sufrimiento y que manifestaban una satisfacción maligna por haber logrado su propósito. Sólo exhaló una súplica para que fuesen perdonados, "porque no saben lo que hacen".

Si hubiesen sabido que estaban torturando intensamente a Aquel que había venido para salvar a la raza pecaminosa de la ruina eterna, el remordimiento y el horror se habrían apoderado de ellos. Pero su ignorancia no suprimió su culpabilidad, porque habían tenido el privilegio de conocer y aceptar a Jesús como su Salvador. Rechazaron toda evidencia, y no sólo pecaron contra el Cielo al crucificar al Rey de gloria, sino también contra los sentimientos más comunes de la humanidad al condenar a una muerte dolorosa a un hombre inocente. Jesús estaba adquiriendo el derecho a ser el Abogado del hombre en la presencia del Padre. Esa oración de Cristo por sus enemigos abarcaba al mundo. Abarcaba a todo pecador que viviera hasta el fin del tiempo.–*Spirit of Prophecy*, t. 3, pp. 152-154. (Ver *El Deseado de todas las gentes*, pp. 693, 694; *La historia de la redención*, pp. 229, 230.)

Sincera búsqueda de la verdad y la comunión con Dios

Alumbrando los ojos de vuestro entendimiento, para que sepáis cuál es la esperanza a que él os ha llamado, y cuáles las riquezas de la gloria de su herencia en los santos. Efesios 1:18.

Todo verdadero conocimiento y desarrollo tienen su origen en el conocimiento de Dios. Doquiera nos dirijamos: al dominio físico, mental y espiritual; cualquier cosa que contemplemos, fuera de la marchitez del pecado, en todo vemos revelado este conocimiento. Cualquier ramo de investigación que emprendamos, con el sincero propósito de llegar a la verdad, nos pone en contacto con la Inteligencia poderosa e invisible que obra en todas las cosas y por medio de ellas. La mente del hombre se pone en comunión con la mente de Dios; lo finito con lo infinito. El efecto que tiene esta comunión sobre el cuerpo, la mente y el alma sobrepuja toda estimación.

En esta comunión se halla la educación más elevada. Es el método propio que Dios tiene para lograr el desarrollo del ser humano. Su mensaje para la humanidad es: "Vuelve ahora en amistad con él" (Job 22:21). El método trazado en esta frase era el seguido en la educación del padre de nuestra especie. Así instruyó Dios a Adán cuando, en la gloria de una virilidad exenta de pecado, habitaba éste en el sagrado Jardín del Edén...

Cuando Adán salió de las manos del Creador, llevaba en su naturaleza física, mental y espiritual la semejanza de su Hacedor. "Creó Dios al hombre a su imagen" (Gén. 1:27) con el propósito de que, cuanto más viviera, más plenamente revelara esa imagen; más plenamente reflejara la gloria del Creador. Todas sus facultades eran susceptibles de desarrollo; su capacidad y su vigor debían aumentar continuamente. Vasta era la esfera que se ofrecía a su actividad, glorioso el campo abierto a su investigación... Si hubiese permanecido leal a su Dios, todo esto le hubiera pertenecido para siempre...

Pero por la desobediencia perdió todo eso. El pecado mancilló y casi borró la semejanza divina. Las facultades físicas del hombre se debilitaron, su capacidad mental disminuyó, su visión espiritual se oscureció. Quedó sujeto a la muerte. No obstante, la especie humana no fue dejada sin esperanza. Con infinito amor y misericordia había sido trazado el plan de salvación y se le otorgó una vida de prueba. La obra de la redención debía restaurar en la familia humana la imagen de su Hacedor, devolverlo a la perfección con que había sido creado, promover el desarrollo del cuerpo, la mente y el alma, con el fin de llevar a cabo el propósito divino de su creación. Este es el objeto de la educación, el gran objeto de la vida.–*La educación,* pp. 14-16.

Oración que lleva a la reforma

Si se humillare mi pueblo sobre el cual mi nombre es invocado, y oraren, y buscaren mi rostro, y se convirtieren de sus malos caminos; entonces yo oiré desde los cielos, y perdonaré sus pecados, y sanaré su tierra. 2 Crónicas 7:14.

En la oración profética que elevara al dedicar el templo, cuyos servicios Ezequías y sus asociados estaban restableciendo, Salomón se había expresado así: "Si tu pueblo Israel fuere derrotado delante de sus enemigos por haber pecado contra ti, y se volvieren a ti y confesaren tu nombre, y oraren y suplicaren en esta casa, tú oirás en los cielos y perdonarás el pecado de tu pueblo Israel, y los volverás a la tierra que diste a sus padres" (1 Rey. 8:33, 34).

Esta oración había recibido el sello de la aprobación divina; porque a su conclusión descendió fuego del cielo para consumir el holocausto y los sacrificios, y la gloria del Señor llenó el templo (ver 2 Crón. 7:1). Y de noche el Señor apareció a Salomón para decirle que su oración había sido oída, y que su misericordia se manifestaría hacia los que le adoraran allí...

Durante muchos años la Pascua no había sido observada como fiesta nacional. La división del reino, al finalizar el reinado de Salomón, había hecho difícil esa celebración. Pero los terribles castigos que estaban cayendo sobre las diez tribus despertaban en el corazón de algunos un deseo de cosas mejores; y se notaba el efecto que tenían los mensajes conmovedores de los profetas... Los impenitentes se apartaban con liviandad; pero algunos, deseosos de buscar a Dios y de obtener un conocimiento más claro de su voluntad, "se humillaron, y vinieron a Jerusalén" (2 Crón. 30:10, 11).–*Profetas y reyes*, pp. 248, 249.

Sólo había un remedio para el castigado Israel, y consistía en que se apartase de los pecados que habían traído sobre él la mano castigadora del Todopoderoso, y que se volviese al Señor de todo su corazón. Se le había hecho esta promesa: "Si yo cerrara los cielos para que no haya lluvia, y si mandare a la langosta que consuma la tierra, o si enviare pestilencia a mi pueblo; si se humillare mi pueblo sobre el cual mi nombre es invocado, y oraren, y buscaren mi rostro, y se convirtieren de sus malos caminos; entonces yo oiré desde los cielos, y perdonaré sus pecados, y sanaré su tierra" (2 Crón. 7:13, 14). Con el fin de obtener este resultado bienaventurado, Dios continuaba privándolos de rocío y lluvia hasta que se produjese una reforma decidida.–*Profetas y reyes*, p. 92.

Las oraciones consiguen la ayuda de los ángeles

Porque el que siembra para su carne, de la carne segará corrupción; mas el que siembra para el Espíritu, del Espíritu segará vida eterna.
Gálatas 6:8.

Jóvenes y señoritas, son responsables ante Dios por la luz que les ha dado. Esta luz y estas amonestaciones, si no las escuchan, se levantarán en el juicio contra ustedes. Se les han señalado claramente los peligros que corren; se les han dirigido palabras de cautela, y han sido guardados por todos lados y rodeados de advertencias. Han escuchado en la casa de Dios las verdades más solemnes y escrutadoras del corazón, presentadas por los siervos de Dios con la manifestación de su Espíritu. ¿Qué peso han tenido sobre su corazón estas solemnes súplicas? ¿Qué influencia ejercen sobre los caracteres de ustedes? Se les pedirá cuenta de cada una de estas súplicas y advertencias. Se levantarán en el juicio para condenar a los que viven en la vanidad, la liviandad y el orgullo...

Después que ha sido dada esta luz, después que les han sido presentados claramente los peligros que ustedes corren, la responsabilidad cae claramente sobre ustedes. La manera en que empleen la luz que Dios les da, hará inclinar la balanza para la felicidad o desgracia de ustedes. Ustedes mismos están moldeando sus destinos.

Todos ejercen una influencia para el bien o para el mal sobre la mente y el carácter de los demás. Y en los registros del cielo queda escrito exactamente qué clase de influencia ejercerán. Un ángel les acompaña, y toma nota de las palabras y acciones de ustedes. Cuando se levantan por la mañana, ¿sienten su impotencia y su necesidad de fuerza divina? ¿Dan a conocer humildemente, de todo corazón, sus necesidades a su Padre celestial? En tal caso los ángeles notan sus oraciones, y si éstas no han salido de labios fingidores, cuando estén en peligro de pecar inconscientemente y de ejercer una influencia que induciría a otros a hacer el mal, el ángel custodio de ustedes estará a su lado para inducirlos a seguir una conducta mejor, para escoger las palabras que han de pronunciar y para influir en sus acciones...

La gloria inmortal y la vida eterna son la recompensa que nuestro Redentor ofrece a los que quieran obedecerle. Gracias a él es posible que ellos perfeccionen su carácter cristiano mediante su nombre y venzan por su cuenta como él venció en su favor. Les ha dado un ejemplo en su propia vida, mostrándoles cómo pueden vencer. "Porque la paga del pecado es muerte, mas la dádiva de Dios es vida eterna en Cristo Jesús Señor nuestro" (Rom. 6:23).–*Joyas de los testimonios*, t. 1, pp. 347-349.

Prepararse para los congresos por medio de la oración

Acercaos a Dios y él se acercará a vosotros. Pecadores, limpiad las manos; y vosotros de doble ánimo, purificad vuestros corazones... Humillaos delante del Señor, y él os exaltará. Santiago 4:8, 10.

Aquí hay una obra en la cual deben ocuparse las familias antes de venir a nuestras santas convocaciones. Que los preparativos para comer y vestirse sean un asunto secundario, pero que el examen profundo del corazón comience en el hogar. Oren tres veces al día, y, al igual que Jacob, sean insistentes. El hogar es el lugar para encontrar a Jesús; después llévenlo con ustedes a la reunión campestre, y, entonces, qué preciosas serán las horas que pasen allí. Pero, ¿cómo pueden esperar sentir la presencia del Señor y ver la revelación de su poder cuando se ha descuidado la obra individual de preparación para ese momento?

Por amor a su propia alma, por amor a Cristo y por amor a los demás, trabajen en el hogar. Oren como nunca han acostumbrado orar. Que el corazón se quebrante delante de Dios. Pongan su casa en orden. Preparen a sus hijos para la ocasión. Enséñenles que no es de tanta importancia que aparezcan vestidos con ropa fina como que aparezcan ante Dios con manos limpias y corazón puro. Quiten cualquier impedimento que obstruya su camino todas las diferencias que pueda haber habido entre ellos o entre ustedes y ellos. Al hacerlo así invitarán la presencia del Señor en sus hogares, y santos ángeles les acompañarán cuando vayan a las reuniones, y su luz y presencia rechazarán la oscuridad de los ángeles malos...

Oh, ¡cuánto se pierde al descuidar esta obra tan importante! Pueden estar satisfechos con la predicación, pueden llegar a sentirse animados y refrescados, pero el poder convertidor y reformador de Dios no se sentirá en el corazón, y la obra no será tan profunda, cabal y duradera como debería ser. Crucifiquen el orgullo y revistan el alma con el manto inapreciable de la justicia de Cristo, y entonces, ¡qué reunión disfrutarán! Será para su alma como los portales del cielo.

La misma obra de humillación y de escudriñamiento del corazón también debería llevarse a cabo en la iglesia, de manera que todas las diferencias y desavenencias entre los miembros puedan ser puestas aparte antes de aparecer delante del Señor... Lleven a cabo esta obra con seriedad... porque si van a la reunión con sus dudas, sus murmuraciones, sus disputas, traerán a los ángeles malos al campamento y llevarán la oscuridad doquiera vayan.–*Testimonies for the Church*, t. 5, pp. 164, 165. [Aquí se habla de las reuniones campestres anuales.]

Mirar a Jesús en oración

Y como Moisés levantó la serpiente en el desierto, así es necesario que el Hijo del Hombre sea levantado. Juan 3:14.

Por todo el campamento de Israel había dolientes y moribundos que habían sido picados por el aguijón mortal de las serpientes. Pero Jesucristo habló desde la columna de nube y dio instrucciones por medio de las cuales el pueblo podía ser sanado. Se hizo la promesa de que cualquiera que mirase a la serpiente de bronce, viviría; y se cumplió la promesa en los que la miraban. Pero si alguno decía: "¿Qué bien me hará mirar? Moriré ciertamente bajo el aguijón mortal de la serpiente"; si continuaban hablando de su herida mortal y declaraban que su caso era desesperado y no llevaban a cabo ese sencillo acto de obediencia, morirían. Pero cada uno que la miraba, vivía...

Ahora nuestra atención se dirige al gran Médico: "He aquí el Cordero de Dios que quita el pecado del mundo" (Juan 1:29). Igualmente, mientras miremos nuestros pecados y hablemos de ellos, y deploremos nuestra miserable condición, permanecerán nuestras heridas y podridas llagas. Nuestra alma encuentra esperanza y paz cuando quitamos la vista de nosotros mismos y la fijamos sobre el Salvador levantado. El Señor nos habla por su Palabra y nos ordena: "Miren y vivan". "El que recibe su testimonio, éste atestigua que Dios es veraz. Porque el que Dios envió, las palabras de Dios habla; pues Dios no da el Espíritu por medida. El Padre ama al Hijo, y todas las cosas ha entregado en su mano. El que cree en el Hijo, tiene vida eterna" (Juan 3:33-36).

Hay razones por las que deberíamos animarnos a esperar la salvación de nuestra alma. En Jesucristo se hizo toda la provisión para nuestra salvación. No importa cuáles hayan sido nuestros pecados y defectos, hay un manantial abierto en la casa de David para la purificación del pecado y la inmundicia [Zac. 13:1]. "Venid luego, dirá Jehová, y estemos a cuenta: si vuestros pecados fueren como la gana, como la nieve serán emblanquecidos; si fueren rojos como el carmesí, vendrán a ser como blanca lana" (Isa. 1:18). Esta es la palabra del Señor. ¿La aceptaremos? ¿Creeremos en él?–*Signs of the Times*, 2 de abril de 1894.

Contestación a las oraciones de una madre piadosa

Por este niño oraba, y Jehová me dio lo que le pedí. 1 Samuel 1:27.

Elcana, un levita del monte de Efraín, era un hombre rico y de mucha influencia, que amaba y temía al Señor. Su esposa Ana era una mujer de piedad fervorosa. De carácter amable y modesto, se distinguía por una seriedad profunda y una fe muy grande. A esta pareja le había sido negada la bendición tan vehementemente deseada por todo hebreo. Su hogar no conocía la alegría de las voces infantiles; y el deseo de perpetuar su nombre había llevado al marido a contraer un segundo matrimonio, como lo hicieron muchos otros. Pero este paso, inspirado por la falta de fe en Dios, no significó felicidad. Se agregaron hijos e hijas a la casa; pero se había mancillado el gozo y la belleza de la institución sagrada de Dios, y se había quebrantado la paz de la familia. Penina, la nueva esposa, era celosa e intolerante, y se conducía con mucho orgullo e insolencia. Para Ana, toda esperanza parecía estar destruida, y la vida le parecía una carga pesada; no obstante, soportaba la prueba con mansedumbre y sin queja alguna...

Confió a Dios la carga que ella no podía compartir con ningún amigo terrenal. Fervorosamente pidió que él le quitase su oprobio, y que le otorgase el precioso regalo de un hijo para criarlo y educarlo para él. Hizo un voto solemne, a saber, que si se le concedía lo que pedía, dedicaría su hijo a Dios desde su nacimiento...

Le fue otorgado a Ana lo que había pedido; recibió el regalo por el cual había suplicado con tanto fervor. Cuando miró al niño, lo llamó Samuel, "demandado de Dios". Tan pronto como el niño tuvo suficiente edad para ser separado de su madre, cumplió ella su voto...

De Silo, Ana regresó quedamente a su hogar en Ramataim, dejando al niño Samuel para que, bajo la instrucción del sumo sacerdote, se lo educase en el servicio de la casa de Dios. Desde que el niño diera sus primeras muestras de inteligencia, la madre le había enseñado a amar y reverenciar a Dios, y a considerarse a sí mismo como del Señor. Por medio de todos los objetos familiares que le rodeaban, ella había tratado de dirigir sus pensamientos hacia el Creador. Cuando se separó de su hijo no cesó la solicitud de la madre fiel por el niño... No pedía para él grandeza terrenal, sino que solicitaba fervorosamente que pudiese alcanzar la grandeza que el cielo aprecia, que honrara a Dios y beneficiara a sus conciudadanos.–*Patriarcas y profetas*, pp. 614-618.

Qué significa orar en el nombre de Cristo

Y todo lo que pidiereis al Padre en mi nombre, lo haré, para que el Padre sea glorificado en el Hijo. Si algo pidiereis en mi nombre, yo lo haré. Juan 14:13, 14.

El Señor se chasquea cuando su pueblo se tiene en estima demasiado baja. Desea que su heredad escogida se estime según el valor que él le ha atribuido. Dios la quería, de otra manera no hubiera mandado a su Hijo a una empresa tan costosa para redimirla. Tiene empleo para ella, y le agrada cuando le dirige las más elevadas demandas con el fin de glorificar su nombre. Puede esperar grandes cosas si tiene fe en sus promesas.

Pero orar en nombre de Cristo significa mucho. Significa que hemos de aceptar su carácter, manifestar su espíritu y realizar sus obras. La promesa del Salvador se nos da bajo cierta condición. "Si me amáis", dice, "guardad mis mandamientos" [Juan 14:15]. Él salva a los hombres y a las mujeres no en el pecado, sino del pecado; y los que le aman mostrarán su amor obedeciéndole.

Toda verdadera obediencia proviene del corazón. La de Cristo procedía del corazón. Y si nosotros consentimos, se identificará de tal manera con nuestros pensamientos y fines, amoldará de tal manera nuestro corazón y nuestra mente en conformidad con su voluntad, que cuando le obedezcamos estaremos tan sólo ejecutando nuestros propios impulsos. La voluntad refinada y santificada hallará su más alto deleite en servirle. Cuando conozcamos a Dios como es nuestro privilegio conocerle, nuestra vida será una vida de continua obediencia. Si apreciamos el carácter de Cristo y tenemos comunión con Dios, el pecado llegará a sernos odioso...

No podemos depender de la humanidad para obtener consejos. El Señor nos enseñará nuestro deber tan voluntariamente como a alguna otra persona. Si acudimos a él con fe, nos dirá sus misterios a nosotros personalmente. Nuestro corazón arderá con frecuencia en nosotros mismos cuando él se ponga en comunión con nosotros, como lo hizo con Enoc. Los que decidan no hacer, en ningún ramo, algo que desagrade a Dios, sabrán, después de presentarle su caso, exactamente qué conducta seguir. Y recibirán no solamente sabiduría, sino fuerza. Se les impartirá poder para obedecer, para servir, según lo prometió Cristo.–*El Deseado de todas las gentes*, pp. 621, 622.

Comunión con Dios   25 de enero

Crecimiento espiritual por medio de la oración

Pedid, y se os dará; buscad, y hallaréis; llamad, y se os abrirá. Porque todo aquel que pide, recibe; y el que busca, halla; y al que llama, se le abrirá. Mateo 7:7, 8.

Los predicadores [y todos los] que quieran trabajar eficazmente para la salvación de las almas deberán ser estudiosos de la Biblia, y hombres y mujeres de oración. Es un pecado ser negligente en cuanto al estudio de la Palabra mientras se intenta enseñarla a otros. Quienes sienten el valor de las almas, huirán a la fortaleza de la verdad, donde pueden obtener sabiduría, conocimiento y fuerza para hacer las obras de Dios. No se dan descanso antes de haber recibido una unción de lo alto.

Ministros de Cristo [y otros] a quienes Dios ha hecho depositarios de su ley, ustedes tienen una verdad impopular. Deben llevar esta verdad al mundo. Deben darse advertencias... para prepararse para el gran día de Dios. Deben alcanzar a aquellos cuyo corazón está encallecido por el pecado y el amor al mundo. La oración continua y ferviente, y la seriedad en buenas obras los pondrán en comunión con Dios; su mente y corazón se empaparán de un sentido de las cosas eternas, y la unción celestial que brota de la relación con Dios será derramada sobre ustedes. Hará que su testimonio sea poderoso para convencer y convertir. Su luz no será incierta, sino que su senda se iluminará con la brillantez celestial. Dios es todopoderoso, y el Cielo está lleno de luz. Sólo tienen que usar los medios que Dios ha colocado en sus manos para obtener la bendición divina.

Sean constantes en la oración. Son sabor de vida para vida o de muerte para muerte. Ocupan una posición tremendamente responsable. Les ruego que rediman el tiempo. Acérquense a Dios en súplica, y serán como árbol plantado junto a corrientes de aguas, que su hoja no cae, que da su fruto en su tiempo [Sal. 1:3]... Vayan sólo a Dios, tómenlo al pie de la letra y tómenle la palabra, y permitan que sus obras sean sostenidas por la fe viviente en sus promesas. Dios no exige de ustedes oraciones elocuentes y razonamiento lógico, sino un corazón humilde y contrito, listo y dispuesto para aprender de él.–*Review and Herald*, 8 de agosto de 1878.

Caminar con Dios por medio de la oración

Y caminó Enoc con Dios... trescientos años, y engendró hijos e hijas...
Caminó, pues, Enoc con Dios, y desapareció, porque le llevó Dios.
Génesis 5:22, 24.

Mientras atendemos nuestros quehaceres diarios, deberíamos elevar el alma al cielo en oración. Estas peticiones silenciosas suben como incienso ante el trono de la gracia y los esfuerzos del enemigo quedan frustrados. El cristiano cuyo corazón se apoya así en Dios, no puede ser vencido. No hay malas artes que puedan destruir su paz. Todas las promesas de la Palabra de Dios, todo el poder de la gracia divina, todos los recursos de Jehová están puestos a disposición para asegurar su libramiento... Así fue como anduvo Enoc con Dios. Y Dios estaba con él, sirviéndole de pronto auxilio en todo momento de necesidad.

La oración es el aliento del alma. Es el secreto del poder espiritual. No se la puede sustituir por ningún otro medio de gracia y conservar, sin embargo, la salud del alma. La oración pone al corazón en inmediato contacto con la Fuente de la vida, y fortalece los tendones y músculos de la experiencia religiosa. Descuídese el ejercicio de la oración, u órese espasmódicamente, de vez en cuando, según parezca propio, y se perderá la relación con Dios. Las facultades espirituales perderán su vitalidad, la experiencia religiosa carecerá de salud y vigor...

Es algo maravilloso que podamos orar eficazmente; que seres mortales indignos y sujetos a yerro posean la facultad de presentar sus peticiones a Dios. ¿Qué facultad más elevada podrían desear los seres humanos que la de estar unidos con el Dios infinito? Los seres humanos, débiles y pecaminosos, tienen el privilegio de hablar a su Hacedor. Podemos pronunciar palabras que alcancen el trono del Monarca del Universo. Podemos hablar con Jesús mientras andamos por el camino, y él dice: Estoy a tu diestra.

Podemos comulgar con Dios en nuestro corazón; podemos andar en compañerismo con Cristo. Mientras atendemos nuestro trabajo diario, podemos exhalar el deseo de nuestro corazón sin que lo oiga oído humano alguno; pero esa palabra no puede perderse en el silencio ni caer en el olvido. Nada puede ahogar el deseo del alma. Se eleva por encima del trajín de la calle, por encima del ruido de la maquinaria. Es a Dios a quien hablamos, y él oye nuestra oración.–*Mensajes para los jóvenes*, pp. 247, 248.

La oración es un arma eficaz contra Satanás

Resistid al diablo, y huirá de vosotros. Acercaos a Dios, y él se acercará a vosotros. Santiago 4:7, 8.

Satanás está trabajando constantemente; pero pocos tienen idea alguna de su actividad y sutileza. El pueblo de Dios debe estar preparado para resistir al astuto enemigo. Esta resistencia es lo que Satanás teme. Él conoce mejor que nosotros el límite de su poder, y cuán fácilmente puede ser vencido si le resistimos y le hacemos frente.

Por la fuerza divina, el santo más débil puede más que él y todos sus ángeles, y si se le probase podría mostrar su poder superior. Por lo tanto, los pasos de Satanás son silenciosos, sus movimientos furtivos y sus baterías enmascaradas. Él no se atreve a mostrarse abiertamente, no sea que despierte las energías dormidas del cristiano, y le impulse a ir a Dios en oración.

El enemigo se está preparando para su última campaña contra la iglesia. Está de tal manera oculto de la vista que para muchos es difícil creer que existe, y mucho menos pueden ser convencidos de su asombrosa actividad y poder... Jactándose de su independencia, bajo la influencia especiosa y hechicera de Satanás, obedecen a los peores impulsos del corazón humano, y sin embargo creen que Dios los está conduciendo. Si sus ojos pudiesen abrirse para distinguir a su capitán, verían que no están sirviendo a Dios, sino al enemigo de toda justicia. Verían que la independencia de que se jactan es una de las más pesadas cadenas que Satanás pueda forjar en torno a las mentes desequilibradas.

Los seres humanos son cautivos de Satanás, y están naturalmente inclinados a seguir sus sugerencias y cumplir sus órdenes. No tiene en sí mismo poder para oponer resistencia eficaz al mal. Únicamente en la medida en que Cristo more en él por la fe viva, influyendo en sus deseos e impartiéndole fuerza de lo alto, puede el ser humano atreverse a arrostrar a un enemigo tan terrible. Todo otro medio de defensa es completamente vano. Es únicamente gracias a Cristo como es limitado el poder de Satanás. Esta es una verdad portentosa que todos debieran entender. Satanás está ocupado en todo momento, yendo de aquí para allá en la tierra, buscando a quien devorar. Pero la ferviente oración de fe frustrará sus esfuerzos más arduos. Embracen, pues, hermanos, "el escudo de la fe, con que podáis apagar todos los dardos de fuego del maligno" (Efe. 6:16).–*Joyas de los testimonios*, t. 2, pp. 105, 106.

Transformados por la comunión con Dios

Por tanto, nosotros todos, mirando a cara descubierta como en un espejo la gloria del Señor, somos transformados de gloria en gloria en la misma imagen, como por el Espíritu del Señor. 2 Corintios 3:18.

Durante el largo tiempo que Moisés pasó en comunión con Dios, su rostro había reflejado la gloria de la presencia divina. Sin que él lo supiera, cuando descendió del monte, su rostro resplandecía con una luz deslumbrante. Ese mismo fulgor iluminó el rostro de Esteban cuando fue llevado ante sus jueces; "entonces todos los que estaban sentados en el concilio, al fijar los ojos en él, vieron su rostro como el rostro de un ángel" (Hech. 6:15).

Tanto Aarón como el pueblo se apartaron de Moisés, "y tuvieron miedo de llegarse a él". Viendo su terror y confusión, pero ignorando la causa, los instó a que se acercaran [Éxo. 34:29-31]. Les traía la promesa de la reconciliación con Dios, y la seguridad de haber sido restituidos a su favor. En su voz no percibieron otra cosa que amor y súplica, y por fin uno de ellos se aventuró a acercarse a él. Demasiado temeroso para hablar, señaló en silencio el semblante de Moisés, y luego hacia el cielo. El gran jefe comprendió. Conscientes de su culpa, sintiéndose todavía objeto del desagrado divino, no podían soportar la luz celestial que, si hubieran obedecido a Dios, los habría llenado de gozo...

Mediante este resplandor, Dios trató de hacer comprender a Israel el carácter santo y exaltado de su ley, y la gloria del evangelio revelado mediante Cristo. Mientras Moisés estaba en el monte, Dios le dio no sólo las tablas de la ley, sino también el plan de la salvación. Vio que todos los símbolos y tipos de la época judaica prefiguraban el sacrificio de Cristo; y era tanto la luz celestial que brota del Calvario como la gloria de la ley de Dios lo que hacia fulgurar el rostro de Moisés. Aquella iluminación era un símbolo de la gloria del pacto del cual Moisés era el mediador visible, el representante del único Intercesor verdadero.

La gloria reflejada en el semblante de Moisés representa las bendiciones que, por medio de Cristo, ha de recibir el pueblo que observa los mandamientos de Dios. Atestigua que cuanto más estrecha sea nuestra comunión con Dios, y cuanto más claro sea nuestro conocimiento de sus requerimientos, tanto más plenamente seremos transfigurados a su imagen, y tanto más pronto llegaremos a ser participantes de la naturaleza divina.–*Patriarcas y profetas*, pp. 340, 341.

Orar fervientemente por un carácter cristiano

Hasta que todos lleguemos a la unidad de la fe y del conocimiento del Hijo de Dios, a un varón perfecto, a la medida de la estatura de la plenitud de Cristo. Efesios 4:13.

Nunca podremos ver a nuestro Señor en paz, a menos que nuestra alma esté inmaculada. Debemos llevar la perfecta imagen de Cristo. Cada pensamiento debe ser puesto en sujeción a la voluntad de Cristo. Como lo expresa el gran apóstol, debemos alcanzar "la medida de la estatura de la plenitud de Cristo". Nunca llegaremos a esta condición sin un esfuerzo ferviente. Debemos luchar diariamente contra el mal externo y el pecado interior, si queremos alcanzar la perfección del carácter cristiano.–*Mensajes selectos*, t. 3, p. 167.

Los que se ocupan en esta obra verán mucho por corregir en ellos mismos, y dedicarán tanto tiempo a la oración y a comparar sus caracteres con la gran norma de Dios, la divina ley, que no tendrán tiempo para comentar y chismear acerca de las faltas de otros ni tampoco para disecar sus caracteres. Un sentido de nuestras propias imperfecciones debería conducirnos a la humildad y a una fervorosa solicitud, no sea que perdamos la vida eterna. Las palabras de la inspiración deberían convencer a cada alma: "Examinaos a vosotros mismos si estáis en la fe; probaos a vosotros mismos. ¿O no os conocéis a vosotros mismos, que Jesucristo está en vosotros, a menos que estéis reprobados?" (2 Cor. 13:5).

Si el profeso pueblo de Dios se despojara de su propia complacencia y de sus ideas falsas de lo que constituye un cristiano, muchos que ahora creen que están en el sendero al cielo se encontrarían en el camino de la perdición. Muchos cristianos profesos, que se sienten orgullosos [de la religión], se estremecerían como una hoja de álamo temblón en la tempestad si pudieran ser abiertos sus ojos para ver lo que es realmente la vida espiritual. Ojalá que los que ahora descansan en una falsa seguridad puedan despertarse para ver la contradicción entre su profesión de fe y su conducta diaria.

Para ser cristianos vivos, debemos tener una conexión vital con Cristo... Cuando los afectos están santificados, nuestras obligaciones para con Dios ocuparán el primer lugar, siendo secundario todo lo demás. Para tener un amor firme y siempre creciente hacia Dios, y una percepción clara de su carácter y sus atributos, debemos mantener los ojos de la fe fijados constantemente en él. Cristo es la vida del alma. Debemos estar en él y él en nosotros, o de otra manera somos pámpanos secos.–*Review and Herald*, 30 de mayo de 1892.

Orar con humildad de corazón

Y de igual manera el Espíritu nos ayuda en nuestra debilidad; pues qué hemos de pedir como conviene, no lo sabemos, pero el Espíritu mismo intercede por nosotros con gemidos indecibles. Romanos 8:26.

La oración es aceptable a Dios sólo cuando se ofrece con humildad y contrición, y en el nombre de Cristo. El que escucha y contesta la oración conoce a los que oran con humildad de corazón. Los cristianos verdaderos no piden nada sino en el nombre de Cristo, y no esperan nada sino a través de su mediación. Desean que Cristo tenga la gloria de presentar sus oraciones al Padre, y están dispuestos a recibir la bendición de Dios por medio de Cristo.

El Espíritu de Dios tiene mucho que ver con la oración aceptable. Ablanda el corazón; ilumina la mente, capacitándola para discernir sus propias necesidades; aviva nuestros deseos, haciéndonos tener hambre y sed de justicia; intercede en favor de los suplicantes sinceros...

Los seres humanos deben acercarse a Dios, dándose cuenta de que deben tener la ayuda que sólo Dios puede dar. Es la gloria de Dios ser conocido como el que oye la oración, porque el suplicante humano cree que la escuchará y contestará...

La oración de fe es la llave que abre los tesoros del cielo. Al encomendar nuestra alma a Dios, recordemos que él mismo se hace responsable de escuchar y contestar nuestras súplicas. Nos invita a ir a él, y nos imparte sus mejores y más selectos dones; dones que suplirán nuestra gran necesidad. A él le gusta ayudarnos. Confiemos en su sabiduría y en su poder. ¡Oh, qué fe tendríamos! ¡Qué paz y consuelo gozaríamos! Abra su corazón al Espíritu de Dios. Entonces el Señor obrará por medio de usted y bendecirá sus trabajos...

¿No nos humillaremos ante Dios en favor de quienes aparentemente tienen poca vida espiritual? ¿No fijaremos temporadas de oración por ellos? ¿No oraremos cada día por los que parecen estar muertos en delitos y pecados? Cuando suplicamos a Dios para que quebrante los corazones de piedra, nuestro corazón llegará a ser más sensible. Seremos más rápidos para ver nuestro propio pecado.–*Manuscript Releases*, t. 8, pp. 195-197.

La oración ayuda a guiar a la verdad

El que quiera hacer la voluntad de Dios, conocerá si la doctrina es de Dios, o si yo hablo por mi propia cuenta. Juan 7:17.

Antes de salir para su encuentro final con los poderes de las tinieblas, levantó sus ojos al cielo y oró por sus discípulos... La preocupación en el pedido de Jesús era que los que creyeran en él fuesen guardados del mal del mundo y santificados por medio de la verdad. No nos abandona para que conjeturemos acerca de qué es la verdad, pues añade: "Tu Palabra es verdad". La Palabra de Dios es el medio por el cual se logra nuestra santificación.

Entonces, es de la mayor importancia que nos familiaricemos con las sagradas instrucciones de la Biblia. Es tan necesario para nosotros que comprendamos las palabras de vida como lo era para los discípulos estar informados con respecto al plan de salvación. Estaremos sin excusa si, por causa de nuestra propia negligencia, ignoramos las demandas de la Palabra de Dios. Dios nos ha dado su Palabra, la revelación de su voluntad, y ha prometido el Espíritu Santo a todos los que lo pidieren, para guiarlos a toda verdad, y cada alma que sinceramente desee hacer la voluntad de Dios conocerá la doctrina...–*Reflejemos a Jesús*, p. 93.

Desde el tiempo en que el Hijo de Dios tuvo que soportar los prejuicios arrogantes de los incrédulos, no se ha producido ningún cambio en las actitudes del mundo con respecto a la religión de Jesús. Los siervos de Cristo tendrán que afrontar el mismo espíritu de oposición y reproche, y marchar "fuera del campamento, llevando su vituperio" (Heb. 13:13).

Su enseñanza [la de Jesús] era clara, sencilla y abarcante. Las verdades prácticas que enunció tenían poder de convicción y llamaban la atención de la gente. Las multitudes permanecían junto a él, maravillándose por su sabiduría. Sus modales estaban en armonía con las grandes verdades que proclamaba. No pedía disculpas, no vacilaba ni había la menor sombra de duda o incertidumbre de que fueran diferentes de lo que él declaraba. Hablaba de lo terrenal y lo celestial, de lo humano y lo divino, con autoridad absoluta; y la gente se admiraba "de su doctrina, porque su palabra era con autoridad" (Luc. 4:32)...

Es un asunto de la mayor importancia e interés para nosotros el que comprendamos qué es la verdad, por lo que debiéramos elevar nuestras peticiones con intenso fervor para que seamos guiados a toda verdad.–*Review and Herald*, 7 de febrero de 1888.

Obedecer a Dios como lo hizo Cristo

Pues este es el amor de Dios, que guardemos sus mandamientos; y sus mandamientos no son gravosos. 1 Juan 5:3.

Mediante su palabra y su ejemplo práctico el Hijo unigénito del Dios infinito nos ha legado un modelo sencillo que debemos copiar. Mediante sus palabras nos ha educado para que obedezcamos a Dios, y mediante su propio ejemplo nos ha mostrado de qué modo le podemos obedecer. Su deseo es que cada ser humano realice esta mismísima obra: que obedezca a Dios inteligentemente, y que por precepto y ejemplo enseñe a otros lo que deben hacer para transformarse en hijos obedientes de Dios. Jesús ha hecho posible que todo el mundo obtenga un conocimiento inteligente de su misión y obra divinas. Vino para representar el carácter de su Padre ante el mundo, y a medida que estudiamos la vida, las palabras y las obras de Jesucristo... recibimos ayuda en la educación de la obediencia a Dios; y al imitar el ejemplo que nos ha dado, nos transformamos en epístolas vivientes, conocidas y leídas por todos los hombres. Nosotros somos los medios humanos vivientes llamados a representar el carácter de Jesucristo ante el mundo. Cristo no sólo dio reglas explícitas para demostrarnos de qué manera podemos llegar a ser hijos obedientes, sino que con su propia vida y carácter ilustró exactamente cómo realizar aquello que es correcto y aceptable ante Dios, de modo que no hubiera excusa para que no hiciéramos lo que es agradable ante su vista.

Siempre debiéramos estar agradecidos porque Jesús ha probado con hechos reales que podemos guardar los mandamientos de Dios, desmintiendo con ello la falsedad satánica de que no podemos guardarlos. El gran Maestro vino a nuestro mundo para ocupar su lugar a la cabeza de la humanidad, para así elevar y santificar a la humanidad mediante su obediencia santa a todos los requerimientos divinos, y demostrar... que es posible obedecer todos los mandamientos de Dios. Así comprobó que es posible gozar de una vida entera de obediencia. De la misma manera, él envía a seres humanos al mundo, igual como el Padre envió al Hijo, para que ilustren la vida de Cristo con su propia vida.–*Exaltad a Jesús,* p. 163.

Cristo redimió el desgraciado fracaso de la caída de Adán, y fue vencedor, testificando así ante los mundos no caídos y ante la humanidad caída que los seres humanos podían guardar los mandamientos de Dios por medio del poder divino que el cielo les concedía. Jesús, el Hijo de Dios, se humilló y soportó la tentación por nosotros, y venció en favor de nosotros, para mostrarnos cómo podemos vencer. Así, con los lazos más estrechos, vinculó sus intereses divinos con la humanidad...–*Mensajes selectos,* t. 3, p. 154.

Todo perdido por causa de la desobediencia

Sino que sabe Dios que el día que comáis de él, serán abiertos vuestros ojos, y seréis como Dios, sabiendo el bien y el mal. Génesis 3:5.

Cuando Eva vio que "el árbol era bueno para comer, y que era agradable a los ojos, y árbol codiciable para alcanzar la sabiduría... tomó de su fruto, y comió". Era de sabor agradable, y a medida que comía le parecía sentir un poder vivificador, y se imaginó que penetraba en un estado superior de existencia. Una vez que hubo pecado, se transformó en tentadora de su esposo, "el cual comió así como ella" (Gén. 3:6).

"Serán abiertos vuestros ojos", había dicho el enemigo; "y seréis como Dios, sabiendo el bien y el mal" (Gén. 3:5). Fueron abiertos ciertamente sus ojos, pero ¡cuán triste fue esa apertura! Todo lo que ganaron los transgresores fue el conocimiento del mal, la maldición del pecado. En la fruta no había nada venenoso y el pecado no consistía meramente en ceder al apetito. La desconfianza en la bondad de Dios, la falta de fe en su palabra, el rechazamiento de su autoridad, fue lo que convirtió a nuestros primeros padres en transgresores e introdujo en el mundo el conocimiento del mal. Eso fue lo que abrió la puerta a toda clase de mentiras y errores.

El hombre y la mujer perdieron todo porque prefirieron oír al engañador en vez de escuchar a Aquel que es la Verdad, el único que tiene entendimiento. Al mezclar el mal con el bien, su mente se tornó confusa, y se entorpecieron sus facultades mentales y espirituales. Ya no pudieron apreciar el bien que Dios les había otorgado tan generosamente.

Adán y Eva habían escogido el conocimiento del mal, y si alguna vez habían de recobrar la posición perdida, tenían que hacerlo en las condiciones desfavorables que ellos mismos se habían creado. Ya no habían de morar en el Edén, porque éste, en su perfección, no podía enseñarles las lecciones que les eran esenciales desde entonces. Con indescriptible tristeza se despidieron del hermoso lugar, y fueron a morar en la tierra, sobre la cual descansaba la maldición del pecado...

Aunque la tierra estaba marchita por la maldición, la naturaleza debía seguir siendo el libro de texto de la humanidad. Ya no podía representar la bondad solamente, porque el mal estaba presente en todas partes y arruinaba la tierra, el mar y el aire con su contacto contaminador. Donde antes había estado escrito únicamente el carácter de Dios, el conocimiento del bien, ahora también estaba escrito el carácter de Satanás, el conocimiento del mal. La humanidad debía recibir continuamente amonestaciones de la naturaleza, que ahora revelaba el conocimiento del bien y del mal, referentes a los resultados del pecado.–*La educación*, pp. 25, 26.

La promesa de la redención

Pondré enemistad entre ti y la mujer, y entre tu simiente y la ... suya; ésta te herirá en la cabeza, y tú le herirás en el calcañar. Génesis 3:15.

Adán y su compañera vieron los primeros signos de decadencia en las flores mustias y la caída de las hojas. Fue presentada con nitidez ante su mente la dura realidad de que todo lo viviente debía morir. Hasta el aire, del cual dependía la vida, llevaba los gérmenes de la muerte. También se les recordaba de continuo la pérdida de su dominio. Adán había sido el rey de los seres inferiores, y mientras permaneció fiel a Dios, toda la naturaleza reconoció su gobierno, pero cuando pecó, perdió su derecho al dominio. El espíritu de rebelión, al cual él mismo había dado entrada, se extendió a toda la creación animal. De ese modo, no sólo la vida de los humanos, sino también la naturaleza de las bestias, los árboles del bosque, el pasto del campo, hasta el aire que respiraban, hablaban de la triste lección del conocimiento del mal.

Sin embargo los mortales no fueron abandonados a los resultados del mal que habían escogido. En la sentencia pronunciada contra Satanás se insinuó la redención. "Y pondré enemistad entre ti y la mujer", dijo Dios, "y entre tu simiente y la simiente suya; ésta te herirá en la cabeza, y tú le herirás en el calcañar" (Gén. 3:15). Esta sentencia, pronunciada a oídos de nuestros primeros padres, fue para ellos una promesa. Antes que oyesen hablar de los espinos y cardos, del trabajo rudo y del dolor que les habían de tocar en suerte, o del polvo al cual debían volver, oyeron palabras que no podían dejar de infundirles esperanza. Todo lo que se había perdido al ceder a las insinuaciones de Satanás, se podía recuperar por medio de Cristo.

La naturaleza nos repite también esta indicación. Aunque está manchada por el pecado, no sólo habla de la creación sino también de la redención. Aunque por los signos evidentes de decadencia la tierra da testimonio de la maldición que pesa sobre ella, aún es hermosa y rica en señales del poder vivificador. Los árboles se despojan de sus hojas sólo para vestirse de nuevo verdor; las flores mueren, para brotar con nueva belleza; y en cada manifestación del poder creador se afirma la seguridad de que podemos ser creados de nuevo en "justicia y santidad de verdad" (Efe. 4:24). De ese modo, los mismos objetos y las funciones de la naturaleza, que tan vívidamente nos recuerdan nuestra gran pérdida, llegan a ser para nosotros mensajeros de esperanza.

Por doquiera llegue la maldad, se oye la voz de nuestro Padre que muestra a sus hijos, por sus resultados, la naturaleza del pecado, les aconseja que abandonen el mal y los invita a recibir el bien.–*La educación*, pp. 26, 27.

La palabra de Dios es la suprema autoridad

Y Samuel dijo: ¿Se complace Jehová tanto en los holocaustos y víctimas, como en que se obedezca a las palabras de Jehová? Ciertamente el obedecer es mejor que los sacrificios, y el prestar atención que la grosura de los carneros. 1 Samuel 15:22.

La palabra del Señor debe obedecerse sin discusión; debe ser la autoridad suprema en nuestra vida. Saúl se apartó del mandamiento expreso del Señor, y trató de acallar los remordimientos de la conciencia convenciéndose a sí mismo de que el Señor aceptaría su sacrificio y pasaría por alto su desobediencia. Cuando el profeta Samuel vino para encontrarlo, Saúl actuó como si se considerara un hombre recto, y exclamó: "Bendito seas tú de Jehová; yo he cumplido la palabra de Jehová" (1 Sam. 15:13).

Pero las muestras inconfundibles de su desobediencia eran tan palpables, que su afirmación de obediencia tenía poco peso. "Samuel entonces dijo: ¿Pues qué balido de ovejas y bramido de vacas es este que yo oigo con mis oídos? Y Saúl respondió: De Amalec los han traído; porque el pueblo perdonó lo mejor de las ovejas y de las vacas para sacrificarlas a Jehová tu Dios, pero lo demás lo destruimos" (1 Sam. 15:14, 15). "Y Samuel dijo: ¿Se complace Jehová tanto en los holocaustos y víctimas, como en que se obedezca a las palabras de Jehová? Ciertamente el obedecer es mejor que los sacrificios, y el prestar atención que la grosura de los carneros. Porque como pecado de adivinación es la rebelión, y como ídolos e idolatría la obstinación. Por cuanto tú desechaste la palabra de Jehová, él también te ha desechado para que no seas rey" (1 Samuel 15:22, 23)...

La palabra de Dios debe ser de autoridad suprema. Dice el Señor: "No olvidaré mi pacto, ni mudaré lo que ha salido de mis labios" (Sal. 89:34). Dios no podría cambiar un ápice de su ley sin dejar de ser supremo. La gente no puede torcer la ley de Dios para adaptarla a sus ideas, y, fallando en comprometerse en estar en armonía con ella, traspasan sus mandamientos y violan sus preceptos. Demasiado tarde va a aprender el mundo que no puede juzgar la palabra de Dios, sino que la palabra de Dios lo juzgará. ¡Ojalá que cada uno considere cuán necio y malvado es contender con Dios! ¡Ojalá que dejen de oponer su voluntad contra la voluntad del Infinito! Además, los que se oponen a Dios aprenderán que, al hacerlo así, han abandonado la única senda que conduce a la santidad, la felicidad y el cielo.–*Signs of the Times*, 9 de enero de 1896.

Jesús demostró que podemos obedecer

Y el que guarda sus mandamientos permanece en Dios, y Dios en él. Y en esto sabemos que él permanece en nosotros, por el Espíritu que nos ha dado. 1 Juan 3:24.

" El que tiene mis mandamientos y los guarda, ése es el que me ama; y el que me ama, será amado de mi Padre, y yo le amaré y me manifestaré a él" (Juan 14:21).

[La frase] "El que tiene mis mandamientos" quiere decir una persona que tuvo luz sobre lo que constituyen los mandamientos de Dios, y no los desobedecerá aunque pueda serle ventajoso hacerlo... Si no fuera posible para nosotros guardar los mandamientos de Dios, todos estaríamos perdidos. Pero bajo el pacto abrahámico, el pacto de gracia, se hizo toda provisión para la salvación. "Por gracia sois salvos". "Mas a todos los que le recibieron... les dio potestad de ser hechos hijos de Dios" (Efe. 2:8; Juan 1:12)...

Hay sólo dos clases en nuestro mundo: los obedientes y los desobedientes; los santos y los impíos. Cuando nuestras transgresiones fueron colocadas sobre Jesús, fue contado con los impíos a cuenta del pecador. Llegó a ser nuestro Sustituto, nuestra Seguridad ante el Padre y todos los ángeles celestiales. Imputándole los pecados del mundo a Jesús, llegó a ser el pecador en lugar de nosotros, y sobre él recayó la maldición debida a nuestros pecados. Nos resulta apropiado contemplar la vida de humillación de Cristo y su muerte agonizante, porque fue tratado como el pecador merece ser tratado. Vino a nuestro mundo revistiendo su divinidad con la humanidad para soportar el examen y la prueba de Dios. Por su ejemplo de obediencia perfecta en su naturaleza humana, nos enseña que podemos ser obedientes.

Y el apóstol escribe: "Gracia y paz os sean multiplicadas, en el conocimiento de Dios y de nuestro Señor Jesús. Como todas las cosas que pertenecen a la vida y a la piedad nos han sido dadas por su divino poder, mediante el conocimiento de aquel que nos llamó por su gloria y excelencia, por medio de las cuales nos ha dado preciosas y grandísimas promesas, para que por ellas llegaseis a ser participantes de la naturaleza divina, habiendo huido de la corrupción que hay en el mundo a causa de la concupiscencia" (2 Ped. 1:2-4). Aquí se revela claramente que todos los que creen en Jesucristo llegan a ser participantes de la naturaleza divina. Que la divinidad y la humanidad cooperen, y los seres humanos caídos podrían ser más que vencedores por medio de Cristo Jesús.–*Signs of the Times*, 24 de abril de 1893.

Obedecer por principio

Por lo cual, hermanos, tanto más procurad hacer firme vuestra vocación y elección; porque haciendo estas cosas, no caeréis jamás.
2 Pedro 1:10.

L a vida eterna vale más que cualquier sacrificio, y Jesús dijo: "Así, pues, cualquiera de vosotros que no renuncia a todo lo que posee, no puede ser mi discípulo" (Luc. 14:33). El que no hace nada sino que espera ser impulsado por algún ser sobrenatural, esperará en la inacción y oscuridad. Dios ha dado su palabra, y habla en un lenguaje inconfundible a su alma. ¿No es la palabra de su boca suficiente para mostrarle su deber, e instarlo a que lo haga?

Los que se humillan e investigan las Escrituras con oración, para conocer y hacer la voluntad de Dios, no tendrán dudas de sus obligaciones para con Dios. Porque "el que quiera hacer la voluntad de Dios, conocerá si la doctrina es de Dios" (Juan 7:17). Si usted conoce el misterio de la piedad, debe seguir la sencilla palabra de verdad, lo sienta o no lo sienta; tenga emoción o no. Hay que rendir obediencia a partir de un sentido del principio, y debe practicarse lo correcto bajo todas las circunstancias. Éste es el carácter que es elegido de Dios para salvación.

En la Palabra de Dios se da la prueba de un cristiano genuino. Dice Jesús: "Si me amáis, guardad mis mandamientos" (Juan 14:15). "El que tiene mis mandamientos y los guarda, ése es el que me ama; y el que me ama, será amado por mi Padre, y yo le amaré y me manifestaré a él... El que me ama, mi palabra guardará; y mi Padre le amará, y vendremos a él, y haremos morada con él. El que no me ama, no guarda mis palabras; y la palabra que habéis oído no es mía, sino del Padre que me envió" (Juan 14:21, 23, 24).

Aquí están las condiciones sobre las cuales cada alma será elegida para la vida eterna. Su obediencia a los mandamientos de Dios demostrará su derecho a la herencia con los santos en luz. Dios ha elegido una cierta excelencia de carácter, y cada uno que, por medio de la gracia de Cristo, alcance la norma de sus requerimientos, tendrá una entrada abundante al reino de la gloria.–*Christian Education*, pp. 117, 118.

Israel promete obedecer los mandamientos de Dios

Y tomó el libro del pacto y lo leyó a oídos del pueblo, el cual dijo: Haremos todas las cosas que Jehová ha dicho, y obedeceremos. Éxodo 24:7.

Se hizo entonces la preparación para la ratificación del pacto, de acuerdo con las instrucciones de Dios [se cita Éxo. 24:4-8]...

Aquí los israelitas recibieron las condiciones del pacto. Hicieron un pacto solemne con Dios, que representaba el pacto hecho entre Dios y cada creyente en Jesucristo. Las condiciones fueron claramente presentadas delante del pueblo. No se los dejó librados a entenderlas mal. Cuando se les requirió que decidieran si convenían con todas las condiciones dadas, unánimemente consintieron en obedecer cada obligación. Ya habían consentido en obedecer los mandamientos de Dios. Fueron especificados entonces los principios de la ley para que ellos pudieran saber cuánto estaba implicado en comprometerse a obedecer la ley; y aceptaron los detalles específicamente definidos de la ley.

Si los israelitas hubiesen obedecido los requisitos de Dios, habrían sido cristianos prácticos. Habrían sido felices, pues habrían estado siguiendo por los caminos de Dios y no las inclinaciones de su propio corazón natural. Moisés no les dejó que interpretaran erróneamente las palabras del Señor o que aplicaran mal sus requisitos. Escribió todas las palabras del Señor en un libro para que después se pudiera hacer referencia a ellas. En el monte las había escrito como las dictó Cristo mismo.

Valientemente los israelitas pronunciaron las palabras que prometían obediencia al Señor, después de escuchar el pacto divino leído a oídos del pueblo. Dijeron: "Haremos todas las cosas que Jehová ha dicho, y obedeceremos". Entonces el pueblo fue puesto aparte y sellado para Dios. Se ofreció un sacrificio al Señor. Se asperjó sobre el altar una porción de la sangre del sacrificio. Esto significaba que el pueblo se había consagrado, cuerpo, mente y alma, a Dios. Una porción fue asperjada sobre el pueblo. Esto significaba que mediante la sangre asperjada de Cristo, Dios bondadosamente los aceptaba como su tesoro especial. Así los israelitas entraron en un pacto solemne con Dios.–*Comentario bíblico adventista*, t. 1, p. 1.121.

La perfecta obediencia de Cristo puede ser nuestra

Porque así como por la desobediencia de un hombre los muchos fueron constituidos pecadores, así también por la obediencia de uno, los muchos serán constituidos justos. Romanos 5:19.

Las Escrituras nos cuentan] este relato tan importante como para que lo conozca cada ser humano. Por una parte se presenta la desobediencia de Adán, con sus consecuencias; por la otra, la obediencia de Cristo. El Jardín del Edén fue deshonrado por la desobediencia de Adán; pero así como por la transgresión de uno los muchos fueron constituidos pecadores, así también por la obediencia de Uno los muchos son constituidos justos.

El mundo ha sido honrado con la presencia de un Hombre que fue total y completamente obediente; uno que no sólo creyó y enseñó las demandas de la ley de Dios, sino que vivió la ley. Toda su vida fue una representación de sus santos principios. Su obediencia se manifestó en la horrible agonía que soportó en el jardín del Getsemaní, y por medio de sus sufrimientos trajo perdón a los desobedientes.

Cuando Cristo presentó a sus discípulos las condiciones de la salvación, dijo: "Si alguno quiere venir en pos de mí, niéguese a sí mismo, tome su cruz cada día, y sígame" (Luc. 9:23). La abnegación y la cruz yacen directamente en el sendero de cada alma que quiere seguir a Jesús. Encontraremos oposición en cada paso en nuestro progreso hacia el cielo; porque Satanás vendrá de muchas maneras para llevarnos por mal camino, para engañarnos, y para revestir el pecado con la apariencia de bien...

Los exhorto... a considerar cuidadosamente la abnegación y el sacrificio de sí mismo que Cristo soportó en su favor, para que ustedes, si lo eligen, puedan tener esa felicidad y paz en esta vida que él solo puede dar, y una eternidad de felicidad en el futuro. Si es así, ¿no llegarán a ser misioneros para Cristo? ¿No están dispuestos a negar el yo por amor a él? ¿A considerar cómo pueden servir al que ha hecho tal servicio por ustedes al redimir sus almas del poder del pecado y de Satanás? Cuando estuvo sobre la tierra, Cristo dijo de sí mismo: "Mas yo estoy entre vosotros como el que sirve" (Luc. 22:27). No luchó para conseguir el lugar más elevado, porque fue manso y humilde de corazón. Él los invita a aprender de él, a llevar su yugo, el yugo de la obediencia a cada precepto de Jehová.–*The Youth's Instructor*, 1° de abril de 1897.

Obediencia mediante la gracia

Porque por gracia sois salvos por medio de la fe; y esto no de vosotros, pues es don de Dios. Efesios 2:8.

Dios quiere que alcancemos al ideal de perfección hecho posible para nosotros por el don de Cristo. Nos invita a que escojamos el lado de la justicia, a ponernos en relación con los agentes celestiales, a adoptar principios que restaurarán en nosotros la imagen divina. En su Palabra escrita y en el gran libro de la naturaleza ha revelado los principios de la vida. Es tarea nuestra conocer estos principios y por medio de la obediencia cooperar con Dios en restaurar la salud del cuerpo tanto como la del alma.

Los seres humanos necesitan aprender que sólo cuando reciben la gracia de Cristo pueden poseer en su plenitud las bendiciones de la obediencia. Esta es la que capacita a los hombres y a las mujeres para obedecer las leyes de Dios y para libertarse de la esclavitud de los malos hábitos. Es el único poder que puede hacerlos firmes en el buen camino y permanecer en él.

Cuando se recibe el evangelio en toda su pureza y con todo su poder, es un remedio para las enfermedades originadas por el pecado. Sale el Sol de justicia, "trayendo en sus rayos salud" (Mal. 4:2, NVI). Todo lo que el mundo proporciona no puede sanar el corazón quebrantado, ni dar la paz al espíritu, ni disipar las inquietudes, ni desterrar la enfermedad. La fama, el genio y el talento son impotentes para alegrar el corazón entristecido o restaurar la vida malgastada. La vida de Dios en el alma es la única esperanza de la humanidad.

El amor que Cristo infunde en todo nuestro ser es un poder vivificante. Da salud a cada una de las partes vitales: el cerebro, el corazón y los nervios... Implanta en el alma un gozo que nada en la tierra puede destruir: el gozo que hay en el Espíritu Santo, un gozo que da salud y vida...

Aunque el pecado ha venido reforzando durante siglos su asidero sobre la familia humana, aun cuando por medio de la mentira y el artificio Satanás ha echado la negra sombra de su interpretación sobre la Palabra de Dios, y ha inducido a los hombres y a las mujeres a dudar de la bondad divina, a pesar de todo esto, el amor y la misericordia del Padre no han dejado de manar hacia la tierra en caudalosos ríos. Si los seres humanos abriesen hacia el cielo las ventanas del alma, para apreciar los dones divinos, un raudal de virtud curativa la inundaría.–*El ministerio de curación*, pp. 77-79.

Cristo, el Modelo de verdadera obediencia

¿No sabéis que si os sometéis a alguien como esclavos para obedecerle, sois esclavos de aquel a quien obedecéis, sea del pecado para muerte, o sea de la obediencia para justicia? Romanos 6:16.

Adán no se detuvo a calcular el resultado de su desobediencia... Con el privilegio de la visión retrospectiva, podemos ver lo que significa desobedecer los mandamientos de Dios. Adán cedió a la tentación, y al ver nosotros el tema del pecado y sus consecuencias presentado en forma tan clara ante nosotros, podemos razonar de causa a efecto y ver que la dimensión del acto no es lo que constituye el pecado, sino la desobediencia a la voluntad expresa de Dios, lo que es una virtual negación de Dios, al rechazar las leyes de su gobierno.

La felicidad de los hombres y las mujeres reside en su obediencia a las leyes de Dios. En su obediencia a la ley de Dios se ven rodeados como por un cerco y guardados del mal. No pueden ser felices y [al mismo tiempo] apartarse de los requerimientos específicos de Dios y establecer para sí mismos una norma que deciden que pueden seguir con seguridad. Habría una gran variedad de normas para adaptarse a las diferentes mentes; el gobierno sería arrancado de las manos del Señor y los seres humanos tomarían las riendas del gobierno. [Cuando] se establece la ley del yo, la voluntad de la humanidad es hecha suprema, y cuando la elevada y santa voluntad de Dios se presenta para ser obedecida, respetada y honrada, el ser humano desea seguir su propio camino y obedecer sus propios impulsos, y surge una controversia entre el agente humano y el divino.

La caída de nuestros primeros padres rompió la cadena dorada de la obediencia implícita de la voluntad humana a la divina. Nunca más la obediencia ha sido considerada como una necesidad absoluta. Los agentes humanos van tras sus propias imaginaciones, acerca de las cuales el Señor dijo, refiriéndose a los habitantes del mundo antiguo, que se dirigían de continuo solamente al mal. El Señor Jesús declaró que había guardado los mandamientos de su Padre. ¿Cómo? Como hombre. "He aquí, que vengo, oh Dios, para hacer tu voluntad" (Heb. 10:7). Frente a las acusaciones de los judíos, él se mantuvo con su carácter puro, virtuoso y santo mientras los desafiaba: "¿Quién de vosotros me redarguye de pecado?" (Juan 8:46)... Mediante su palabra y su ejemplo práctico el Hijo unigénito del Dios infinito nos ha legado un modelo sencillo que debemos copiar. Mediante sus palabras nos ha educado para que obedezcamos a Dios, y mediante su propio ejemplo nos ha mostrado de qué modo podemos obedecer.–*Manuscript Releases*, t. 6, pp. 337-339. (Ver *Reflejemos a Jesús*, p. 48; *Exaltad a Jesús*, p. 163.)

La ley de Dios protege la felicidad

Porque lo que era imposible para la ley, por cuanto era débil por la carne, Dios, enviando a su Hijo en semejanza de carne de pecado y a causa del pecado, condenó al pecado en la carne. Romanos 8:3.

La felicidad de los seres humanos siempre debe estar protegida por la ley de Dios. Sólo en la obediencia pueden encontrar verdadera felicidad. La ley es el cerco que Dios colocó alrededor de su viña. Por ella, los que la obedezcan están protegidos del mal. En la transgresión, Adán llegó a ser una ley para sí mismo. Por la desobediencia fue puesto bajo servidumbre, y de esa manera entró en los seres humanos un elemento discordante, nacido del egoísmo. Ya no armonizaba su voluntad con la voluntad de Dios. Adán se había unido con las fuerzas desleales, y la voluntad propia empezó una campaña contra Dios.

Por medio de Cristo se presenta el verdadero ideal. Hizo lo posible para que la humanidad estuviera una vez más unida con Dios. Vino para sufrir la sentencia de muerte en lugar del transgresor. Ni un precepto de la ley podía alterarse para hacer frente a los hombres y a las mujeres en su condición caída; por lo tanto, Cristo dio su vida en su favor, para sufrir en su lugar el castigo de la desobediencia. Esta era la única forma en la que la humanidad podía ser salvada, la única forma en que podía demostrarse que es posible para la humanidad guardar la ley. Cristo vino a esta tierra y ocupó el lugar que ocupó Adán, venció donde Adán falló en vencer. Nos ha sido hecho sabiduría y justificación y santificación y redención...

Antes de la fundación del mundo, Cristo empeñó su palabra en que daría su vida como un rescate si los hombres y las mujeres se apartaban de su lealtad a Dios. Reveló su amor humillándose a sí mismo, descendiendo del cielo para trabajar entre los caídos, indisciplinados y rebeldes seres humanos. Por ellos mismos no tendrían posibilidades de hacer frente al enemigo. Cristo se ofrece a sí mismo con todo lo que tiene, su gloria, su carácter, al servicio de los que vuelvan a su lealtad y guarden la ley de Dios. Esta es su única esperanza. Cristo dice categóricamente: no vine a destruir la ley. La ley es un trasunto del carácter de Dios, y vine para cumplir sus mismas especificaciones. Vine a vindicarla viviéndola en la naturaleza humana, dando un ejemplo de obediencia perfecta.–*Signs of the Times,* 13 de junio de 1900.

La obediencia será recompensada

Hijos, obedeced a vuestros padres en todo, porque esto agrada al Señor.
Colosenses 3:20.

Los hijos que deshonran y desobedecen a sus padres, y desprecian sus consejos e instrucciones, no pueden tener parte en la tierra renovada y purificada. Esta no será para el hijo o la hija que hayan sido rebeldes, desobedientes e ingratos. A menos que los tales aprendan a obedecer y someterse aquí, nunca lo aprenderán; la paz de los redimidos no será turbada por hijos desobedientes, revoltosos y no sumisos. Nadie que viole los mandamientos puede heredar el reino de los cielos.

Se requiere que los jóvenes en cualquier cosa que hagan, lo hagan todo en el nombre del Señor Jesús, dando gracias a Dios Padre por él. Vi que sólo unos pocos jóvenes entienden lo que significa ser cristianos, ser semejantes a Cristo. Tendrán que aprender las verdades de la Palabra de Dios antes de que puedan ajustarse al modelo. No hay un joven en veinte que haya experimentado en su vida esa separación del mundo que el Señor requiere de todos los que llegarán a ser miembros de su familia, hijos del Rey celestial. "Por lo cual, salid de en medio de ellos, y apartaos, dice el Señor, y no toquéis lo inmundo; y yo os recibiré. Y seré para vosotros por Padre, y vosotros me seréis hijos e hijas, dice el Señor Todopoderoso" (2 Cor. 6:17, 18).

¡Qué promesa se hace aquí con la condición de que seamos obedientes! ¿Tienen que separarse de amigos y parientes al decidir obedecer las sublimes verdades de la Palabra de Dios? ¡Cobren ánimo! Dios ha hecho provisión para ustedes. Sus brazos están abiertos para recibirlos. Salgan de entre ellos y sepárense, y no toquen lo impuro, y él los recibirá. Promete ser un Padre para ustedes. ¡Oh, qué relación es esta!, más sublime y santa que cualquier lazo terrenal. Si hacen el sacrificio, si tienen que dejar a padre, o a madre, o a hermanas, o a hermanos, o a esposa, o a hijos por causa de Cristo, no se quedarán sin amigos. Dios los adopta en su familia y llegan a ser miembros de la familia real, hijos e hijas del Rey que gobierna en el Cielo de los cielos. ¿Pueden desear una posición más exaltada que la que se promete aquí? ¿No es esto suficiente?–*Testimonies for the Church,* t. 1, pp. 497, 498, 510.

Las familias que guardan los mandamientos glorifican a Cristo

Instruye al niño en su camino, y aún cuando fuere viejo no se apartará de él. Proverbios 22:6.

Debe enseñarse a los hijos que son parte de la firma de la familia. Hay que alimentarlos, vestirlos, amarlos y cuidar de ellos; y ellos deben responder a todas estas mercedes trayendo toda la felicidad posible a la familia de la cual son miembros. De esa manera llegan a ser hijos e hijas de Dios, misioneros en el círculo familiar.

Si los padres descuidan la educación de sus hijos, los privan de lo que es necesario para el desarrollo de un carácter simétrico, equilibrado, que les será de la mayor bendición a través de toda su vida. Si se les permite a los hijos que hagan lo que quieran, reciben la idea de que hay que servirlos, cuidarlos, satisfacerlos y divertirlos. Creen que sus deseos y voluntades deben ser complacidos. Educados en esta forma, llevan a través de toda su experiencia religiosa las deficiencias de la instrucción que recibieron en el hogar.

Dios quiere que nuestras familias sean símbolos de la familia del cielo. Recuerden esto cada día los padres y los hijos, y relaciónense unos con otros como miembros de la familia de Dios. Entonces su vida será de tal carácter que dará al mundo una lección objetiva de lo que pueden ser las familias que aman a Dios y guardan sus mandamientos. Cristo será glorificado; su paz, su gracia y su amor saturarán el círculo familiar como un perfume precioso. Y cuando los hijos de los misioneros cristianos observen los mandamientos y sean disciplinados, su vida será como una hermosa ofrenda para Dios.

Esto alegrará el corazón de Jesús y será considerado por él como la ofrenda más preciosa que pueda recibir.

Que el Señor Jesucristo sea un objeto de adoración en cada familia. Si los padres le dan sus hijos una educación apropiada, ellos mismos serán felices al ver el fruto de su cuidadosa instrucción en el carácter semejante al de Cristo que tienen sus hijos. Están haciendo el servicio más elevado a Dios al presentar al mundo familias bien ordenadas, bien disciplinadas, que no sólo temen al Señor, sino que lo honran y lo glorifican por medio de su influencia sobre otras familias, y recibirán su recompensa.–*Review and Herald*, 17 de noviembre de 1896.

La obediencia trae paz y felicidad

Y estando en la condición de hombre, se humilló a sí mismo, haciéndose obediente hasta la muerte, y muerte de cruz. Filipenses 2:8.

Ante los creyentes se presenta la maravillosa posibilidad de llegar a ser semejantes a Cristo, obedientes a todos los principios de la ley de Dios. Pero por nosotros mismos somos absolutamente incapaces de alcanzar esas condiciones. Todo lo que es bueno en los seres humanos viene por medio de Cristo. La santidad, que según la Palabra de Dios debemos poseer antes de poder ser salvos, es el resultado del trabajo de la gracia divina sobre los que se someten en obediencia a la disciplina y a las influencias refrenadoras del Espíritu de verdad.

La obediencia de la humanidad puede ser hecha perfecta únicamente por medio del incienso de la justicia de Cristo, que llena con fragancia divina cada acto de acatamiento. La parte que le toca a cada cristiano es perseverar en la lucha por vencer cada falta. Constantemente deben orar al Salvador para que sane las dolencias de su alma enferma. No tienen la sabiduría y la fuerza sin la cual los mortales no pueden vencer; ellas vienen del Señor, y él las confiere a los que en humillación y contrición buscan su ayuda...

La razón por la que muchos que una vez conocieron y amaron al Salvador están ahora en tinieblas, vagando muy lejos de él, es porque en la confianza de sí mismos y con autosuficiencia han seguido sus propias inclinaciones. No caminaron en el camino del Señor, que es el único camino de paz y felicidad. Por causa de la desobediencia se aislaron del todo de recibir sus bendiciones, cuando por medio de la obediencia podrían haber ido adelante en su fuerza.

La evidencia más amplia concedida por Dios de que desea la salvación de todos, será la condenación de los que rechacen el don del Cielo. En el último gran día, cuando todos sean recompensados o castigados de acuerdo con su obediencia o desobediencia, la cruz del Calvario aparecerá claramente ante los que se hallen frente al Juez de toda la tierra para recibir la sentencia eterna. Se los capacitó para que comprendieran algo del amor que Dios ha expresado por los seres humanos caídos. Ven cuán grandemente ha sido deshonrado por los que continuaron en la transgresión, escogiendo ponerse junto a Satanás y manifestando menosprecio por la ley de Jehová. Ven que la obediencia a esa ley les hubiera traído vida y salud, prosperidad y el bien terno.—*Review and Herald*, 15 de marzo de 1906. (Ver *Los hechos de los apóstoles*, p. 428.)

Gozo en la obediencia por amor

Perfecto eras en todos tus caminos desde el día que fuiste creado, hasta que se halló en ti maldad. A causa de la multitud de tus contrataciones fuiste lleno de iniquidad, y pecaste. Ezequiel 28:15, 16.

Mientras todos los seres creados reconocieron la lealtad del amor, hubo perfecta armonía en el universo de Dios. Cumplir los designios de su Creador era el gozo de las huestes celestiales. Se deleitaban en reflejar la gloria del Todopoderoso y en alabarle. Y su amor mutuo fue fiel y desinteresado mientras el amor de Dios fue supremo. No había nota discordante que perturbara las armonías celestiales. Pero se produjo un cambio en ese estado de felicidad. Hubo uno que pervirtió la libertad que Dios había otorgado a sus criaturas. El pecado se originó en aquel que, después de Cristo, había sido el más honrado por Dios y que era el más exaltado en poder y en gloria entre los habitantes del cielo. Lucifer, el "hijo de la mañana", era el principal de los querubines cubridores, santo e inmaculado. Estaba en la presencia del Creador, y los incesantes rayos de gloria que envolvían al Dios eterno, caían sobre él...

Poco a poco Lucifer llegó a albergar el deseo de ensalzarse... Aunque toda su gloria procedía de Dios, este poderoso ángel llegó a considerarla como perteneciente a sí mismo. Descontento con el puesto que ocupaba, a pesar de ser el ángel que recibía más honores entre las huestes celestiales, se aventuró a codiciar el homenaje que sólo debe darse al Creador. En vez de procurar el ensalzamiento de Dios como supremo en el afecto y la lealtad de todos los seres creados, trató de obtener para sí mismo el servicio y la lealtad de ellos. Y codiciando la gloria con que el Padre infinito había investido a su Hijo, este príncipe de los ángeles aspiraba al poder que sólo pertenecía a Cristo...

Siendo la ley de amor el fundamento del gobierno de Dios, la felicidad de todos los seres inteligentes depende de su perfecto acuerdo con los grandes principios de justicia de esa ley. Dios desea de todas sus criaturas el servicio que nace del amor, de la comprensión y del aprecio de su carácter. No halla placer en una obediencia forzada, y otorga a todos el libre albedrío para que puedan servirle voluntariamente.–*Patriarcas y profetas*, pp. 13, 14, 12.

Jesús da poder para obedecer

Porque no tenemos un sumo sacerdote que no pueda compadecerse de nuestras debilidades, sino uno que fue tentado en todo, según nuestra semejanza, pero sin pecado. Acerquémonos, pues, confiadamente al trono de la gracia, para alcanzar misericordia y hallar gracia para el oportuno socorro. Hebreos 4:15, 16.

Satanás representa la divina ley de amor como una ley de egoísmo. Declara que nos es imposible obedecer sus preceptos. Imputa al Creador la caída de nuestros primeros padres, con toda la miseria que ha provocado, e induce a los hombres y a las mujeres a considerar a Dios como autor del pecado, del sufrimiento y de la muerte. Jesús había de desenmascarar este engaño. Como uno de nosotros, había de dar un ejemplo de obediencia. Para eso tomó sobre sí nuestra naturaleza y pasó por nuestras vicisitudes. "Por lo cual debía ser en todo semejante a sus hermanos" (Heb. 2:17).

Si tuviésemos que soportar algo que Jesús no soportó, en ese detalle Satanás representaría el poder de Dios como insuficiente para nosotros. Por lo tanto, Jesús fue "tentado en todo según nuestra semejanza". Soportó toda prueba a la cual estamos sujetos. Y no ejerció en su favor poder alguno que no nos sea ofrecido generosamente. Como hombre, hizo frente a la tentación, y venció en la fuerza que Dios le daba. Él dice: "El hacer tu voluntad, Dios mío, me ha agradado, y tu ley está en medio de mi corazón" (Sal. 40:8).

Mientras andaba haciendo bien y sanando a todos los afligidos de Satanás, demostró claramente a los seres humanos el carácter de la ley de Dios y la naturaleza de su servicio. Su vida testifica que para nosotros también es posible obedecer la ley de Dios.

Por su humanidad, Cristo tocaba a la humanidad; por su divinidad, se asía del trono de Dios. Como Hijo del Hombre nos dio un ejemplo de obediencia; como Hijo de Dios nos imparte poder para obedecer...

Cristo fue tratado como nosotros merecemos, con el fin de que nosotros pudiésemos ser tratados como él merece. Fue condenado por nuestros pecados, en los que no había participado, con el fin de que nosotros pudiésemos ser justificados por su justicia, en la cual no habíamos participado. Él sufrió la muerte nuestra con el fin de que pudiésemos recibir la vida suya. "Por su llaga fuimos nosotros curados" (Isa. 53:5).–*El Deseado de todas las gentes*, pp. 15-17.

El gran ejemplo de obediencia de Abraham

En tu simiente serán benditas todas las naciones de la tierra, por cuanto obedeciste mi voz. Génesis 22:18.

En el monte Moria, Dios renovó su pacto con Abraham y confirmó con un solemne juramento la bendición que le había prometido a él y a su simiente por todas las generaciones futuras. "Por mí mismo he jurado, dice Jehová, que por cuanto has hecho esto, y no me has rehusado tu hijo, tu único hijo; de cierto te bendeciré, y multiplicaré tu descendencia como las estrellas del cielo y como la arena que está a la orilla del mar" (Gén. 22:16, 17)...

El gran acto de fe de Abraham descuella como un fanal de luz que ilumina el sendero de los siervos de Dios en las edades siguientes. Abraham no buscó excusas para no hacer la voluntad de Dios. Durante aquel viaje de tres días tuvo tiempo suficiente para razonar, y para dudar de Dios si hubiera estado inclinado a hacerlo... Abraham era humano, y sus pasiones y sus inclinaciones eran como las nuestras; pero no se detuvo a inquirir cómo se cumpliría la promesa si Isaac muriera. No se detuvo a discutir con su dolorido corazón. Sabía que Dios es justo y recto en todos sus requerimientos, y obedeció el mandato al pie de la letra.

Fue para grabar en Abraham la realidad del evangelio, así como para probar su fe, por lo que Dios le mandó sacrificar a su hijo. La agonía que sufrió durante los aciagos días de aquella terrible prueba fue permitida para que comprendiera por su propia experiencia algo de la grandeza del sacrificio hecho por el Dios infinito en favor de la redención de la humanidad. Ninguna otra prueba podría haber causado a Abraham tanta angustia como la que le causó el ofrecer a su hijo... ¿Qué mayor prueba se puede dar del infinito amor y de la compasión de Dios? "El que no escatimó ni a su propio Hijo, sino que lo entregó por todos nosotros, ¿cómo no nos dará también con él todas las cosas?" (Rom. 8:32).–*Patriarcas y profetas,* pp. 148-150.

La ley de Dios es importante para todos los tiempos

Ahora, pues, si diereis oído a mi voz, y guardareis mi pacto, vosotros seréis mi especial tesoro sobre todos los pueblos; porque mía es toda la tierra. Y vosotros me seréis un reino de sacerdotes y gente santa.
Éxodo 19:5, 6.

Este pacto [Éxo. 19:1-6] es una revelación de la bondad de Dios. El pueblo no la había buscado. No estaban extendiendo sus manos hacia Dios, pero Dios mismo extendió su poderoso brazo, invitándolos a unir sus brazos con el suyo, para que pudiera ser su defensa. Voluntariamente eligió como su herencia a una nación que recién había salido de la esclavitud de Egipto, un pueblo al que había que educar e instruir a cada paso. ¡Qué expresión de la bondad y el amor del Omnipotente!...

Vez tras vez, el Señor permitió que su pueblo fuera llevado a situaciones desesperadas para que, en su liberación, Dios pudiera revelarles su misericordia y su bondad. Si ahora elegían desconfiar de él, podían dudar de la evidencia que estaba ante sus propios ojos. Habían tenido pruebas inconfundibles de que él era el Dios viviente, "fuerte, misericordioso y piadoso; tardo para la ira, y grande en misericordia y verdad" (Éxo. 34:6). Había honrado a Israel a la vista de todas las inteligencias celestiales. Los condujo hacia él, en una relación de pacto y comunión con él.

Desde su salida de Egipto, los hijos de Israel habían estado tres meses de viaje, y ahora estaban acampados ante el monte Sinaí, donde con una grandiosidad imponente, el Señor habló su ley. No se manifestó en edificios suntuosos hechos por manos humanas, estructuras de diseño humano. Reveló su gloria en un monte alto, un templo de su propia creación. La cumbre del monte Sinaí se elevaba por encima de todos los otros, en una cadena de montañas en el desierto árido. Dios eligió ese monte como el lugar donde se haría conocer por su pueblo.

Apareció en una magnificencia impresionante, y habló con voz audible. Allí se reveló él mismo a su pueblo como nunca lo había hecho en ninguna otra ocasión, mostrándole por eso la importancia de la ley para todas las edades. Dios exige también hoy que guardemos sus mandamientos.–*Manuscript Releases*, t. 1, pp. 105, 106.

La desobediencia indica rebelión

De manera que cualquiera que quebrante uno de estos mandamientos muy pequeños, y así enseñe a los hombres, muy pequeño será llamado en el reino de los cielos; mas cualquiera que los haga y los enseñe, éste será llamado grande en el reino de los cielos. Mateo 5:19.

Cualquiera que deliberadamente quebranta un mandamiento, no guarda ninguno de ellos en espíritu ni en verdad. "Porque cualquiera que guardare toda la ley, pero ofendiere en un punto, se hace culpable de todos" (Sant. 2:10).

No es la magnitud del acto de desobediencia lo que constituye el pecado, sino el desacuerdo con la voluntad expresa de Dios en el detalle más mínimo, porque demuestra que todavía hay comunión entre el alma y el pecado. El corazón está dividido en su servicio. Niega realmente a Dios, y se rebela contra las leyes de su gobierno.

Si los hombres y las mujeres estuviesen en libertad para apartarse de lo que requiere el Señor y pudieran fijarse una norma de deberes, habría una variedad de normas que se ajustarían a las diversas mentes y se quitaría el gobierno de las manos de Dios. La voluntad de los seres humanos se haría suprema, y la voluntad santa y altísima de Dios, sus fines de amor hacia sus criaturas, no serían honrados ni respetados.

Siempre que los seres creados escogen su propia senda, se oponen a Dios. No tendrán lugar en el reino de los cielos, porque guerrean contra los mismos principios del cielo. Al despreciar la voluntad de Dios, se sitúan en el partido de Satanás, el enemigo de Dios y de la humanidad. No por una palabra, ni por muchas palabras, sino por toda palabra que ha hablado Dios, viviremos. No podemos despreciar una sola palabra, por pequeña que nos parezca, y estar libres de peligro. No hay en la ley un mandamiento que no sea para el bienestar y la felicidad de los hombres y las mujeres, tanto en esta vida como en la venidera. Al obedecer la ley de Dios, sus hijos quedan rodeados de un muro que los protege del mal. Quienes derriban en un punto esta muralla edificada por Dios, destruyen la fuerza de ella para protegerlos, porque abren un camino por donde puede entrar el enemigo para destruir y arruinar.

Al osar despreciar la voluntad de Dios en un punto, nuestros primeros padres abrieron las puertas a las desgracias que inundaron el mundo. Toda persona que siga su ejemplo cosechará resultados parecidos. El amor de Dios es la base de todo precepto de su ley, y los que se aparten del mandamiento labran su propia desdicha y su ruina.–*El discurso maestro de Jesucristo*, pp. 48, 49.

La obediencia dará como resultado la felicidad

*Bienaventurado el varón que no anduvo en consejo de malos, ni estuvo
en camino de pecadores... sino que en la ley de Jehová está su delicia, y
en su ley medita de día y de noche. Salmo 1:1, 2.*

Es esencial que cada súbdito del reino de Dios sea obediente a la ley de
Jehová, para que su gloria infinita pueda tener un establecimiento perfecto. Los profesos seguidores de Cristo son probados en esta vida para ver
si serán o no obedientes a Dios. La obediencia dará como resultado la felicidad, y asegurará la recompensa de la vida eterna.

El fracaso por parte de Adán en un punto resultó en consecuencias
terribles, y el pecado se ha desarrollado hasta proporciones tan vastas,
que no se puede medir. Pero en medio de la rebelión y apostasía, en medio de los que fueron desleales, impenitentes y obstinados, Dios mira hacia abajo, sobre los que le aman y guardan sus mandamientos, y dice: "Yo
amo a los que me aman", y haré que tengan su heredad (Prov. 8:17, 21).
"Yo tomaré venganza de mis enemigos, y daré la retribución a los que me
aborrecen" (Deut. 32:41).

Cristo vivió de acuerdo con los principios del gobierno moral de
Dios, y cumplió las especificaciones de la ley de Dios. Representó los beneficios de la ley en su vida humana.

El hecho de que la ley es santa, justa y buena debe ser puesto de manifiesto delante de todas las naciones, las lenguas y los pueblos, delante
de los mundos no caídos, los ángeles, los serafines y los querubines. Los
principios de la ley de Dios se manifiestan en el carácter de Jesucristo, y
los que cooperan con Cristo, llegando a participar de la naturaleza divina, desarrollan el carácter divino y se convierten en una ilustración de la
ley divina. Cristo en el corazón conducirá al ser entero, espíritu, alma y
cuerpo, a que esté cautivo a la obediencia de justicia. Los verdaderos seguidores de Cristo estarán en conformidad con la mente, la voluntad y el
carácter de Dios, y los principios trascendentales de la ley se demostrarán
en la humanidad...

Satanás ha declarado que Dios no sabía nada de abnegación, misericordia y amor, sino que era severo, exigente e implacable. Satanás nunca probó el amor perdonador de Dios porque nunca ejerció un genuino
arrepentimiento. Sus representaciones de Dios eran incorrectas; fue un falso testigo, un acusador de Cristo, y un acusador de todos los que se sacuden el yugo satánico y vuelven a rendir una lealtad de corazón al Dios del
cielo.–*Review and Herald*, 9 de marzo de 1897.

Incluso la naturaleza obedece las leyes divinas

Y los hombres se maravillaron diciendo: ¿Qué hombre es este, que aun los vientos y el mar le obedecen? Mateo 8:27.

El Salvador estaba cansado de sus largas y arduas labores, y al quedar por un momento aliviado de la presión de la multitud, se acostó en las duras tablas del barco de pescadores, y se quedó dormido. Poco después, el tiempo, que había sido tranquilo y placentero, cambió. Las nubes cubrieron misteriosamente el cielo, y una violenta tempestad, tal como la que ocurría frecuentemente por aquellos lados, estalló sobre el lago. El sol se había puesto y la negrura de la noche se asentó sobre las aguas. Las olas airadas se arrojaban contra el barco, amenazando a cada momento con hundirlo. Primero, lanzado sobre la cresta de una ola, y después sumergido repentinamente en la parte más baja del lago, el barco era el juguete de la tempestad... Los fuerte y valientes pescadores... no sabían qué hacer en ese vendaval tan terrible...

"Maestro, Maestro, ¿no tienes cuidado que perecemos?" (Mar. 4:38)... Este clamor desesperado despertó a Jesús de su sueño refrescante... En su divina majestad se levantó en el humilde barco de los pescadores, en medio de la furiosa tempestad, las olas rompiendo sobre la proa y el vivo resplandor del relámpago iluminando su rostro tranquilo e intrépido. Levantó la mano, tan a menudo empleada en actos de misericordia, y dijo al mar airado: "Calla, enmudece". La tempestad cesó, las tremendas olas reposaron. Se disiparon las nubes, y las estrellas volvieron a resplandecer. El barco descansaba inmóvil sobre un mar sereno. Entonces, volviéndose a sus discípulos, Jesús los reprendió...: "¿Por qué estáis así amedrentados? ¿Cómo no tenéis fe?" (Mar. 4:40). Un silencio repentino cayó sobre los discípulos. No se habló una palabra. Ni siquiera el impulsivo Pedro intentó expresar el temor reverencial que llenaba su corazón. Los barcos que habían salido para acompañar a Jesús, se habían visto en el mismo peligro que el de los discípulos. El terror y finalmente la desesperación se habían apoderado de sus ocupantes; pero la orden de Jesús había traído calma donde un momento antes había tumulto. Quedó aliviado todo temor, porque había pasado el peligro. La furia de la tempestad había arrojado los barcos muy cerca unos de otros, y todos los que estaban a bordo de ellos habían presenciado el milagro de Jesús. En el silencio que siguió a la quietud de la tempestad, murmuraban entre sí: "¿Quién es este, que aun el viento y el mar le obedecen?" (Mar. 4:41). Nunca olvidaron esta escena impresionante los que fueron testigos de ella.–*The Spirit of Prophecy*, t. 2, pp. 307-309. (Ver *El Deseado de todas las gentes,* pp. 301, 302.)

Obedecer a Dios, la autoridad suprema

Respondiendo Pedro y los apóstoles, dijeron: Es necesario obedecer a Dios antes que a los hombres. Hechos 5:29.

El principio que los discípulos sostuvieron valientemente cuando, en respuesta a la orden de no hablar más en el nombre de Jesús, declararon: "Juzgad si es justo delante de Dios obedecer antes a vosotros que a Dios", es el mismo que los adherentes al evangelio lucharon por mantener en los días de la Reforma. Cuando en 1529 los príncipes alemanes se reunieron en la Dieta de Espira, se presentó allí el decreto del emperador que restringía la libertad religiosa, y que prohibía toda diseminación ulterior de las doctrinas reformadas. Parecía que toda la esperanza del mundo estaba a punto de ser destrozada. ¿Iban a aceptar los príncipes el decreto? ¿Debía privarse de la luz del evangelio a las multitudes que estaban todavía en las tinieblas? Importantes intereses para el mundo estaban en peligro. Los que habían aceptado la fe reformada se reunieron, y su unánime decisión fue: "Rechacemos este decreto. En asuntos de conciencia, la mayoría no tiene autoridad" (ver D'Aubigné, *History of the Reformation*, libro 13, cap. 5).

En nuestros días debemos sostener firmemente este principio. El estandarte de la verdad y la libertad religiosa, sostenido en alto por los fundadores de la iglesia evangélica y por los testigos de Dios durante los siglos que desde entonces han pasado, ha sido, para este último conflicto, confiado a nuestras manos. La responsabilidad de este gran don descansa sobre aquellos a quienes Dios ha bendecido con un conocimiento de su Palabra. Hemos de recibir esta Palabra como autoridad suprema. Hemos de reconocer los gobiernos humanos como instituciones ordenadas por Dios mismo, y enseñar la obediencia a ellos como un deber sagrado, dentro de su legítima esfera. Pero cuando sus demandas estén en pugna con las de Dios, hemos de obedecer a Dios antes que a los hombres. La palabra de Dios debe ser reconocida sobre toda otra legislación humana. Un "Así dice Jehová" no ha de ser puesto a un lado por un "Así dice la Iglesia" o un "Así dice el Estado". La corona de Cristo ha de ser elevada por sobre las diademas de los potentados terrenales...

No debemos decir ni hacer ninguna cosa que pudiera cerrarnos innecesariamente el camino. Debemos avanzar en el nombre de Cristo, defendiendo las verdades que se nos encomendaron. Si otros nos prohíben hacer esta obra, entonces podemos decir, como los apóstoles... "No podemos dejar de decir lo que hemos visto y oído" (Hech. 4:20).–*Los hechos de los apóstoles*, pp. 57, 58.

Hacer atractiva la obediencia

He aquí yo pongo hoy delante de vosotros la bendición y la maldición: la bendición, si oyereis los mandamientos de Jehová vuestro Dios, que yo os prescribo hoy, y la maldición, si no oyereis los mandamientos de Jehová vuestro Dios, y os apartareis del camino que yo os ordeno hoy.
Deuteronomio 11:26-28.

Los hombres y las mujeres no deben atreverse a poner a un lado la gran norma moral de Dios y erigir una norma de acuerdo con su propio juicio finito. Debido a que se están midiendo entre ellos mismos, y viviendo de acuerdo con su propia norma, es por lo que abunda la iniquidad y se enfría el amor de muchos. Se muestra desprecio por la ley de Dios, y por causa de esto muchos se atreven a transgredirla, y aun quienes han tenido la luz de la verdad están vacilando en su lealtad a la ley de Dios. ¿Los barrerá hacia la perdición la corriente del mal que se está imponiendo tan fuertemente? ¿O, con valor y fidelidad, rechazarán la marea y mantendrán su lealtad a Dios en medio del mal prevaleciente?...

Los que profesan servir a Dios deben emprender la obra de aliviar a los oprimidos. Deben llevar el fruto del buen árbol. Los que verdaderamente son de Cristo, no serán causa de opresión ni en el hogar ni en la iglesia. Los padres que están siguiendo al Señor enseñarán diligentemente a sus hijos los estatutos y mandamientos de Dios, pero no lo harán de tal manera que el servicio de Dios llegue a ser repulsivo para sus hijos. Cuando los padres amen a Dios con todo su corazón, la verdad tal como está en Jesús será practicada y enseñada en el hogar...

Debemos examinarnos a nosotros mismos íntimamente... Debemos suplicar a Dios que nos dé colirio espiritual, para poder discernir nuestros errores y entender nuestros defectos de carácter. Si hemos sido críticos y condenatorios, llenos de crítica, hablando de dudas y oscuridad, tenemos que hacer una obra de arrepentimiento y reforma. Debemos caminar en la luz, y hablar palabras que traigan paz y felicidad. Jesús debe morar en el alma. Y donde él está, en vez de lobreguez, murmuración y quejas habrá fragancia de carácter.–*Review and Herald,* 12 de junio de 1894.

La ley de Dios es perfecta

La ley de Jehová es perfecta, que convierte el alma; el testimonio de Jehová es fiel, que hace sabio al sencillo. Los mandamientos de Jehová son rectos, que alegran el corazón; el precepto de Jehová es puro, que alumbra los ojos. Salmo 19:7, 8.

El mismo Jesús que, encubierto en la columna de nube, dirigió a las huestes hebreas, es nuestro Jefe. El que dio leyes sabias, justas y buenas a Israel, nos ha hablado a nosotros tan verdaderamente como a ellos. Nuestra prosperidad y felicidad dependen de una obediencia constante a la ley de Dios. La sabiduría finita no puede mejorar un precepto de esa santa ley. Ni uno de sus diez preceptos puede ser quebrantado sin ser desleal al Dios del cielo. Guardar cada jota y tilde de la ley es esencial para nuestra propia felicidad, y para la felicidad de todos los que se relacionan con nosotros. "Mucha paz tiene los que aman tu ley, y no hay para ellos tropiezo" (Sal. 119:165). Y sin embargo, criaturas finitas presentan al pueblo esta ley santa, justa y buena como un yugo; ¡un yugo que no pueden llevar! Es el transgresor el que no puede ver la belleza en la ley de Dios.

Todo el mundo será juzgado por esa ley. Toca aun las intenciones y los propósitos del corazón, y exige pureza en los pensamientos más secretos, en los deseos y las aspiraciones. Demanda que amemos a Dios supremamente, y a nuestros prójimos como a nosotros mismos. Sin el ejercicio de este amor, la más elevada profesión de fe es hipocresía. Dios requiere, de cada alma de la familia humana, obediencia perfecta a su ley. "Porque cualquiera que guardare toda la ley, pero ofendiere en un punto, se hace culpable de todos" (Sant. 2:10).

La desviación más mínima de la ley, por negligencia o transgresión voluntaria, es pecado, y cada pecado expone al pecador a la ira de Dios. El corazón que no ha nacido de nuevo, odiará las restricciones de la ley de Dios y se esforzará por deshacerse de sus justos requerimientos. Nuestro bienestar eterno depende de un entendimiento exacto de la ley de Dios, una convicción profunda de su santo carácter y una obediencia lista a cumplir sus condiciones. Hombres y mujeres deben estar convencidos de pecado antes de que puedan sentir su necesidad de Cristo... Los que pisotean la ley de Dios han rechazado el único medio que define al transgresor lo que es el pecado. Están haciendo la obra del gran engañador.–*Signs of the Times*, 3 de marzo de 1881.

Jesús, el perfecto Modelo de obediencia

Y descendió con ellos, y volvió a Nazaret, y estaba sujeto a ellos. Y su madre guardaba todas estas cosas en su corazón. Lucas 2:51.

Cuando Cristo tenía 12 años, fue con sus padres a Jerusalén para asistir a la fiesta de la Pascua, y a su regreso se perdió entre la multitud. Después de que José y María lo buscaron durante tres días, lo encontraron en el atrio del templo, "sentado en medio de los doctores de la ley, oyéndoles y preguntándoles. Y todos los que le oían, se maravillaban de su inteligencia y de sus respuestas" (Luc. 2:46, 47). Hacía preguntas con una gracia que encantaba a esos eruditos. Era un modelo perfecto para toda la juventud. Siempre manifestó deferencia y respeto por los mayores. La religión de Jesús nunca hará que un niño sea rudo y descortés.

Cuando José y María lo encontraron, quedaron sorprendidos, "y le dijo su madre: Hijo, ¿por qué nos has hecho así? He aquí, tu padre y yo te hemos buscado con angustia. Entonces él les dijo: ¿Por qué me buscabais?" Señalando hacia el cielo, continuó: "¿No sabíais que en los negocios de mi Padre me es necesario estar?" (Luc. 2:48, 49). Mientras hablaba estas palabras, la divinidad fulguró a través de su humanidad. La luz de la gloria del cielo iluminó su rostro...

Cristo no comenzó su ministerio público sino hasta dieciocho años después de esto, pero constantemente estuvo ayudando a otros, aprovechando cada oportunidad que se le ofrecía. Aun en su niñez hablaba palabras de consuelo y ternura a jóvenes y viejos. Su madre no podía menos que advertir sus palabras, su espíritu, su obediencia voluntaria a todos los requerimientos de ella.

No es correcto decir, como muchos escritores han dicho, que Cristo era como todos los niños. Muchos niños son descarriados y conducidos mal... Jesús fue instruido de acuerdo con el carácter sagrado de su misión. Su inclinación hacia lo correcto era una constante satisfacción para sus padres. Las preguntas que les hacía los inducían a estudiar con sumo fervor los grandes elementos de la verdad. Las conmovedoras palabras de Jesús en cuanto a la naturaleza y el Dios de la naturaleza abrían e iluminaban su mente.–*The Youth's Instructor*, 8 de septiembre de 1898. (Ver *Comentario bíblico adventista*, t. 5, pp. 1.091, 1.093.)

Nuestra obediencia hace posible que Dios cumpla las promesas

Has declarado solemnemente que Jehová es tu Dios, y que andarás en sus caminos, y guardarás sus estatutos, sus mandamientos y sus decretos, y que escucharás su voz. Deuteronomio 26:17.

Seamos leales y fieles a cada precepto de la ley de Dios. El Señor declara que si obedecemos los principios de su ley, esos principios serán nuestra vida...

Los preceptos de la ley de Dios no fueron la producción de ninguna mente humana, ni fueron promulgados por Moisés. Fueron formulados por Aquel infinito en sabiduría, el mismo que es el Rey de reyes y Señor de señores, y por él fueron proclamados desde el Sinaí en medio de escenas de imponente grandiosidad. La prosperidad de Israel dependía de la obediencia a esos preceptos. "Cuida, pues, de ponerlos por obra, con todo tu corazón y con toda tu alma" (Deut. 26:16). Dios no nos dio sus mandamientos para que los obedezcamos cuando nos plazca y para que los pasemos por alto a nuestro antojo. Son las leyes de su reino, y deben ser obedecidas por sus súbditos. Si su pueblo obedeciera su ley con todo su corazón, se daría un testimonio decidido ante el mundo de que todos los que él ha afirmado que son su pueblo, su tesoro especial, lo honran verdaderamente en todo lo que hacen. La lealtad a Dios, una obediencia incondicional a su ley, haría de su pueblo una maravilla en el mundo, porque Dios podría cumplir sus ricas y abundantes promesas para ellos, y hacerlos la alabanza de la tierra. Serían un pueblo santo para él.

"Ahora, pues", declara Dios, "si diereis oído a mi voz, y guardareis mi pacto, vosotros seréis mi especial tesoro sobre todos los pueblos; porque mía es toda la tierra. Y vosotros me seréis un reino de sacerdotes, y gente santa" (Éxo. 19:5, 6). ¡Qué maravillosa la magnitud de las promesas de Dios! Y se dan a todos los que prestan atención a su Palabra, creyendo sus declaraciones y obedeciendo sus mandamientos. La obediencia a su ley es la condición de la eterna felicidad futura.–*Southern Watchman*, 16 de febrero de 1904.

La obediencia tiene recompensas inmediatas y eternas

Por tanto, pondréis estas mis palabras en vuestro corazón y en vuestra alma, y las ataréis como señal en vuestra mano, y os serán por frontales entre vuestros ojos. Deuteronomio 11:18.

Estas palabras [todas las de Deut. 11] deberían estar tan claramente impresas en cada alma como si estuvieran escritas con una pluma de hierro. La obediencia trae su recompensa, la desobediencia su retribución. Dios le dio a su pueblo instrucciones positivas, y les impuso restricciones positivas para que pudieran obtener una experiencia perfecta en su servicio, y para que estuvieran habilitados para permanecer ante el universo celestial y ante el mundo caído como vencedores. Son vencedores por medio de la palabra del Cordero y por medio de su testimonio. Todos los que no alcancen a hacer la preparación esencial serán contados con los ingratos y los impuros.

El Señor lleva a su pueblo por caminos que no conoce para poder examinarlo y probarlo. Este mundo es nuestro lugar de prueba. Aquí decidimos nuestro destino eterno. Dios humilla a su pueblo para que su voluntad pueda desarrollarse por medio de ellos. De esa manera trató con los hijos de Israel al dirigirlos por el desierto. Les dijo cuál habría sido su suerte, si él no hubiera puesto una mano refrenadora sobre lo que los hubiera dañado...

Dios bendice la obra de las manos humanas para que le puedan devolver su parte. Deben dedicar sus medios a su servicio, para que su viña no permanezca un árido desierto. Deben analizar lo que el Señor haría en su lugar. Deben llevarle en oración todos los asuntos difíciles. Deben revelar un interés altruista en el desarrollo de su obra en todas partes del mundo...

Recordemos que somos obreros juntamente con Dios. No somos lo suficiente sabios como para trabajar por nosotros mismos. Dios nos ha hecho sus mayordomos, para educarnos y probarnos, así como probó y afligió al antiguo Israel. No va a tener su ejército compuesto de soldados indisciplinados, no santificados, volubles, que desfiguren su orden y pureza.–*Review and Herald*, 8 de octubre de 1901.

La santificación genuina entraña obediencia

Porque vuestra obediencia ha venido a ser notoria a todos, así que me gozo de vosotros; pero quiero que seáis sabios para el bien, e ingenuos para el mal. Romanos 16:19.

Adán y Eva osaron transgredir los requerimientos del Señor, y los terribles resultados de su pecado deben ser una amonestación para nosotros acerca de no seguir su ejemplo de desobediencia. Cristo oró por sus discípulos con estas palabras: "Santifícalos en tu verdad, tu Palabra es verdad" (Juan 17:17). No hay santificación genuina sino por medio de la obediencia a la verdad. Los que aman a Dios con todo el corazón amarán también todos sus mandamientos. El corazón santificado está en armonía con los preceptos de la ley de Dios, porque son santos, justos y buenos.

El carácter de Dios no ha cambiado. Él es el mismo Dios celoso como lo fue cuando dio su ley sobre el Sinaí, y la escribió con su propio dedo sobre las tablas de piedra. Los que pisotean la santa ley de Dios pueden decir: "Estoy santificado"; pero el ser verdaderamente santificado y pretender tener la santificación son dos cosas diferentes.

El Nuevo Testamento no ha cambiado la ley de Dios. El carácter sagrado del sábado del cuarto mandamiento está tan firmemente establecido como el trono de Jehová. Juan escribió: "Todo aquel que comete pecado, infringe también la ley; pues el pecado es infracción de la ley. Y sabéis que él apareció para quitar nuestros pecados, y no hay pecado en él. Todo aquel que permanece en él, no peca; todo aquel que peca, no le ha visto, ni le ha conocido" (1 Juan 3:4-6).

Estamos autorizados a tener la misma apreciación que tuvo el amado discípulo hacia quienes pretenden permanecer en Cristo y ser santificados mientras viven en la transgresión de la ley de Dios. Él se encontró con la misma clase de personas que nosotros. Dijo: "Hijitos, nadie os engañe; el que hace justicia es justo, como él es justo. El que practica el pecado es del diablo; porque el diablo peca desde el principio. Para esto apareció el Hijo de Dios, para deshacer las obras del diablo" (1 Juan 3:7, 8). Aquí el apóstol habla en términos claros al considerar el tema.

Las epístolas de Juan están saturadas de un espíritu de amor. Pero cuando él se enfrenta con esa clase de personas que quebrantan la ley de Dios y sin embargo pretenden estar viviendo sin pecado, no vacila en amonestarlos acerca de su terrible engaño [1 Juan 1:6-10].–*La edificación del carácter y la formación de la personalidad*, pp. 87-89.

La obediencia parcial no es aceptable

No haréis como todo lo que hacemos nosotros aquí ahora, cada uno lo que bien le parece. Deuteronomio 12:8.

En Gilgal, Saúl había aparentado ser muy concienzudo, cuando ante el ejército de Israel ofreció un sacrificio a Dios. Pero su piedad no era genuina. Un servicio religioso realizado en oposición directa al mandamiento de Dios, sólo sirvió para debilitar las manos de Saúl y lo colocó en una posición tal que no podía recibir la ayuda que Dios tanto quería otorgarle.

En la expedición contra Amalec, Saúl creyó que había hecho cuanto era esencial entre todo lo que el Señor le había mandado; pero al Señor no le agradó la obediencia parcial, ni quiso pasar por alto lo que se había descuidado por un motivo tan plausible.

Dios no ha dado a los hombres y a las mujeres la libertad de apartarse de sus mandamientos... Al decidir sobre cualquier camino a seguir, no hemos de preguntarnos si es previsible que de él resultará algún daño, sino más bien si está de acuerdo con la voluntad de Dios. "Hay camino que al hombre le parece derecho; pero su fin es camino de muerte" (Prov. 14:12).

"El obedecer es mejor que los sacrificios" (1 Sam. 15:22). Las ofrendas de los sacrificios no tenían en sí mismas valor alguno a los ojos de Dios. Estaban destinadas a expresar, por parte del que las ofrecía, arrepentimiento del pecado y fe en Cristo, y a prometer obediencia futura a la ley de Dios. Pero sin arrepentimiento, ni fe ni un corazón obediente, las ofrendas no tenían valor. Cuando, violando directamente el mandamiento de Dios, Saúl se propuso presentar en sacrificio lo que Dios había dispuesto que fuese destruido, despreció abiertamente la autoridad divina. El sacrificio hubiera sido un insulto para el Cielo.

No obstante conocer el relato del pecado de Saúl y sus resultados, ¿cuántos siguen una conducta parecida? Mientras se niegan a creer y obedecer algún mandamiento del Señor, perseveran en ofrecer a Dios sus servicios religiosos formales. No responde el Espíritu de Dios a tal servicio. Por celosos que sean los hombres y las mujeres en su observancia de las ceremonias religiosas, el Señor no las puede aceptar si ellos persisten en violar deliberadamente uno de sus mandamientos.–*Patriarcas y profetas*, pp. 687, 688.

Tiempo para estudiar el Apocalipsis

Bienaventurado el que lee, y los que oyen las palabras de esta profecía,
y que guardan las cosas en ella escritas, porque el tiempo está cerca.
Apocalipsis 1:3.

Al acercarnos al fin de la historia de este mundo, las profecías que se relacionan con los últimos días requieren en forma especial nuestro estudio. El último libro del Nuevo Testamento está lleno de verdades que necesitamos entender. Satanás ha cegado la mente de muchos, de manera que se han regocijado de encontrar alguna excusa para no estudiar el Apocalipsis.

Debería haber un estudio más profundo y diligente de este libro [el Apocalipsis], una presentación más fervorosa de las verdades que contiene, verdades que le interesan a todos los que están viviendo en estos últimos días. Todos los que se están preparando para encontrar a su Señor deberían hacer de este libro el tema de estudio y oración fervientes. Es exactamente lo que significa su nombre: una revelación de los acontecimientos más importantes que van a suceder en los últimos días de la historia de esta tierra. Juan, por causa de su fiel confianza en la palabra de Dios y en el testimonio de Jesucristo, fue desterrado a la isla de Patmos, pero este destierro no lo separó de Cristo. El Señor visitó a su fiel siervo en su destierro, y le dio instrucciones concernientes a lo que iba a venir sobre el mundo.

Esta instrucción es de la mayor importancia para nosotros, porque estamos viviendo en los últimos días de la historia de este mundo. Pronto entraremos en el cumplimiento de los acontecimientos que Cristo le mostró a Juan que iban a suceder. Al presentar estas solemnes verdades, los mensajeros del Señor deben darse cuenta de que están manejando temas de interés eterno, y deben buscar el bautismo del Espíritu Santo, para que puedan hablar, no sus propias palabras, sino las palabras que les da Dios...

Los peligros de los últimos días están sobre nosotros, y en nuestro trabajo hemos de amonestar a la gente acerca del peligro en que está. No se dejen sin tratar las solemnes escenas que la profecía ha revelado. Somos los mensajeros de Dios y no tenemos tiempo que perder. Los que son colaboradores con nuestro Señor Jesucristo mostrarán un profundo interés en las verdades que se encuentran en este libro. Con la pluma y con la voz se esforzarán para aclarar y explicar las cosas maravillosas que Cristo vino a revelar del cielo.–*Signs of the Times*, 4 de julio de 1906.

Dependamos de nuestro Abogado divino

Por lo cual alegraos, cielos, y los que moráis en ellos. ¡Ay de los moradores de la tierra y del mar!, porque el diablo ha descendido a vosotros con gran ira, sabiendo que tiene poco tiempo. Apocalipsis 12:12.

Los que guardan los mandamientos de Dios y la fe de Jesús sentirán la ira del dragón y de su hueste. Satanás considera súbditos suyos a los habitantes del mundo; ha obtenido el dominio de las iglesias apóstatas; pero ahí está ese pequeño grupo que resiste su supremacía. Si él pudiese borrarlo de la tierra, su triunfo sería completo. Así como influyó en las naciones paganas para que destruyesen a Israel, pronto incitará a las potestades malignas de la tierra a destruir al pueblo de Dios. Todo lo que se requerirá será que rinda obediencia a los edictos humanos en violación de la ley divina. Los que quieran ser fieles a Dios y al deber serán amenazados, denunciados y proscritos. Serán traicionados por "padres, y hermanos, y parientes, y amigos" (Luc. 21:16).

Su única esperanza se cifra en la misericordia de Dios; su única defensa será la oración. Así como Josué intercedía delante del ángel, la iglesia remanente, con corazón quebrantado y fe ferviente, suplicará perdón y liberación por medio de Jesús su Abogado. Sus miembros serán completamente conscientes del carácter pecaminoso de su vida, verán su debilidad e indignidad, y mientras se miren a sí mismos, estarán por desesperar.

El tentador estará listo para acusarlos como estaba listo para resistir a Josué. Señalará sus vestiduras sucias, su carácter deficiente. Presentará su debilidad e insensatez, su pecado de ingratitud, cuán poco semejantes a Cristo son, lo cual ha deshonrado a su Redentor. Se esforzará por espantar a las almas con el pensamiento de que su caso es desesperado, de que nunca se podrá lavar la mancha de su contaminación. Esperará destruir de tal manera su fe que se entreguen a sus tentaciones, se desvíen de su fidelidad a Dios y reciban la marca de la bestia...

Pero aunque los seguidores de Cristo han pecado, no se han entregado al dominio del mal. Han puesto a un lado sus pecados, han buscado al Señor con humildad y contrición, y el Abogado divino intercede en su favor. El que ha sido el más ultrajado por su ingratitud, el que conoce sus pecados y también su arrepentimiento, declara: "¡Jehová te reprenda, oh Satán! Yo di mi vida por estas almas. Están esculpidas en las palmas de mis manos".–*Joyas de los testimonios*, t. 2, pp. 175-177.

Un mensaje para nuestro tiempo

Porque somos hechos participantes de Cristo, con tal que retengamos firme hasta el fin nuestra confianza del principio. Hebreos 3:14.

"Y el ángel que vi en pie sobre el mar y sobre la tierra, levantó su mano al cielo, y juró por el que vive por los siglos de los siglos, que creó el cielo y las cosas que están en él, y la tierra y las cosas que están en ella, y el mar y las cosas que están en él, que el tiempo no sería más" (Apoc. 10:5, 6). Este mensaje anuncia el fin de los períodos proféticos. El chasco de los que esperaban ver al Señor en 1844 fue muy amargo para los que habían aguardado tan ardientemente su aparición. Dios permitió que ocurriera ese chasco, y que los corazones se manifestaran.

No ha habido ni una sola nube que ha caído sobre la iglesia para la cual Dios no haya hecho provisión; no se ha levantado ni una sola fuerza opositora para contrarrestar la obra de Dios que él no haya previsto... Todos sus propósitos se cumplirán y establecerán. Su ley está unida con su trono, y los instrumentos satánicos combinados con los instrumentos humanos no pueden destruirla. La verdad es inspirada y está protegida por Dios; perdurará y tendrá buen éxito, aunque algunas veces aparezca oscurecida.

El evangelio de Cristo es la ley ejemplificada en el carácter. Los engaños practicados contra ella, toda invención destinada a vindicar la falsedad, y todo error forjado por los instrumentos satánicos, llegarán a ser desbaratados para siempre, y el triunfo de la verdad será como la apariencia del sol en el mediodía. El Sol de justicia brillará con poder sanador en sus rayos, y toda la tierra estará llena con su gloria...

Revivirán antiguas controversias, y constantemente surgirán teorías nuevas. Pero el pueblo de Dios, el cual mediante sus creencias y su cumplimiento de la profecía ha desempeñado una parte en la proclamación de los mensajes del primer, del segundo y del tercer ángel, sabe dónde se encuentra. Tiene una experiencia que es más preciosa que el oro refinado. Debe permanecer firme como una roca, aferrándose al comienzo de su confianza resueltamente hasta el fin.–*Mensajes selectos*, t. 2, pp. 123-125.

Trabajar fielmente, usando sabiamente el tiempo

Me es necesario hacer las obras del que me envió, entre tanto que el día dura; la noche viene, cuando nadie puede trabajar. Juan 9:4.

Cristo les ha dado a todos los seres humanos su obra, y debemos reconocer la sabiduría de su plan para nosotros mediante una cordial cooperación con él. La verdadera felicidad sólo se encuentra en una vida de servicio. El que vive una vida inútil y egoísta, es desgraciado. Está insatisfecho consigo mismo y con todos los demás.

Obreros fieles, consagrados, usarán gustosamente sus dones más elevados en el servicio más humilde. Se dan cuenta de que el verdadero servicio significa ver y ejecutar los deberes que el Señor señala.

Hay muchos que no están satisfechos con la obra que el Señor les ha dado. No están satisfechos con servirlo alegremente en el lugar que les ha señalado, y realizar sin quejarse la obra que ha puesto en sus manos.

Es correcto que no estemos conformes con la forma en que cumplimos nuestros deberes, pero no debiéramos estar insatisfechos con el deber mismo sencillamente porque nos gustaría más bien hacer alguna otra cosa. En su providencia Dios pone ante los seres humanos un servicio que es como una medicina para su mente enferma. De esa forma trata de dirigirlos para que pongan a un lado las preferencias egoístas, las cuales, si se albergan, los descalificarían para la obra que tiene para ellos. Si aceptan y realizan este servicio, su mente será sanada. Pero si rehúsan hacerlo, tendrán conflictos con ellos mismos y con otros.

El Señor disciplina a sus obreros para que puedan estar preparados para ocupar los lugares señalados para ellos. Desea amoldar su mente de acuerdo con su voluntad. Para este propósito los hace pasar por pruebas y tribulaciones. Coloca a algunos en lugares donde una disciplina relajada y el exceso de tolerancia no llegarán a ser una trampa para ellos, donde se les enseñará a apreciar el valor del tiempo y a hacer el mejor uso de él.–*Manuscript Releases*, t. 8, pp. 422, 423.

Someterse al proceso de preparación de Dios

Guardaos, nos sea que... caigáis de vuestra firmeza... antes bien, creced en la gracia y el conocimiento de nuestro Señor y Salvador Jesucristo.
2 Pedro 3:17, 18.

Hay quienes desean tener un poder soberano, y que necesitan la santificación de la obediencia. Dios provoca un cambio en su vida. Tal vez coloca delante de ellos deberes que no habrían escogido. Si están dispuestos a ser guiados por él, les dará gracia y fortaleza para realizar esos deberes con espíritu de sometimiento y utilidad. De esa manera están siendo capacitados para ocupar lugares donde sus disciplinados talentos realicen un gran servicio.

A algunos a veces Dios los prepara dándoles chascos y aparente fracaso. Tiene el propósito de que aprendan a dominar la dificultad. Los inspira con una determinación de hacer que cada aparente fracaso resulte un éxito.

Los hombres y las mujeres a menudo oran y lloran debido a las perplejidades y los obstáculos que deben arrostrar. Pero si mantienen firmemente hasta el fin su confianza como al principio, él les despejará el camino. Los que luchen perseverantemente contra dificultades aparentemente insuperables tendrán éxito, y con el éxito también vendrá el más grande gozo.

Muchos no saben cómo trabajar para Dios no por causa de su ignorancia, sino porque no están dispuestos a someterse a la preparación divina. Se habla del fracaso de Moab porque, declara el profeta: "Quieto estuvo Moab desde su juventud... y no fue vaciado de vasija en vasija, ni nunca estuvo en cautiverio, por tanto quedó su sabor en él, y su olor no se ha cambiado" (Jer. 48:11).

El cristiano debe estar preparado para cumplir una obra que revele bondad, tolerancia, magnanimidad, delicadeza, paciencia. El cristiano debe albergar en su vida el cultivo de esos preciosos dones, para que cuando sea llamado al servicio del Maestro pueda estar listo para usar sus más elevadas facultades en ayudar y bendecir a los que lo rodean.–*Manuscript Releases*, t. 8, pp. 423, 424. (Ver *Comentario bíblico adventista*, t. 4, pp. 1.181, 1.182.)

Mejorar las oportunidades para servir

Cuando no sabéis lo que será mañana. Porque, ¿qué es vuestra vida?
Ciertamente es neblina que se aparece por un poco de tiempo, y luego
se desvanece. Santiago 4:14.

No hay religión en la entronización del yo. Dios nos pide que seamos *fieles* a él, que negociemos con los talentos que nos ha dado para que podamos ganar otros talentos. Su voluntad debe ser hecha nuestra voluntad en todas las cosas. Cualquier desvío de esta norma degrada nuestra naturaleza moral. Puede dar por resultado nuestro ensalzamiento, nuestro enriquecimiento y el que nos sentemos al lado de príncipes; pero a los ojos de Dios somos impuros y viles. Hemos vendido nuestra primogenitura por el interés y la ganancia egoístas, y en los libros del cielo está escrito de nosotros: Pesados en las balanzas del Santuario, y hallados faltos.

Pero si consideramos nuestros talentos como los dones del Señor y los usamos en su servicio, mostrando compasión y amor hacia nuestros semejantes, somos canales a través de los cuales las bendiciones de Dios fluyen al mundo; y en el gran día final se nos dará la bienvenida con las palabras: "Bien, buen siervo y fiel; sobre poco has sido fiel, sobre mucho te pondré; entra en el gozo de tu Señor" (Mat. 25:21).

El tiempo que está cargado con oportunidades preciosas y doradas para servir al Señor, está pasando rápidamente a la eternidad... ¿Está aprovechando esas oportunidades mientras pasan? No puede permitirse el lujo de despreciarlas, porque usted debe estar ante el tribunal de Dios para dar respuesta de las obras hechas en el cuerpo. ¿Alegran y animan sus palabras a los que van a usted en busca de ayuda y consuelo? ¿Fortalece su influencia a aquellos con los cuales se relaciona? ¿Entrega sus posesiones fielmente al Señor?

Conságrese hoy al servicio del Señor... Eche su ansiedad sobre el Señor y de ninguna manera permita que las cosas del mundo lo separen de él. Conságrele todo lo que tiene y es. Esto es sólo "su culto racional". No se demore, porque hay peligro en un momento de demora. Unos pocos años más como máximo serán suyos para trabajar para el Maestro, y después escuchará la voz que no puede rehusar contestar, que le dice: "Da cuenta de tu mayordomía".–*Signs of the Times*, 21 de enero de 1897.

Regularidad y prontitud son deberes religiosos

Para lo cual también trabajo, luchando según la potencia de él, la cual actúa poderosamente en mí. Colosenses 1:29.

Dios confió su sagrada obra a los seres humanos y les pide que la hagan cuidadosamente... Se llenan de muchas cosas en su vida, posponen hasta mañana lo que exige su atención hoy, y lastimosamente se pierde mucho tiempo en recoger las puntadas perdidas. Los hombres y las mujeres pueden alcanzar un grado más elevado de utilidad que el de llevar con ellos durante la vida un estado de ánimo inestable. Pueden mejorar los rasgos defectuosos de su carácter que contrajeron en sus años juveniles. Al igual que Pablo, pueden trabajar para alcanzar un grado más elevado de perfección.

La obra de Dios no debe hacerse a tontas y a locas. No quedará colocada en terreno ventajoso siguiendo un impulso repentino. Por el contrario, es positivamente necesario seguir la buena obra con paciencia, día tras día, progresando en nuestros caminos y en nuestros métodos. Uno debe levantarse a una hora regular. Si durante el día se descuida el trabajo y se gasta la noche siguiente recuperando el tiempo perdido, la mañana y el siguiente día mostrarán, como resultado, un cerebro cansado y una fatiga general que constituyen violaciones definidas de las leyes de la vida y la salud. Debe haber horas regulares para levantarse, para el culto de familia, para las comidas y para el trabajo. Y es un deber religioso... mantener esto por precepto... por un ejemplo firme. Muchos malgastan las horas más preciosas de la mañana esperando poder terminar el trabajo que descuidaron durante las horas que deberían dedicarse al sueño. La piedad, la salud, el éxito, todos sufren de esta falta de un sistema verdaderamente religioso...

Algunos obreros necesitan abandonar los métodos lentos de trabajo que prevalecen, y aprender a ser rápidos. Es necesaria la prontitud, así como la diligencia. Si deseamos realizar el trabajo de acuerdo con la voluntad de Dios, debe hacerse de una manera rápida, pero no sin pensar y sin cuidado.–*Manuscript Releases*, t. 8, pp. 326, 327.

Cada hora es valiosa

Perezoso, ¿hasta cuándo has de dormir? ¿Cuándo te levantarás de tu sueño?... Ve a la hormiga, oh perezoso, mira sus caminos, y sé sabio. Proverbios 6:9, 6.

Dios no tiene lugar para los perezosos en su causa; él quiere obreros reflexivos, bondadosos, afectuosos y fervientes. El ejercicio activo hará bien a nuestros predicadores. La indolencia es prueba de depravación. Cada facultad de la mente, cada hueso del cuerpo, cada músculo de los miembros demuestra que Dios destinó nuestras facultades para ser ejercitadas, no para permanecer inactivas. Los que innecesariamente toman las horas del día para dormir, no tienen sentido del valor de los momentos preciosos y áureos...

Las personas que no hayan adquirido hábitos de estricta laboriosidad y economía de tiempo, deben tener reglas fijas que las impulsen a la regularidad y prontitud. Jorge Washington, el estadista de la nación [Estados Unidos], pudo hacer mucho trabajo porque se esmeraba en conservar el orden y la regularidad. Cada papel tenía su fecha y su lugar, y no se perdía tiempo en buscar lo traspapelado.

Los hombres y las mujeres de Dios deben ser diligentes en el estudio, fervientes en la adquisición de conocimiento, sin perder nunca una hora. Por medio de ejercicios perseverantes pueden elevarse a casi cualquier grado de eminencia como cristianos, como gente de poder e influencia. Pero muchos no alcanzarán nunca a descollar, en el púlpito o los negocios, por causa de su falta de fijeza en sus propósitos y la indolencia de los hábitos que contrajeron en su juventud. Se ve una descuidada falta de atención de cuanto emprenden.

Un impulso repentino de vez en cuando no es suficiente para lograr una reforma en estos indolentes amantes de la comodidad; es una obra que requiere paciente perseverancia en el bien hacer. Las personas de negocios pueden ser verdaderamente exitosas únicamente teniendo horas regulares para levantarse, para la oración, para las comidas y para acostarse. Si el orden y la regularidad son esenciales en el mundo de los negocios, ¡cuánto más lo son en la obra de Dios!

Muchos desperdician en la cama las alegres horas de la mañana. Una vez perdidas, esas preciosas horas se fueron para siempre; se pierden para esta vida y para la eternidad. ¡Qué despilfarro de tiempo causa en un año la pérdida de una sola hora por día! Piense en ello el dormilón, y considere cómo dará cuenta a Dios de las oportunidades perdidas.—*Obreros evangélicos*, pp. 294, 295.

Los talentos enterrados deben ser usados

Andad sabiamente para con los de afuera, redimiendo el tiempo. Sea vuestra palabra siempre con gracia, sazonada con sal, para que sepáis cómo debéis responder a cada uno. Colosenses 4:5, 6.

Busquen la conversión del espíritu, el alma y el cuerpo. Desdoblen su servilleta y comiencen a negociar con los bienes de su Señor. Al hacerlo así, ganarán otros talentos. A cada alma que se le han confiado talentos es para que los use para beneficiar a otros. A quien en el gran día del ajuste final de cuentas se excuse: "Tuve miedo, y fui y escondí tu talento en la tierra; aquí tienes lo que es tuyo" (Mat. 25:25), el Señor le dirá: "Siervo malo y negligente... debías haber dado mi dinero a los banqueros, y al venir yo, hubiera recibido lo que es mío con los intereses" (Mat. 25:26, 27).

El Señor aún está llamando a los que aparentemente están ciegos a sus deficiencias, a los que están satisfechos de sí mismos, que planean y se las ingenian para ver cómo pueden servirse mejor a sí mismos. Dios ayuda al que está espiritualmente ciego para que vea que hay un mundo que salvar. La verdad debe ser hecha manifiesta a los que no la conocen, y esta obra requiere la gracia abnegada de Cristo.

Miles que ahora no hacen nada en la causa de Dios deberían estar desenterrando sus talentos escondidos y dándolos a los banqueros. Los que piensan que alcanzarán con toda seguridad el cielo mientras siguen sus propios caminos e imaginación, harían mejor en abrir el sello y reexaminar su título a los tesoros del cielo. Los hombres y las mujeres que se sienten cómodos en Sion, sería mejor que se preocuparan por sí mismos y se preguntaran: ¿Qué estoy haciendo en la viña del Señor? ¿Por qué no estoy unido con Cristo, un obrero juntamente con Dios? ¿Por qué no estoy aprendiendo en la escuela de Cristo su mansedumbre y humildad de corazón? ¿Por qué no tengo cargas que llevar en el servicio de Cristo? ¿Por qué no soy un cristiano resuelto, empleando todas mis fuerzas para trabajar por la salvación de las almas que están pereciendo a mi alrededor? ¿No dice la Palabra: "Porque nosotros somos colaboradores de Dios, y vosotros sois labranza de Dios, edificio de Dios" (1 Cor. 3:9)? Con la ayuda de Dios, ¿no edificaré un carácter para el tiempo y la eternidad, y promoveré la piedad en mí mismo y en otros por medio de la santificación de la verdad?–*Review and Herald*, 21 de agosto de 1900.

Cómo "redimir" el tiempo

Mirad, pues, con diligencia cómo andéis, no cómo necios sino como sabios, aprovechando bien el tiempo, porque los días son malos. Efesios 5:15, 16.

El valor del tiempo sobrepuja todo cómputo. Cristo consideraba precioso todo momento, y así es como hemos de considerarlo nosotros. La vida es demasiado corta para que se la disipe. No tenemos sino unos pocos días de gracia en los cuales prepararnos para la eternidad. No tenemos tiempo para perder, ni tiempo para dedicar a los placeres egoístas, ni tiempo para entregarnos al pecado. Es ahora cuando hemos de formar caracteres para la vida futura e inmortal. Es ahora cuando hemos de prepararnos para el juicio investigador.

Apenas los miembros de la familia humana empiezan a vivir, comienzan a morir, y la labor incesante del mundo termina en la nada a menos que se obtenga un verdadero conocimiento respecto de la vida eterna. La gente que aprecia el tiempo como su día de trabajo, se preparará para una mansión y una vida inmortales. Vale la pena que hayan nacido.

Se nos amonesta a redimir el tiempo. Pero el tiempo desperdiciado no puede recuperarse jamás. No podemos hacer retroceder ni un solo momento. La única manera en la cual podemos redimir nuestro tiempo es aprovechando lo más posible el que nos queda, colaborando con Dios en su gran plan de redención. En aquel que hace esto se efectúa una transformación del carácter. Llega a ser hijo(a) de Dios, miembro de la familia real, hijo(a) del Rey celestial. Está capacitado(a) para ser compañero(a) de los ángeles.

Ahora es nuestro tiempo de trabajar por la salvación de nuestros semejantes. Hay algunos que piensan que si dan dinero a la causa de Cristo, eso es todo lo que se requiere de ellos; y el tiempo precioso, en el cual pudieran hacer obra personal para Cristo, pasa sin ser aprovechado. Pero es deber y privilegio de todos los que tiene salud y fuerza prestar a Dios un servicio activo. Todos han de trabajar en ganar almas para Cristo. Los donativos en dinero no pueden ocupar el lugar de esto...

La oportunidad que se nos ofrece hoy de hablar a algún alma necesitada de la Palabra de vida, puede no volver jamás. Puede ser que Dios diga a esa persona: "Esta noche vengo a pedirte tu alma" (ver Luc. 12:20), y a causa de nuestra negligencia no se halle lista. En el gran día del juicio, ¿cómo rendiremos cuenta de ello a Dios?–*Palabras de vida del gran Maestro*, pp. 277, 278.

Usar sabiamente incluso un talento

Por lo cual tuve miedo, y fui y escondí tu talento en la tierra; aquí tienes lo que es tuyo. Respondiendo su señor, le dijo: Siervo malo y negligente... debías haber dado mi dinero a los banqueros, y al venir yo hubiera recibido lo que es mío con intereses. Mateo 25:25-27.

Nadie debería quejarse porque no tiene talentos mayores. Cuando los seres humanos utilicen para la gloria de Dios los talentos que él les ha dado, entonces mejorarán. No es el momento ahora para quejarnos de nuestra posición en la vida, y excusarnos por nuestro descuido de aprovechar nuestras habilidades debido a que no tenemos otras aptitudes y otra posición, diciendo: "¡Oh, si yo tuviera el don y la habilidad que él tiene podría invertir un capital mayor para mi Maestro!" Si tales personas utilizan el único talento en forma acertada y conveniente, eso es todo lo que el Maestro requiere de ellas.

Miren en nuestras iglesias. Hay sólo unos pocos trabajadores reales en ellas. La mayoría son hombres y mujeres irresponsables. No sienten la carga por las almas. No manifiestan hambre y sed de justicia. Nunca alzan la carga cuando la obra se pone difícil. Son los que tienen sólo un talento y lo esconden en una servilleta, y lo entierran en el mundo; es decir, usan toda la influencia que tienen en sus asuntos temporales. Al buscar las cosas de esta vida, pierden la vida futura, eterna, el cada vez más excelente y eterno peso de gloria. ¿Qué puede decirse y hacerse para despertar a esta clase de miembros de iglesia con el fin de que sientan su responsabilidad hacia Dios? ¿Debe la masa de profesos cristianos, guardadores de los mandamientos, oír las terribles palabras: "Y al siervo inútil echadle en las tinieblas de afuera; allí será el lloro y el crujir de dientes" (Mat. 25:30)?

Cada hombre, cada mujer y cada niño deberían ser trabajadores para Dios. Donde ahora hay uno que siente la carga por las almas, debería haber cien. ¿Qué podemos hacer para despertar al pueblo con el fin de que mejore la influencia y los medios que ya tienen para la gloria del Maestro? Que los que tienen un talento lo usen bien, y al obrar así lo encontrarán duplicado. Dios aceptará "según lo que uno tiene, no según lo que no tiene" (2 Cor. 8:12).–*Review and Herald*, 14 de marzo de 1878.

Usar las aptitudes y los medios para la gloria de Dios

Porque al que tiene le será dado, y tendrá más; y al que no tiene, aun lo que tiene le será quitado. Mateo 25:29.

Siempre ha habido y siempre habrá diversidad de dones. No son los grandes dones los que Dios exige y acepta, sino que él requiere los talentos menores, y los aceptará si los hombres y las mujeres los usan para su gloria. ¿No hemos llegado a ser siervos del Maestro por su gracia? No es, entonces, nuestra propia propiedad la que se nos confía, sino que son los talentos del Señor. El capital es suyo y somos responsables por su uso o su abuso.

Espero que en cada iglesia se realicen esfuerzos para estimular a los que no están haciendo nada. Ojalá que Dios haga que estas personas comprendan que él requerirá de ellas el único talento con lo que éste habría podido producir; y si descuidan de ganar otros talentos junto al que tienen, experimentarán la pérdida de ese talento y también su propia alma. Esperamos ver un cambio en nuestras iglesias.

El Señor se está preparando para regresar, para pedir cuentas a sus siervos por sus talentos que les ha confiado. ¡Que Dios tenga misericordia ese día de los que no hacen nada! Los que escuchen estas palabras de aprobación: "Bien hecho, buen siervo fiel", habrán obrado correctamente en el aprovechamiento de sus habilidades y recursos financieros para la gloria de Dios. ¿Quién saldrá en ayuda del Señor, en ayuda del Señor contra el poderoso?

Satanás es un general activo, perseverante, fiel en su obra, dirigiendo sus ejércitos. Tiene por doquier sus fieles centinelas. ¿Qué están haciendo los siervos de Jesucristo? ¿Tienen puesta la armadura? ¿Son vigilantes y fieles para hacer frente y resistir las vigorosas fuerzas del enemigo? ¿O están durmiendo, esperando que otro haga su obra?...

Despertemos todos, porque está cerca el tiempo cuando se dirá: "El que es injusto, sea injusto todavía; y el que es inmundo, sea inmundo todavía; y el que es justo, practique la justicia todavía; y el que es santo, santifíquese todavía" (Apoc. 22:11). Precisamente ahora es el momento de buscar la pureza y la santidad de carácter, y conseguir vestiduras blancas, con el fin de que podamos estar preparados para tener un lugar en la cena de bodas del Cordero.–*Review and Herald*, 14 de marzo de 1878.

Un tiempo para el trabajo vigilante

Y esto, conociendo el tiempo, que es ya hora de levantarnos del sueño; porque ahora está más cerca de nosotros nuestra salvación que cuando creímos. Romanos 13:11.

Hay otra clase de personas que sufre pérdida porque es indolente, y gasta sus energías complaciéndose a sí misma al usar su lengua y permitir que sus músculos se herrumbren con la inacción. Desaprovechan sus oportunidades por causa de la inacción, y no glorifican a Dios. Podrían hacer mucho si pusieran su tiempo y su fuerza física en uso, adquiriendo medios con los cuales colocar a sus hijos en posiciones favorables para adquirir conocimiento; pero prefieren dejarlos crecer en la ignorancia antes que ejercitar sus propias habilidades, dadas por Dios, para hacer algo por medio de lo cual sus hijos pudieran ser bendecidos con una buena educación. Tales hombres y mujeres están siendo pesados en las balanzas del Santuario celestial y son hallados faltos.

Hay algo para que cada uno haga en este mundo nuestro. El Señor viene, y nuestra espera no debe ser un tiempo de ociosa expectativa, sino de trabajo vigilante. No debemos usar nuestro tiempo completamente en meditación piadosa, ni tampoco debemos movernos y apresurarnos como si fuera requerido esto con el fin de que ganemos el cielo, mientras descuidamos dedicar tiempo al cultivo de la piedad personal. Debe haber una combinación de meditación y de trabajo diligente; como Dios lo expresó en su Palabra, debemos ser, "en lo que requiere diligencia, no perezosos; fervientes en espíritu, sirviendo al Señor" (Rom. 12:11). Las actividades seculares no deben dejar fuera el servicio del Señor. El alma necesita las riquezas de la gracia de Dios, y el cuerpo necesita ejercicio físico, para cumplir la obra que debe ser hecha para la proclamación del evangelio de Cristo.

Los que cultivan un espíritu de ociosidad pecan contra Dios cada día; porque no usan el poder que Dios les ha dado con el cual ser una bendición para sí mismos y una bendición para sus familias. Los padres deberían enseñar a sus hijos que el Señor quiere que sean trabajadores diligentes, no trabajadores ociosos en su viña. Deben hacer un uso diligente del tiempo, si van a ser agentes útiles en el trabajo, desempeñando su parte en la viña del Señor. Deben ser fieles mayordomos, mejorando cada don de energía que les fue confiado y que les ha sido otorgado.–*The Home Missionary Magazine*, octubre de 1894.

Se necesita tanto el dinero como el servicio activo

Di a los hijos de Israel que tomen para mí ofrenda; de todo varón que la diere de su voluntad, de corazón, tomaréis mi ofrenda. Éxodo 25:2.

He oído a hombres y a mujeres, que han estado ocupados en el trabajo en las casas editoras y en el sanatorio, quejarse de que tienen que trabajar horas extras. Si no pueden dejar de trabajar después de ocho horas de labor, quedan insatisfechos. Pero estas mismas personas, cuando se meten en negocios para su propio beneficio privado, seguirán trabajando en total diez horas como lo hacen los negocios en los Estados Unidos, los cuales a menudo extienden su horario de trabajo a doce horas. No se quejan porque es para su propio interés personal. Es otra cosa cuando el tiempo se va a emplear en su propio beneficio especial que si se emplea para el servicio de Dios o del prójimo...

El servicio voluntario para ahorrar medios que son tan limitados es más satisfactorio que atesorar recursos. Con el motivo correcto en vista, tal tiempo será reconocido como dedicado al servicio de Dios. Este trabajo definido para Dios en edificar, plantar, en segar la cosecha, o en cualquier línea de trabajo, costará considerable reflexión y trabajo. Pero merece el esfuerzo. Dios multiplicará los recursos; ayudará a producir los medios.

Muchos ya están trabajando en esta línea, y siempre lo han hecho así. La dedicación de tiempo a Dios en cualquier línea de trabajo es una consideración de la mayor importancia. Algunos pueden usar la pluma o escribir una carta a un amigo lejano. Por medio de una labor personal consagrada podemos, de muchas maneras, hacer un servicio personal para Dios.

Algunos creen que si dan una parte de su dinero a la causa de Dios, eso es todo lo que se requiere de ellos, y el tiempo precioso que Dios les da, en el cual podrían hacer horas de servicio personal para Dios, pasa sin ser aprovechado. Es privilegio y deber de todos los que tienen salud y fuerza prestar a Dios un servicio activo. Los donativos de dinero no pueden ocupar el lugar de esto. Los que no tienen dinero pueden en cambio hacer trabajo personal, y aun en este trabajo puede hacerse dinero de varias maneras.

Cada uno puede ser un obrero juntamente con Dios. Las horas que se han gastado generalmente en recreación que no han contribuido al descanso o a la renovación del cuerpo o del alma, pueden usarse en tratar de ayudar a alguna pobre alma que está necesitada de ayuda, en visitar a los pobres, los enfermos y los dolientes. Nuestro tiempo es de Dios, y como cristianos debemos usarlo para la gloria de Dios.–*Manuscript Releases*, t. 6, pp. 79, 80.

Trabajar por un salario bajo antes que estar ociosos

Él, respondiendo, dijo a uno de ellos: Amigo, no te hago agravio; ¿no conviniste conmigo en un denario? Toma lo que es tuyo, y vete; pero quiero dar a este postrero, como a ti. Mateo 20:13, 14.

Dios amablemente nos ha confiado 24 horas en cada día y noche. Este es un tesoro precioso por el cual se puede realizar mucho bien. ¿Cómo estamos usando las áureas oportunidades de Dios? Debemos, como cristianos, colocar siempre al Señor delante de nosotros, si no queremos perder horas preciosas en la inutilidad, sin sacar provecho alguno de nuestro tiempo.

El tiempo es dinero. Si la gente rehúsa trabajar porque no puede conseguir un salario alto, son ociosos declarados. Sería mucho mejor para ellos trabajar, aun si reciben mucho menos de lo que suponen que vale su trabajo.

El tiempo es un talento entregado a nuestro cargo que puede ser escandalosamente mal empleado. Cada hijo de Dios, hombre, mujer, joven o niño, debería considerar y apreciar el valor de los momentos de tiempo. Si hacen esto, se mantendrán empleados, aun si no reciben un salario tan alto como podrían ser capaces de merecer. Deberían mostrar su aprecio [por medio] de la diligencia y el trabajo, recibiendo el salario que puedan obtener. La idea de una persona de condición pobre que tiene una familia y que rehúsa trabajar por un salario modesto porque [tal salario] no demuestra, como él o ella creen, dignidad suficiente por su ocupación, es una insensatez que no debe alentarse.

Cuán poca reflexión se ha aplicado a este tema. Qué prosperidad mayor podría haber acompañado a las empresas misioneras si este talento del tiempo hubiese sido considerado con reflexión y se hubiera usado fielmente. Cada uno de nosotros es responsable ante Dios por el tiempo que ha sido malgastado caprichosamente, y por el uso del cual debemos rendir cuentas a Dios. Esta es una mayordomía que ha sido muy poco apreciada; muchos piensan que no es pecado malgastar días y horas sin hacer nada para beneficiarse a sí mismos o para bendecir a otros.–*Manuscript Releases*, t. 6, pp. 80, 81.

Cada don espiritual es importante

Hay diversidad de dones, pero el Espíritu es el mismo. Y hay diversidad de ministerios, pero el Señor es el mismo. 1 Corintios 12:4, 5.

Estudie esta escritura cuidadosamente. Dios no le ha dado a cada uno la misma línea de trabajo. Es su plan que haya unidad en la diversidad. Cuando se estudia y se sigue su plan, habrá muchos menos roces en el trabajo en la causa. "En un cuerpo tenemos muchos miembros, pero no todos los miembros tienen la misma función, pero cada uno es esencial para la perfección de la obra" [ver Rom. 12:4 y Efe. 4:12]. "El cuerpo no es un solo miembro, sino muchos. Si dijere el pie: Porque no soy mano, no soy del cuerpo, ¿por eso no será del cuerpo? Y si dijere la oreja: Porque no soy ojo, no soy del cuerpo, ¿por eso no será del cuerpo? Si todo el cuerpo fuese ojo, ¿dónde estaría el oído? Si todo fuese oído, ¿dónde estaría el olfato? Mas ahora Dios ha colocado los miembros cada uno de ellos en el cuerpo, como él quiso. Porque si todos fueran un solo miembro, ¿dónde estaría el cuerpo?" (1 Cor. 12:14-18).

"Vosotros sois pues el cuerpo de Cristo, y miembros cada uno en particular. Y a unos puso Dios en la iglesia, primeramente apóstoles, luego profetas, lo tercero maestros, luego los que hacen milagros, después los que sanan, los que ayudan, los que administran, los que tienen don de lenguas" (1 Cor. 12:27, 28).

El Señor desea que su iglesia respete cada don que ha otorgado a los diferentes miembros. Estemos en guardia, no vaya a ser que nuestra mente se fije en uno mismo, pensando que otras personas no pueden servir al Señor a menos que trabajen en las mismas líneas en las cuales trabajamos nosotros.

Nunca debe decir un obrero: "No quiero trabajar con uno así, porque no ve las cosas como yo las veo. Deseo trabajar con alguien que esté de acuerdo con todo lo que yo digo y que lleve a cabo todas mis ideas". La persona con la que el obrero rehúsa conectarse puede tener verdades que presentar que aun no han sido presentadas. Y debido a la negativa del obrero en aceptar la ayuda que provee el Señor, la obra queda desequilibrada.–*Pacific Union Recorder*, 29 de diciembre de 1904.

Estar satisfechos con una tarea humilde

De manera que, teniendo diferentes dones, según la gracia que nos es dada, si el de profecía, úsese conforme a la medida de la fe.
Romanos 12:6.

Tanto los hombres como las mujeres pueden hacer una gran obra para Dios, siempre y cuando primero aprendan la preciosa e importante lección de la mansedumbre en la escuela de Cristo. Podrán beneficiar a la humanidad si presentan la suficiencia plena que encontramos en Jesús. Cuando cada feligrés perciba su responsabilidad individual, y cuando humildemente emprenda la tarea que tiene por delante, tendrá éxito. Dios da a cada persona su obra de acuerdo con la habilidad que posee.

No será una tarea fácil trabajar para el Maestro en esta época. Pero cuánta perplejidad se podría evitar si los obreros dependieran continuamente de Dios y consideraran debidamente las instrucciones que él dio. Nos dice: "De manera que teniendo diferentes dones, según la gracia que nos es dada, si el de profecía, úsese conforme a la medida de la fe; o si de servicio, en servir; o el que enseña, en la enseñanza; el que exhorta, en la exhortación; el que reparte, con liberalidad; el que preside, con solicitud; el que hace misericordia, con alegría" (Rom. 12:6-8).

Este es un tema que requiere un estudio crítico y cuidadoso. Se cometen no pocos errores cuando las personas no obedecen esta instrucción. Muchos a quienes se les confía una tarea modesta para hacer para el Maestro, pronto se sienten insatisfechos al pensar que ahora deberían ser maestros y líderes. Quieren dejar su humilde ministerio, que es muy importante, por uno de mayores responsabilidades. Quienes se dedican a la visitación, llegan a pensar que cualquiera puede hacer esta tarea de hablar palabras de simpatía y ánimo y de conducir a las personas en forma humilde y serena a una correcta comprensión de las Escrituras. Pero es una obra que demanda mucha gracia, mucha paciencia y una dotación siempre creciente de sabiduría.–*Manuscript Releases*, t. 11, pp. 278, 279.
(Ver *Recibiréis poder*, p. 215.)

Toda persona tiene un don y es responsable por ese don

Todo lo que te viniere a la mano para hacer, hazlo según tus fuerzas; porque en el Seol, adonde vas, no hay obra, ni trabajo, ni ciencia, ni sabiduría. Eclesiastés 9:10.

L a parábola de los talentos debería ser materia de estudio y oración más cuidadosos, porque tiene una aplicación para cada hombre, mujer y niño que posean la capacidad de razonamiento. La obligación y responsabilidad están en proporción a los talentos que Dios concede a cada uno. No hay un solo seguidor de Cristo que no tenga un don peculiar para usar y del cual es responsable ante Dios.

Muchos han presentado excusas por no cumplir su servicio a Cristo diciendo que otros tienen mayores dones o ventajas que ellos. Ha prevalecido la opinión de que sólo los que tienen talentos especiales deben santificar sus capacidades para el servicio de Dios. Se ha llegado a entender que los dones se dan sólo a unos que son favorecidos con exclusión de otros, quienes, por supuesto, no son llamados a compartir las penurias o las recompensas.

Pero en la parábola el asunto no se presenta de ese modo. Cuando el señor de la casa llamó a sus siervos, dio a cada uno *su* obra. Toda la familia de Dios está incluida en la responsabilidad de usar los bienes de su Señor. Toda persona, desde la más insignificante y desconocida hasta la más importante y exaltada, es un agente moral dotado con capacidades por las cuales tiene responsabilidades ante Dios. En grado mayor o menor, todos están a cargo de los talentos de su Señor. Las capacidades espirituales, mentales y físicas, la influencia, la posición, las posesiones, los afectos y las simpatías, todos son talentos preciosos para ser usados en la causa del Maestro para la salvación de las personas por quienes Cristo murió...

Dios requiere que cada uno sea un obrero en su viña. Usted ha de realizar la tarea que le fue asignado, y ha de hacerla con fidelidad. "Todo lo que te viniere a la mano para hacer, hazlo según tus fuerzas; porque en el Seol, adonde vas, no hay obra, ni trabajo, ni ciencia, ni sabiduría".–*Review and Herald,* 1° de mayo de 1888. (Ver *Recibiréis poder,* p. 220.)

Los talentos pequeños tienen valor y pueden multiplicarse

Las palabras de los sabios son como aguijones; y como clavos hincados son las de los maestros de las congregaciones, dadas por un Pastor.
Eclesiastés 12:11.

Que los hombres o las mujeres de negocios realicen sus transacciones en una forma que glorifique a su Maestro por causa de su fidelidad. Que lleven su religión a todo lo que hacen y revelen el Espíritu de Cristo a los demás. Que el mecánico sea un representante diligente y fiel de Aquel que trabajó en tareas humildes en los pueblos de Judea. Que cada uno que lleva el nombre de Cristo trabaje de tal manera, que al ver otros sus buenas obras puedan ser conducidos a glorificar a su Creador y Redentor. "Y todo lo que hagáis, hacedlo de corazón, como para el Señor" (Col. 3:23). Que la edificación del reino de Cristo sea su pensamiento constante, y que cada esfuerzo sea dirigido hacia ese único fin.

Los que han recibido la bendición de poseer talentos superiores no deberían despreciar el valor del servicio de los que son menos dotados que ellos. El talento más pequeño es un talento dado por Dios. Un solo talento que sea utilizado diligentemente con la bendición de Dios, será duplicado, y los dos empleados al servicio de Cristo se convertirán en cuatro; y así el instrumento más humilde puede aumentar su poder y utilidad. El propósito ferviente, los esfuerzos abnegados, todos son vistos, apreciados y aceptados por el Dios del cielo. "Mirad que no despreciéis a uno de estos pequeños" (Mat. 18:10). Sólo Dios puede apreciar el valor de su servicio, y ver la abarcante influencia del que trabaja para dar la gloria a su Hacedor.

Debemos hacer el mejor uso de nuestras oportunidades e investigar para mostrarnos aprobados ante Dios. Dios aceptará nuestros mejores esfuerzos; pero que nadie se imagine que él quedará complacido con la ignorancia y la ineptitud, cuando, con un perfeccionamiento apropiado de los privilegios que se nos han concedido, podría proporcionarse un mejor servicio. No debemos despreciar el día de las cosas pequeñas, sino que por medio de un cuidado diligente y la perseverancia debemos hacer que las pequeñas oportunidades y los talentos nos sirvan para nuestro progreso en la vida divina, y nos conduzcan a un servicio más inteligente y mejor.–*Review and Herald*, 1° de mayo de 1888.

Trabajar fielmente donde se esté

De manera que cada uno de nosotros dará a Dios cuenta de sí. Así que ya no nos juzguemos más los unos a los otros. Romanos 14:12, 13.

Cuando hicimos todo lo que pudimos, debemos contarnos como siervos inútiles. No hay lugar para el orgullo en nuestros esfuerzos, porque dependemos a cada momento de la gracia de Dios y no tenemos nada que no hayamos recibido. Dice Jesús: "Separados de mí, nada podéis hacer" (Juan 15:5).

Somos responsables sólo por los talentos que Dios nos ha concedido. El Señor no reprocha a los siervos que han duplicado sus talentos, que han hecho conforme a su habilidad. Los que demuestren así su fidelidad pueden ser felicitados y recompensados; pero los que haraganean en la viña, los que no hacen nada, o hacen en forma descuidada la obra del Señor, por medio de su trabajo ponen de manifiesto cuál es su interés real en la obra a la cual han sido llamados... El talento que se les dio para la gloria de Dios y la salvación de las almas ha sido despreciado, y se ha hecho un mal uso de él. El bien que podría haber hecho queda incompleto, y el Señor no puede recibir lo que es suyo con los intereses.

Que ninguno se queje porque no tiene mayores talentos para emplear en el servicio del Maestro. Mientras usted se muestre insatisfecho y quejoso, está perdiendo el tiempo precioso y malgastando oportunidades valiosas. Agradezca a Dios por las habilidades que tiene, y ore para que pueda ser capacitado para hacer frente a las responsabilidades que le han sido confiadas. Si desea una utilidad mayor, vaya a trabajar y adquiera aquello por lo que se lamenta. Vaya a trabajar con una paciencia firme, y haga lo mejor que pueda sin tener en cuenta lo que hacen otros. "De manera que cada uno de nosotros dará a Dios cuenta de sí" (Rom. 14:12). Que no sean sus pensamientos ni sus palabras: "¡Ojalá que tuviera una obra más importante! ¡Ojalá que estuviera en esta o aquella posición!" Cumpla con su deber donde esté. Invierta lo mejor posible los dones que le fueron confiados en el lugar donde trabaja y así servirá mejor al Señor. Deseche toda murmuración y toda lucha. No trabaje por la supremacía. No envidie las capacidades de otros, porque eso no aumentará su habilidad para hacer una obra mejor o más grande. Use su don con mansedumbre, humildad y fe, y espere hasta el día del ajuste final de cuentas, y no tendrá motivo para afligirse o avergonzarse.–*Review and Herald*, 1° de mayo de 1888.

Trabajar con Jesús para salvar a los perdidos

He aquí yo vengo pronto, y mi galardón conmigo, para recompensar a cada uno según sea su obra. Apocalipsis 22:12.

El Señor Jesús escudriñará cada talento, y esperará el interés en proporción a la cantidad de capital confiado. Por su propia humillación y agonía, Cristo ha pagado el precio de compra para nuestra salvación, y tiene derecho a nuestro servicio. El mismo nombre de siervo implica el hacer una tarea, el asumir una responsabilidad. Todas nuestras capacidades, todas nuestras oportunidades, nos han sido confiadas para que las desarrollemos sabiamente, para que Cristo pueda recibir lo que es suyo con intereses.

El Maestro celestial que ascendió a lo alto llevó cautiva la cautividad, y dio dones a los hombres y a las mujeres, tesoros divinos de verdad que deben presentarse a todo el mundo. ¿Qué uso estamos haciendo individualmente de esos dones, de esos talentos que tenemos en nuestras manos? ¿Somos semejantes al siervo malo y negligente, enterrando esos talentos en el mundo, donde no producen intereses para Dios? Nos incumbe a todos, con esmerada fidelidad, aprovechar los talentos que nos fueron confiados; porque los talentos aumentarán a medida que se usen para el bien de la humanidad y la gloria de Dios.

Cada alma debería buscar primero el reino de Dios y su justicia. No debemos consumir toda la fuerza del cerebro, de los huesos y los músculos en intereses terrenales egoístas, porque si lo hacemos, ponemos en peligro nuestros intereses espirituales, y perderemos una eternidad de felicidad. Todo el universo no caído está interesado en la gran obra que Jesús vino a realizar en nuestro mundo, precisamente la salvación de nuestra alma. ¿Y no cooperaremos los mortales de la tierra con nuestro Redentor, que ha subido al cielo para interceder por nosotros? ¿No mostraremos un celo especial, un interés dedicado, en la obra que fue trazada en el cielo para ser llevada adelante en el mundo para el bien de hombres y mujeres? ¿Rehusaremos nosotros, que hemos sido comprados con la sangre preciosa de Cristo, hacer la obra que dejó en nuestras manos, rechazando así cooperar con las agencias celestiales en la obra de salvar a los caídos? ¿No iremos aun hasta los fines de la tierra para hacer que la luz de la verdad que nos fue dada del cielo resplandezca sobre nuestros semejantes?–*Review and Herald*, 24 de enero de 1893.

Un talento, usado fielmente, ganará otros talentos

Porque el reino de los cielos es como un hombre que yéndose lejos, lla-mó a sus siervos y les entregó sus bienes. A uno dio cinco talentos, y a otro dos, y a otro uno, a cada uno conforme a su capacidad; y luego se fue lejos. Mateo 25:14, 15.

Que la obra que necesita ser hecha no espere por la ordenación de mi-nistros. Si no hay ministros para emprender la obra, que hombres y mujeres inteligentes, sin pensar en cómo pueden acumular la mayor par-te de bienes, se establezcan en esas ciudades y pueblos, y eleven el estan-darte de la cruz usando el conocimiento que han obtenido en ganar al-mas para la verdad.

El conocimiento de la verdad es demasiado precioso para ser amon-tonado, y atado y escondido en la tierra. Aun el único talento que nos confió el Maestro debe ser empleado fielmente también para ganar otros talentos. ¿Dónde están los hombres y las mujeres que han sido refresca-dos con los ricos manantiales de bendiciones que descienden del trono de Dios? Que se pregunten qué es lo que han hecho para comunicar es-ta luz a los que no han tenido las mismas ventajas. ¿Cómo estarán en el juicio, cuando se escudriñe cada motivo, quienes han sido negligentes en usar sus talentos? El Maestro celestial ha encomendado talentos a cada uno de sus siervos. "A uno dio cinco talentos, y a otro dos, y a otro uno, a cada uno conforme a su capacidad".

Dios no ha dado talentos tan sólo a unos pocos, sino que a cada uno le ha encomendado algún don particular para que lo use en su servicio. Muchos a quienes el Señor le ha dado talentos preciosos han rechazado emplearlos para el adelanto del reino de Dios; no obstante, están bajo la obligación a Dios por su uso de los dones. Cada uno, ya sea que sirva a Dios o se complazca a sí mismo, es un poseedor de algún depósito, cuyo uso apropiado traerá gloria a Dios y cuyo uso pervertido robará al Dador. El que los poseedores de talentos no reconozcan las demandas de Dios sobre ellos, no los hace menos culpables. Si durante su vida eligen per-manecer bajo la bandera negra del príncipe de las tinieblas, Cristo no los confesará en el día del ajuste final de cuentas.–*Signs of the Times*, 23 de enero de 1893.

Los que usan los talentos fielmente escucharán: "Bien hecho"

Y el que había recibido cinco talentos fue y negoció con ellos, y ganó otros cinco talentos. Asimismo el que había recibido dos, ganó también otros dos. Mateo 25:16, 17.

// "Porque de tal manera amó Dios al mundo, que ha dado a su Hijo unigénito, para que todo aquel que en él cree, no se pierda, mas tenga vida eterna". El precio del rescate fue pagado por cada hijo e hija de Adán, y [el hecho] de que los que han sido rescatados por la sangre preciosa de Cristo rehúsan ser leales a él, no los protegerá de la retribución que vendrá sobre en ellos en el último día. Tendrán que responder por su descuido en usar los talentos que le fueron confiados por el Maestro. Tendrán que responder por sus oprobios contra su Hacedor y Redentor, y por lo que le sustrajeron a Dios, retirando sus talentos de su servicio y enterrando en la tierra los bienes de su Señor.

La familia humana está compuesta de agentes morales responsables, y desde el más alto y más dotado hasta el más bajo y más humilde, todos están dotados con los bienes del cielo. El tiempo es un talento confiado por Dios, y debe ser empleado diligentemente en el servicio de Cristo. La influencia es un don de Dios, y debe ejercerse para promover los propósitos más elevados y nobles. Cristo murió en la cruz del Calvario para que toda nuestra influencia pudiera usarse para levantarlo ante un mundo que perece. Los que contemplan a la Majestad del cielo muriendo en la cruz por sus transgresiones, valorarán su influencia sólo cuando atraiga a hombres y a mujeres a Cristo, y la usarán sólo para ese propósito. El intelecto es un talento que se nos ha confiado. La simpatía y el afecto son talentos que deben ser protegidos y mejorados de manera sagrada para que podamos prestar servicio a Aquel de quien somos su posesión adquirida.

Todo lo que somos o podemos ser pertenece a Dios. La educación, la disciplina y las habilidades en cualquier especialidad debieran usarse para él... Ya sea que la cantidad confiada sea grande o pequeña, el Señor requiere que sus dueños hagan lo mejor que puedan. No es la cantidad que se nos ha confiado o la mejora hecha lo que les da a hombres y a mujeres la aprobación del cielo, sino que lo que trae la bendición divina es la fidelidad, la lealtad a Dios, el servicio prestado con amor. "Bien, buen siervo y fiel; sobre poco has sido fiel, sobre mucho te pondré; entra en el gozo de tu Señor" (Mat. 25:21) Esta recompensa de gozo no espera hasta que entremos en la ciudad de Dios, sino que el siervo fiel tiene un goce anticipado de ella aun en esta vida.–*Signs of the Times*, 23 de enero de 1893.

Usar bien el talento del habla

Eres el más hermoso de los hijos de los hombres; la gracia se derramó en tus labios; por tanto, Dios te ha bendecido para siempre. Salmo 45:2.

Mediante un esfuerzo diligente todos pueden adquirir la habilidad de leer inteligiblemente y hablar en un tono de voz fuerte, claro, sonoro, de un modo distinto e impresionante. Haciendo esto podemos aumentar grandemente nuestra eficiencia como obreros de Cristo.

Todo cristiano está llamado a dar a conocer a otros las inescrutables riquezas de Cristo; por lo tanto, debiera procurar la perfección en el habla. Debiera presentar la Palabra de Dios de un modo que la recomiende a sus oyentes. Dios no desea que sus intermediarios sean incultos. No es su voluntad que los seres humanos rebajen o degraden la corriente celestial que fluye por medio de él al mundo.

Debiéramos mirar a Jesús, el Modelo perfecto; debiéramos orar por la ayuda del Espíritu Santo, y con su fuerza tratar de educar todo órgano para hacer una obra perfecta.

Esto es especialmente cierto con respecto a quienes son llamados al ministerio público. Todo ministro y todo maestro deben recordar que están dando a la gente un mensaje que encierra intereses eternos. La verdad que prediquen los juzgará en el gran día del ajuste final de cuentas. Y en el caso de algunas almas, el modo en que se presente el mensaje determinará su recepción o rechazamiento. Entonces, háblese la palabra de tal manera que despierte el entendimiento e impresione el corazón. Lenta, distinta y solemnemente debiera hablarse la palabra, y con todo el fervor que su importancia requiere.

La debida cultura y el uso de la facultad del habla es parte de todo ramo de servicio cristiano; entra en la vida familiar y en toda nuestra relación mutua. Hemos de acostumbrarnos a hablar en tonos agradables, a usar un lenguaje puro y correcto, y palabras bondadosas y corteses. Las palabras dulces, amables, son como el rocío y la suave lluvia para el alma. La Escritura dice de Cristo que la gracia fue derramada en sus labios, para que pudiera "hablar en sazón palabra al cansado" (Sal. 45:2; Isa. 50:4).–*Palabras de vida del gran Maestro,* pp. 270, 271.

Revelar el amor de Jesús por medio del habla

Jehová el Señor me dio lengua de sabios, para saber hablar palabras al cansado. Isaías 50:4.

En derredor nuestro hay almas afligidas. En cualquier parte podemos encontrarlas. Busquémoslas y digámosles una palabra oportuna que las consuele. Seamos siempre canales por donde fluyan las refrigerantes aguas de la compasión.

En todas nuestras relaciones hemos de tener presente que en la experiencia ajena hay capítulos sellados en que no penetran las miradas de los mortales. En las páginas del recuerdo hay historias tristes que son inviolables para los ojos ajenos. Hay consignadas allí largas y rudas batallas libradas en circunstancias críticas, tal vez dificultades de familia que día tras día debilitan el ánimo, la confianza y la fe. Los que pelean la batalla de la vida contra fuerzas superiores pueden recibir fortaleza y aliento merced a menudas atenciones que sólo cuestan un esfuerzo de amor. Para ellos, el fuerte apretón de mano de un amigo verdadero vale más que el oro y la plata. Las palabras de bondad son tan bien recibidas como las sonrisas de ángeles.

Hay muchedumbres que luchan con la pobreza, obligadas a trabajar arduamente por modestos salarios, que alcanzan apenas a satisfacer las necesidades primarias de la vida. Los afanes y las privaciones, sin esperanza de mejora, hacen muy pesadas sus cargas. Cuando a esto se añaden los dolores y la enfermedad, la carga resulta casi insoportable. Oprimidos y agobiados, no saben dónde buscar alivio. Simpatícese con ellos en sus pruebas, sus congojas y sus desengaños. Esto abrirá camino para ayudarlos. Hábleseles de las promesas de Dios, órese con ellos y por ellos, infúndaseles esperanza...

Cooperen con él [el Señor]. Mientras la desconfianza y la desunión llenan el mundo, tócales a los discípulos de Cristo revelar el espíritu que reina en los cielos. Hablen como él hablaría, obren como él obraría. Revelen continuamente la dulzura de su carácter. Revelen aquellos tesoros de amor que son la base de todas sus enseñanzas y de todo su trato con la humanidad. En colaboración con Cristo, los obreros más humildes pueden pulsar cuerdas cuyas vibraciones se percibirán hasta en los confines de la tierra y harán oír sus melodías por los siglos de la eternidad.–*El ministerio de curación*, pp. 115, 116.

Usar responsablemente los dones del habla y la influencia

Orando también al mismo tiempo por nosotros, para que el Señor nos abra la puerta de la palabra, a fin de dar a conocer el misterio de Cristo, por el cual también estoy preso, para que lo manifieste como debo hablar. Colosenses 4:3, 4.

Dios no ha dado los talentos caprichosamente. Él, quien conoce todas las cosas, quien está familiarizado con cada uno, le ha dado a cada persona su obra. Aquellos a quienes les ha confiado mucho no deben jactarse, porque lo que poseen no es suyo; se lo ha prestado a prueba, y cuanto más grande el don, mayores intereses se requieren. Día tras día Dios está probando a hombres y a mujeres para ver si lo van a reconocer como el Dador de todo lo que tienen. Observa para ver si demuestran ser dignos de las riquezas eternas. El uso que hacen de sus dones preciosos decide su destino para la eternidad.

De todos los dones que Dios le ha concedido a sus hijos, ninguno es capaz de ser una bendición mayor que el don del habla. Con la voz convencemos y persuadimos; con ella oramos y alabamos a Dios; y con ella hablamos a otros del amor del Redentor. Dios quiere que consagremos este don a su servicio, hablando sólo palabras tales que ayuden a los que están a nuestro alrededor. Y si Cristo reina en nuestro corazón, nuestras palabras revelarán la pureza, bondad y fragancia de un carácter moldeado y amoldado por él. Pero si estamos bajo la dirección del enemigo de todo lo bueno, nuestras palabras reflejarán sus conceptos. Vigile bien sus palabras. Consagre su don del habla al servicio de Dios, porque un día lo requerirá de sus manos.

Cada uno de nosotros ejerce una influencia sobre aquellos con los cuales entramos en contacto. Esa influencia la tenemos de Dios, y somos responsables por la forma en que la usamos. Dios desea que se ponga del lado de la verdad, pero queda con cada uno de nosotros decidir si nuestra influencia será pura y elevadora, o si actuará como una malaria venenosa. Los que son participantes de la naturaleza divina ejercen una influencia que es semejante a la de Cristo. Santos ángeles los asisten en su camino, y todos aquellos con los cuales entran en contacto reciben ayuda y bendición. Pero los que no reciben a Cristo como su Salvador personal, no pueden influir en otros para bien. Ésos pierden toda esperanza de la vida eterna, y por medio de su ejemplo extravían a otros. Vigilen bien su influencia; es "su culto racional", para colocarla en el lado del Señor.–*Signs of the Times*, 21 de enero de 1897.

Hablar atractivamente del Salvador

Ninguna palabra corrompida salga de vuestra boca, sino la que sea buena para la edificación, a fin de dar gracia a los oyentes. Efesios 4:29.

Como seguidores de Cristo hemos de hacer que nuestras palabras sean motivos de ayuda y ánimo mutuos en la vida cristiana. Necesitamos hablar mucho más de lo que solemos de los capítulos preciosos de nuestra experiencia. Debiéramos hablar de la misericordia y la amante bondad de Dios, de la incomparable profundidad del amor del Salvador. Nuestras palabras debieran ser palabras de alabanza y agradecimiento. Si la mente y el corazón están llenos del amor de Dios, éste se revelará en la conversación.

No será un asunto difícil impartir aquello que forma parte de nuestra vida espiritual. Los grandes pensamientos, las nobles aspiraciones, las claras percepciones de la verdad, los propósitos altruistas, los anhelos de piedad y santidad, llevarán fruto en palabras que revelarán el carácter del tesoro del corazón. Cuando Cristo sea así revelado por nuestras palabras, éstas poseerán poder para ganar almas para él.

Hemos de hablar de Cristo a quienes no lo conocen. Hemos de obrar como lo hizo Cristo. Doquiera él estuviera: en la sinagoga, junto al camino, en un bote algo alejado de la tierra, en el banquete del fariseo o en la mesa del publicano, hablaba a la gente de las cosas concernientes a la vida superior. Relacionaba la naturaleza y los acontecimientos de la vida diaria con las palabras de verdad. El corazón de sus oyentes era atraído hacia él; porque él había sanado a sus enfermos, había consolado a los afligidos, y, tomando a sus niños en sus brazos, los había bendecido. Cuando él abría los labios para hablar, la atención se concentraba en él, y cada palabra era sabor de vida para vida para algún alma.

Así debe ser con nosotros. Doquiera estemos, hemos de procurar aprovechar las oportunidades que se nos presentan para hablar a otros del Salvador. Si seguimos el ejemplo de Cristo en hacer el bien, los corazones se nos abrirán como se le abrían a él. No bruscamente, sino con tacto impulsado por el amor divino, podremos hablarles de Aquel que es "señalado entre diez mil", y "todo él codiciable" (Cant. 5:10, 16). Esta es la obra suprema en la cual podemos emplear el talento del habla. Dicho talento nos ha sido dado para que podamos presentar a Cristo como el Salvador que perdona el pecado.–*Palabras de vida del gran Maestro, pp. 273, 274.*

La influencia: un poder para el bien o para el mal

Y no contristéis al Espíritu Santo de Dios, con el cual fuisteis sellados para el día de la redención... Antes sed benignos unos con otros, misericordiosos, perdonándoos unos a otros, como Dios también os perdonó a vosotros en Cristo. Efesios 4:30, 32.

La vida de Cristo era de una influencia siempre creciente, sin límites; una influencia que lo ligaba a Dios y a toda la familia humana. Por medio de Cristo, Dios ha investido a los hombres y a las mujeres de una influencia que les hace imposible vivir para sí. Estamos individualmente vinculados con nuestros semejantes, somos una parte del gran todo de Dios y nos hallamos bajo obligaciones mutuas. Nadie puede ser independiente de sus prójimos, pues el bienestar de cada uno afecta a los demás. Es el propósito de Dios que cada uno se sienta necesario para el bienestar de los otros y trate de promover su felicidad.

Cada alma está rodeada de una atmósfera propia, de una atmósfera que puede ser cargada del poder vivificante de la fe, el valor y la esperanza, y endulzada por la fragancia del amor. O puede ser pesada y fría por causa de la bruma del descontento y el egoísmo, o estar envenenada por la contaminación fatal de un pecado acariciado. Toda persona con la cual nos relacionamos queda, consciente o inconscientemente, afectada por la atmósfera que nos rodea.

Es ésta una responsabilidad de la que no nos podemos librar. Nuestras palabras, nuestros actos, nuestro vestido, nuestra conducta, hasta la expresión de nuestro rostro, tienen influencia. De la impresión así hecha dependen resultados para bien o para mal que nadie puede medir. Cada impulso impartido de ese modo es una semilla sembrada que producirá su cosecha. Es un eslabón de la larga cadena de acontecimientos humanos, que se extiende hasta no sabemos dónde.

Si por nuestro ejemplo ayudamos a otros a desarrollar buenos principios, les damos poder para hacer el bien. Ellos a su vez ejercen la misma influencia sobre otros, y éstos sobre otros más. De este modo, miles pueden ser bendecidos por nuestra influencia inconsciente.

Arrojen una piedrecita al lago, y se formará una onda, y otra y otra, y a medida que crecen éstas, el círculo se agranda hasta que llega a la costa misma. Lo mismo ocurre con nuestra influencia. Más allá del alcance de nuestro conocimiento o dominio, obra en otros como una bendición o una maldición.–*Palabras de vida del gran Maestro, pp. 274, 275.*

La gracia de Dios es esencial para el uso correcto de la influencia

El que es fiel en lo muy poco, también en lo más es fiel; y el que en lo muy poco es injusto, también en lo más es injusto. Lucas 16:10.

El carácter es poder. El testimonio silencioso de una vida sincera, abnegada y piadosa, tiene una influencia casi irresistible. Al revelar en nuestra propia vida el carácter de Cristo, cooperamos con él en la obra de salvar almas. Podemos cooperar con él solamente revelando en nuestra vida su carácter. Y cuanto más amplia es la esfera de nuestra influencia, mayor bien podemos hacer. Cuando los que profesan servir a Dios sigan el ejemplo de Cristo practicando los principios de la ley en su vida diaria; cuando cada acto dé testimonio de que aman a Dios más que todas las cosas y a su prójimo como a sí mismos, entonces la iglesia tendrá poder para conmover al mundo.

Pero nunca ha de olvidarse que la influencia no ejerce menos poder para el mal. Perder la propia alma es algo terrible, pero ser la causa de la pérdida de otras almas es más terrible aún. Resulta espantoso pensar que nuestra influencia pueda ser un sabor de muerte para muerte; no obstante, es posible. Muchos de los que profesan recoger con Cristo, están alejando a otros de él. Por esto la iglesia es tan débil. Muchos se permiten criticar y acusar a otros libremente. Al dar expresión a las suspicacias, los celos y el descontento, se convierten en instrumentos de Satanás. Antes de que se den cuenta de lo que están haciendo, el adversario ha logrado por medio de ellos su propósito. La impresión del mal ha sido hecha, la sombra ha sido arrojada, las flechas de Satanás han dado en el blanco. La desconfianza, la incredulidad y un escepticismo absoluto han hecho presa de los que de otra manera hubieran aceptado a Cristo.

Entre tanto, los siervos de Satanás miran complacidos a aquellos a quienes han conducido al escepticismo, y que hoy están endurecidos contra la represión y la súplica. Se jactan de que en comparación con esas almas, ellos son virtuosos y justos. No se dan cuenta de que estos pobres náufragos del carácter son la obra de sus propias lenguas irrefrenadas y de su rebelde corazón. Mediante su propia influencia han caído esas almas tentadas.

Así la frivolidad, la complacencia propia y la descuidada indiferencia de los profesos cristianos están apartando a muchas almas del camino de la vida. Son muchos los que temerán encontrarse ante el tribunal de Dios con los resultados de su influencia.–*Palabras de vida del gran Maestro*, pp. 275, 276.

Nuestro servicio debe tener la aprobación del cielo

Y si en lo ajeno no fuisteis fieles, ¿quién os dará lo que es vuestro? Ningún siervo puede servir a dos señores; porque o aborrecerá al uno y amará al otro, o estimará al uno y menospreciará al otro. No podéis servir a Dios y a las riquezas. Lucas 16:12, 13.

Hay muchos que profesan ser cristianos y no están unidos con Cristo. Su vida diaria y su espíritu dan testimonio de que Cristo, la esperanza de la gloria, no mora en ellos. No se puede depender de ellos, ni confiar en ellos. Están ansiosos por reducir su servicio al mínimo de esfuerzo y al mismo tiempo obtener el máximo de salario. El nombre "siervo" se aplica a toda persona, pues todos lo somos, y nos convendrá ver a qué molde nos conformamos. ¿Es al de la infidelidad o al de la fidelidad?

¿Están los siervos generalmente dispuestos a hacer todo lo que pueden? ¿No es más bien costumbre prevaleciente deslizarse por el trabajo tan rápida y fácilmente como sea posible y obtener el salario al menos costo posible? El fin no es ser tan cabal como se pueda, sino obtener una remuneración. Los que profesan ser siervos de Cristo no deberían olvidar el precepto del apóstol Pablo: "Siervos, obedeced en todo a vuestros amos terrenales, no sirviendo al ojo, como los que quieren agradar a los hombres, sino con corazón sincero, temiendo a Dios. Y todo lo que hagáis, hacedlo de corazón, como para el Señor y no para los hombres; sabiendo que del Señor recibiréis la recompensa de la herencia, porque a Cristo el Señor servís" (Col. 3:22-24).

Los que entran en la obra como "siervos del ojo" hallarán que su trabajo no puede resistir la inspección de los mortales o de los ángeles. Lo esencial para el éxito en el trabajo es el conocimiento de Cristo; pues este conocimiento dará sanos principios de rectitud, e impartirá un espíritu noble, abnegado, como el de nuestro Salvador a quien profesamos servir. La fidelidad, la economía, el cuidado y la prolijidad debieran caracterizar todo nuestro trabajo, ya sea en la cocina, el taller, las oficinas de las casas editoras, el sanatorio, el colegio o dondequiera estemos ubicados en la viña del Señor. "El que es fiel en lo muy poco, también en lo más es fiel; y el que en lo muy poco es injusto, también en lo más es injusto" (Luc. 16:10).–*Mensajes para los jóvenes*, pp. 227, 228.

Usar los dones de Dios como él desea

No os conforméis a este siglo, sino transformaos por medio de la renovación de vuestro entendimiento, para que comprobéis cuál sea la buena voluntad de Dios, agradable y perfecta. Romanos 12:2.

Muchos, en vez de consagrar sus medios al servicio de Dios, consideran su dinero como suyo propio y dicen que tienen el derecho a usarlo como les plazca. Al igual que los habitantes del mundo de los días de Noé, usan los dones de Dios para su propio servicio. Aun algunos que profesan conocer y amar al Señor hacen esto. Dios les ha revelado su voluntad. Los ha invitado a que le entreguen todo lo que tienen, pero el amor al mundo ha pervertido su voluntad y endurecido su corazón. No quieren obedecer a Aquel a quien deben todo lo que poseen. Sin hacer caso de su llamado, estrechan sus tesoros entre sus brazos, olvidándose de que el Dador tiene alguna demanda sobre ellos. De esa manera las bendiciones dadas por Dios se convierten en una maldición, porque se hace un mal uso de los medios.

Cristo entendió el peligro del amor al dinero, porque dijo: "¡Cuán difícil les es entrar en el reino de Dios a los que confían en las riquezas!" (Mar. 10:24)... Hoy día nos invita a que demos una atención concienzuda a nuestros intereses eternos. Quiere que subordinemos cada interés terrenal a su servicio. "Porque, ¿qué aprovechará al hombre", pregunta Jesús, "si ganare todo el mundo y perdiere su alma?" (Mat. 16:26).

El derecho de Dios a nuestro servicio se mide por el sacrificio infinito que hizo para nuestra salvación. "Mirad cual amor nos ha dado el Padre, para que seamos llamados hijos de Dios" (1 Juan 3:1). Por amor a nosotros, Jesús vivió una vida de tristeza y privaciones. Él era puro y santo, y sin embargo sobre él fue puesta la iniquidad de todos nosotros... Con un toque de su mano curó a los enfermos, y con todo sufrió fuerte dolor corporal. Expulsó a demonios con una palabra, y libró a los que estaban atados por las tentaciones de Satanás; y sin embargo le asaltaron tentaciones como nunca asaltaron a ninguno. Levantó a los muertos por su poder, y sin embargo sufrió la agonía de la muerte más terrible.

Todo esto lo sufrió Cristo por nosotros. ¿Qué le estamos dando en cambio? Él, la Majestad del cielo, se sometió pacientemente a la burla y al insulto... ¿Consideraremos demasiado grande algún sacrificio? ¿Vacilaremos en rendir a Dios un culto racional?–*Signs of the Times*, 21 de enero de 1897.

Aparte de Dios no hay verdadera sabiduría

Dichoso el que halla sabiduría, el que adquiere inteligencia.
Proverbios 3:13, NVI.

L a verdadera sabiduría es un tesoro tan duradero como la eternidad. Muchos de los que el mundo llama sabios sólo lo son en su propia estima. Contentos con la adquisición de la sabiduría mundana, nunca entran en el huerto de Dios para familiarizarse con los tesoros del conocimiento encerrados en su santa Palabra. Haciéndose sabios, son ignorantes de la sabiduría que todos debemos tener para ganar la vida eterna. Albergan desprecio por el Libro de Dios, el que si fuera estudiado y obedecido los haría realmente sabios.

Para ellos la Biblia es un misterio impenetrable; y le son oscuras las grandiosas y profundas verdades del Antiguo Testamento y del Nuevo Testamento, porque no disciernen espiritualmente las verdades espirituales. Necesitan aprender que el temor de Jehová es el principio de la sabiduría, y que sin esa sabiduría vale poco su conocimiento.

Los que se esfuerzan por lograr una educación científica, pero no han aprendido la lección de que el temor de Dios es el principio de la sabiduría, proceden incapazmente y sin esperanza, dudando de la realidad de todo. Pueden adquirir una educación científica, pero a menos que obtengan un conocimiento de la Biblia y un conocimiento de Dios, no poseen la verdadera sabiduría. El iletrado, si conoce a Dios y a Jesucristo, tiene más sabiduría perdurable que el más instruido que desprecia la instrucción de Dios.–*Comentario bíblico adventista,* t. 3, p. 1.174.

La verdadera sabiduría está por encima de la comprensión del sabio mundano. La sabiduría oculta, que es Cristo formado en lo íntimo, la esperanza de gloria, es una sabiduría excelsa como el cielo. Los profundos principios de la piedad son sublimes y eternos. Una íntima vida cristiana es lo único que puede ayudarnos a entender este problema y a obtener los tesoros de conocimiento que han estado ocultos en los consejos de Dios, pero que ahora son dados a conocer a todos los que tienen una relación vital con Cristo.–*Review and Herald,* 18 de julio de 1899. (Ver *Comentario bíblico adventista,* t. 6, p. 1.114.)

Las recompensas de estudiar la Biblia

Ciertamente, si habiéndose ellos escapado de las contaminaciones del mundo, por el conocimiento del Señor y Salvador Jesucristo, enredándose otra vez en ellas son vencidos, su postrer estado viene a ser peor que el primero. 2 Pedro 2:20.

A los reformadores se les dio gran luz, pero muchos de ellos recibieron la sofistería del error por causa de la interpretación errónea de las Escrituras. Estos errores han pasado a través de los siglos, pero, aunque están canosos con la edad, no tienen detrás de ellos un "Así dice el Señor". Porque el Señor dijo: Yo no "mudaré lo que ha salido de mis labios" (Sal. 89:34). En su gran misericordia, aun así el Señor ha permitido que una luz mayor brille en estos últimos días. Nos ha enviado su mensaje a nosotros, revelando su ley y mostrando qué es verdad.

En Cristo está la fuente de todo conocimiento. En él están centradas nuestras esperanzas de vida eterna. Él es el gran Maestro que el mundo haya conocido, y si deseamos ensanchar la mente de los niños y los jóvenes, y ganarlos, si es posible, para que amen la Biblia, deberíamos asegurar su mente sobre la verdad clara y sencilla, excavando lo que ha estado enterrado debajo de las hojarascas de la tradición y permitiendo que brillen sus gemas. Anímelos a escudriñar estos temas, y el esfuerzo empleado será una disciplina inestimable.

La revelación de Dios, como está representada en Jesucristo, proporciona un tema que es grande para contemplar y que, si se lo estudia, agudiza la mente y eleva y ennoblece las facultades. Cuando los agentes humanos aprenden esas lecciones en la escuela de Cristo, tratando de llegar a ser como Cristo fue, manso y humilde de corazón, aprenderán la más provechosa de todas las lecciones: que el intelecto es supremo sólo si está santificado por medio de una relación viviente con Dios...

La mayor sabiduría, y la más indispensable, es el conocimiento de Dios. El yo se hunde en la insignificancia al contemplar a Dios y a Jesucristo, a quien envió. Debe hacerse de la Biblia el fundamento de todo estudio. Individualmente, debemos aprender de este libro de lecciones que Dios nos ha dado las condiciones de la salvación para nuestra alma; porque es el único Libro que nos dice qué debemos hacer para ser salvos. Y no sólo eso, sino que de ella puede recibirse fuerza para el intelecto.—*Fundamentals of Christian Education*, pp. 450, 451.

El Espíritu debe iluminar la Palabra

Y nosotros no hemos recibido el espíritu del mundo, sino el Espíritu que proviene de Dios, para que sepamos lo que Dios nos ha concedido. 1 Corintios 2:12.

Dios quiere que, aun en esta vida, la verdad se vaya desarrollando siempre ante su pueblo. Hay tan sólo una manera en que puede obtenerse este conocimiento. Podemos alcanzar a comprender la Palabra de Dios únicamente por medio de la iluminación de aquel Espíritu por el cual fue dada la Palabra. "Nadie conoció las cosas de Dios, sino el Espíritu de Dios"; "porque el Espíritu todo lo escudriña, aun lo profundo de Dios". Y la promesa del Salvador a quienes le siguen es: "Cuando venga el Espíritu de verdad, él os guiará a toda verdad... porque tomará de lo mío, y os lo hará saber" (1 Cor. 2:11, 10; Juan 16:13, 14).

Dios desea que los seres humanos ejerciten sus facultades de raciocinio; y el estudio de la Biblia fortalecerá y elevará el intelecto como ningún otro estudio puede hacerlo. Es el mejor ejercicio intelectual y espiritual para la mente humana. Sin embargo, no debemos endiosar la razón, que está sujeta a la debilidad y flaqueza de la humanidad. Si no queremos que las Escrituras queden veladas para nuestro entendimiento, de manera que no podamos comprender las más claras verdades, debemos tener la sencillez y fe de un niñito, y estar listos para aprender y solicitar la ayuda del Espíritu Santo. Un sentido del poder y la sabiduría de Dios, y de nuestra incapacidad para comprender su grandeza, debe inspirarnos humildad, y debemos abrir su Palabra con tanta reverencia como si entráramos en su presencia. Cuando acudimos a la Biblia, la razón debe reconocer una autoridad superior a ella, y el corazón y el intelecto deben inclinarse ante el gran YO SOY.

Progresaremos en el verdadero conocimiento espiritual tan sólo en la medida en que comprendamos nuestra propia pequeñez y nuestra entera dependencia de Dios; pero todos los que acudan a la Biblia con un espíritu dispuesto a ser enseñados y a orar, para estudiar sus declaraciones como Palabra de Dios, recibirán iluminación divina. Hay muchas cosas, aparentemente difíciles u oscuras, que Dios hará claras y sencillas para quienes traten así de comprenderlas...

Hay minas de la verdad que ha de descubrir todavía el investigador ferviente. Cristo representó la verdad por medio de un tesoro oculto en un campo. No está en la misma superficie; debemos cavar para encontrarla. Pero nuestro éxito en esto no depende tanto de nuestra capacidad intelectual como de nuestra humildad de corazón y de una fe que se vale de la ayuda divina.–*Joyas de los testimonios,* t. 2, pp. 306, 307.

Buscar a Dios por sabiduría

¿De dónde, pues, vendrá la sabiduría? ¿Y dónde está el lugar de la inteligencia? Job 28:20.

Tendrán que luchar con dificultades, llevar cargas, dar consejos, hacer planes y ejecutarlos, buscando constantemente la ayuda de Dios. Oren y trabajen, trabajen y oren; como alumnos de la escuela de Cristo, aprendan de Jesús.

El Señor nos ha dado la promesa: "Y si alguno de vosotros tiene falta de sabiduría, pídala a Dios, el cual da a todos abundantemente y sin reproche, y le será dada" (Sant 1:5). Es conforme a la orden de Dios que los que llevan responsabilidades se reúnan a menudo para consultarse mutuamente, y para orar con fervor por aquella sabiduría que sólo él puede impartir. Hablen menos; se pierde mucho tiempo precioso en conversación que no produce luz. Únanse los hermanos en ayuno y oración por la sabiduría que Dios ha prometido dar liberalmente. Den a conocer a Dios sus dificultades. Díganle como Moisés: "No puedo conducir a este pueblo a menos que tu presencia vaya conmigo". Luego pídanle aún más; oren con Moisés: "Te ruego que me muestres tu gloria" (Éxo. 33:18) ¿Qué es esta gloria? El carácter de Dios. Así lo proclamó el Señor a Moisés.

Que el alma se aferre con fe viva a Dios. Cante la lengua sus alabanzas. Cuando se hallen reunidos, dediquen su mente con reverencia a la contemplación de las realidades eternas. Así se ayudarán unos a otros a ser espirituales. Cuando la voluntad de ustedes esté en armonía con la divina, estarán en armonía unos con otros; tendrán a Cristo a su lado como consejero.

Enoc anduvo con Dios. Así pueden andar todos los que trabajan por Cristo. Pueden decir con el salmista: "A Jehová he puesto siempre delante de mí. Porque está a mi diestra, no seré conmovido" (Sal. 16:8). Mientras sientan que no tienen suficiencia propia, su suficiencia estará en Jesús. Si esperan que todo su consejo y sabiduría provengan de otras personas, mortales y limitadas como ustedes, recibirán tan sólo la ayuda humana. Si se allegan a Dios para obtener ayuda y sabiduría, él no frustrará nunca la fe de ustedes.–*Obreros evangélicos*, pp. 431, 432.

Alcanzar la norma más elevada de dignidad personal

Así dijo Jehová: No se alabe el sabio en su sabiduría, ni en su valentía se alabe el valiente, ni el rico se alabe en sus riquezas. Jeremías 9:23.

Dios es la fuente de toda sabiduría. Él es infinitamente sabio, justo y bueno. Aparte de Cristo, la gente más sabia no puede comprenderle. Pueden profesar ser sabios; pueden gloriarse por sus adquisiciones; pero el simple conocimiento intelectual, aparte de las grandes verdades que se concentran en Cristo, es como nada...

Si los hombres y las mujeres pudiesen ver por un momento más allá del alcance de la visión finita, si pudiesen discernir una vislumbre de lo eterno, toda boca dejaría de jactarse. Los seres humanos que viven en este pequeño átomo del universo son finitos; Dios tiene mundos innumerables que obedecen sus leyes y son conducidos para gloria suya. Cuando en sus investigaciones científicas los seres humanos han ido hasta donde se lo permiten sus facultades mentales, queda todavía más allá un infinito que no pueden comprender.

Antes que los humanos puedan ser verdaderamente sabios, deben comprender que dependen de Dios, y deben estar henchidos de su sabiduría. Dios es la fuente tanto del poder intelectual como del espiritual. Las personas célebres, que han llegado a lo que el mundo considera como admirables alturas de la ciencia, no pueden compararse con el amado Juan o el apóstol Pablo. La más alta norma de virilidad se alcanza cuando se combina el poder intelectual con el espiritual. A los que hacen esto, Dios los aceptará como colaboradores consigo en la preparación de las mentes.

Grande conocimiento es el conocerse a sí mismo. Los maestros que se estimen debidamente permitirán que Dios amolde y discipline su mente. Y reconocerán la fuente de su poder. Porque, "¿qué tienes que no hayas recibido?" (1 Cor. 4:7). El conocimiento propio lleva a la humildad y a confiar en Dios; pero no reemplaza a los esfuerzos para el mejoramiento de uno mismo. El que comprende sus propias deficiencias no escatimará empeño para alcanzar la más alta norma de la excelencia física, mental y moral.–*Consejos para los maestros,* pp. 64, 65 (edición de 1991).

Prepararse ahora para la vida inmortal

Para que el Dios de nuestro Señor Jesucristo, el Padre de gloria, os dé espíritu de sabiduría y de revelación en el conocimiento de él, alumbrando los ojos de vuestro entendimiento. Efesios 1:17, 18.

La mejor manera de impedir el crecimiento del mal es ocupar previamente el suelo. Se necesita el mayor cuidado y la mayor vigilancia para cultivar la mente y sembrar en ella las preciosas semillas de la verdad de la Biblia. El Señor, en su gran misericordia, nos ha revelado en las Escrituras las reglas del santo vivir. Nos dice los pecados que debemos evitar; nos explica el plan de salvación, y nos señala el camino hacia el cielo. Inspiró a santos hombres a registrar, para nuestro beneficio, instrucciones sobre los peligros que asedian nuestro sendero y cómo evitarlos. Los que obedecen su mandato de escudriñar las Escrituras no ignorarán esas cosas. En medio de los peligros de los últimos días, los miembros de iglesia deberían entender las razones de su esperanza y su fe; razones que no son de difícil comprensión. Hay suficiente para ocupar la mente si crecemos en la gracia y el conocimiento de nuestro Señor Jesucristo...

Si la Biblia fuera estudiada como debiera serlo, llegaríamos a ser de intelecto fuerte. Los temas tratados en la Palabra de Dios, la digna sencillez de su lenguaje, los nobles temas que presenta a la mente, desarrollan facultades en nosotros que no podrían desarrollarse de otro modo...

Dios quiere que aprovechemos todo medio para cultivar y fortalecer nuestras facultades intelectuales. Fuimos creados para una existencia más elevada y noble de lo que es ahora la vida. Este tiempo es de preparación para la vida futura inmortal ¿Dónde pueden encontrarse temas más grandes para la contemplación, un asunto más interesante para el pensamiento, que las verdades sublimes expuestas en la Biblia? Estas verdades harán una obra poderosa por nosotros tan sólo si queremos seguir lo que enseñan...

Si se leyera más la Biblia, si sus verdades fueran mejor entendidas, seríamos por lejos un pueblo más iluminado e inteligente. Al escudriñar sus páginas, se imparte energía al alma. Ángeles del mundo de la luz están al lado del ferviente investigador de la verdad para impresionar e iluminar su mente. Todos los que no entienden pueden encontrar luz al familiarizarse con las Escrituras.–*Christian Temperance and Bible Hygiene*, pp. 125, 126.

Para crecer, estudiar la Palabra

Toda la Escritura es inspirada por Dios, y útil para enseñar, para redargüir, para corregir, para instruir en justicia, a fin de que el hombre de Dios sea perfecto, enteramente preparado para toda buena obra. 2 Timoteo 3:16, 17.

El que enseña la verdad debe avanzar en conocimiento, creciendo en la gracia y en la experiencia cristiana, cultivando hábitos y prácticas que honren a Dios y a su Palabra. Debe mostrarle a otros cómo hacer una aplicación práctica de la Palabra. Cada adelanto que hagamos en la habilidad santificada, en estudios variados, nos ayudará a entender la Palabra de Dios; y el estudio de las Escrituras nos ayuda en el estudio de otras ramas esenciales en educación

Después del primer conocimiento de la Biblia, crece rápidamente el interés de los investigadores fervorosos. La disciplina que se gana por causa de un estudio regular de la Palabra de Dios los capacita para ver una frescura y una belleza en la verdad que nunca antes habían notado. Para un estudiante de la Biblia, cuando habla, llega a ser natural y fácil el hacer referencia a textos bíblicos.

Por encima de todo es esencial que los maestros de la Palabra de Dios busquen de la manera más ferviente poseer las evidencias internas de las Escrituras. Los que sean bendecidos con esta evidencia deben escudriñar las Escrituras por sí mismos. A medida que aprendan las lecciones dadas por Cristo y comparen escritura con escritura, para ver si llevan sus credenciales, obtendrán un conocimiento de la Palabra de Dios y la verdad se grabará en su alma.

La verdad es la verdad. No es para que sea envuelta en bellos adornos para que se admire su apariencia exterior. El maestro debe hacer que la verdad sea clara y eficaz para el entendimiento y la conciencia. La Palabra es una espada de dos filos que corta por ambos lados. No pisa con pies calzados con zapatos suaves.

Hay muchos casos de hombres que han defendido el cristianismo contra los escépticos, pero que después perdieron su propia alma en los laberintos del escepticismo. Respiraron los miasmas de la incredulidad y murieron espiritualmente. Tenían poderosos argumentos en favor de la verdad y de muchas evidencias externas, pero no tenían una fe permanente en Cristo. ¡Oh, hay miles y miles de aparentes cristianos que nunca estudian la Biblia! Estudien la sagrada Palabra con oración para beneficio de su propia alma. Cuando escuchen la palabra del predicador viviente, si él tiene una relación viva con Dios, encontrarán que concuerdan el Espíritu y la Palabra.–*Review and Herald,* 20 de abril de 1897.

Aprender la verdad; después, vivirla

En mi corazón he guardado tus dichos, para no pecar contra ti.
Salmo 119:11.

Estudien la Palabra, la cual Dios en su sabiduría, amor y bondad ha hecho tan clara y sencilla. El capítulo 6 de Juan nos dice lo que significa el estudio de la Palabra. Los principios revelados en las Escrituras deben enseñarse a todos. Debemos comer la Palabra de Dios; esto significa que no debemos apartarnos de sus preceptos. Debemos introducir sus verdades en nuestra vida diaria y captar los misterios de la Deidad.

Oren a Dios. Estén en comunión con él. Estudien la mente de Dios, como quienes se esfuerzan por alcanzar la vida eterna y necesitan conocer su voluntad. Pueden revelar la verdad únicamente como la conocen en Cristo. Deben recibir y asimilar sus palabras; éstas deben llegar a formar parte de ustedes. Esto es lo que significa comer la carne y beber la sangre del Hijo de Dios. Deben vivir por cada palabra que procede de la boca de Dios; es decir, lo que Dios ha revelado. No todo ha sido revelado; porque no podríamos soportar tal revelación. Pero Dios ha revelado todo lo que es necesario para nuestra salvación. No debemos dejar su Palabra para aceptar las suposiciones de los seres humanos.

Obtengan un conocimiento experimental de Dios llevando el yugo de Cristo. Él concede sabiduría a los humildes y a los mansos, y les permite juzgar lo que es la verdad y captar las razones fundamentales, con el fin de señalar los resultados de ciertas acciones. El Espíritu Santo enseña a los estudiantes de las Escrituras a juzgar todas las cosas por medio de las normas de justicia y de verdad. La revelación divina le proporciona los conocimientos necesarios...

Conviertan la Biblia en su consejero. Llegarán a familiarizarse rápidamente con ella si mantienen su mente libre de la escoria del mundo. Cuanto más se estudie la Biblia, tanto más profundo llegará a ser el conocimiento de Dios. Las verdades de su Palabra serán escritas en su alma y realizarán una impresión imborrable...

No sólo se beneficiará el estudiante mismo por el estudio de la Palabra de Dios. Su estudio es vida y salvación para todos los que se relacionan con él. Experimentará una responsabilidad sagrada de impartir el conocimiento que recibe. Su vida revelará la ayuda y el poder que recibe de la comunión con la Palabra... El Señor Jesús puede decir de los tales: "Ustedes son colaboradores juntamente con Dios".–*Consejos sobre la salud*, pp. 367-369.

Para encontrar interesante la Palabra, recibir el Espíritu

Llegue mi clamor delante de ti, oh Jehová; dame entendimiento confor-
me a tu palabra. Salmo 119:169.

Se ha colocado a la Biblia en un segundo plano, mientras que se han puesto en su lugar los dichos de los llamados grandes hombres y mujeres. Que el Señor nos perdone el menosprecio que hemos puesto sobre su Palabra. Aunque en la Biblia hay tesoros inestimables, y es semejante a una mina llena de mineral precioso, no se la valora, no se la escudriña y no se descubren sus riquezas.

La misericordia, la verdad y el amor son valiosos, más allá de lo que puede calcular nuestro poder; sin embargo, [si] no podemos tener una provisión demasiado grande de estos tesoros, [aunque] es en la Palabra de Dios [donde] encontramos cómo podemos llegar a ser poseedores de estas riquezas celestiales, ¿por qué la Palabra de Dios es de tan poco interés para muchos profesos cristianos? ¿Es porque la Palabra de Dios no es espíritu y vida? ¿Ha puesto Jesús sobre nosotros una tarea poco interesante cuando ordena que escudriñemos las Escrituras? Dice Jesús: "Las palabras que yo os he hablado son espíritu y son vida" (Juan 6:63). Pero las cosas espirituales se disciernen espiritualmente, y la razón de su falta de interés es que les falta el Espíritu de Dios.

Cuando el corazón se pone en armonía con la Palabra, brota una nueva vida dentro de usted; resplandecerá una nueva luz sobre cada línea de la Palabra, y llegará a ser la voz de Dios para su alma. De esta manera usted tomará las observaciones celestiales, y sabrá a dónde va, y podrá sacar el mayor provecho de sus privilegios actuales.

Deberíamos pedirle al Señor que abra nuestro entendimiento, para que podamos comprender la verdad divina. Si humillamos nuestro corazón ante Dios, vaciándolo de la vanidad, el orgullo y el egoísmo por medio de la gracia que nos es concedida abundantemente; si deseamos sincera y firmemente creer, los resplandecientes rayos del Sol de justicia brillarán en nuestra mente e iluminarán nuestro entendimiento oscurecido. Jesús es la luz que alumbra a todo hombre que viene a este mundo. Él es la luz del mundo, y nos invita a que vayamos a él y aprendamos de él. Él vino para buscar y salvar lo que se había perdido, y no permitiría ser cambiado de su objetivo. No permitió que nada lo desviara. Nos ha puesto esta obra en nuestras manos. ¿La haremos?–*Review and Herald*, 24 de noviembre de 1891.

Los tesoros de la verdad son para los que cavan

*Si como a la plata la buscares, y la escudriñares como a tesoros, enton-
ces entenderás el temor de Jehová y hallarás el conocimiento de Dios.*
Proverbios 2:4, 5.

Nadie piense que ya no hay más conocimiento que adquirir. La profundidad del intelecto humano puede ser medida; las obras de los auto-
res humanos pueden dominarse; pero el más alto, profundo y ancho arre-
bato de la imaginación no puede descubrir a Dios. Hay una infinidad más
allá de todo lo que podamos comprender. Hemos contemplado solamente una vislumbre de la gloria divina y de la infinitud del conocimiento y
la sabiduría; hemos estado trabajando, por así decirlo, en la superficie de
la misma, cuando el rico metal del oro está debajo de la superficie para
recompensar al que cave en su búsqueda. El pozo de la mina debe ser
ahondado cada vez más, y el resultado será el hallazgo del glorioso tesoro. Por medio de una fe correcta, el conocimiento divino llegará a ser el
conocimiento humano.

Nadie puede escudriñar las Escrituras con el Espíritu de Cristo y quedar sin recompensa. Cuando los hombres y las mujeres estén dispuestos
a ser instruidos como un niñito, cuando se sometan completamente a
Dios, encontrarán la verdad en su Palabra. Si los seres humanos fueran
obedientes, comprenderían el plan del gobierno de Dios. El mundo celestial abriría sus cámaras de gracia y de gloria a la exploración. Los seres
humanos serían totalmente diferentes de lo que son ahora; porque al explorar las minas de la verdad, quedarían ennoblecidos. El misterio de la
redención, la encarnación de Cristo, su sacrificio expiatorio, no serían, como ahora, vagos en nuestra mente. Serían no solamente mejor comprendidos, sino más altamente apreciados en su conjunto...

El valor de este tesoro es superior al oro o la plata. Las riquezas de las
minas de la tierra no pueden compararse con él. "El abismo dice: No está
en mí; y el mar dijo: Ni conmigo. No se dará por oro, ni su precio será a
peso de plata. No puede ser apreciada con oro de Ofir, ni con ónice precioso, ni con zafiro. El oro no se le igualará, ni el diamante; no se cam-
biará por alhajas de oro fino. No se hará mención de coral ni de perlas; la
sabiduría es mejor que las piedras preciosas" (Job 28:14-18).–*Signs of the
Times,* 12 de septiembre de 1906. (Ver *Palabras de vida del gran Maestro,*
pp. 85, 86, 78.)

Buscar siempre más luz

Y di mi corazón a inquirir y buscar con sabiduría sobre todo lo que se hace debajo del cielo; este penoso trabajo dio Dios a los hijos de los hombres, para que se ocupen de él. Eclesiastés 1:13.

Cualquiera que sea el progreso intelectual de la humanidad, no debe pensar por un momento que no necesita escudriñar cabal y continuamente las Escrituras para obtener mayor luz. Como pueblo somos llamados individualmente a ser estudiantes de la profecía. Debemos velar con fervor para notar cualquier rayo de luz que Dios nos presente. Debemos discernir los primeros reflejos de la verdad; por medio de un estudio acompañado de oración podremos obtener una luz más clara, para comunicarla a otros.

Cuando el pueblo de Dios se siente cómodo y satisfecho con su ilustración presente, podemos estar seguros de que él no los favorece. Es su voluntad que avancen siempre, para recibir la abundante y siempre creciente luz que resplandece para ellos. La actitud actual de la iglesia no agrada a Dios. Ha penetrado en ella una confianza propia que ha inducido a sus miembros a no sentir necesidad de más verdad ni de mayor luz. Estamos viviendo en un tiempo en que Satanás trabaja a diestra y siniestra, delante y detrás de nosotros; sin embargo, como pueblo estamos dormidos. Dios quiere que se oiga una voz que despierte a su pueblo para que obre.

En vez de abrir el alma para que reciba los rayos de la luz del cielo, algunos han estado obrando en la dirección opuesta. Tanto por medio de la prensa como desde el púlpito se han presentado opiniones acerca de la inspiración de la Biblia que no tienen la sanción del Espíritu o de la Palabra de Dios. Lo cierto es que ningún ser humano o grupo de seres humanos debe adelantar teorías acerca de un tema de tan grande importancia sin que las sostenga un claro "Así dice Jehová".

Y cuando el pueblo, rodeado de flaquezas humanas, afectado en menor o mayor grado por las influencias que lo rodean, y teniendo tendencias heredadas y adquiridas que distan mucho de hacerlo sabio o mentalizado celestialmente, se pone a atacar la Palabra de Dios y a juzgar lo que es divino y lo que es humano, obra sin consejo de Dios. El Señor no prosperará una obra tal. El efecto será desastroso, tanto para el que se empeña en ella como para quienes la aceptan como obra de Dios.—*Joyas de los testimonios*, t. 2, pp. 313, 314.

Examinar diligentemente cada creencia

Me volví y fije mi corazón para saber y examinar e inquirir la sabiduría y la razón, y para conocer la maldad de la insensatez y el desvarío del error. Eclesiastés 7:25.

Se me ha mostrado que muchos de los que profesan conocer la verdad presente no saben lo que creen. No comprenden las evidencias de su fe. No tienen una justa apreciación de la obra para el tiempo actual. Cuando venga el tiempo de prueba, habrá quienes, si bien están predicando ahora a otros, al examinar sus creencias hallarán que hay muchas cosas de las cuales no pueden dar una razón satisfactoria. Hasta que no sean así probados no conocerán su gran ignorancia.

Y en la iglesia son muchos los que se figuran comprender lo que creen, y no se percatan de su propia debilidad mientras no se levanta una controversia. Cuando estén separados de los que sostienen la misma fe, y estén obligados a destacarse solos para explicar su creencia, se sorprenderán al ver cuán confusas son sus ideas de lo que habían aceptado como verdad. Lo cierto es que ha habido entre nosotros un apartamiento del Dios vivo, una desviación hacia los mortales, y se pone la sabiduría humana en lugar de la divina.

Dios despertará a sus hijos; si otros medios fracasan, se levantarán herejías entre ellos, que los zarandearán, separando el tamo del trigo. El Señor invita a todos los que creen en su Palabra a que despierten. Ha llegado una luz preciosa, apropiada para este tiempo. Es la verdad bíblica, que muestra los peligros que están por sobrecogernos. Esta luz debe inducirnos a un estudio diligente de las Escrituras, y a un examen muy crítico de las creencias que sostenemos. Dios quiere que se examinen cabal y perseverantemente, con oración y ayuno, las opiniones y los fundamentos de la verdad. Los creyentes no han de confiar en suposiciones e ideas mal definidas de lo que constituye la verdad. Su fe debe estar firmemente basada en la Palabra de Dios, de manera que cuando llegue el tiempo de prueba, y sean llevados ante concilios para responder por su fe, puedan dar razón de la esperanza que hay en ellos con mansedumbre y temor.

Los que se han educado como disputadores están en grave peligro de no manejar la Palabra de Dios con justicia. Cuando hacemos frente a un oponente, nuestro ferviente esfuerzo debe tener por objeto presentar los temas de tal manera que despierten la convicción en su mente en vez de tratar simplemente de dar confianza al creyente.–*Joyas de los testimonios,* t. 2, pp. 312, 313.

El estudio de la Biblia fortalece el intelecto

Toda palabra de Dios es limpia; él es escudo a los que en él esperan. No añadas a sus palabras para que no te reprenda, y seas hallado mentiroso. Proverbios 30:5, 6.

Nuestra carga ahora es convencer a las almas de la verdad. Eso se puede hacer mejor mediante esfuerzos personales, llevando la verdad a sus casas, orando con ellos y abriendo ante ellos las Escrituras.

Todos los que se dedican a esta labor personal, como así también el ministro que predica la Palabra, deben tener mucho cuidado de no volverse mecánicos en su manera de obrar. Deben aprender constantemente. Deben tener un celo concienzudo por poseer las calificaciones más elevadas, para llegar a ser capaces en las Escrituras... Deben cultivar hábitos de actividad mental y dedicarse especialmente a la oración y al estudio diligente de las Escrituras. Muchos son culpables de deficiencias en este punto. Las demandas de Dios sobre ellos no son pequeñas. Pero están contentos con el entendimiento limitado que tienen de las Escrituras, y no tratan de mejorar ni la mente ni los hábitos.

Cada línea de la historia profética, cada lección práctica dada por Cristo, debería estudiarse cuidadosamente para que no sean hallados faltos en alguna cosa. La mente gana en fuerza, anchura y agudeza por medio del ejercicio activo. Tiene que trabajar o se debilitará. Debe acostumbrarse a pensar, a pensar en forma habitual, o en gran medida perderá la facultad de hacerlo. Que la mente luche con los problemas difíciles que hay en la Palabra de Dios, y el intelecto se despertará cabalmente para producir, no discursos inferiores, sino los que serán refrescantes y edificantes, y serán expuestos con el ardor de una mente activa.

Los siervos de Cristo deben alcanzar la norma más elevada. Son educadores y deben estar completamente versados en las Escrituras... El estudio de la Biblia pone a prueba la mente del obrero, fortalece la memoria, y agudiza el intelecto más que el estudio de todos los asuntos que abarca la filosofía. La Biblia contiene la única verdad que purifica el alma, y es el mejor libro para la cultura intelectual. La sencillez dignificada con la cual trata doctrinas importantes es precisamente lo que necesita cada joven y cada obrero que trabaja para Cristo, para enseñarle cómo debe presentar los misterios de la salvación a los que están en tinieblas.–*Review and Herald*, 8 de diciembre de 1885.

Escudriñar la Palabra objetiva y personalmente

Encamíname en tu verdad, y enséñame, porque tú eres el Dios de mi salvación. Salmo 25:5.

Es peligroso que hagamos de la carne nuestro brazo. Deberíamos apoyarnos sobre el brazo de poder infinito. Por años Dios nos ha estado revelando esto. Debemos tener fe viva en nuestro corazón y alcanzar un conocimiento mayor y una luz más avanzada. No confíen en la sabiduría o las investigaciones de cualquier persona. Vayan ustedes mismos a las Escrituras, escudriñen la Palabra inspirada con corazón humilde. Pongan a un lado sus opiniones preconcebidas, porque no obtendrán beneficio a menos que vayan como niños a la Palabra de Dios. Deben decir: "Si Dios tiene algo para mí, lo quiero. Si Dios le ha dado evidencias de su Palabra a esta o a aquella persona de que una cierta cosa es verdad, también me la dará a mí. Puedo encontrar esa evidencia si escudriño las Escrituras con oración constante, y puedo saber que conozco lo que es verdad".

No necesitan predicar la verdad como el producto de la mente de otra persona; deben hacerla de la propia. Cuando la mujer de Samaria se convenció de que Jesús era el Mesías, se apresuró a hablar con sus vecinos y ciudadanos. Les dijo: "Venid, ved a un hombre que me ha dicho todo cuanto he hecho. ¿No será éste el Cristo? Entonces salieron de la ciudad y vinieron a él... Y muchos de los samaritanos de aquella ciudad creyeron en él por la palabra de la mujer... Y creyeron muchos más por la palabra de él, y decían a la mujer: Ya no creemos solamente por tu dicho, porque nosotros mismos hemos oído, y sabemos que verdaderamente éste es el Salvador del mundo, el Cristo" (Juan 4:29, 30, 39, 41, 42).

Debemos cavar profundamente en la mina de la verdad. Podemos examinar ciertos asuntos personalmente y con otros, siempre y cuando lo hagamos con el debido espíritu; pero demasiado a menudo el yo toma la delantera, y tan pronto como comienza la investigación se manifiesta un espíritu anticristiano. Esto... deleita a Satanás; pero debemos venir con un corazón humilde para saber por nosotros mismos qué es la verdad.

Se aproxima el momento cuando seremos separados y esparcidos, y cada cual tendrá que sostenerse sin el privilegio de la comunión con los que comparten su preciosa fe. ¿Cómo podrán prevalecer a menos que Dios esté a su lado y sepan que los está guiando y dirigiendo? Cada vez que nos reunimos para estudiar la verdad bíblica, el Maestro está con nosotros. El Señor no permite ni un solo instante que el barco sea gobernado por pilotos ignorantes...–*Review and Herald*, 25 de marzo de 1890. (Ver *Cada día con Dios*, p. 93.)

Preparación para tiempos angustiosos

Para que ya no seamos niños fluctuantes, llevados por doquiera de todo viento de doctrina... sino que siguiendo la verdad en amor, crezcamos en todo en aquel que es la cabeza, esto es, Cristo. Efesios 4:14, 15.

El Señor invita a su pueblo para que mejore la habilidad que le ha dado. Los poderes mentales deben desarrollarse al máximo; deben ser fortalecidos y ennoblecidos al espaciarse en las verdades espirituales. Si se permite que la mente divague casi enteramente sobre cosas insignificantes y los asuntos comunes de la vida diaria, de conformidad con una de sus leyes invariables llegara a ser débil y frívola, y deficiente en poder espiritual.–*Testimonies for the Church*, t. 5, p. 272.

Están por sobrecogernos tiempos que probarán a las almas, y los que son débiles en la fe no resistirán la prueba de aquellos días de peligro. Las grandes verdades de la revelación deben ser estudiadas cuidadosamente, porque todos necesitaremos un conocimiento inteligente de la Palabra de Dios. El estudio de la Biblia y la comunión diaria con Jesús nos darán nociones bien definidas de responsabilidad personal y fuerza para subsistir en el día de fuego y tentación. Aquel cuya vida esté unida con Cristo por vínculos ocultos, será guardado por el poder de Dios mediante la fe que salva.

Debiera reflexionarse más en las cosas de Dios, y menos en los asuntos temporales. El cristiano profeso que ama al mundo puede llegar a familiarizarse tanto con la Palabra de Dios, como lo ha hecho ya con los asuntos mundanales, si ejercita su mente en esa dirección. "Escudriñad las Escrituras", dijo Cristo, "porque a vosotros os parece que en ellas tenéis la vida eterna; y ellas son las que dan testimonio de mí" (Juan 5:39).

Se requiere del cristiano que sea diligente en escudriñar las Escrituras, en leer una y otra vez las verdades de la Palabra de Dios. La ignorancia voluntaria con respecto a ellas hace peligrar la vida cristiana y el carácter. Ciega el entendimiento y corrompe las facultades más nobles. Esto es lo que produce confusión en nuestra vida. Nuestros hermanos necesitan comprender los oráculos de Dios; necesitan tener un conocimiento sistemático de los principios de la verdad revelada, lo cual los preparará para sobrellevar aquello que está por sobrevenir sobre la tierra e impedirá que sean llevados de aquí para allá por todo viento de doctrina.–*Joyas de los testimonios*, t. 2, p. 101.

No leamos simplemente las Escrituras; investiguemos

Escudriñad las Escrituras; porque a vosotros os parece que en ellas tenéis la vida eterna; y ellas son las que dan testimonio de mí. Juan 5:39.

Estamos sumamente agradecidos de poseer la segura palabra profética, de modo que ninguno de nosotros necesita ser engañado. Sabemos que actualmente existen herejías y fábulas en nuestro mundo, y deseamos conocer cuál es la verdad. Para lograr ese conocimiento nos conviene investigar cuidadosamente por nosotros mismos. Pero no se lo puede lograr con una simple lectura de la Biblia, sino que se necesita comparar un texto con otro.

Debemos escudriñar las Escrituras por nosotros mismos, para que no nos descarriemos; y aunque muchos pierdan el camino debido a la diversidad de doctrinas que hay en nuestro mundo, hay una sola verdad. Muchos se podrán acercar a ustedes para decirles que tienen la verdad, pero ustedes tienen el privilegio de escudriñar las Escrituras por su propia cuenta. "¡A la ley y al testimonio! Si no dijeren conforme a esto, es porque no les ha amanecido" (Isa. 8:20). Necesitamos tener un conocimiento personal de las Escrituras, para que podamos comprender la verdadera razón de la esperanza que hay en nosotros.

El apóstol nos dice que a cada persona que nos pregunte debemos dar una razón de la esperanza que hay en nosotros con humildad y temor. "La exposición de tus palabras alumbra; hace entender a los simples" (Sal. 119:130). No basta leer solamente, sino que la Palabra de Dios debe penetrar en nuestro corazón y nuestro entendimiento, para que podamos ser establecidos en la verdad bendita. Si descuidamos el estudio personal de las Escrituras, para saber en qué consiste la verdad, entonces se nos considerará responsables de nuestros propios extravíos. Debemos investigar cuidadosamente las Escrituras para que lleguemos a conocer cada estipulación que el Señor nos ha dado; y si poseemos una mente de capacidad limitada, al estudiar diligentemente la Palabra de Dios nos podemos hacer poderosos en la Escrituras y seremos capaces de explicárselas a otros.

Cada iglesia que se levante... debe ser instruida con respecto a esta verdad. "La mies a la verdad es mucha, mas los obreros pocos" (Luc. 10:2). Los maestros que presenten la verdad no pueden estar con ustedes para ver que no abrazan los errores que están inundando nuestra tierra; pero si están fundados en las Escrituras, sentirán la responsabilidad e investigarán las Escrituras por ustedes mismos, de tal manera que puedan ser una ayuda para otros.–*Review and Herald*, 3 de abril de 1888.

Escuchar la voz de Cristo por medio de su Palabra

Entonces respondiendo Jesús les dijo: Erráis, ignorando las Escrituras y el poder de Dios. Mateo 22:29.

La voz de Dios nos habla por medio de su Palabra, y hay muchas voces que vamos a oír; pero Cristo nos advirtió que debemos cuidarnos de los que nos dijeren: "Aquí está el Cristo, o allí está". Entonces, ¿cómo sabremos que los tales no tienen la verdad a menos que cotejemos cada cosa con las Escrituras? Cristo nos amonestó a que estemos alerta de los falsos profetas que vendrán a nosotros en su nombre diciendo que son el Cristo.

Ahora, si ustedes toman la posición de que no tiene importancia que entiendan las Escrituras por sí mismos, estarán en peligro de ser extraviados por esas doctrinas. Cristo ha dicho que habrá muchos que en el día del juicio retributivo dirán: "Señor, Señor, ¿no profetizamos en tu nombre, y en tu nombre echamos fuera demonios, y en tu nombre hicimos muchos milagros?" Pero Cristo les responderá: "Apartaos de mí, hacedores de maldad" (Mat. 7:22, 23).

Ahora bien, nosotros queremos entender qué es pecado: es la transgresión de la ley de Dios. Esta es la única definición que dan las Escrituras. Por consiguiente, vemos que los que pretenden ser guiados por Dios, pero se apartan de él y de su ley, no escudriñan las Escrituras. Pero el Señor conducirá a su pueblo; porque él dice que sus ovejas lo seguirán si oyen su voz, pero que no seguirán a un extraño. Entonces, nos resulta apropiado comprender cabalmente las Escrituras. Y no necesitamos inquirir si otros tienen la verdad, porque se echará de ver en sus caracteres.

Se acerca el tiempo cuando Satanás obrará milagros directamente a la vista de ustedes, proclamando que él es el Cristo; y si sus pies no están firmemente establecidos en la verdad de Dios, entonces ustedes serán apartados de su fundamento. La única seguridad para ustedes es buscar la verdad como [se buscan los] tesoros escondidos. Excaven en busca de la verdad como lo harían para hallar tesoros en la tierra, y presenten la Palabra de Dios, la Biblia, delante de su Padre celestial, y digan: "Ilumíname, enséñame qué es verdad". Y cuando el Espíritu Santo entre en su corazón, para grabar la verdad en el alma, no la dejarán desvanecerse fácilmente.–*Fe y obras*, pp. 56, 57.

El estudio ferviente produce conversión verdadera

Porque Esdras había preparado su corazón para inquirir la ley de Jehová y para cumplirla, y para enseñar en Israel sus estatutos y decretos. Esdras 7:10.

N acido entre los descendientes de Aarón, Esdras recibió preparación sacerdotal. Se familiarizó, además, con los escritos de los magos, astrólogos y sabios del reino medo-persa. Pero no estaba satisfecho con su condición espiritual. Anhelaba estar en completa armonía con Dios; deseaba tener sabiduría para cumplir la voluntad divina. De manera que "había preparado su corazón para inquirir la ley de Jehová y para cumplirla".

Esto le indujo a estudiar diligentemente la historia del pueblo de Dios, según estaba registrada en los escritos de los profetas y reyes. Fue impresionado por el Espíritu de Dios a escudriñar. Escudriñó los libros históricos y poéticos de la Biblia, con el fin de aprender por qué había permitido el Señor que Jerusalén fuese destruida y su pueblo llevado cautivo a tierra pagana.

Esdras meditó en forma especial en lo experimentado por Israel desde el tiempo en que fuera hecha la promesa a Abraham, hasta la liberación de la esclavitud egipcia y el éxodo. Estudió las instrucciones dadas en el monte Sinaí y durante el largo plazo de las peregrinaciones por el desierto. A medida que aprendía cada vez más acerca de cómo Dios había obrado con sus hijos, y comprendía mejor el carácter sagrado de la ley dada en el Sinaí, su corazón se conmovió como nunca antes. Experimentó una conversión nueva y cabal, y resolvió dominar los anales de la historia sagrada con el fin de utilizar ese conocimiento no para un propósito egoísta, sino para beneficiar e ilustrar a su pueblo. Algunas de las profecías estaban a punto de cumplirse; escudriñaría diligentemente en busca de la luz que había sido oscurecida.

Esdras se afanó en sus estudios. Se esforzó por obtener una preparación del corazón para la obra que creía que se le había señalado. Buscaba fervientemente a Dios con el fin de ser un obrero de quien el Señor no tuviera que avergonzarse. Escudriñaba las palabras que habían sido escritas con respecto a los deberes del pueblo llamado por Dios, y encontró la solemne promesa hecha por los israelitas de que obedecerían las palabras del Señor, y la promesa que Dios había hecho, a cambio, prometiéndoles sus bendiciones como una recompensa por su obediencia.–*Review and Herald,* 30 de enero de 1908. (Ver *Profetas y reyes,* pp. 446, 447.)

La Palabra de Dios es la norma del juicio

Porque Dios traerá toda obra a juicio, juntamente con toda cosa encubierta, sea buena o sea mala. Eclesiastés 12:14.

La Biblia es una guía infalible para la raza humana en cada fase de la vida. En ella se indican claramente las condiciones de la vida eterna. La distinción entre lo bueno y lo malo está definida claramente, y el pecado se muestra en su carácter más repugnante, vestido con las vestiduras de la muerte. Si se estudia y obedece esta guía, será para nosotros como la columna de nube que condujo a los hijos de Israel por el desierto; pero si se ignora y se desobedece, testificará contra nosotros en el día del juicio. Dios juzgará a todos por su Palabra; permanecerán o caerán según hayan cumplido o pasado por alto sus requerimientos...

"Así que, todas las cosas que queráis que los hombres hagan con vosotros", dijo Cristo, "así también haced vosotros con ellos; porque esto es la ley y los profetas" (Mat. 7:12). Estas palabras son de la más alta importancia y deben ser la regla de nuestra vida. Pero, ¿cumplimos este principio divino? Cuando estamos en contacto con nuestros prójimos, ¿los tratamos como desearíamos que ellos nos tratasen en circunstancias similares?

Dios prueba a los hombres y a las mujeres por su vida diaria. Pero muchos que hacen una alta profesión de servicio no pueden pasar esta prueba. En su ansia por ganancia, usan pesas engañosas y balanzas falsas. No hacen de la Biblia su regla de vida, y por lo tanto no ven la necesidad de una integridad y fidelidad estrictas. Ansiosos por amasar riquezas, permiten que la deshonestidad entre en su trabajo. El mundo observa su conducta y no es lento en medir su dignidad cristiana por sus tratos en los negocios...

La Biblia siempre nos cuenta la misma historia. Con ella, el pecado es siempre pecado, ya sea que lo cometa el millonario o el mendigo que vaga por las calles. Es mucho mejor tener una vida de profunda pobreza coronada por las bendiciones de Dios, que todos los tesoros del mundo sin sus bendiciones. Podemos ser muy ricos, pero a menos que tengamos la conciencia de que Dios nos honra, seremos verdaderamente pobres.–*Signs of the Times*, 24 de diciembre de 1896.

Los grandes temas de la Escritura ensanchan la mente

Escribirá para sí en un libro una copia de esta ley. ... y lo tendrá consigo, y leerá en él todos los días de su vida, para que aprenda a temer a Jehová su Dios, para guardar todas las palabras de esta ley y estos estatutos, para ponerlos por obra. Deuteronomio 17:18, 19.

La lectura liviana fascina la mente y quita interés por la lectura de la Palabra de Dios. La Biblia requiere reflexión y escudriñamiento con oración. No basta con recorrerla superficialmente. Aunque algunos pasajes son demasiado claros para que se los entienda mal, otros son más intrincados y exigen estudio cuidadoso y paciente. Como el metal precioso oculto en las colinas y las montañas, es necesario buscar sus gemas de verdad y almacenarlas en la mente para un uso futuro.

Cuando usted escudriñe las Escrituras con el ferviente deseo de aprender la verdad, Dios impartirá su Espíritu a su corazón e impresionará su mente con la luz de su Palabra. La Biblia es su propio intérprete, pues un pasaje explica al otro. Comparando los textos que se refieren a los mismos temas, usted verá una belleza y armonía que nunca soñó. No hay otro libro cuya lectura fortalezca, amplíe, eleve y ennoblezca la mente como la lectura de este Libro de los libros.

El mandato de la Palabra de Dios es: "Ocupaos en vuestra salvación con temor y temblor, porque Dios es el que en vosotros produce así el querer como el hacer, por su buena voluntad" (Fil. 2:12, 13). Dios y los seres humanos deben cooperar. Todos deben desarrollar lo que Dios introduce. Los estudiantes de la Palabra de Dios deben usar el conocimiento que han obtenido. Deben mejorar las oportunidades que se les presentan en su camino. Con una convicción establecida del deber, deben usar su conocimiento e influencia en cualquier medio, con el fin de que puedan obtener más por medio de su uso...

Estudie la vida de Cristo en este respecto. Sígalo desde el pesebre hasta el Calvario, y actúe como él actuó. Debe sostener los grandes principios que él sostuvo. Su norma es tener el carácter de él, que fue puro, santo e inmaculado.–*The Youth's Instructor*, 30 de junio de 1898. (Ver *Joyas de los testimonios*, t. 1, p. 572.)

Experiencias emocionantes le esperan a los estudiantes de la Biblia

Entonces les abrió el entendimiento, para que comprendiesen las Escrituras. Lucas 24:45.

Abran la Biblia ante los jóvenes, dirijan su atención a los tesoros ocultos que ella encierra, enséñenles a buscar sus joyas de verdad y obtendrán ellos una fuerza intelectual que no podrá impartirles el estudio de todo lo que abarca la filosofía. Los grandes temas que la Biblia trata, la digna sencillez de sus declaraciones inspiradas, los temas elevados que presenta a la mente, la luz penetrante y clara que fluye del trono de Dios y alumbra el entendimiento, desarrollarán las facultades de la mente hasta un punto que difícilmente pueda ser comprendido y que nunca será plenamente explicado.

La Biblia presenta a la imaginación un campo ilimitado, tanto más elevado y noble que las creaciones superficiales del intelecto no santificado como los cielos son más altos que la tierra. La historia inspirada de nuestra especie es colocada en las manos de todo individuo. Todos pueden ahora empezar su investigación. Pueden familiarizarse con nuestros primeros padres cuando estaban en el Edén, en estado de santa inocencia, gozando de la comunión con Dios y los ángeles inmaculados. Pueden investigar la introducción del pecado y sus resultados sobre la especie, y seguir paso a paso el curso de la historia sagrada que registra la desobediencia e impenitencia de la raza humana y la justa retribución por el pecado.

Los lectores pueden tener trato con los patriarcas y profetas; pueden moverse a través de las escenas más inspiradoras; pueden contemplar a Cristo, el Monarca del cielo, igual a Dios, que tomó la forma humana y realizó el plan de salvación, quebrantando las cadenas con que Satanás había atado a los mortales y haciendo posible para ellos recobrar su condición de humanidad hecha a la imagen de Dios. El hecho de que Cristo adoptara la naturaleza humana, y se mantuviera al nivel del hombre durante treinta años, y entonces ofrendara su alma en propiciación por el pecado para que la familia humana no pereciese, constituye un tema digno del más profundo pensamiento y del más concentrado estudio...

La gente pudo haber disfrutado de la preparación de las escuelas, y pudo haberse familiarizado con los grandes escritores en teología; sin embargo, la verdad abrirá la mente y la impresionará con un poder nuevo y sorprendente cuando la Palabra de Dios se escudriñe y se examine con un deseo ferviente y piadoso de entenderla.–*Review and Herald,* 11 de enero de 1881. (Ver *Mensajes para los jóvenes,* pp. 252, 253.)

El Espíritu Santo ilumina la Palabra

Y éstos eran más nobles que los que estaban en Tesalónica, pues recibieron la palabra con toda solicitud, escudriñando cada día las Escrituras para ver si estas cosas eran así. Hechos 17:11.

Cristo declaró: "Escudriñad las Escrituras; porque a vosotros os parece que en ellas tenéis la vida eterna; y ellas son las que dan testimonio de mí" (Juan 5:39). Los que cavan debajo de la superficie encuentran las gemas de la verdad que están ocultas. El Espíritu Santo acompaña al investigador fervoroso. Su inspiración fulgura sobre la Palabra, estampa la verdad sobre la mente y le da una importancia renovada y actual. El investigador se siente invadido por una sensación de paz y de gozo que nunca había experimentado. Comprende como nunca antes el inmenso valor de la verdad. Una nueva luz celestial brilla sobre la Palabra y la ilumina como si cada letra estuviera matizada con oro. Dios mismo ha hablado a la mente y el corazón, y ha hecho que la Palabra sea espíritu y vida.

Cada verdadero investigador de la Palabra eleva a Dios su corazón e implora la ayuda del Espíritu. Y pronto descubre aquello que lo lleva por encima de todas las declaraciones ficticias de quien se considera maestro, cuyas teorías débiles y vacilantes no están respaldadas por la Palabra del Dios viviente. Estas teorías fueron inventadas por quienes no habían aprendido la gran lección: que el Espíritu de Dios y la vida están en su Palabra. Si hubieran recibido de corazón los principios eternos contenidos en la Palabra de Dios, verían cuán insustanciales e inexpresivos son todos los esfuerzos realizados por obtener algo nuevo con el fin de crear sensación. Necesitan aprender los primeros rudimentos de la Palabra de Dios; después de eso podrán poseer la palabra de vida para el pueblo, que pronto distinguirá la paja del trigo, porque así lo prometió Jesús a los discípulos...–*Mensajes selectos*, t. 2, pp. 44, 45.

"La paz os dejo, mi paz os doy; yo no os la doy como el mundo la da. No se turbe vuestro corazón, ni tenga miedo" (Juan 14:27). Estas palabras no son comprendidas ni la mitad por parte de personas, familias o miembros de iglesia a quienes, y por medio de quienes, como su familia, Dios quiere representar la verdad pura y no adulterada, la cual, si se recibe y se digiere adecuadamente, produce vida eterna.–*Manuscript Releases*, t. 21, p. 132.

Aceptar la Biblia como el fundamento de toda fe

Porque las cosas que se escribieron antes, para nuestra enseñanza se escribieron, a fin de que por la paciencia y la consolación de las Escrituras, tengamos esperanza. Romanos 15:4.

Los maestros de Israel no sembraban la simiente de la Palabra de Dios. La obra de Cristo como Maestro de la verdad se hallaba en marcado contraste con la de los rabinos de su tiempo. Ellos se espaciaban en las tradiciones, teorías y especulaciones humanas. A menudo colocaban lo que los mortales habían enseñado o escrito acerca de la Palabra en lugar de la Palabra misma. Su enseñanza no tenía poder para vivificar el alma.

El tema de la enseñanza y la predicación de Cristo era la Palabra de Dios. Él hacía frente a los inquiridores con un sencillo "Escrito está". "¿Qué dice esta Escritura?" "¿Cómo lees?" En toda oportunidad, cuando se despertaba algún interés, ya fuera por obra de un amigo o un enemigo, él sembraba la simiente de la Palabra. Aquel que es el Camino, la Verdad y la Vida, siendo él mismo la Palabra viviente, señalaba a las Escrituras y decía: "Ellas son las que dan testimonio de mí" (Juan 5:39). "Y comenzando desde Moisés, y siguiendo por todos los profetas, les declaraba en todas las Escrituras lo que de él decían" (Luc. 24:27).

Los siervos de Cristo han de hacer la misma obra. En nuestros tiempos, así como antaño, las verdades vitales de la Palabra de Dios son puestas a un lado para dar lugar a las teorías y especulaciones humanas. Muchos profesos ministros del evangelio no aceptan toda la Biblia como palabra inspirada. Una persona sabia rechaza una porción; otro objeta otra parte. Valoran su juicio como superior a la Palabra, y los pasajes de la Escritura que enseñan se basan en su propia autoridad. La divina autenticidad de la Biblia es destruida. Así se difunden semillas de incredulidad, pues la gente se confunde y no sabe qué creer. Hay muchas creencias que la mente no tiene derecho a albergar.

En los días de Cristo los rabinos interpretaban en forma forzada y mística muchas porciones de la Escritura. Dado que la sencilla enseñanza de la Palabra de Dios condenaba sus prácticas, trataban de destruir su fuerza. Lo mismo sucede hoy. Se hace aparecer a la Palabra de Dios como misteriosa y oscura para excusar la violación de la ley divina. Cristo reprendió esas prácticas... Enseñó que la Palabra de Dios había de ser entendida por todos. Señaló las Escrituras como algo de incuestionable autoridad, y nosotros debemos hacer lo mismo. La Biblia ha de ser presentada como la Palabra del Dios infinito, como el fin de toda controversia y el fundamento de toda fe.–*Palabras de vida del gran Maestro*, pp. 20-22.

Tener compañerismo con Jesús a través de la Palabra

Corramos con paciencia la carrera que tenemos por delante, puestos los ojos en Jesús, el autor y consumador de la fe. Hebreos 12:1, 2.

Ningún hombre, ninguna mujer o ningún joven podrá lograr la perfección cristiana si descuida el estudio de la Palabra de Dios. Al escudriñar cuidadosa y atentamente su Palabra, obedeceremos la orden de Cristo: "Escudriñad las Escrituras; porque a vosotros os parece que en ellas tenéis la vida eterna; y ellas son las que dan testimonio de mí" (Juan 5:39). Este estudio capacita al que lo efectúa a observar atentamente el Modelo divino, pues ellas testifican de Cristo. El Modelo debe ser examinado a menudo y con toda intención con el fin de imitarlo.

A medida que los seres humanos llegan a estar familiarizados con la historia del Redentor, descubren en sí mismos defectos de carácter; su falta de semejanza a Cristo es tan grande, que no pueden ser sus seguidores sin efectuar un gran cambio en su vida. Continúan estudiando, con un deseo de ser iguales a su gran Ejemplo; captan las miradas, el espíritu de su amado Maestro; observando se transforman. "Puestos los ojos en el autor y consumador de la fe, en Jesús". No está en desviar la mirada de él, y en perderlo de vista como imitamos la vida de Jesús; sino posesionándonos de él, hablando acerca de él y tratando de refinar el gusto y elevar el carácter; procurando acercarnos al Modelo perfecto, por medio de un esfuerzo ferviente y perseverante, por medio de la fe y el amor.

Al estar la atención fijada en Cristo, su imagen pura y sin mancha llega a estar atesorada en el corazón como "señalado entre diez mil... y todo él codiciable" (Cant. 5:10, 16). Aun inconscientemente imitaremos aquello que nos es familiar. Al tener un conocimiento de Cristo, de sus palabras, sus hábitos, sus lecciones de instrucción, y copiando sus virtudes de carácter, las que hemos estudiado tan íntimamente, llegaremos a estar imbuidos con el espíritu del Maestro a quien hemos admirado tanto...

La Palabra de Dios hablada al corazón tiene un poder vivificante, y los que inventen una excusa para descuidar el llegar a familiarizarse con ella, desatenderán las demandas de Dios en muchos respectos. El carácter se deformará y sus palabras y hechos serán un oprobio para la verdad.–*Review and Herald*, 28 de noviembre de 1878.

Disfrutar del rico banquete que se encuentra en la Palabra

Pero la unción que vosotros recibisteis de él permanece en vosotros, y no tenéis necesidad de que nadie os enseñe; así como la unción misma os enseña todas las cosas, y es verdadera, y no es mentira, según ella os ha enseñado, permaneced en él. 1 Juan 2:27.

Creamos en la Palabra de Dios. Quien se alimente de ese modo del Pan del cielo, y se nutra así todos los días, sabrá qué significan las palabras: "No tenéis necesidad de que nadie os enseñe". Disponemos de lecciones puras disponibles de los labios de nuestro Dueño, quien nos ha comprado por el precio de su propia sangre. La preciosa Palabra de Dios es un fundamento sólido sobre el cual podemos construir. Cuando aparezca la gente con sus suposiciones, díganles que el gran Maestro les ha dejado su Palabra, que es de incalculable valor, y que ha enviado un Consolador en su propio nombre, es a saber, el Espíritu Santo. "Él os enseñará todas las cosas, y os recordará todo lo que yo os he dicho" (Juan 14:26).

Aquí se nos presenta un rico banquete, del cual pueden participar todos los que creen que Cristo es su Salvador personal. Es el árbol de la vida para todos los que sigan alimentándose de él.–*Cada día con Dios*, p. 292.

Se me ha ordenado que pregunte a los que profesan recibir a Cristo como su Salvador personal: ¿Por qué no hacen caso de las palabras del Gran Maestro, y envían sus cartas a seres humanos para conseguir palabras de consuelo? ¿Por qué confían en la ayuda humana cuando tienen las numerosas, plenas y grandes promesas: "El que come mi carne y bebe mi sangre, en mí permanece y yo en él... Éste es el pan que descendió del cielo; no como vuestros padres comieron el maná, y murieron; el que come de este pan, vivirá eternamente" (Juan 6:56, 58)? Pueden morir, pero la vida de Cristo en ellos es eterna, y serán resucitados en el último día. "El espíritu es el que da vida; la carne para nada aprovecha; las palabras que yo os he hablado son espíritu y son vida" (Juan 6:63)...

Se me ha instruido por la Palabra de Dios que sus promesas son para mí y para cada hijo e hija de Dios. El banquete está puesto delante de nosotros; estamos invitados a comer la Palabra de Dios que fortalecerá cada músculo y tendón espirituales.–*Manuscript Releases*, t. 21, pp. 132, 133.

En la Palabra de Dios se encuentra la verdadera educación superior

Adquiere sabiduría, adquiere inteligencia; no te olvides ni te apartes de las razones de mi boca. Proverbios 4:5.

No hay tiempo ahora para llenar la mente con ideas falsas de lo que se llama educación superior. No puede haber otra educación superior que la que viene del Autor de la verdad. La Palabra de Dios debe ser nuestro estudio. Debemos educar a nuestros hijos en las verdades que se encuentran en ella. Es un tesoro inagotable, pero los hombres y las mujeres fracasan en encontrar ese tesoro porque no escudriñan hasta que esté al alcance de su posesión. En esta Palabra se encuentra sabiduría, sabiduría indisputable e inagotable, que no se originó en la mente finita sino en la infinita.

Cuando los hombres y las mujeres estén dispuestos a ser instruidos como niñitos, cuando se sometan completamente a Dios, encontrarán en las Escrituras la ciencia de la educación. Cuando maestros y estudiantes entren en la escuela de Cristo, para aprender de él, hablarán inteligentemente de educación superior, porque entenderán que es ese conocimiento el que capacita a la gente para entender la naturaleza de la ciencia.

Los que buscan con éxito el tesoro escondido, deben ascender a actividades más elevadas que las cosas de este mundo. Sus afectos y todas sus facultades deben ser consagrados a esta investigación. Los hombres y las mujeres de piedad y talento pueden captar perspectivas de las realidades eternas, pero a menudo dejan de entenderlas porque las cosas que se ven eclipsan la gloria de las que no se ven. Muchos evalúan la sabiduría humana como más elevada que la sabiduría del Maestro divino, y de esa manera el libro de texto de Dios es considerado como pasado de moda, al punto que se lo evalúa como aburrido y anticuado. No es considerado así por los que han sido vivificados por el Espíritu Santo. Ven el tesoro inapreciable y venderían todo para comprar el campo que lo contiene...

Los que hacen de la Palabra de Dios su estudio, los que cavan en busca de los tesoros de la verdad, apreciarán los importantes principios que enseña, y los asimilarán. Como resultado, llegarán a estar imbuidos con el Espíritu de Cristo, y por medio de la contemplación serán cambiados a su semejanza. La enseñarán como discípulos que han estado sentados a los pies de Jesús y se han acostumbrado a aprender de él, con el fin de poder conocer a Aquel cuyo conocimiento correcto es vida eterna.—*Review and Herald*, 3 de julio de 1900.

Para entender mejor la Palabra de Dios, ser obedientes

El corazón entendido busca la sabiduría; mas la boca de los necios se alimenta de necedades. Proverbios 15:14.

Nadie puede investigar el Antiguo Testamento y el Nuevo Testamento en el Espíritu de Cristo sin ser recompensado. "Venid a mí todos los que estáis trabajados y cargados", dice el Salvador, "y yo os haré descansar. Llevad mi yugo [de obediencia] sobre vosotros, y aprended de mí, que soy manso y humilde de corazón; y hallaréis descanso para vuestras almas; porque mi yugo es fácil, y ligera mi carga!" (Mat. 11:28-30). Ante usted está la invitación del gran Maestro. ¿Responderá voluntariamente a ella? Usted no puede acercarse, colocándose como un estudiante a los pies de Cristo, sin que su mente se le ilumine y su corazón se avive con una admiración pura y santa. Entonces dirá: "Bendito el que viene en el nombre del Señor" (Mat. 23:39).

La desobediencia ha cerrado la puerta a una enorme cantidad de conocimientos que podrían haberse obtenido de la Palabra de Dios. Entendimiento significa obediencia a los mandamientos de Dios. Si los hombres y las mujeres hubieran sido obedientes, habrían comprendido el plan del gobierno de Dios. El mundo celestial habría abierto sus cámaras de gracia y de gloria para la exploración; los seres humanos habrían sido totalmente diferentes de lo que son ahora, en su estado físico, en el habla y en el canto, porque se habrían ennoblecido al explorar las minas de la verdad. El misterio de la redención, la encarnación de Cristo y su sacrificio expiatorio no habrían sido, como lo son ahora, asuntos vagos en nuestra mente. Habrían sido no sólo mejor comprendidos, sino también muchísimo más apreciados.

En la eternidad aprenderemos aquello que, de haber recibido la iluminación que fue posible obtener aquí, habría abierto nuestro entendimiento. Los temas de la redención llenarán el corazón, la mente y la lengua de los redimidos a través de las edades eternas. Entenderán las verdades que Cristo anheló abrir ante sus discípulos, pero que ellos no tenían fe para entender. Eternamente irán apareciendo nuevas visiones de la perfección y la gloria de Cristo.–*Review and Herald*, 3 de julio de 1900.

La Biblia revela el camino hacia Cristo

Amaos unos a otros entrañablemente, de corazón puro... Porque: Toda carne es como hierba, y toda la gloria del hombre como flor de la hierba. La hierba se seca, y la flor se cae; mas la Palabra del Señor permanece para siempre. 1 Pedro 1:22, 24, 25.

La bendita Biblia nos da un conocimiento del gran plan de salvación y nos muestra cómo cada persona puede tener vida eterna. ¿Quién es el autor del Libro? Jesucristo. Él es el Testigo Fiel, y le dice a los suyos: "Y yo les doy vida eterna; y no perecerán jamás, ni nadie las arrebatará de mi mano" (Juan 10:28).

La Biblia está para mostrarnos el camino a Cristo, y en Cristo se revela la vida eterna. Dijo Jesús a los judíos y a todos los que se agolpaban a su alrededor en grandes multitudes: "Escudriñad las Escrituras". Los judíos tenían la Palabra en el Antiguo Testamento, pero lo habían mezclado tanto con opiniones humanas, que sus verdades estaban envueltas en el misterio, y la voluntad de Dios para los seres humanos estaba encubierta. En esta era, los maestros religiosos del pueblo están siguiendo su ejemplo.

Aunque los judíos tenían la Escritura que testificaba de Cristo, no fueron capaces de percibir a Cristo en las Escrituras; y aunque tenemos el Antiguo Testamento y el Nuevo Testamento, hoy la gente tuerce las Escrituras para esquivar sus verdades, y en sus interpretaciones de las Escrituras enseña, como lo hicieron los fariseos, las máximas y tradiciones de la humanidad en lugar de enseñar los mandamientos de Dios. En el tiempo de Cristo, los líderes religiosos habían presentado ideas humanas por tanto tiempo ante el pueblo, que la enseñanza de Cristo se oponía en todo a sus teorías y prácticas.

Su Sermón del Monte virtualmente contradijo las doctrinas de la justicia propia de los escribas y fariseos. Habían representado tan mal a Dios, que se lo consideraba como un Juez severo, incapaz de tener compasión, misericordia y amor. Cuando no tenían un "Así dice el Señor" como su autoridad, presentaban al pueblo máximas y tradiciones interminables como procedentes de Dios. Aunque profesaban conocer y adorar al Dios vivo y verdadero, lo desfiguraban totalmente; y el carácter de Dios, como lo representaba su Hijo, fue como un asunto original, un nuevo don al mundo. Cristo hizo todo esfuerzo para eliminar las falsificaciones de Satanás, para que pudiera ser restaurada la confianza del pueblo en el amor de Dios.–*Fundamentals of Christian Education*, pp. 308, 309.

Escudriñar las Escrituras y ser obedientes

El que quiera hacer la voluntad de Dios, conocerá si la doctrina es de Dios, o si yo hablo por mi propia cuenta. Juan 7:17.

Los que investigan las Escrituras humilde y piadosamente, para conocer y hacer la voluntad de Dios, no dudarán acerca de sus obligaciones para con Dios. Porque "el que quiera hacer la voluntad de Dios, conocerá si la doctrina es de Dios". Si quiere conocer el misterio de la piedad, debe seguir la clara palabra de verdad, lo sienta o no, con emoción o sin ella. Debe rendirse obediencia a partir de un sentido del principio, y debe proseguirse lo correcto bajo todas las circunstancias. Ese es el carácter que es elegido por Dios para salvación.

La prueba de un genuino cristiano se da en la Palabra de Dios. Dice Jesús: "Si me amáis, guardad mis mandamientos" (Juan 14:15)... Aquí están las condiciones sobre las cuales cada alma será elegida para tener vida eterna. Su obediencia a los mandamientos de Dios demostrará su derecho a la herencia de los santos en luz. Dios ha elegido una cierta excelencia de carácter, y todos los que, por medio de la gracia de Cristo, alcancen el nivel de su requerimiento, tendrán abundante entrada en el reino de la gloria. Todos los que alcancen esta norma de carácter tendrán que emplear los medios que Dios ha provisto para este fin.

Si quiere heredar el reposo que queda para los hijos de Dios, debe llegar a ser un colaborador con Dios. Usted está elegido para llevar el yugo de Cristo, para llevar su carga, para alzar su cruz. Debe ser diligente para "hacer firme vuestra vocación y elección" (2 Ped. 1:10).

Investigue las Escrituras y verá que no se elige ni un hijo o una hija de Adán para ser salvo en desobediencia a la ley de Dios. El mundo invalida la ley de Dios, pero los cristianos son llamados a la santificación por medio de la obediencia a la verdad. Si quieren tener la corona, son elegidos para llevar la cruz.

La Biblia es la única regla de fe y doctrina... Sólo la verdad de la Biblia y la religión de la Biblia permanecerán como la prueba del juicio. No debemos pervertir la Palabra de Dios para que se adapte a nuestra conveniencia e interés mundano, sino que con honestidad debemos preguntar: "¿Qué quieres que haga?"–*Review and Herald*, 17 de julio de 1888.

Los verdaderos estudiantes aceptan las Escrituras como la voz de Dios

Si vosotros permaneciereis en mi palabra, seréis verdaderamente mis discípulos; y conoceréis la verdad, y la verdad os hará libres. Juan 8:31, 32.

Los jóvenes y las jóvenes que hacen de la Biblia su guía, no están condenados a equivocar la senda del deber y de la seguridad. Este libro les enseñará a conservar su integridad de carácter, a ser más veraces, a no practicar el engaño. Les enseñará que nunca deben transgredir la ley de Dios con el fin de lograr algo deseado, aunque el obedecer signifique un sacrificio. Les enseñará que la bendición del cielo no descansa sobre el que se aparta de la senda del deber; que aunque algunos parezcan prosperar en la desobediencia, cosecharán seguramente el fruto de la siembra que hayan hecho.

Únicamente los que estiman las Escrituras como la voz de Dios que les habla son los que aprenden verdaderamente. Tiemblan a la voz de Dios, porque para ellos es una realidad viva. Abren su entendimiento a la instrucción divina, y oran por gracia, con el fin de obtener una preparación para servir. Cuando el buscador de la verdad tiene en su mano la antorcha divina, ve en su propia flaqueza la desesperanza de mirarse a sí mismo en busca de justicia. Ve que no hay en él nada que lo pueda recomendar a Dios. Ora para que el Espíritu Santo, el representante de Cristo, sea su guía constante y que lo conduzca a toda verdad. Repite la promesa: "Mas el Consolador, el Espíritu Santo, a quien el Padre enviará en mi nombre, él os enseñará todas las cosas" (Juan 14:26)...

Los estudiantes diligentes de la Biblia crecerán constantemente en conocimiento y discernimiento. Su intelecto abarcará temas elevados, y echarán mano de la verdad de las realidades eternas. Sus motivos de acción serán correctos. Emplearán el talento de la influencia para ayudar a otros a comprender más perfectamente las responsabilidades que Dios les ha dado. Su corazón será un manantial de gozo mientras ven cómo el éxito acompaña sus esfuerzos por impartir a otros las bendiciones que han recibido.–*Consejos para los maestros*, pp. 434, 435 (edición de 1991).

El pueblo de Dios guarda el sábado

Y acabó Dios en el día séptimo la obra que hizo; y reposó el día séptimo de toda la obra que había hecho en la creación. Génesis 2:2.

Dios santificó y bendijo el día en el que descansó de toda su prodigiosa obra. Y ese sábado, santificado por Dios, iba a ser guardado por pacto perpetuo. Era un monumento conmemorativo que iba a permanecer de era en era, hasta el fin de la historia de la tierra.

Dios sacó a los hebreos de la esclavitud de Egipto y les ordenó que observaran su sábado, y que guardaran la ley dada en el Edén. Cada semana obró un milagro para grabar en su mente el hecho de que en el principio del mundo él había instituido el sábado...

En el mes tercero llegaron al desierto del Sinaí y allí se promulgó la ley desde el monte con una grandiosidad aterradora. Durante su permanencia en Egipto, Israel había oído y había visto practicar la idolatría por tanto tiempo que habían perdido en alto grado su conocimiento de Dios y de su ley, y su sentido de la importancia y la santidad del sábado; la ley fue dada por segunda vez para traer esas cosas a su recuerdo. En los estatutos de Dios estaba definida la religión práctica para toda la humanidad. Ante Israel se colocó la norma de justicia.

"Habló además Jehová a Moisés diciendo: Tú hablarás a los hijos de Israel, diciendo: En verdad vosotros guardaréis mis días de reposo" (Éxo. 31:12, 13). Algunos, que han estado deseosos de anular la ley de Dios, han citado esta palabra, "sábados", interpretando que significa los sábados anuales de los judíos. Pero esas personas no relacionan esta exigencia positiva con lo que sigue: "Porque es señal entre mí y vosotros por vuestras generaciones, para que sepáis que yo soy Jehová que os santifico. Así que guardaréis el día de reposo, porque santo es a vosotros; el que lo profanare, de cierto morirá; porque cualquiera que hiciere obra alguna en él, aquella persona será cortada de en medio de su pueblo. Seis días se trabajará, mas el día séptimo es día de reposo consagrado a Jehová; cualquiera que trabaje en el día de reposo, ciertamente morirá. Guardarán, pues, el día de reposo los hijos de Israel, celebrándolo por sus generaciones por pacto perpetuo. Señal es para siempre entre mí y los hijos de Israel; porque en seis días hizo Jehová los cielos y la tierra, y en el día séptimo cesó y reposó" (Éxo. 31:13-17).–*Review and Herald*, 30 de agosto de 1898.

El sábado: dedicado para toda la humanidad

Y les ordenaste el día de reposo santo para ti, y por mano de Moisés tu siervo les prescribiste mandamientos, estatutos y la ley. Nehemías 9:14.

Hay quienes sostienen que el sábado fue dado únicamente para los judíos; pero Dios nunca dijo eso. Le confió su sábado a su pueblo Israel como un depósito sagrado; pero el mismo hecho de que eligiera el desierto de Sinaí y no Palestina para proclamar su ley, revela que su propósito era dársela a toda la humanidad. La ley de los Diez Mandamientos es tan antigua como la creación. Por lo tanto, la institución del sábado no tiene ninguna relación especial con los judíos, que no tenga con todos los demás seres creados. Dios ha hecho que la observancia del sábado sea obligatoria para todos los demás seres creados.

"El sábado", se dice claramente, "fue hecho para el hombre" (Mar. 2:27). Por lo tanto, que cada persona que se encuentre en peligro de ser engañada en este punto escuche la Palabra de Dios en vez de las aseveraciones humanas.

En Edén Dios le dijo a Adán acerca del árbol del conocimiento: "El día que de él comieres, ciertamente morirás". "Entonces la serpiente dijo a la mujer: No moriréis; sino que sabe Dios que el día que comáis de él, serán abiertos vuestros ojos, y seréis como Dios, sabiendo el bien y el mal" (Gén. 2:17; 3:4, 5). Adán obedeció la voz de Satanás que le hablaba a través de su esposa; le creyó a una voz diferente de la que había promulgado la ley en el Edén.–*Exaltad a Jesús*, p. 47.

Cada ser humano ha sido colocado a prueba como lo fueron Adán y Eva en el Edén. Así como el árbol de la ciencia fue colocado en medio del huerto del Edén, así el mandamiento del sábado está colocado en medio del Decálogo. En cuanto al fruto del árbol de la ciencia se presentó la prohibición: "No comeréis de él... para que no muráis" (Gén. 3:3). Dios dijo del sábado: No lo profanen, sino guárdenlo santamente. "Acuérdarte del día de reposo para santificarlo" (Éxo. 20:8). Así como el árbol de la ciencia fue la prueba de la obediencia de Adán, así el cuarto mandamiento es la prueba que Dios ha dado para probar la lealtad de todos los suyos. La experiencia de Adán ha de ser una amonestación para nosotros mientras dure el tiempo. Nos advierte que no recibamos ninguna afirmación de boca de mortales o de ángeles que menoscabe una jota o una tilde de la sagrada ley de Jehová.–*Comentario bíblico adventista*, t. 1, p. 1.120.

Un día que señala al poder y el amor de Dios

Y bendijo Dios al día séptimo, y lo santificó, porque en él reposó de to-
da la obra que había hecho en la creación. Génesis 2:3.

Dios miró con satisfacción la obra de sus manos. Todo era perfecto,
digno de su divino Autor; y él descansó, no como quien estuviera fatigado, sino satisfecho con los frutos de su sabiduría y bondad y con las
manifestaciones de su gloria.

Además de descansar el séptimo día, Dios lo santificó; es decir, lo escogió y apartó como día de descanso para la humanidad. Siguiendo el
ejemplo del Creador, el ser humano había de reposar durante este sagrado día, para que, mientras contemplara los cielos y la tierra, pudiese reflexionar sobre la grandiosa obra de la creación de Dios; y para que,
mientras mirara las evidencias de la sabiduría y bondad de Dios, su corazón se llenase de amor y reverencia hacia su Creador.

Al bendecir el séptimo día en el Edén, Dios estableció un recordativo de su obra creadora. El sábado fue confiado y entregado a Adán, padre
y representante de toda la familia humana. Su observancia había de ser
un acto de agradecido reconocimiento, por parte de todos los que habi-
tasen la tierra, de que Dios era su Creador y su legítimo Soberano, de que
ellos eran la obra de sus manos y los súbditos de su autoridad. De esa manera la institución del sábado era enteramente conmemorativa, y fue dada para toda la humanidad. No había nada en ella que fuese oscuro o que
limitase su observancia a un solo pueblo...

Dios quiere que el sábado dirija la mente de todos los seres humanos
hacia la contemplación de las obras que él creó. La naturaleza habla a sus
sentidos, declarándoles que hay un Dios viviente, Creador y supremo Soberano del universo. "Los cielos cuentan la gloria de Dios, y el firmamento anuncia la obra de sus manos. Un día emite palabra al otro día, y una
noche a otra noche declara sabiduría" (Sal. 19:1, 2). La belleza que cubre
la tierra es una demostración del amor de Dios. La podemos contemplar
en las colinas eternas, en los corpulentos árboles, en los capullos que se
abren y en las delicadas flores. Todas estas cosas nos hablan de Dios. El
sábado, señalando siempre hacia el que lo creó todo, manda a los hombres y a las mujeres que abran el gran libro de la naturaleza y escudriñen
allí la sabiduría, el poder y el amor del Creador.–*Patriarcas y profetas*, pp.
28, 29.

Seis días para nosotros, sólo uno para Dios

Acuérdate del día de reposo para santificarlo. Seis días trabajarás, y harás toda tu obra; mas el séptimo día es reposo para Jehová tu Dios... Por tanto, Jehová bendijo el día de reposo y lo santificó. Éxodo 20:8-11.

Al mismo comienzo del cuarto mandamiento, el Señor dijo: *"Acuérdate".* Él sabía que los hombres y las mujeres, en la multitud de sus cuidados y perplejidades, se verían tentados a excusarse de satisfacer todo lo requerido por la ley; o que en la presión de sus negocios terrenales se olvidarían de su importancia sagrada. "Seis días trabajarás y harás toda tu obra", es decir, las ocupaciones acostumbradas de la vida, para beneficio mundanal o para placer. Estas palabras son bien explícitas; están muy claras.

Hermano K. ¿cómo osa atreverse a transgredir un mandamiento tan solemne e importante? ¿Ha hecho el Señor una excepción por la cual usted queda absuelto de la ley que ha dado al mundo? ¿Se pasan por alto sus transgresiones del libro de registro? ¿Ha aceptado Dios excusar su desobediencia cuando las naciones pasen ante él en el juicio? No se engañe ni por un momento con el pensamiento de que su pecado no llevará su merecido castigo. Sus transgresiones serán visitadas con la vara, porque tuvo la luz y sin embargo caminó en dirección contraria a ella. "Aquel siervo que conociendo la voluntad de su señor, no se preparó, ni hizo conforme a su voluntad, recibirá muchos azotes" (Luc. 12:46).

Dios nos ha dado seis días en los cuales hacer nuestra obra y llevar a cabo las ocupaciones comunes de la vida; pero él reclama un día que ha puesto aparte y ha santificado. Nos lo da como un día en el cual podemos descansar del trabajo y dedicarnos a la adoración y al mejoramiento de nuestra condición espiritual. ¡Qué flagrante ultraje es para nosotros robar el día santificado de Jehová y apropiarnos de él para nuestros propios propósitos egoístas!

Es la presunción más grave para los seres mortales el arriesgarse a un compromiso con el Todopoderoso para asegurar sus intereses temporales insignificantes. Es una violación tan inexorable de la ley usar ocasionalmente el sábado para los negocios seculares como rechazarlo del todo, porque eso hace de los mandamientos del Señor un asunto de conveniencia.–*Testimonies for the Church,* t. 4, p. 249.

El sábado eleva la mente hacia el Creador

Si retrajeres del día de reposo tu pie, de hacer tu voluntad en mi día santo, y lo llamares delicia, santo, glorioso de Jehová... entonces te deleitarás en el Señor tu Dios. Isaías 58:13, 14.

Muchos profesos cristianos de hoy día están cerrando su corazón y su mente al Sol de justicia, cuyos brillantes rayos ahuyentarían la oscuridad y la niebla que existe en ellos. Rechazan la luz, y para ellos los requerimientos y la voluntad de Dios tienen una importancia secundaria. En lugar del día de descanso que Dios les ha dado, aceptan un sábado falsificado; adoran a un ídolo y transgreden la santa ley de Dios al pisotear el sábado que Dios instituyó y bendijo.

El sábado fue creado para que toda la humanidad recibiese beneficio. Después que Dios hubo hecho el mundo en seis días, reposó, y luego santificó y bendijo el día en que había reposado de todas sus obras que había creado y hecho. Puso aparte ese día especial para que los seres humanos descansasen de su trabajo, con el fin de que mientras miraran la tierra y los cielos, las pruebas tangibles de la sabiduría infinita de Dios, su corazón se llenase de amor y reverencia hacia su Creador.

Si la familia humana hubiera guardado siempre el día que Dios bendijo y santificó, nunca habría habido un ateo en nuestro mundo; porque el sábado fue dado como un monumento conmemorativo de la obra del creador; fue dado para que, en ese día en un sentido especial, la gente pudiera apartar su mente de las cosas de la tierra para dedicarlas a la contemplación de Dios y de su grandioso poder...

Los paganos, en su ceguera, se inclinan ante ídolos de madera y de piedra. "Éstos son nuestros dioses", dicen. Pero en el cuarto mandamiento tenemos la prueba de que nuestro Dios es el Dios viviente y verdadero. En él está el sello de su autoridad: "...porque en seis días hizo Jehová los cielos y la tierra, el mar, y todas las cosas que hay en ellos, y reposó en el séptimo día; por tanto Jehová bendijo el día de reposo y lo santificó" (Éxo. 20:11). En los cielos que declaran la gloria de su Hacedor; en el sol brillando en su fuerza, dando vida y belleza a todas las cosas creadas; en la luna y las estrellas; en las obras de sus manos; [en todo eso] vemos la superioridad del Dios que adoramos. Él es el Dios que "hizo los cielos y la tierra".–*The Bible Echo*, 12 de octubre de 1896.

En el sexto día, preparación para el sábado

Y él les dijo: Esto es lo que ha dicho Jehová: Mañana es el santo día de reposo, el reposo consagrado a Jehová; lo que habéis de cocer, cocedlo hoy, y lo que habéis de cocinar, cocinadlo; y todo lo que os sobrare, guardadlo para mañana. Éxodo 16:23.

En el sexto día se encontró que había sido depositada una doble cantidad [de maná], y el pueblo recogió dos gomeres por persona. Cuando los jefes vieron lo que estaban haciendo, inmediatamente hicieron saber a Moisés esa aparente violación de sus instrucciones, pero su contestación fue: "Esto es lo que ha dicho Jehová: Mañana es el santo día de reposo, el reposo consagrado a Jehová; lo que habéis de cocer, cocedlo hoy, y lo que habéis de cocinar, cocinadlo; y todo lo que os sobrare, guardadlo para mañana" (Éxo. 16:23). Así lo hicieron, y vieron que no se echó a perder. Y Moisés dijo: "Comedlo hoy, porque hoy es día de reposo para Jehová; hoy no hallaréis en el campo. Seis días lo recogeréis, mas el séptimo día es día de reposo; en él no se hallará" (Éxo. 16:25).

El Señor no es menos exigente ahora en cuanto a su sábado de lo que lo fue cuando dio estas instrucciones especiales a los hijos de Israel. Ordenó que cocieran lo que tenían que cocer, y cocinar (es decir, hervir) lo que tenían que cocinar en el día sexto, día de preparación para el descanso del sábado. Los que descuidan hacer una preparación adecuada en el sexto día para el sábado, violan el cuarto mandamiento, y son transgresores de la ley de Dios. En sus instrucciones a los israelitas, Dios les prohibió que cocieran y cocinaran en sábado. Esa prohibición debería ser considerada por todos los observadores del sábado como un mandato solemne de Jehová para ellos. [De esta manera] el Señor guardaría a su pueblo de comer con exceso el sábado, día que puso aparte para la meditación y la adoración sagradas...

Dios manifestó su gran cuidado y amor por su pueblo al enviarles pan del cielo. "Todos ellos comieron pan de ángeles" (Sal. 78:25, NVI); es decir, pan que le proveyeron los ángeles... Después que fueron provistos con tal abundancia de alimento, se avergonzaron de su incredulidad y sus murmuraciones, y prometieron confiar en el Señor para el futuro.–*Signs of the Times,* 15 de abril de 1880.

Un triple milagro revela la santidad
del sábado

Así comieron los hijos de Israel maná cuarenta años, hasta que llegaron a tierra habitada; maná comieron hasta que llegaron a los límites de la tierra de Canaán. Éxodo 16:35.

Cada semana, durante su largo peregrinaje por el desierto, los israelitas presenciaron un triple milagro que debía inculcarles la santidad del sábado: cada sexto día caía doble cantidad de maná, nada caía el día séptimo, y la porción necesaria para el sábado se conservaba dulce sin descomponerse, mientras que si se guardaba los otros días, se descomponía.

En las circunstancias relacionadas con el envío del maná, tenemos evidencia conclusiva de que el sábado no fue instituido, como muchos alegan, cuando la ley se dio en el Sinaí. Antes de que los israelitas llegaran al Sinaí, comprendían perfectamente que tenían la obligación de guardar el sábado. Al tener que recoger cada viernes doble porción de maná en preparación para el sábado, día en que no caía, la naturaleza sagrada del día de descanso les era recordada de continuo. Y cuando parte del pueblo salió en sábado a recoger maná, el Señor preguntó: "¿Hasta cuando **no querréis** guardar mis mandamientos y mis leyes?" (Éxo. 16:28).

"Así comieron los hijos de Israel maná cuarenta años, hasta que llegaron a tierra habitada; maná comieron hasta que llegaron a los límites de la tierra de Canaán". Durante cuarenta años se les recordó diariamente, mediante esta milagrosa provisión, el infaltable cuidado y el tierno amor de Dios. Conforme a las palabras del salmista, Dios les dio "trigo del cielo. Pan de ángeles comió el hombre" (Sal. 78:24, 25, VM); es decir, alimentos provistos para ellos por los ángeles. Sostenidos por el "trigo del cielo", recibían diariamente la lección de que, teniendo la promesa de Dios, estaban tan seguros contra la necesidad como si estuvieran rodeados de los ondulados trigales de las fértiles llanuras de Canaán.–*Patriarcas y profetas*, pp. 302, 303.

Satanás ataca el monumento conmemorativo de Dios

Pues en vano me honran, enseñando como doctrinas, mandamientos de hombres. Mateo 15:9.

El enemigo ha trabajado en el mundo religioso para engañar a la gente con el fin de que crea que la ley de Dios puede ser puesta a un lado. Ha tenido largos años de experiencia en esta obra, porque comenzó con nuestros primeros padres, usando sus poderes para hacerlos desconfiar de Dios. Sabe que tendrá éxito si puede interponerse entre sus almas y Dios. [Y fue por esto que] la perspectiva de llegar a ser dioses, conociendo el bien y el mal, fue agradable para Adán y Eva, y cedieron a la tentación

Al recibir un conocimiento del bien y del mal, los seres humanos sienten que están ganando mucho, pero no entienden los propósitos de Satanás. No entienden que están siendo embaucados por su trampa cuando alteran la ley de Dios. El enemigo sabe que si la iglesia puede ser manejada por sanciones políticas, si puede ser llevada a unirse con el mundo, reconocerá virtualmente a Satanás como su cabeza. Entonces, la autoridad de los mandamientos hechos por el hombre obrará para oponerse a la regla del gobierno del cielo. Bajo el liderazgo de Satanás están los que prescinden de las justas y sagradas normas de Dios con respecto al sábado, la observancia del cual debe ser una señal entre Dios y su pueblo para siempre.

El mundo religioso está prendado con el plan de Satanás. Anulando la ley de Dios, ha creado un orden de cosas enteramente propias. Por medio de su trabajo engañoso ha conseguido, en el profeso mundo cristiano, lo que pensó que conseguiría en el cielo: la abrogación de las leyes de Jehová. Por medio del poder romano ha trabajado para transferir el monumento conmemorativo de Dios, y ha erigido un monumento conmemorativo propio para separar a Dios de su pueblo. Hoy el mundo protestante está apartado de Dios por su aceptación de un falso sábado. No pueden encontrar ni una jota de autoridad sagrada para hacer esto; y sin embargo, llenos de celo, afirman que el monumento conmemorativo de Dios dado en la creación debe ignorarse, despreciarse, pisotearse, y el primer día de la semana debe ocupar su lugar.

No podría infligirse una herida más profunda en Dios que ignorar su santo día y colocar en su lugar un sábado falso que no lleva señal de santidad. Dios dio el sábado al mundo para que fuera puesto aparte para gloria de su nombre. "Es señal entre mí y vosotros por vuestras generaciones, para que sepáis que yo soy Jehová que os santifico... Guardarán, pues, el día de reposo los hijos de Israel, celebrándolo por sus generaciones por pacto perpetuo" (Éxo. 31:13, 16).–*Signs of the Times*, 22 de noviembre de 1899.

La verdad del sábado está apoyada por la Palabra

Guardarán, pues, el día de reposo los hijos de Israel, celebrándolo por sus generaciones por pacto perpetuo. Éxodo 31:16.

Vivimos en unos días que constituyen un tiempo que exige una constante vigilancia, un tiempo en el que el pueblo de Dios debería estar despierto y llevando a cabo la gran obra de presentar la luz acerca del sábado. Deberían levantarse y amonestar a los habitantes del mundo de que Cristo pronto vendrá la segunda vez con poder y grande gloria...

Este es un tiempo para que los siervos del Señor trabajen con un celo constante para llevar el mensaje del tercer ángel a todas las partes de la tierra. La obra de este mensaje se está esparciendo lejos y cerca; y con todo, no deberíamos sentirnos satisfechos, sino apresurarnos a llevar a más miles de personas la verdad con respecto a la perpetuidad de la ley de Jehová. Debe proclamarse el mensaje desde todas nuestras instituciones de enseñanza, desde nuestras casas editoras y desde nuestros sanatorios. Por todo lugar el pueblo de Dios debe levantarse y cooperar en la grandiosa y gran obra representada por los mensajes del primer, del segundo y del tercer ángel. Esta última amonestación a los habitantes de la tierra es para conseguir que todos vean la importancia que Dios atribuye a su santa ley. Tan claramente debe presentarse la verdad, que ningún transgresor, al oírla, falle en percibir la importancia de la obediencia al mandamiento del sábado...

Se me ha ordenado que diga a nuestro pueblo: reúnan pruebas de las Escrituras de que Dios santificó el sábado, y lean las palabras del Señor ante las congregaciones, mostrando que todos los que se aparten de un claro "Así dice el Señor" serán condenados. El sábado ha sido la prueba de la lealtad del pueblo de Dios en todas las épocas. El Señor declara: "Señal es para siempre entre mí y los hijos de Israel" (Éxo. 31:17).

Al presentar la Palabra de Dios al pueblo, no hay nada que discutir. El Señor da su palabra para la observancia del séptimo día; que esta palabra sea dada al pueblo, y no las palabras de seres humanos. Al hacerlo así, arrojan la carga de responsabilidad sobre los que la rechacen; y los argumentos de los oponentes son argumentos contra las especificaciones de la Palabra. Mientras ensalzan un "Así dice el Señor", la controversia no es con el obrero, sino con Dios.–*Review and Herald,* 26 de marzo de 1908.

La señal de autoridad divina

Y los tuyos edificarán las ruinas antiguas; los cimientos de generación y generación levantarás, y serás llamado reparador de portillos, restaurador de calzadas para habitar. Isaías 58:12.

El sábado es un broche de oro que une a Dios y a su pueblo. Pero el mandamiento del sábado ha sido violado. El día santo de Dios ha sido profanado. El sábado ha sido sacado de su lugar por el hombre de pecado, y se ha ensalzado en su lugar un día de trabajo común. Se ha hecho una brecha en la ley, y esta brecha ha de ser reparada. El sábado debe ser ensalzado a la posición que merece como día de reposo de Dios.

En el capítulo 58 de Isaías se bosqueja la obra que el pueblo de Dios ha de hacer. Debe ensalzar la ley y hacerla honorable, edificar en los antiguos desiertos y levantar los fundamentos de muchas generaciones. A los que hagan esta obra, Dios dice: "Serás llamado reparador de portillos, restaurador de calzadas para habitar. Si retrajeres del día de reposo tu pie, de hacer tu voluntad en mi día santo, y lo llamares delicia, santo, glorioso de Jehová; y lo venerares, no andando en tus propios caminos, ni buscando tu voluntad, ni hablando tus propias palabras, entonces te deleitarás en Jehová; y yo te haré subir sobre las alturas de la tierra, y te daré a comer la heredad de Jacob tu padre; porque la boca de Jehová lo ha hablado" (Isa. 58:12-14).

La cuestión del sábado será el punto culminante del gran conflicto final en el cual todo el mundo tomará parte. Hombres y mujeres han honrado los principios de Satanás por encima de los principios que rigen los cielos. Han aceptado el falso día de descanso que Satanás ha exaltado como señal de su autoridad. Pero Dios ha puesto su sello sobre su requerimiento real. Ambos días de reposo [el verdadero y el falso] llevan el nombre de su autor, una marca imborrable que demuestra la autoridad de cada uno. La obra de ustedes es inducir a la gente a comprender esto. Debemos mostrarle que es de consecuencia vital llevar la marca del reino de Dios o la marca de la rebelión, porque se reconocen súbditos del reino cuya marca llevan. Dios nos ha llamado a enarbolar el estandarte de su sábado pisoteado. ¡Cuán importante es, pues, que nuestro ejemplo sea correcto en la observancia del sábado!–*Joyas de los testimonios*, t. 3, pp. 18, 19.

El sábado espurio, una señal indicadora falsa

Tú hablarás a los hijos de Israel, diciendo: En verdad vosotros guardaréis mis días de reposo; porque es señal entre mí y vosotros por vuestras generaciones, para que sepáis que yo soy Jehová que os santifico.
Éxodo 31:13.

El Señor ha señalado claramente el camino a la ciudad de Dios; pero el gran apóstata ha cambiado la señal colocando una falsa: un día de reposo espurio. Declara: "Actuaré en contra de Dios. Daré poder a mi delegado, el hombre de pecado, para que derribe el monumento conmemorativo de Dios: el día de reposo del séptimo día. Así mostraré al mundo que el día santificado y bendecido por Dios ha sido cambiado. Ese día no perdurará en la mente de la gente. Borraré su recuerdo. Colocaré en su lugar un día que no tenga las credenciales del cielo, un día que no pueda ser una señal entre Dios y su pueblo.

"Haré que la gente que acepta este día le atribuya la santidad que Dios puso sobre el séptimo día. Me ensalzaré por medio de mi representante. Será ensalzado el primer día y el mundo protestante recibirá como genuino este falso día de reposo. Mediante la violación del día de reposo instituido por Dios, haré que se desprecie su ley. Haré que a mi día de reposo se le apliquen las palabras 'Señal entre mí y vuestras generaciones'. Así el mundo llegará a ser mío. Seré gobernante de la tierra, príncipe del mundo. Controlaré de tal modo las mentes con mi poder, que el sábado de Dios será objeto de menosprecio"...

El hombre de pecado ha instituido un falso día de reposo, y el llamado mundo cristiano ha adoptado a este hijo del papado, negándose a obedecer a Dios. Así Satanás conduce a los hombres y a las mujeres en una dirección opuesta a la ciudad de refugio. Considerando las multitudes que lo siguen, queda demostrado que Adán y Eva no son los únicos que han aceptado las palabras del astuto enemigo.

El enemigo de todo lo bueno ha cambiado la señal indicadora, para que señale hacia el camino de la desobediencia como si fuera la senda de la felicidad.–*Comentario bíblico adventista, t. 4, p. 1.193.*

Hacer el bien en sábado

Porque el Hijo del Hombre es Señor el día de reposo... es lícito hacer el bien en los días de reposo. Mateo 12:8, 12.

Jesús tenía lecciones que deseaba darle a sus discípulos para que cuando él no estuviera más con ellos, no fueran engañados por las astutas falsificaciones de los sacerdotes y gobernantes con respecto a la correcta observancia del sábado. Quitaría del sábado las tradiciones y las exacciones con que lo habían cargado los sacerdotes y gobernantes.

Al pasar por un sembrado en un día de sábado, él y sus discípulos tenían hambre, y comenzaron a arrancar espigas y a comer. "Viéndolo los fariseos, le dijeron: He aquí tus discípulos hacen lo que no es lícito hacer en el día de reposo" (Mat. 12:2). Para responder a su acusación, Jesús se refirió a la acción de David y los que con él estaban, diciendo: "¿No habéis leído lo que hizo David cuando él y los que con él estaban tuvieron hambre; cómo entró en la casa de Dios y comió los panes de la proposición, que no les era lícito comer ni a él ni a los que con él estaban, sino solamente a los sacerdotes? ¿O no habéis leído en la ley, cómo en el día de reposo los sacerdotes en el templo profanan el día de reposo y son sin culpa? Pues os digo que uno mayor que el templo está aquí" (Mat. 12:3-6).

Si la excesiva hambre disculpó a David de violar aun la santidad del Santuario, e hizo su acto libre de culpa, ¡cuánto más disculpable era el simple acto de los discípulos de arrancar espigas y comerlas en el día sábado! Jesús quería enseñar a sus discípulos y a sus enemigos que el servicio de Dios está antes que cualquier otra cosa; y que si el cansancio y el hambre acompañaban al trabajo, era correcto satisfacer las necesidades de la humanidad aun en el día sábado...

Las obras de misericordia y de necesidad no son transgresión de la ley. Dios no condena esas cosas. Jesús declaró que el acto de misericordia y de necesidad al pasar por los sembrados, de arrancar espigas y restregarlas con las manos, y comerlas para satisfacer el hambre, estaba de acuerdo con la ley que él mismo había promulgado desde el Sinaí. De esa manera se declaró sin culpa ante los escribas, gobernantes y sacerdotes, ante el universo celestial, ante los ángeles caídos y ante los hombres caídos.–*Review and Herald*, 3 de agosto de 1897.

La obra de salvar almas en sábado

Haré más precioso que el oro al varón, y más que el oro de Ofir al hombre. Isaías 13:12.

Si estaba bien que David satisficiese su hambre comiendo el pan que había sido apartado para un uso santo, entonces estaba bien que los discípulos supliesen su necesidad recogiendo granos en las horas sagradas del sábado. Además, los sacerdotes del templo realizaban en sábado una labor más intensa que en los otros días. En asuntos seculares, la misma labor habría sido pecaminosa; pero la obra de los sacerdotes se hacía en el servicio de Dios. Ellos cumplían los ritos que señalaban el poder redentor de Cristo, y su labor estaba en armonía con el objeto del sábado. Pero ahora, Cristo mismo había venido. Los discípulos, al hacer la obra de Cristo, estaban sirviendo a Dios y era correcto hacer en sábado lo que era necesario para el cumplimiento de esa obra.

Cristo quería enseñar a sus discípulos y a sus enemigos que el servicio de Dios está antes que cualquier cosa. El objeto de la obra de Dios en este mundo es la redención de la humanidad; por lo tanto, lo que es necesario hacer en sábado en cumplimiento de esta obra, está de acuerdo con la ley del sábado. Jesús coronó luego su argumento declarándose "Señor del sábado"; es decir, un Ser por encima de toda duda y de toda ley. Este Juez infinito absuelve a los discípulos de culpa, apelando a los mismos estatutos que se les acusaba de estar violando...

Otro sábado, al entrar Jesús en una sinagoga, vio allí a un hombre que tenía una mano paralizada. Los fariseos lo vigilaban, deseosos de ver qué iba a hacer. El Salvador sabía muy bien que al efectuar una curación en sábado, sería considerado como transgresor, pero no vaciló en derribar el muro de las exigencias tradicionales que rodeaban al sábado. Jesús invitó al enfermo a ponerse de pie, y luego preguntó: "¿Es lícito en los días de reposo hacer bien, o hacer mal; salvar la vida, o quitarla?" Era una máxima corriente entre los judíos que al dejar de hacer el bien, cuando había oportunidad, era hacer lo malo; el descuidar de salvar una vida era matar. Así se enfrentó Jesús con los rabinos en su propio terreno. "Pero ellos callaban. Entonces, mirándolos alrededor con enojo, entristecido por la dureza de su corazón, dijo al hombre: Extiende tu mano. Y él la extendió, y la mano le fue restaurada sana" (Mar. 3:4, 5).—*El Deseado de todas las gentes*, pp. 251-253.

Hacer el bien en sábado honra el día

Pues, ¿cuánto más vale un hombre que una oveja? Por consiguiente, es lícito hacer el bien en los días de reposo. Mateo 12:12.

Cuando le preguntaron: "¿Es lícito sanar en el día de reposo?", Jesús contestó: "¿Qué hombre habrá de **vosotros**, que tenga una oveja, y si ésta cayere en un hoyo en día de reposo, no le eche mano, y la levante? Pues, ¿cuánto más vale un hombre que una oveja? Por consiguiente, es lícito hacer el bien en los días de reposo" (Mat. 12:10-12).

Los espías no se atrevían a contestar a Jesús en presencia de la multitud por temor a meterse en dificultades. Sabían que él había dicho la verdad. Mientras que aliviarían a un animal por causa de la pérdida que sufriría el dueño si lo descuidaban, estaban dispuestos a dejar sufrir a un ser humano antes que violar sus tradiciones. Así manifestaban un mayor cuidado por un animal que por la persona, que fue hecha a la imagen de Dios.

Esto ilustra el resultado de todas las religiones falsas. Tienen su origen en el deseo del ser humano de exaltarse por encima de Dios, pero llegan a degradar a la humanidad por debajo del nivel de los brutos. Toda religión que combate la soberanía de Dios, defrauda a la humanidad de la gloria que le fue concedida en la creación, y que ha de serle devuelta en Cristo. Toda religión falsa enseña a sus adeptos a descuidar las necesidades, los sufrimientos y los derechos de los humanos. El evangelio concede alto valor a la humanidad como adquisición hecha por la sangre de Cristo, y enseña a considerar con ternura las necesidades y desgracias de la humanidad...

Cuando Jesús preguntó a los fariseos si era lícito hacer bien o mal en sábado, salvar la vida o matar, les hizo confrontar sus propios malos deseos. Con acerbo odio ellos deseaban matarle mientras él estaba salvando vidas e impartiendo felicidad a muchedumbres. ¿Era mejor matar en sábado, según se proponían ellos hacer, que sanar a los afligidos como lo había hecho él? ¿Era más justo tener homicidio en el corazón en el día santo que tener hacia todos un amor que se expresara en hechos de misericordia?

Al sanar al hombre que tenía una mano seca, Jesús condenó la costumbre de los judíos, y dejó al cuarto mandamiento tal cual Dios lo había dado. "Es lícito hacer el bien en los días de reposo", declaró. Poniendo a un lado las restricciones sin sentido de los judíos, honró el sábado, mientras que los que se quejaban contra él deshonraban el día santo de Dios.–*El Deseado de todas las gentes*, pp. 253, 254.

El sábado está destinado para ponernos en armonía con Dios

También les dijo: El día de reposo fue hecho por causa del hombre, y no el hombre por causa del día de reposo. Marcos 2:27.

Cuando se le acusó de violar el sábado en Betesda, Jesús se defendió afirmando su condición de Hijo de Dios y declarando que él obraba en armonía con el Padre. Ahora que se atacaba a sus discípulos, él citó a sus acusadores ejemplos del Antiguo Testamento, actos verificados en sábado por quienes estaban al servicio de Dios.

Los maestros judíos se jactaban de su conocimiento de las Escrituras, y la respuesta de Cristo implicaba una reprensión por su ignorancia de los sagrados escritos. "¿Ni aún esto habéis leído", dijo, "lo que hizo David cuando tuvo hambre él, y los que con él estaban; cómo entró en la casa de Dios, y tomó los panes de la proposición, de los cuales no es lícito comer sino sólo a los sacerdotes?" También les dijo: "El día de reposo fue hecho por causa del hombre, y no el hombre por causa del día de reposo". "¿O no habéis leído en la ley, cómo en el día de reposo los sacerdotes en el templo profanan el día de reposo, y son sin culpa? Pues os digo que uno mayor que el templo está aquí". "Por tanto, el Hijo del Hombre es Señor aun del día de reposo" (Luc. 6:3, 4; Mat. 12:5, 6; Mar. 2:27, 28).

Jesús no dejó pasar el asunto con la administración de una reprensión a sus enemigos. Declaró que su ceguera había interpretado mal el objeto del sábado. Dijo: "Y si supieseis qué significa: Misericordia quiero y no sacrificio, no condenaríais a los inocentes" (Mat. 12:7). Sus muchos ritos formalistas no podían suplir la falta de aquella integridad veraz y amor tierno que siempre caracterizarán al verdadero adorador de Dios...

Lo que Dios aprecia es el servicio de amor. Faltando éste, el mero ceremonial es una ofensa. Así sucede con el sábado. Estaba destinado a poner a los hombres y a las mujeres en comunión con Dios; pero cuando la mente quedaba absorbida por ritos cansadores, el objeto del sábado se frustraba. Su simple observancia exterior era una burla.–*El Deseado de todas las gentes*, pp. 251, 252.

El sábado, una señal de la relación de pacto

Señal es para siempre entre mí y los hijos de Israel; porque en seis días hizo Jehová los cielos y la tierra, y en el séptimo día cesó y reposó. Éxodo 31:17.

Si los hombres y las mujeres reconocieran el verdadero sábado, no despreciarían la Palabra de Dios, como lo hacen ahora. La observancia del séptimo día sería una cadena dorada que los uniría a su Creador. Pero se deshonra y se desobedece el mandamiento que señala al Dios verdadero, el Creador y Soberano del universo. Esta es la razón por la que hay tan poca estabilidad en el mundo. Las iglesias han rechazado la señal de Dios y han tergiversado su carácter. Han derribado el sagrado día de descanso de Dios exaltando un sábado falso en su lugar. Ojalá que los hombres y las mujeres dejen de cerrarse la puerta del cielo por sus propias perversidades...

Se ha hecho una brecha en la ley de Dios, y él pide que un pueblo repare esa brecha. Se ha exaltado un sábado falso en vez del sábado de Jehová. Pronto se promulgarán leyes obligando a todos a observar el primer día de la semana en vez del séptimo. Debemos hacer frente a esta dificultad, y encontraremos demasiados problemas, sin tener que excitar contienda entre los que profesan estar guardando los mandamientos de Dios.

Con estas claras palabras [Éxo. 31:16, 17] ante nosotros, ¿quién de los que conocen la verdad se atreverá a destacar menos los rasgos distintivos de nuestra fe? Es un hecho establecido, que debe ser destacado delante de todas las naciones, tribus, lenguas y pueblos, que el Señor Dios hizo el mundo en seis días y descansó el séptimo día. "Fueron pues acabados los cielos y la tierra, y todo el ejército de ellos. Y acabó Dios en el día séptimo la obra que hizo; y reposó el día séptimo de toda la obra que hizo" (Gén. 2:1, 2)...

El sábado es la señal de Dios entre él y su pueblo, una evidencia de su bondad, misericordia y amor, una prenda por la cual se distingue su pueblo de todos los falsos devotos fanáticos del mundo. Y Dios se comprometió en que los bendecirá en su obediencia, mostrándose que él es su Dios, y que los ha llevado a una relación de pacto con él, y que cumplirá sus promesas a todos los que son obedientes.–*Manuscript Releases,* t. 5, pp. 82-84.

Un día de curación y gozo

Pero el principal de la sinagoga, enojado de que Jesús hubiese sanado en el día de reposo, dijo a la gente: Seis días hay en que se debe trabajar; en éstos, pues, venid y sed sanados, y no en el día de reposo.
Lucas 13:14.

// Enseñaba Jesús en una sinagoga en el día de reposo. Y había allí una mujer que desde hacia dieciocho años tenía espíritu de enfermedad, y andaba encorvada, y en ninguna manera se podía enderezar. Cuando Jesús la vio, la llamó y le dijo: Mujer, eres libre de tu enfermedad. Y puso las manos sobre ella; y ella se enderezó luego, y glorificaba a Dios" (Luc. 13:10-13).

El corazón compasivo de Cristo fue conmovido al ver a esta mujer doliente, y supondríamos que cualquier ser humano que la viera se alegraría de que fuese librada de su enfermedad, y curada de una aflicción que la había tenido encorvada por 18 años. Pero Jesús percibió, por los rostros ceñudos y airados, que los sacerdotes y rabinos no sentían gozo al ver su liberación. No estaban dispuestos a expresar palabras de agradecimiento por causa de una mujer que había estado sufriendo y estaba deformada y ahora fue restaurada a la salud y simetría de su cuerpo. No sintieron gratitud al ver que su cuerpo deformado quedó hermoso, y que el Espíritu Santo alegró su corazón hasta que se desbordó con agradecimientos y glorificó al Señor.

El salmista dice: "El que sacrifica alabanza, me honrará" (Sal. 50:23). Pero en medio de las palabras de gratitud se oyó una nota discordante. "Pero el principal de la sinagoga, enojado de que Jesús hubiese sanado en el día de reposo..." Estaba indignado porque Cristo había hecho que una mujer infeliz hiciera resonar una nota de alegría en el sábado. En voz alta, áspera por la pasión, dijo a la gente: "Seis días hay en que se debe trabajar; en éstos, pues, venid y sed sanados, y no en el día de reposo" (Luc. 13:14).

Si ese hombre hubiera realmente tenido escrúpulos de conciencia en cuanto a la verdadera observancia del sábado, habría discernido la naturaleza y el carácter de la obra que Cristo había realizado... La obra que Cristo había hecho estaba en armonía con la santificación del día sábado. Las personas que estaban a ambos lados de Jesús se maravillaron y se alegraron por la obra que había sido hecha en beneficio de esa mujer doliente; y hubo algunos cuyo corazón quedó conmovido, cuya mente fue iluminada, que se habrían reconocido discípulos de Cristo si no hubiera sido por los rostros amenazadores y airados de los rabinos.–*Signs of the Times*, 23 de abril de 1896.

Un día en el cual mostrar misericordia

Y tuya, oh Señor, es la misericordia; porque tú pagas a cada uno conforme a su obra. Salmo 62:12.

El Señor Dios de los ejércitos escuchará la oración ferviente. Dirigirá a los que sienten su dependencia de él y guiará de tal manera a los obreros que muchas almas vendrán a un conocimiento de la verdad.

La verdad, tal como es en Jesús, ejerce una influencia transformadora sobre la mente de los que la reciben. Que nadie olvide que Dios siempre es mayoría, y que con él el éxito coronará todos los esfuerzos misioneros. Los que tienen una relación viva con Dios saben que la divinidad obra a través de la humanidad. Cada alma que coopera con Dios hará justicia, amará misericordia y se humillará ante Dios.

El Señor es un Dios de misericordia, y cuida aun de los animales que ha creado. Cuando sanó en el día sábado y fue acusado de quebrantar la ley de Dios, le dijo a sus acusadores: "Cada uno de vosotros, ¿no desata en el día de reposo su buey o su asno del pesebre y lo lleva a beber? Y a esta hija de Abraham, que Satanás había atado dieciocho años, ¿no se la debía desatar de esta ligadura en el día de reposo? Al decir estas cosas, se avergonzaban todos sus adversarios; pero todo el pueblo se regocijaba por todas las cosas gloriosas hechas por él" (Luc. 13:15-17).

El Señor mira con compasión sobre las criaturas que hizo, no importa a qué raza puedan pertenecer. Dios, "de una sangre ha hecho todo el linaje de los hombres, para que habiten sobre la faz de la tierra; y les ha prefijado el orden de los tiempos, y los límites de su habitación; para que busquen a Dios, si en alguna manera, palpando, puedan hallarle, aunque ciertamente no está lejos de cada uno de nosotros. Porque en él vivimos, y nos movemos, y somos; como algunos de vuestros propios poetas han dicho: Porque linaje suyo somos" (Hech. 17:26-28).

Hablando a sus discípulos, dijo el Salvador: "Todos sois hermanos". Dios es nuestro Padre común, y cada uno de nosotros es guarda de su hermano.–*Review and Herald*, 21 de enero de 1896.

Establecer ejemplo de la santidad del sábado, y enseñarla

Y estas palabras que yo te mando hoy, estarán sobre tu corazón; y las repetirás a tus hijos, y hablarás de ellas estando en tu casa, y andando por el camino, y al acostarte, y cuando te levantes. Deuteronomio 6:6, 7.

Usted no ha valorado en su familia la santidad del sábado, no la ha enseñado a sus hijos, ni les ha encarecido la necesidad de guardarlo de acuerdo con el mandamiento. Su discernimiento no es claro y dispuesto para percibir la elevada norma que debemos alcanzar para ser observadores de los mandamientos. Pero Dios lo ayudará en sus esfuerzos cuando se aferre a la tarea con fervor. Debe poseer un control perfecto de sí mismo, y entonces podrá tener más éxito al controlar a sus hijos cuando son indisciplinados.

Tiene una gran tarea por delante para enmendar sus descuidos pasados, pero no se le exige que la realice en su propia fuerza. Ángeles ministradores lo ayudarán en la tarea. No abandone el trabajo ni ponga a un lado la carga, sino posesiónese de él con voluntad y repare sus grandes descuidos. Debe tener una visión más elevada de las demandas de Dios con respecto a su día santo. Todo lo que posiblemente pueda hacerse en los seis días que Dios le ha dado, debe ser hecho. No debe robar a Dios ni una hora de su tiempo sagrado. Se prometen grandes bendiciones a los que tienen una alta estima del sábado y se dan cuenta de las obligaciones que descansan sobre ellos en cuanto a su observancia: "Si retrajeres del día de reposo tu pie [de pisotearlo, de despreciarlo] de hacer tu voluntad en mi día santo, y lo llamares delicia, santo, glorioso de Jehová... entonces te deleitarás en el Señor tu Dios... te haré subir sobre las alturas de la tierra, y te daré a comer la heredad de Jacob tu padre; porque la boca de Jehová lo ha hablado" (Isa. 58:13, 14).

Cuando comienza el sábado debemos ponernos en guardia, velar sobre nuestros actos y nuestras palabras, no sea que robemos a Dios, dedicando a nuestro uso el tiempo que pertenece estrictamente al Señor...

Nada de lo que a los ojos del cielo será considerado como violación del santo sábado debe dejarse para ser dicho o hecho en sábado. Dios requiere no sólo que evitemos el trabajo físico en sábado, sino que disciplinemos nuestra mente para que se espacie en temas sagrados.–*Testimonies for the Church*, t. 2, pp. 701-703.

Los mandamientos son para todos

Y a los hijos de los extranjeros que sigan a Jehová para servirle, y que amen el nombre de Jehová para ser sus siervos; a todos los que guarden el día de reposo para no profanarlo, y abracen mi pacto, yo los llevaré a mi santo monte. Isaías 56:6, 7.

Bajo la ley mosaica, los extranjeros y los eunucos estaban excluidos del pleno goce de los privilegios concedidos a Israel. Pero el profeta declara que va a llegar un tiempo cuando cesarán esas restricciones. A los judíos les fueron confiados los santos oráculos de Dios; no ser un israelita era no pertenecer al pueblo favorecido de Dios. Los judíos habían llegado cada vez más a considerarse como superiores por derecho divino a cualquier otro pueblo de la tierra, y sin embargo, no habían sido cuidadosos en mantener su carácter separado y santo al rendir obediencia a todos los mandamientos de Dios.

Ahora el profeta declara que el extranjero que ama y obedece a Dios gozará de los privilegios que habían pertenecido en forma exclusiva al pueblo elegido. Hasta aquí la circuncisión y una obediencia estricta de la ley ceremonial habían sido la condición sobre la cual los gentiles podían ser admitidos a la congregación de Israel; pero estas distinciones iban a ser abolidas por el evangelio [Isa. 56:6-8]...

La primera parte del capítulo presenta a un pueblo que aparentemente se deleita en el servicio de Dios; lo buscan diariamente, "como gente que hubiese hecho justicia, y que no hubiese dejado la ley de su Dios" (Isa. 58:2). Sin embargo, su vida no es correcta delante de Dios, porque le ordena a su profeta: "Clama a voz en cuello, no te detengas; alza tu voz como trompeta, y anuncia a mi pueblo su rebelión, y a la casa de Jacob su pecado" (Isa. 58:1)...

Esta profecía se extiende a través de los siglos hasta el tiempo cuando el hombre de pecado intentó anular uno de los mandamientos de la ley de Dios, para pisotear el sábado original de Jehová y exaltar en su lugar uno de su propia creación. Y cuando el mundo cristiano abandone definitivamente el santo sábado de Dios y en su lugar acepte un día común de trabajo, que no está sancionado por un "Así dice el Señor", estará estimulando la infidelidad, y virtualmente reconociendo la supremacía de ese poder por cuya sola autoridad se hizo el cambio. El rechazo del sábado ha llevado al rechazo de toda la ley, y ahora miles de cristianos profesos atrevidamente lo declaran anulado.–*Signs of the Times*, 28 de febrero de 1884.

Jesús guardó el sábado haciendo el bien

Entonces Jesús les dijo: Os preguntaré una cosa: ¿Es lícito en día de reposo hacer bien, o hacer mal? ¿salvar la vida, o quitarla? Lucas 6:9.

No es violación del sábado realizar obras de necesidad, como atender a los enfermos o ancianos y aliviar el dolor. Tales obras están en perfecta armonía con la ley del sábado. Nuestro gran Ejemplo siempre estuvo activo en el sábado, cuando las necesidades de los enfermos y dolientes se presentaban ante él. Por causa de esto, los fariseos lo acusaron de quebrantar el sábado, como lo hacen hoy muchos ministros religiosos que están en oposición a la ley de Dios. Pero nosotros decimos: Sea Dios veraz, y todo hombre mentiroso; [es decir,] el que osa hacer esta acusación contra el Salvador [ver Rom. 3:4].

Jesús contestó la acusación de los judíos así: "Y si supieseis qué significa: Misericordia quiero y no sacrificio, no condenaríais a los inocentes" (Mat. 12:7). Ya les había declarado que había guardado los mandamientos de su Padre. Cuando fue acusado de quebrantar el sábado en ocasión del milagro de curar al hombre de la mano seca, se volvió contra sus acusadores con la pregunta: "¿Es lícito en día de reposo hacer bien, o hacer mal? ¿salvar la vida, o quitarla?" Resumiendo su respuesta al cuestionamiento de los fariseos, dijo: "Es lícito hacer el bien en los días de reposo" (Mat. 12:12). Aquí Cristo justificó su obra como estando en perfecta armonía con la ley del sábado.–*Signs of the Times,* 28 de febrero de 1878.

Los que sostienen que Cristo abolió la ley, enseñan que violó el sábado y justificó a sus discípulos en lo mismo. Así están asumiendo la misma actitud que los cavilosos judíos. En esto contradicen el testimonio de Cristo mismo, quien declaró: "Yo he guardado los mandamientos de mi Padre, y permanezco en su amor" (Juan 15:10).

Ni el Salvador ni sus discípulos violaron la ley del sábado. Cristo fue el representante vivo de esa ley. En su vida no se halló ninguna violación de sus santos preceptos. Frente a una nación de testigos que buscaban ocasión de condenarle, pudo decir sin que se le contradijera: "¿Quién de vosotros me convence de pecado?" (Juan 8:46, VM)...

"El día de reposo fue hecho por causa del hombre, y no el hombre por causa del día de reposo" (Mar. 2:27), dijo Jesús. Las instituciones que Dios estableció son para el beneficio de la humanidad... La ley de los Diez Mandamientos, del cual el sábado forma parte, la dio Dios a su pueblo como una bendición. "Y nos mandó Jehová", dijo Moisés, "que cumplamos todos estos estatutos, y que temamos a Jehová nuestro Dios, para que nos vaya bien todos los días, y para que nos conserve la vida, como hasta hoy" (Deut. 6:24).–*El Deseado de todas las gentes,* pp. 254, 255.

El sábado conmemora un día literal

Truena Dios maravillosamente con su voz; él hace grandes cosas, que nosotros no entendemos. Job 37:5.

Cuando Dios promulgó su ley en forma audible desde el Sinaí, introdujo el mandamiento del sábado: "Acuérdate del día de reposo para santificarlo". Luego declaró inequívocamente lo que se debe hacer durante los primeros seis días, y qué se debe hacer en el séptimo. Después, como razón para observar la semana de ese modo, les recuerda su propio ejemplo en los primeros siete días de tiempo: "Porque en seis días hizo Jehová los cielos y la tierra, el mar, y todas las cosas que en ellos hay, y reposó en el séptimo día; por tanto, Jehová bendijo el día de reposo y lo santificó" (Éxo. 28:8-11). Esta razón resulta hermosa y convincente únicamente cuando comprendemos que el registro de la creación habla de días literales.

Los primeros seis días de cada semana nos fueron dados para trabajar, porque Dios empleó el mismo período de la primera semana en la obra de la creación. Apartó el séptimo día para que fuera un día de reposo, en conmemoración de su propio descanso durante el mismo período, después de terminar la obra de la creación en seis días.

Pero la suposición infiel que pretende que los acontecimientos de la primera semana requirieron siete períodos largos y de duración indefinida, atenta directamente contra el fundamento del sábado del cuarto mandamiento. Hace oscuro e indefinido aquello que Dios hizo sumamente claro. Es la peor clase de infidelidad, porque para muchos que pretenden creer el relato de la creación, es infidelidad encubierta. Acusa a Dios con ordenarnos observar un día de siete días literales en conmemoración de siete períodos indefinidos, lo que es contrario a sus tratos con nosotros, y es una impugnación de su sabiduría...

La Palabra de Dios nos ha sido dada para que sirva de lámpara a nuestros pies y de luz para nuestro camino. Las personas que le den la espalda a su Palabra y se esfuercen por descubrir los maravillosos misterios de Jehová mediante su propia filosofía ciega, tropezarán en la oscuridad. A los mortales se les ha concedido una guía por medio de la cual pueden seguir los pasos de Jehová y de su obra tan lejos como sea posible para su propio bien. La Inspiración, al darnos a conocer la historia del diluvio, nos ha explicado misterios prodigiosos que la geología, sin la ayuda de la Inspiración, jamás podría haber desentrañado.–*Signs of the Times,* 20 de marzo de 1879. (Ver *Exaltad a Jesús,* pp. 46, 53.)

El sábado nos recuerda el poder creador de Dios

Grande es Jehová, y digno de suprema alabanza, y su grandeza es inescrutable. Salmo 145:3.

Los geólogos infieles aseguran que el mundo es mucho más antiguo de lo que el registro bíblico indica. Rechazan el testimonio de la Biblia debido a que contiene elementos que, para ellos, no son evidencias tomadas de la misma tierra de que el mundo ha existido durante decenas de miles de años. Y muchos que profesan creer la historia bíblica se desconciertan porque no pueden dar razón acerca de cosas maravillosas que encuentran en la tierra, observadas desde el punto de vista de que la semana de la creación tuvo solamente siete días literales, y que el mundo actualmente no tiene sino alrededor de seis mil años de edad. Éstos, para librarse de las dificultades arrojadas en su camino por los geólogos infieles, adoptan el punto de vista de que los seis días de la creación fueron seis períodos vastos, indefinidos, y que el día de descanso de Dios fue otro período indefinido, haciendo absurdo el cuarto mandamiento de la santa ley de Dios. Algunos aceptan esta posición ávidamente, porque destruye la fuerza del cuarto mandamiento y sienten que están libres de las demandas que les hace.

En la tierra, en las montañas y en los valles se encuentran huesos de seres humanos y de animales, los cuales muestran que existieron animales y seres humanos muchos mayores que los que existen hoy día. A veces también se encuentran instrumentos de guerra, así como madera petrificada. Debido a que los huesos encontrados son mucho más grandes que los de los humanos y animales que viven actualmente, o que han vivido por muchas generaciones pasadas, algunos concluyen que la tierra fue poblada mucho antes del registro de la creación por una raza de seres de tamaño muy superior a los de la actualidad. Los que razonan de esta manera no tienen una noción adecuada del tamaño de las personas, los animales y los árboles antediluvianos, ni de los grandes cambios que ocurrieron en la tierra.

Sin la historia de la Biblia, la geología no puede probar nada... Cuando los seres humanos no toman en cuenta la Palabra de Dios, y tratan de explicar la obra creadora del Señor mediante la aplicación de principios naturales, se aventuran sobre un océano ilimitado de incertidumbre. De qué manera realizó Dios la obra de la creación en seis días literales, Dios nunca lo reveló a los mortales. Sus obras creadas son tan incomprensibles como lo es su existencia.–*Signs of the Times*, 20 de marzo de 1879. (Ver *Exaltad a Jesús*, p. 46.)

Creer la Palabra de Dios, no el razonamiento humano

Las cosas secretas pertenecen a Jehová nuestro Dios; mas las reveladas son para nosotros y para nuestros hijos para siempre, para que cumplamos todas las palabras de esta ley. Deuteronomio 29:29.

La obra especial de Satanás ha consistido en inducir a la humanidad caída a revelarse contra el gobierno divino, y ha tenido demasiado éxito en sus esfuerzos. Se ha esforzado por oscurecer la ley de Dios, la cual es realmente muy sencilla. Ha manifestado un odio exagerado contra el cuarto mandamiento del Decálogo, porque define cómo es el Dios viviente, el Hacedor de los cielos y la tierra. La gente se aparta de los preceptos más claros de Jehová para aceptar las fábulas infieles.

Han quedado sin excusa. Dios ha dejado suficientes evidencias sobre las cuales basar la fe, si uno tiene la voluntad de creer. En los últimos días la tierra se verá casi completamente destituida de la fe verdadera. La Palabra de Dios se considerará indigna de confianza bajo el menor pretexto, mientras que se aceptará el razonamiento humano, aunque éste contradiga las realidades claras de la Escritura. Hombres y mujeres se esforzarán por explicar la obra de la creación como resultado de causas naturales, algo que Dios nunca ha revelado. Pero la ciencia humana no puede revelar los secretos del Dios del cielo...–*Exaltad a Jesús*, p. 53.

Seres humanos que profesan ser ministros de Dios elevan sus voces contra la investigación de la profecía, y le dicen a la gente que las profecías, especialmente las de Daniel y Juan, son oscuras, y que no podemos entenderlas. Y sin embargo, algunos de estos mismos ministros reciben ansiosamente las suposiciones de los geólogos, quienes ponen en tela de juicio el registro mosaico. Pero si la voluntad revelada de Dios es tan difícil de entender, ciertamente la gente no debería basar su fe sobre meras suposiciones con respecto a lo que él no ha revelado. Los caminos de Dios no son nuestros caminos, ni sus pensamientos nuestros pensamientos... Los seres humanos, con su vano razonamiento, hacen un mal uso de esas cosas que Dios se propuso que deberían llevarlos a exaltarlo. Caen en el mismo error en el que cayó la gente en los días antes del diluvio: esas cosas que Dios les dio a ellos como un beneficio, las convirtieron en una maldición, haciendo un uso errado de ellas.–*Signs of the Times*, 20 de marzo de 1879.

El sábado fue guardado antiguamente, y es guardado hoy

Temed a Dios y dadle gloria, porque la hora de su juicio ha llegado; y adorad a aquel que hizo el cielo y la tierra, el mar y las fuentes de las aguas... Aquí está la paciencia de los santos, los que guardan los mandamientos de Dios y la fe de Jesús. Apocalipsis 14:7, 12.

El profeta indica cómo sigue la ordenanza que ha sido olvidada: "Los cimientos de generación y generación levantarás, y serás llamado reparador de portillos, restaurador de calzadas para habitar. Si retrajeres del día de reposo tu pie, de hacer tu voluntad en mi día santo, y lo llamares delicia, santo, glorioso de Jehová; y lo venerares, no andando en tus propios caminos, ni buscando tu voluntad, ni hablando tus propias palabras, entonces te deleitarás en Jehová" (Isa. 58:12-14)...

Santificado por la bendición y el reposo del Creador, el sábado fue guardado por Adán en su inocencia en el santo Edén; por Adán, caído pero arrepentido, después que fuera arrojado de su feliz morada. Fue guardado por todos los patriarcas, desde Abel hasta el justo Noé, hasta Abraham y hasta Jacob. Cuando el pueblo escogido estaba en la esclavitud de Egipto, muchos, en medio de la idolatría imperante, perdieron el conocimiento de la ley de Dios, pero cuando el Señor libró a Israel, proclamó su ley con terrible majestad a la multitud reunida para que todos conocieran su voluntad y le temiesen y obedeciesen para siempre.

Desde aquel día hasta hoy, el conocimiento de la ley de Dios se ha conservado en la tierra, y se ha guardado el sábado del cuarto mandamiento. A pesar de que el "hombre de pecado" logró pisotear el día santo de Dios, hubo, aun en la época de su supremacía, almas fieles escondidas en lugares secretos que supieron honrarlo. Desde la Reforma hubo en cada generación algunas almas que mantuvieron viva su observancia. Aunque fue a menudo en medio de oprobios y persecuciones, nunca se dejó de rendir testimonio constante al carácter perpetuo de la ley de Dios y a la obligación sagrada del sábado de la creación.

Estas verdades, tal cual están representadas en Apocalipsis 14, en relación con el "evangelio eterno", serán lo que distinga a la iglesia de Cristo cuando él aparezca. Pues, como resultado del triple mensaje, se dice: "Aquí están... los que guardan los mandamientos de Dios y la fe de Jesús". Y éste es el último mensaje que se ha de dar antes que venga el Señor. Inmediatamente después de su proclamación, el profeta vio al Hijo del Hombre venir en gloria para segar la mies de la tierra.–*El conflicto de los siglos*, pp. 505, 506.

Guardar el sábado como una familia

Conoce, pues, que Jehová tu Dios es Dios, Dios fiel, que guarda el pacto y la misericordia a los que le aman y guardan sus mandamientos, hasta mil generaciones. Deuteronomio 7:9.

Padres, escudriñen las Escrituras. No sean sólo oidores, sino también hacedores de la Palabra. Cumplan la norma de Dios en la educación de sus hijos. Que vean que ustedes se están preparando para el sábado durante los días de trabajo de la semana. Durante los seis días debería hacerse toda la preparación; que la ropa esté lista, y que en el día de la preparación se haya cocinado todo lo que debe cocinarse para el sábado. Es posible lograr esto; y si se establece como regla, se puede hacer...

Explique a sus hijos lo que hace y su propósito, y haga que se ayuden a sí mismos y a sus padres en su preparación para guardar el sábado de acuerdo con el mandamiento. Lleve a sus hijos a considerar el sábado una delicia, el día de los días, el día santo del Señor, honorable...

El viernes, la vestimenta de los hijos... debiera haber sido arreglada por las propias manos de ellos bajo la dirección de la madre, de manera que puedan vestirse prontamente, sin confusión ni apresuramiento, ni órdenes precipitadas... Este es el santo día de Dios; el día que puso aparte para conmemorar su obra creadora, un día que bendijo y santificó...

En el sábado, los padres deberían dar todo el tiempo que puedan a sus hijos, haciendo que sea una delicia. He visto muchas familias donde el padre, la madre y los miembros de más edad de la casa se separan de los niños más chicos y los dejan solos para que se entretengan solos lo mejor que puedan. Después de unos momentos, los niños se aburren y salen al aire libre y se ocupan en algún juego o alguna clase de diablura. De esa manera el sábado no tienen ningún significado sagrado para ellos. Cuando el tiempo es agradable, los padres pueden llevar a sus hijos a dar una caminata por el campo o por el bosque, y hablarles de los árboles elevados, los arbustos y las flores, y enseñarles que Dios es el Hacedor de todas esas cosas. Enséñenles después las razones para la observancia del sábado, que es para conmemorar las obras creadas por Dios. Luego de trabajar seis días descansó el séptimo, y bendijo y santificó el día en el que descansó. De esa manera se les puede dar la instrucción más provechosa.–*Lake Union Herald*, 14 de abril de 1909.

Las buenas obras continúan durante el sábado

Y por esta causa los judíos perseguían a Jesús, y procuraban matarle, porque hacía estas cosas en el día de reposo. Y Jesús les respondió: Mi Padre hasta ahora trabaja, y yo trabajo. Juan 5:16, 17.

En Jerusalén, donde el Salvador estaba ahora, vivían muchos de los sabios rabinos. Aquí enseñaban sus falsas ideas al pueblo respecto al sábado. Grandes muchedumbres venían a adorar al templo, y así las enseñanzas de los rabinos eran difundidas ampliamente. Cristo deseaba corregir esos errores. Esta es la razón por la cual sanó al hombre en día sábado, y le pidió que llevara su cama. Él sabía que este acto atraería la atención de los rabinos, y le daría a él la oportunidad de instruirlos. Y así resultó. Los fariseos trajeron a Cristo ante el Sanedrín, el principal concilio de los judíos, para responder al cargo de quebrantar el sábado.

El Salvador declaró que su acción estaba de acuerdo con la ley del sábado. Estaba en armonía con la voluntad y la obra de Dios. "Mi Padre hasta ahora trabaja, y yo trabajo", dijo Jesús.

Dios obra continuamente para sostener todas las cosas vivas. ¿Había de cesar su obra en el sábado? ¿Debía Dios impedir que el sol cumpliese su función en el sábado? ¿Impediría que sus rayos calentaran la tierra y nutrieran la vegetación?

¿Debían los arroyos y las olas del mar detener su constante movimiento? ¿Debían el trigo y el maíz detener su continuo crecimiento, y los árboles y las flores dejar de florecer en sábado?

La gente entonces perdería los frutos de la tierra, y las bendiciones que sostienen la vida. La naturaleza debía continuar su obra, o los mortales morirían. Y también ellos tenían una obra que hacer en este día. Las necesidades de la vida debían ser atendidas, los enfermos debían ser cuidados, las necesidades de los menesterosos debían ser suplidas. Dios no desea que sus criaturas sufran una hora de dolor que pueda ser aliviado en sábado o en cualquier otro día.

La obra del cielo nunca cesa, y nunca debemos descansar de hacer el bien. Lo que la ley nos prohíbe hacer en el día de descanso del Señor es nuestra propia obra. El trabajo para ganarnos la vida debe cesar. Ninguna labor para lograr provecho o placer mundano es lícita en este día. Pero el sábado no ha de ser usado en una actividad inútil. Así como Dios cesó en su obra creadora, y descansó en el sábado, también nosotros hemos de descansar. Nos pide que pongamos a un lado nuestras ocupaciones cotidianas, y dediquemos esas horas sagradas a un descanso saludable, al culto y a acciones santas.–*Vida de Jesús*, pp. 103-105.

Una visión del mandamiento del sábado

Mas el día séptimo es reposo a Jehová tu Dios; ninguna obra harás tú, ni tu hijo, ni tu hija, ni tu siervo, ni tu sierva, ni tu buey, ni tu asno, ni ningún animal tuyo, ni el extranjero que está dentro de tus puertas, para que descanse tu siervo y tu sierva como tú. Deuteronomio 5:14.

Junto al arca estaba Jesús, y cuando las oraciones de los santos llegaban a él, humeaba el incienso del incensario, y Jesús ofrecía a su Padre aquellas oraciones con el humo del incienso.

Dentro del arca estaba el vaso de oro con el maná, la vara florecida de Aarón y las tablas de piedra, que se plegaban como las hojas de un libro. Jesús las abrió y vi en ellas los Diez Mandamientos escritos por el dedo de Dios. En una tabla había cuatro, y en la otra seis. Los cuatro de la primera brillaban más que los otros seis. Pero el cuarto, el mandamiento del sábado, brillaba más que todos, porque el sábado fue puesto aparte para que se lo guardase en honor del santo nombre de Dios. El santo sábado resplandecía, rodeado de un nimbo de gloria...

También vi que si Dios hubiese cambiado el día de reposo del séptimo al primer día, asimismo hubiera cambiado el texto del mandamiento del sábado, escrito en las tablas de piedra que están en el arca del Lugar Santísimo del Templo celestial, y diría así: El primer día es el día de reposo de Jehová tu Dios. Pero vi que decía lo mismo que cuando el dedo de Dios lo escribió en las tablas de piedra antes de entregarlas a Moisés en el Sinaí: "Mas el séptimo día es reposo para Jehová tu Dios" [Éxo. 20:10].

Vi que el santo sábado es, y será, el muro separador entre el verdadero Israel de Dios y los incrédulos, así como la institución más adecuada para unir los corazones de los queridos y esperanzados santos de Dios.

Vi que Dios tenía hijos que no echan de ver ni guardan el sábado. No han rechazado la luz referente a él. Y cuando empezó el tiempo de angustia, fuimos llenos del Espíritu Santo al salir a proclamar más plenamente el sábado.–*Notas biográficas de Elena G. de White*, pp. 110, 111.

Por qué es debida la adoración a Dios

Y santificad mis días de reposo, y sean por señal entre mí y vosotros, para que sepáis que yo soy Jehová vuestro Dios. Ezequiel 20:20.

En el capítulo 14 del Apocalipsis se exhorta a los seres humanos a que adoren al Creador; y la profecía expone a la vista una clase de personas que, como resultado del triple mensaje, guardan los mandamientos de Dios. Uno de esos mandamientos señala directamente a Dios como el Creador. El cuarto precepto declara: "El séptimo día es reposo para Jehová tu Dios... Porque en seis días hizo Jehová los cielos y la tierra, el mar, y todas las cosas que en ellos hay, y reposó en el séptimo día; por tanto Jehová bendijo el día de reposo y lo santificó" (Éxo. 20:10, 11).

"La importancia del sábado como institución conmemorativa de la creación consiste en que recuerda siempre la verdadera razón por la cual se debe adorar a Dios", porque él es el Creador y nosotros somos sus criaturas. "Por consiguiente, el sábado forma parte del fundamento mismo del culto divino, pues enseña esta gran verdad del modo más contundente, como no lo hace ninguna otra institución. El verdadero motivo del culto divino, no tan sólo del que se tributa en el séptimo día, sino de toda adoración, reside en la distinción existente entre el Creador y sus criaturas. Este hecho capital no perderá nunca su importancia ni debe caer nunca en el olvido" (J. N. Andrews, *History of the Sabbath*, cap. 27).

Por eso, es decir, para que esta verdad no se borrara nunca de la mente de la gente, instituyó Dios el sábado en el Edén, y mientras el ser él nuestro Creador siga siendo motivo para que lo adoremos, el sábado seguirá siendo señal conmemorativa para ello. Si el sábado se hubiese observado universalmente, los pensamientos y las inclinaciones de los humanos se habrían dirigido hacia el Creador como objeto de reverencia y adoración, y nunca habría habido un idólatra, un ateo o un incrédulo.

La observancia del sábado es señal de lealtad al verdadero Dios, "que hizo el cielo y la tierra, el mar y las fuentes de las aguas". Resulta pues que el mensaje que manda a los mortales adorar a Dios y guardar sus mandamientos, los ha de invitar especialmente a observar el cuarto mandamiento.–*El conflicto de los siglos*, pp. 490, 491.

El sábado no es el día santo de los judíos, sino de Cristo

Vino a Nazaret, donde se había criado; y en el día de reposo entró en la sinagoga, conforme a su costumbre, y se levantó a leer. Lucas 4:16.

¿Cómo podemos explicar la observancia del primer día de la semana por parte de la mayoría de los profesos cristianos, cuando la Biblia no ofrece autoridad para este cambio ni en los mandamientos ni en el ejemplo de Cristo o de sus seguidores? Podemos explicarlo por el hecho de que el mundo ha seguido las tradiciones de los seres humanos en vez de un "Así dice el Señor". Esta ha sido la obra que Satanás trató de realizar: apartar a la gente de los mandamientos de Dios y llevarla a venerar y obedecer las tradiciones del mundo. Por medio de instrumentos humanos ha arrojado desprecio sobre el sábado de Jehová y lo ha estigmatizado como "el viejo sábado judío".

Miles han repetido inconscientemente esta crítica como si fuera un argumento que tuviera mucho peso; pero han perdido de vista el hecho de que el pueblo judío fue elegido especialmente por Dios para ser los guardianes de su verdad, los observadores de su ley, los depositarios de sus oráculos sagrados. Recibieron los oráculos vivientes para dárnoslos. El Antiguo Testamento y el Nuevo Testamento, ambos, nos llegaron por medio de los judíos. Cada promesa de la Biblia, cada rayo de luz que ha brillado sobre nosotros de la Palabra de Dios, ha venido por medio de la nación judía.

Cristo fue el dirigente de los hebreos cuando salieron de Egipto a Canaán. En unión con el Padre, Cristo proclamó la ley a los judíos en medio de los truenos del Sinaí, y cuando apareció en la tierra como hombre, vino como un descendiente de Abraham. ¿Usaremos el mismo razonamiento en cuanto a la Biblia y Cristo, y los rechazaremos porque son judíos, como se hace al rechazar el sábado del Señor? La institución del sábado está identificada íntimamente con los judíos como lo está la Biblia, y existe la misma razón para rechazar uno como para rechazar el otro. Pero el sábado no es judío en su origen. Fue instituido en el Edén antes de que hubiera un pueblo conocido como los judíos. El sábado fue hecho para toda la humanidad, y fue instituido en el Edén antes de la caída de Adán y Eva. El Creador lo llamó "mi día santo". Cristo se proclamó a sí mismo como "el Señor del sábado". Comenzando con la creación, es tan antiguo como la raza humana, y habiendo sido hecho para los seres humanos, existirá por tanto tiempo como ellos existan.–*Signs of the Times*, 12 de noviembre de 1894.

El reposo del sábado y el gozo en la eternidad

Y de mes en mes, y de día de reposo en día de reposo, vendrán todos a adorar delante de mí, dijo Jehová. Isaías 66:23.

Por fin Jesús descansaba. El largo día de oprobio y tortura había terminado. Al llegar el sábado con los últimos rayos del sol poniente, el Hijo de Dios yacía en quietud en la tumba de José. Terminada su obra, con las manos cruzadas en paz, descansó durante las horas sagradas del sábado. Al principio el Padre y el Hijo habían descansado el sábado después de su obra de creación. Cuando fueron "acabados los cielos y la tierra, y todo el ejército de ellos" (Gén. 2:1), el Creador y todos los seres celestiales se regocijaron en la contemplación de la gloriosa escena. "Cuando alababan todas las estrellas del alba, y se regocijaban todos los hijos de Dios" (Job 38:7).

Ahora Jesús descansaba de la obra de la redención; y aunque había pesar entre quienes le amaban en la tierra, había gozo en el cielo. La promesa de lo futuro era gloriosa a los ojos de los seres celestiales... Con esta escena está para siempre vinculado el día en que Cristo descansó. Porque su "obra es perfecta"; y "todo lo que Dios hace será perpetuo" (Deut. 32:4; Ecl. 3:14). Cuando se produzca "la restauración de todas las cosas, de que habló Dios por boca de sus santos profetas que han sido desde tiempo antiguo" (Hech. 3:21), el sábado de la creación, el día en que Cristo descansó en la tumba de José, será todavía un día de reposo y regocijo. El cielo y la tierra se unirán en alabanza, mientras "de día de reposo en día de reposo" (Isa. 66:23) las naciones de los salvos adorarán con gozo a Dios y al Cordero.

En los acontecimientos finales de la crucifixión se dieron nuevas pruebas del cumplimiento de la profecía y nuevos testimonios de la divinidad de Cristo. Cuando las tinieblas se alzaron de la cruz, y el Salvador hubo exhalado su clamor moribundo, inmediatamente se oyó otra voz que decía: "Verdaderamente éste era Hijo de Dios" (Mat. 27:54).–*El Deseado de todas las gentes*, p. 714.

Ser semejantes a Jesús, no semejantes al mundo

No tendrás en tu bolsa pesa y pesa, una grande y otra pequeña. No tendrás en tu casa medida y medida, una grande y otra pequeña. Deuteronomio 25:13, 14, BJ.

Los que profesan amar y temer a Dios deberían abrigar simpatía y amor los unos para con los otros, y deberían cuidar los intereses de los demás como si fueran suyos. Los cristianos no deben regular su conducta según las normas establecidas del mundo. En todas las épocas los hijos de Dios son tan distintos de los mundanos como su profesión es más elevada que la de los impíos. Desde el comienzo hasta el fin del tiempo, el pueblo de Dios es un cuerpo.

El amor al dinero es la raíz de todos los males. En esta generación el deseo por conseguir ganancias es una pasión absorbente. Si no se puede conseguir riqueza por medio de un trabajo honesto, los seres humanos tratan de obtenerla por medio del fraude. Se despoja a las viudas y a los huérfanos de su salario ínfimo, y se hace sufrir a los pobres con respecto a las necesidades primordiales de la vida. Y todo esto para que los ricos puedan sufragar su extravagancia, o satisfacer su deseo de acumular más riquezas.

El temible registro de los delitos cometidos diariamente por motivo de la obtención de ganancias, es suficiente para congelar la sangre y llenar el alma con horror. El hecho de que aun entre quienes profesan piedad existen los mismos pecados en mayor o menor grado, exige una humillación profunda del alma y una acción seria por parte de los seguidores de Cristo. El amor a la ostentación y el amor al dinero han hecho de este mundo una cueva de ladrones y asaltantes. Pero los cristianos no son supuestamente moradores de la tierra; están en un país extraño, deteniéndose, por decirlo así, sólo por una noche. No deben ser impulsados por los mismos motivos y deseos que son impulsados los que tienen su hogar y su tesoro aquí. Dios desea que nuestra vida represente la vida de nuestro gran Modelo; que al igual que Jesús, vivamos para hacer el bien a los demás...

Todo perjuicio ocasionado a los hijos de Dios se hace contra Cristo mismo en la persona de sus santos. Toda tentativa de aprovecharse de la ignorancia, debilidad o desgracia de los demás, queda registrado como fraude en el libro mayor del cielo.–*Southern Watchman*, 10 de mayo de 1904. (Ver *Profetas y reyes*, pp. 481, 482.)

Hacer lo correcto en los negocios, no sólo en la iglesia

Así que, todas las cosas que queráis que los hombres hagan con vosotros, así también haced vosotros con ellos; porque esto es la ley y los profetas. Mateo 7:12.

Los que temen verdaderamente a Dios preferirán trabajar día y noche, y comer el pan en la pobreza, antes que satisfacer un afán de ganancias que oprimiría a la viuda y al huérfano, o despojaría al extraño de su derecho. Nuestro Salvador intentó grabar en sus oyentes la idea de que la persona que se atreve a defraudar a su prójimo en las cosas más pequeñas, lo defraudaría, si se presentara la oportunidad, en cosas mayores. El menor desvío de la rectitud quebranta las barreras y prepara el corazón para cometer mayores injusticias. Por precepto y por ejemplo, Cristo enseñó que la más estricta integridad debe gobernar las acciones que ejecutamos al relacionarnos con nuestros semejantes. Dijo el divino Maestro: "Así que, todas las cosas que queráis que los hombres hagan con vosotros, así también haced vosotros con ellos".

En la medida en que alguien esté dispuesto a sacar ventajas para sí de las desventajas de otro, su alma se vuelve insensible a la influencia del Espíritu de Dios. La ganancia obtenida a un costo tal es una terrible pérdida. Es mejor pasar necesidad que mentir; mejor pasar hambre que estafar; mejor morir que pecar. La extravagancia, la extralimitación, la extorsión, fomentadas por los que profesan piedad, están corrompiendo su fe y destruyendo su espiritualidad. La iglesia es en gran medida responsable por los pecados cometidos por sus miembros. Presta apoyo al mal si no alza su voz contra él. La influencia que la iglesia debe temer más no es la de los opositores abiertos, ateos y blasfemos, sino la de los que profesan ser cristianos y son inconsistentes. Éstos son los únicos que retienen las bendiciones del Dios de Israel...

El mundo de los negocios no yace afuera de los límites del gobierno de Dios. La religión verdadera no consiste meramente en hacer alarde de ostentación el sábado y exhibirse en la iglesia; es para cada día y para cada lugar. Sus demandas deben ser reconocidas y obedecidas en cada acto de la vida. Los que posean el artículo legítimo mostrarán en todos sus asuntos de negocios una percepción tan clara de lo correcto como cuando ofrecen sus súplicas ante el trono de la gracia.–*Southern Watchman*, 10 de mayo de 1904.

Ser honesto con los demás y con Dios

Pesa exacta y justa tendrás; efa cabal y justo tendrás, para que tus días sean prolongados sobre la tierra que Jehová tu Dios te da. Deuteronomio 25:15.

Es mejor tratar honestamente con sus semejantes y con Dios. Usted depende de Cristo para cada favor del que goza; depende de él para la vida futura inmortal, y no puede darse el lujo de no tener puesta su mirada en el galardón. Los que comprenden su dependencia de Dios sentirán que deben ser honrados con sus semejantes, y por sobre todo deben ser honrados con Dios, de quien proceden todas las bendiciones de la vida. La desobediencia a los mandamientos positivos dados por Dios concernientes a los diezmos y las ofrendas, queda registrada en los libros del cielo como un robo perpetrado contra él.

Nadie que es deshonesto con Dios o con sus semejantes puede prosperar... El Señor nos ha comprado por su preciosa sangre, y es por su misericordia y gracia por lo que podemos esperar el gran don de la salvación. Y se nos manda que hagamos justicia, amemos misericordia y nos humillemos para andar con nuestro Dios. Y sin embargo, el Señor declara: "Me habéis robado... vosotros la nación toda me habéis robado" (Mal. 3:8, 9).–*Review and Herald,* 17 de diciembre de 1889.

Cuando tratamos injustamente a nuestros semejantes o a Dios, despreciamos la autoridad divina e ignoramos el hecho de que Cristo nos ha comprado con su propia vida.

El mundo está robando a Dios en gran medida. Cuanto más riquezas él les imparte, tanto más la gente las reclama como suyas para ser empleadas como a ellos les agrada. ¿Pero irán en pos de las costumbres del mundo los profesos seguidores de Cristo? ¿Perderemos la paz de la conciencia, la comunión con Dios y la comunidad con nuestros hermanos y nuestras hermanas debido a que hemos fallado en dedicar a su causa la porción que él reclama como suya?

Que los que pretenden ser cristianos recuerden: están trabajando con el capital que Dios les ha confiado, y se requiere de ellos que sigan fielmente las instrucciones de las Escrituras concernientes a su uso. Si viven en armonía con Dios, no cometerán ningún desfalco con los bienes de su Señor, ni los invertirán en sus propias empresas egoístas.–*Consejos sobre mayordomía cristiana,* pp. 82, 83.

Imitar a Jesús y su ética

No mirando cada uno por lo suyo propio, sino cada cual también por lo de los otros. Haya, pues, en vosotros este sentir que hubo también en Cristo Jesús. Filipenses 2:4, 5.

L a ética inculcada por el evangelio no reconoce otra norma sino la perfección de la mente de Dios, de la voluntad de Dios. Dios requiere que sus criaturas se conformen con su voluntad. La imperfección del carácter es pecado, y el pecado es la transgresión de la ley. Todos los atributos correctos del carácter moran en Cristo como un todo perfecto y armonioso. Todo el que recibe a Cristo como a su Salvador personal tiene el privilegio de poseer esos atributos. Esa es la ciencia de la santidad.

¡Cuán gloriosas son las posibilidades para la raza caída! Por medio de su Hijo, Dios ha revelado la excelencia que los seres humanos son capaces de alcanzar. Por medio de los méritos de Cristo, son elevados de su estado depravado, purificados y hechos más preciosos que el oro de Ofir. Les resulta posible llegar a ser compañeros de los ángeles en gloria y reflejar la imagen de Jesucristo, que brillará ante el esplendor del trono eterno. Es su privilegio tener la fe que por medio del poder de Cristo los haga inmortales. Sin embargo, ¡cuán pocas veces se dan cuenta de las alturas que podrían alcanzar si permitieran que Dios guíe cada uno de sus pasos!

Dios permite que cada ser humano ejerza su individualidad. No desea que ninguno sumerja su mente en la de otro mortal como él. Los que desean ser transformados en mente y carácter no han de mirar a otros, sino al Ejemplo divino...

Tenemos al que es todo y en todos como nuestro Ejemplo, el señalado entre diez mil, cuya excelencia no tiene comparación. Generosamente adaptó su vida para que todos la imiten. Unidos en Cristo se hallaron la riqueza y la pobreza, la majestad y la humillación; el poder ilimitado y la mansedumbre y humildad que se reflejarán en cada alma que lo reciba. En él, por medio de las capacidades y los poderes de la mente humana, se reveló la sabiduría del Maestro más grande que el mundo haya conocido.–*Signs of the Times,* 3 de septiembre de 1902.

Nunca aprovecharse de la desgracia de otro

No torcerás el derecho del extranjero ni del huérfano, ni tomarás en prenda la ropa de la viuda. Deuteronomio 24:17.

La Palabra de Dios no sanciona los métodos que enriquezcan a una clase mediante la opresión y las penurias impuestas a otra. Esta Palabra nos enseña que, en toda transacción comercial, debemos ponernos en el lugar de aquellos con quienes tratamos; mirar no sólo por nuestros intereses, sino también por los ajenos. El que se aprovecha del infortunio de otro para medrar, o se vale de la flaqueza o la incompetencia de su prójimo, viola los principios y los preceptos de la Palabra de Dios.

"No torcerás el derecho del extranjero ni del huérfano, ni tomarás en prenda la ropa de la viuda". "Cuando entregares a tu prójimo alguna cosa prestada, no entrarás en su casa para tomarle la prenda. Te quedarás fuera, y el hombre a quien prestaste te sacará la prenda. Y si el hombre fuere pobre, no te acostarás reteniendo aún su prenda". "Si tomares en prenda el vestido de tu prójimo, a la puesta del sol se lo devolverás. Porque sólo eso es su cubierta... ¿En qué dormirá? Y cuando él clamare a mí, yo le oiré, porque soy misericordioso". "Y cuando vendiereis algo a vuestro prójimo, o comprareis de mano de vuestro prójimo, no engañe ninguno a su hermano" (Deut. 24:17, 10-12; Éxo. 22:26, 27; Lev. 25:14).

"No hagáis injusticia en juicio, en medida de tierra, en peso ni en otra medida". "No tendrás en tu bolsa pesa grande y pesa chica, ni tendrás en tu casa efa grande y efa pequeño". "Balanzas justas, pesas justas y medidas justas tendréis" (Lev. 19:35; Deut. 25:13, 14; Lev. 19:36).

"Al que te pida, dale; y al que quiera tomar de ti prestado, no se lo rehúses". "El impío toma prestado y no paga; mas el justo tiene misericordia y da" (Mat. 5:42; Sal. 37:21)...

El plan de vida que Dios dio a Israel estaba destinado a ser una lección objetiva para toda la humanidad. Si estos principios fueran practicados hoy, ¡cuán diferente sería el mundo!–*El ministerio de curación*, pp. 141, 142.

El carácter probado por la presencia de los menos afortunados

Cuando siegues tu mies en tu campo, y olvides alguna gavilla en el campo, no volverás para recogerla; será para el extranjero, para el huérfano y la viuda; para que te bendiga Jehová tu Dios en toda obra de tus manos. Deuteronomio 24:19.

Vi que en la providencia de Dios, viudas y huérfanos, ciegos, mudos y cojos, y personas afligidas de varias maneras han sido colocados en estrecha relación cristiana con su iglesia; es para probar a su pueblo y desarrollar su verdadero carácter. Los ángeles de Dios vigilan para ver cómo tratamos a estas personas que necesitan nuestra simpatía, amor y benevolencia desinteresada. Esta es la forma en que Dios prueba nuestro carácter.

Si tenemos la verdadera religión de la Biblia, sentiremos que es un deber de amor, bondad e interés el que hemos de cumplir para Cristo en favor de sus hermanos; y no podemos hacer nada menos que mostrar nuestra gratitud por su incomparable amor manifestado hacia nosotros mientras éramos pecadores indignos de su gracia, revelando un profundo interés y un amor abnegado por nuestros hermanos que son menos afortunados que nosotros.

Los dos grandes principios de la ley de Dios son el amor supremo a Dios y el amor abnegado hacia nuestro prójimo. Los primeros cuatro mandamientos y los últimos seis descansan sobre estos dos principios y brotan de ellos. Cristo le explicó al doctor de la ley quién era su prójimo mediante el relato de un hombre que viajaba de Jerusalén a Jericó, y que cayó en manos de ladrones, quienes lo despojaron, lo castigaron y lo dejaron medio muerto.

El sacerdote y el levita vieron a este hombre sufriendo, pero sus corazones no respondieron a sus necesidades. Lo evitaron pasando de lado. El samaritano pasó a su lado, y cuando vio la necesidad de ayuda que tenía el forastero, no preguntó si era pariente, o si pertenecía a su país o a su credo, sino que puso manos a la obra para ayudar al que sufría, porque había una obra que necesitaba ser hecha. Lo alivió lo mejor que pudo, lo colocó sobre su propia bestia, y lo llevó a una posada haciendo provisión para sus necesidades a sus propias expensas.

El samaritano, dijo Jesús, era el prójimo de aquel que había caído entre ladrones. El levita y el sacerdote representan a una clase que en la iglesia manifiesta indiferencia precisamente hacia las personas que necesitan su simpatía y ayuda. Esta clase, a pesar de su posición en la iglesia, quebranta los mandamientos. El samaritano representa a una clase de personas que son verdaderos ayudadores de Cristo, y que están imitando su ejemplo de hacer el bien.–*Servicio cristiano*, pp. 239, 240.

La regla de oro debe gobernar las transacciones comerciales

Qué pide Jehová de ti: solamente hacer justicia, y amar misericordia, y humillarte ante tu Dios. Miqueas 6:8.

Las leyes de las naciones tienen las características de las debilidades y pasiones del corazón irregenerado, mientras que las leyes de Dios llevan el sello divino y, si se las obedece, conducirán a una consideración tierna por los derechos y privilegios de otros... Su atento cuidado está sobre todos los intereses de sus hijos, y declara que se encargará de la causa de los afligidos y oprimidos. Si claman a él, dice él: "Lo oiré, porque soy misericordioso" (Éxo. 24:27).

Un hombre de recursos, si posee estricta integridad, y ama y teme a Dios, puede ser un benefactor para los pobres. Puede ayudarlos y no cobrar más interés [en el dinero que les preste] que lo que puede exigirse misericordiosamente. De esa manera no sufre pérdida, y su desafortunado prójimo se beneficia grandemente porque se salva de caer en las manos del maquinador deshonesto. Ni por un momento deben perderse de vista los principios de la regla de oro en cualquier transacción comercial... Dios nunca quiso que una persona fuera víctima de otra. Él protege celosamente los derechos de sus hijos, y en los libros del cielo se asienta una gran pérdida en la cuenta del tratante injusto.

En las Sagradas Escrituras se pronuncian tremendas denuncias contra el pecado de la codicia. Ningún "avaro, que es idólatra, tiene herencia en el reino de Dios" (Efe. 5:5). El salmista dice: "El malo se jacta del deseo de su alma, bendice al codicioso, y desprecia a Jehová" (Sal. 10:3). Pablo clasifica a los codiciosos con los idólatras, adúlteros, ladrones, borrachos, maldicientes y estafadores, ninguno de los cuales heredará el reino de Dios [1 Cor. 6:9, 10]. Éstos son los frutos de un árbol corrompido, y Dios es deshonrado por ellos. No debemos hacer de las costumbres y máximas del mundo nuestro criterio. Debe haber reformas; debe desecharse toda injusticia.

Se nos ordena "escudriñar las Escrituras". Toda la Palabra de Dios es nuestra regla de acción. Debemos poner por obra sus principios en nuestra vida diaria; no hay señal más segura de cristianismo que ésta. Debemos cumplir los grandes principios de justicia y misericordia en nuestras relaciones unos con otros. Debemos cultivar diariamente aquellas cualidades que nos harán idóneos para la sociedad del cielo. Si hacemos estas cosas, Dios llega ser nuestro garante, y promete que bendecirá todo lo que emprendamos, y "no resbalaremos jamás" (Sal. 15:5).–*Signs of the Times*, 7 de febrero de 1884.

El plan de Dios para impedir la pobreza

El año cincuenta os será jubileo; no sembraréis, ni segaréis lo que nacie-
re de suyo en la tierra, ni vendimiaréis sus viñedos. Y cuando vendiereis
algo a vuestro prójimo, o comprareis de mano de vuestro prójimo, no
engañe ninguno a su hermano. Levítico 25:11, 14.

En el plan de Dios para Israel, cada familia tenía su propia casa en suficiente tierra de labranza. De este modo quedaban asegurados los medios y el incentivo para hacer posible una vida provechosa, laboriosa e independiente. Y ninguna especulación humana ha mejorado jamás semejante plan. La pobreza y miseria que imperan hoy se debe en gran parte
al hecho de que el mundo se apartó de dicho plan.

Al establecerse en Canaán, la tierra fue repartida entre todo el pueblo, menos los levitas, quienes, en calidad de ministros del Santuario,
quedaban exceptuados de la repartición. Las tribus fueron empadronadas
por familias, y a cada familia, según el número de sus miembros, le fue
concedida una heredad.

Y si bien era cierto que uno podía enajenar su posesión por algún
tiempo, no podía, sin embargo, deshacerse definitivamente de ella en perjuicio de la herencia de sus hijos. En cuanto pudiese rescatar la heredad, ,
le era lícito hacerlo en cualquier momento. Las deudas eran perdonadas
cada séptimo año, y cada cincuenta años, o sea en ocasión del jubileo,
todas las fincas volvían a sus dueños primitivos.

"La tierra no se venderá a perpetuidad", mandó el Señor, "porque la
tierra mía es; pues vosotros forasteros y extranjeros sois para conmigo. Por
tanto, en toda la tierra de vuestra posesión otorgaréis rescate a la tierra.
Cuando tu hermano empobreciere, y vendiere algo de su posesión, entonces su pariente más próximo vendrá y rescatará lo que tu hermano hubiere vendido. Y cuando el hombre... consiguiere lo suficiente para el rescate... volverá a su posesión. Mas si no consiguiere lo suficiente para que se
la devuelvan, lo que vendió estará en poder del que lo compró hasta el
año del jubileo" (Lev. 25:23-28)...

De este modo cada familia quedaba segura de su posesión, y había
una salvaguardia contra los extremos, tanto de la riqueza como de la pobreza.–*El ministerio de curación*, pp. 138, 139.

Se necesita la gracia de Dios para pulirnos

Y no engañe ninguno a su prójimo, sino temed a vuestro Dios; porque yo soy Jehová vuestro Dios. Levítico 25:17.

U sted está en serio peligro de cometer graves errores en sus transacciones comerciales. Dios le advierte que esté en guardia, no vaya a ser que se entregue a un espíritu de pisarse el uno al otro. Sea cuidadoso de no cultivar la discreción de un estafador, porque esto no resistirá el examen en el día de Dios. Se necesitan perspicacia y una atención al detalle, porque usted tiene toda clase de personas con las cuales tratar... Pero no permita que esos rasgos lleguen a ser un poder predominante. Bajo un control adecuado, son elementos esenciales en el carácter, y si tiene el temor de Dios ante usted, y su amor en el corazón, estará seguro.

Es mucho mejor ceder algunas ventajas que podrían obtenerse que cultivar un espíritu de avaricia y, de esa manera, hacerla una ley de la naturaleza. Una agudeza tacaña es indigna de un cristiano. Hemos sido separados del mundo por la verdad, que es más cortante que una espada de dos filos. Nuestros malos rasgos de carácter no siempre son visibles para nosotros, aunque pueden ser muy patentes para otros. Pero el tiempo y las circunstancias seguramente nos probarán y sacarán a la luz el oro del carácter o pondrán al descubierto el vil metal...

Cada pensamiento deshonesto o bajo, cada mala acción, revela algún defecto de carácter. Estos rasgos toscos deben ser sometidos al cincel y martillo en el gran taller de Dios, y la gracia de Dios debe suavizarlos y pulirlos antes que puedan ser aptos para ocupar un lugar en el glorioso templo.

Dios puede hacer a éstos... [los líderes en nuestras instituciones de iglesia] más preciosos que el oro fino, más que al oro de Ofir [Isa. 13:12], si se someten a su mano transformadora. Deben estar decididos a hacer el uso más noble de cada facultad y de cada oportunidad. La Palabra de Dios debe ser su estudio y su guía al decidir cuál es lo más elevado y lo mejor en todos los casos...

El seguidor más débil de Cristo ha entrado en una alianza con el poder infinito. En muchos casos, Dios puede hacer poco con hombres y mujeres de conocimientos, porque no sienten la necesidad de apoyarse sobre él, que es la Fuente de toda sabiduría; por lo tanto, después de una prueba, los pone a un lado por personas de talento inferior que han aprendido a confiar en él, cuya alma está fortalecida por la bondad, la verdad y una fidelidad inquebrantable, y que no se inclinarán ante nada que pueda dejar una mancha en la conciencia.–*Testimonies for the Church*, t. 4, pp. 450, 451.

Deben controlarnos los principios del evangelio

Y dijo al viñador: He aquí, hace tres años que vengo a buscar fruto en esta higuera, y no lo hallo; córtala; ¿para qué inutiliza también la tierra? Lucas 13:7.

Al Señor le agradaría que su pueblo fuera más considerado de lo que es actualmente, más misericordioso, y que se ayudasen más unos a otros. Cuando el amor de Cristo reina en el corazón, cada uno tendrá un cuidado más tierno acerca de los intereses de los demás. Los hermanos y las hermanas no deben aprovecharse de los demás en sus transacciones comerciales. No cobrarán un interés exorbitante porque ven que sus hermanos o hermanas están en una situación financiera difícil y necesitan ayuda.

Los que se aprovechan de las necesidades de los demás, demuestran de una manera concluyente que no se rigen por los principios del evangelio de Cristo. Su proceder queda registrado en los libros del cielo como fraude y deshonestidad, y doquiera gobiernen esos principios, la bendición del Señor no entrará en el corazón. Tales personas están recibiendo la impronta del gran adversario en lugar de la del Espíritu de Dios. Pero los que finalmente hereden el reino celestial, deben ser transformados por la gracia divina. Deben ser puros en el corazón y en la vida, y poseer caracteres simétricos...

Todos los recursos que usted pueda acumular, aunque fueran millones, no serían suficientes para pagar el rescate por su alma. Por lo tanto, no permanezca en la impenitencia e incredulidad, y... frustre los propósitos clementes de Dios; no lo obligue a que su mano renuente destruya su propiedad o cause aflicción a su persona.

Cuántos hay que ahora mismo están siguiendo un proceder que los conducirá antes de mucho a tales visitaciones de juicio. Viven día tras día, semana tras semana, año tras año, para sus propios intereses egoístas. Su influencia y sus recursos, acumulados por medio de las habilidades y la discreción que Dios les ha dado, los emplean en ellos y en sus familias sin pensar en su clemente Benefactor. No permiten que nada fluya de vuelta al Dador...

Al fin, se agota la paciencia de Dios con estos mayordomos infieles, y pone fin abruptamente a todos sus planes egoístas y mundanos, mostrándoles que así como han juntado todo para su propia gloria, él puede esparcir, y son impotentes para resistir su poder.–*Testimonies for the Church*, t. 5, pp. 350, 351.

Nuestras normas comerciales revelan nuestro carácter

¿Daré por inocente al que tiene balanza falsa y bolsa de pesas engañosas? Miqueas 6:11.

Una persona honrada, según la medida de Cristo, es aquella que manifiesta integridad inquebrantable. Las pesas engañosas y las balanzas falsas con que muchos tratan de incrementar sus intereses en el mundo, son abominación a la vista de Dios. Sin embargo, muchos de los que profesan guardar los mandamientos de Dios trabajan con pesas y balanzas falsas. Cuando los hombres o las mujeres están verdaderamente relacionados con Dios y guardan su ley en verdad, su vida lo revelará, porque todas sus acciones estarán en armonía con las enseñanzas de Cristo. No venderán su honra por ganancia. Sus principios se basan en el fundamento seguro, y su conducta en asuntos mundanales es un trasunto de sus principios.

La firme integridad resplandece como el oro entre la escoria y la basura del mundo. Se puede pasar por alto y ocultar a los ojos de la humanidad el engaño, la mentira y la infidelidad, pero no a los ojos de Dios. Los ángeles del Señor, que vigilan el desarrollo de nuestro carácter y pesan nuestro valor moral, registran en los libros del cielo estas transacciones menores que revelan el carácter. Si los obreros son infieles en las vocaciones diarias de la vida, y descuidan su trabajo, el mundo no los juzgará incorrectamente si estima su norma religiosa de acuerdo con su norma comercial.

"El que es fiel en lo muy poco, también en lo más es fiel; y el que en lo muy poco es injusto, también en lo más es injusto" (Luc. 16:10). No es la magnitud de un asunto lo que hace que sea justo o injusto. Así como los hombres y las mujeres tratan con sus semejantes, tratarán con Dios. El que es infiel en las riquezas injustas, no recibirá nunca las riquezas verdaderas. Los hijos de Dios no deben dejar de recordar que en todas sus transacciones comerciales son probados y pesados en la balanza del Santuario.–*Joyas de los testimonios*, t. 1, pp. 510, 511.

Aun los pecados "pequeños" tienen grandes consecuencias

La integridad de los rectos los encaminará; pero destruirá a los pecadores la perversidad de ellos. Proverbios 11:3.

Cristo dijo: "No puede el buen árbol dar malos frutos, ni el árbol malo dar frutos buenos... Así que, por sus frutos los conoceréis" (Mat. 7:18, 20). Los hechos de la vida de las personas son los frutos que llevan. Si son infieles, y les falta honradez en las cosas temporales, producen espinas y cardos; serán infieles en la vida religiosa y robarán a Dios en los diezmos y las ofrendas.

La Biblia condena en los términos más enérgicos toda mentira, trato falso e improbidad. Lo bueno y lo malo se manifiestan claramente. Pero se me mostró que el pueblo de Dios se ha puesto sobre el terreno del enemigo, ha cedido a sus tentaciones y ha seguido sus designios hasta que sus sensibilidades han quedado terriblemente embotadas. Una ligera desviación de la verdad, una pequeña variación de los requisitos de Dios, no se considera tan pecaminosa cuando entraña ganancia o pérdida pecuniaria. Pero el pecado es pecado, ya lo cometa el millonario o el mendigo de la calle. Los que obtienen propiedades por medio de la falsedad están trayendo condenación sobre su alma. Todo lo que se obtenga por medio del engaño y el fraude será tan sólo una maldición para quien lo reciba.

Adán y Eva sufrieron las terribles consecuencias resultantes de desobedecer la orden expresa de Dios. Podrían haber razonado: Este es un pecado muy pequeño, y nunca será tenido en cuenta. Pero Dios trató el asunto como un mal terrible, y la desgracia de su transgresión se sentirá a través de todos los tiempos. En la época en que vivimos, los que profesan ser hijos de Dios cometen con frecuencia pecados de mayor magnitud. En las transacciones comerciales, los que profesan ser hijos de Dios dicen mentiras, obran en consecuencia y atraen el desagrado de Dios sobre ellos y el oprobio sobre su causa.

La menor desviación de la veracidad y la rectitud es una transgresión de la ley de Dios. El participar continuamente en el pecado acostumbra a la persona a hacer mal, pero no disminuye el carácter gravoso del pecado. Dios estableció principios inmutables que él no puede cambiar sin una revisión de toda su naturaleza. Si la Palabra de Dios fuese estudiada fielmente por todos los que profesan creer la verdad, éstos no serían enanos en las cosas espirituales. Los que desprecian los requerimientos de Dios en esta vida no respetarían su autoridad si estuviesen en el cielo.—*Joyas de los testimonios, t. 1, pp. 511, 512.*

Edificar el carácter sobre Jesús, la Roca

Porque tuve envidia de los arrogantes, viendo la prosperidad de los impíos... Hasta que entrando al santuario de Dios, comprendí el fin de ellos. Salmo 73:3, 17.

E l primer paso en la senda de la vida consiste en mantener la mente fija en Dios, tener su temor continuamente ante los ojos. Una sola desviación de la integridad moral embota la conciencia y abre la puerta para la tentación siguiente. "El que camina en integridad anda confiado; mas el que pervierte sus caminos será quebrantado" [Prov. 10:9].

Se nos ordena que amemos a Dios por sobre todas las cosas, y a nuestro prójimo como a nosotros mismos; pero la experiencia diaria de la vida demuestra que se desobedece esta ley. La rectitud en el proceder y la integridad moral asegurarán el favor de Dios, y harán a hombres y a mujeres una bendición para ellos mismos y para la sociedad; pero en medio de las diversas tentaciones que los asaltan, no importa qué camino tomen, es imposible que mantengan una clara conciencia y la aprobación del cielo sin la ayuda divina y el principio de amar la honradez por causa de lo recto.

Un carácter aprobado por Dios y la humanidad debe ser preferido a la riqueza. Debe ponerse el fundamento ancho y profundo que descansa sobre la roca, Cristo Jesús. Hay demasiados que profesan actuar basados en el verdadero fundamento, pero cuyo proceder disoluto demuestra que están edificando sobre arena movediza. La gran tempestad barrerá su fundamento y no tendrán refugio.

Muchos alegan que a menos que sean perspicaces y estén alerta para sacar provecho, sufrirán pérdidas. Prosperan sus prójimos inescrupulosos, que obtienen una ganancia egoísta, en tanto que ellos, aunque traten de proceder estrictamente de acuerdo con los principios bíblicos, no son tan grandemente favorecidos. ¿Ven el futuro estas personas? ¿O tienen los ojos demasiado débiles para ver, a través de la neblina de la mundanalidad cargada de miasmas, que el honor y la integridad no se recompensan con la moneda de este mundo? ¿Recompensará Dios la virtud meramente con éxito mundanal? Tiene sus nombres escritos en las palmas de sus manos como herederos de honores perdurables, de riquezas que son imperecederas.–*Comentario bíblico adventista*, t. 3, p. 1.176.

El servicio público exige una integridad estricta

No es de los reyes, oh Lemuel, no es de los reyes beber vino, ni de los príncipes la sidra; no sea que bebiendo olviden la ley, y perviertan el derecho de todos los afligidos. Proverbios 31:4, 5.

Las personas intemperantes no debieran ser colocadas en situaciones de confianza por el voto del pueblo. Su influencia corrompe a otros, y graves responsabilidades están en juego. Con cerebro y nervios nublados por el tabaco y los estimulantes, ellos hacen una ley de su propia naturaleza, y cuando se disipa la influencia inmediata [de los estimulantes o licores] se produce un colapso. Con frecuencia la vida humana se encuentra en la balanza; de la decisión de los que ocupan esos cargos de confianza dependen la vida y la libertad, o la prisión y la angustia. Cuán necesario es que todos los que tienen parte en esas transacciones sean personas probadas, personas de cultura propia, personas honradas y veraces, de firme integridad, que desprecien el cohecho, que no permitan que su juicio o sus convicciones acerca de lo correcto sean torcidos por la parcialidad o el prejuicio.

Así dice Jehová: "No pervertirás el derecho de tu mendigo en su pleito. De palabra de mentira te alejarás, y no matarás al inocente y justo; porque yo no justificaré al impío. No recibirás presente; porque el presente ciega a los que lo ven, y pervierte las palabras de los justos" (Éxo. 23:6-8).

Solamente los hombres y las mujeres estrictamente temperantes e íntegros debieran ser admitidos en nuestras cámaras legislativas y elegidos para presidir en nuestros tribunales. La propiedad, la reputación y aun la vida misma están inseguras, libradas al juicio de los que son intemperantes e inmorales. ¡Cuántas personas inocentes han sido condenadas a muerte, a cuántas más se las ha privado de todas sus posesiones terrenales por la injusticia de jurados, abogados, testigos y aun jueces adictos a la bebida!...

Hoy se necesitan personas que sean como Daniel, personas que posean la abnegación y el valor de ser reformadores radicales en favor de la temperancia. Que todo cristiano comprenda que su ejemplo y su influencia deben estar del lado de la reforma. Sean los ministros del evangelio fieles en instruir y amonestar al pueblo. Y recordemos todos que nuestra felicidad en los dos mundos depende del progreso que hayamos hecho en uno.–*La temperancia*, pp. 42, 43, 210, 211.

La Palabra de Dios aprueba el juramento judicial

No admitirás falso rumor. No te concertarás con el impío para ser testigo falso. Éxodo 23:1.

Vi que el Señor tiene algo que hacer todavía con las leyes de la tierra. Mientras Jesús está en el Santuario, los gobernantes y el pueblo sienten la restricción del Espíritu de Dios. Pero Satanás domina en extenso grado las masas del mundo, y si no fuera por las leyes de la tierra, experimentaríamos mucho sufrimiento. Se me mostró que cuando es realmente necesario y se llama a los hijos de Dios a testificar en forma legal, ellos no violan la Palabra de Dios al invocarle solemnemente como testigo de que dicen la verdad, y sólo la verdad.

Los seres humanos son tan corruptos, que las leyes están destinadas a obligarlos a asumir sus responsabilidades. Algunos hombres y algunas mujeres no temen mentir a sus semejantes; pero se les ha enseñado que es cosa terrible mentir a Dios, y el Espíritu de Dios que los refrena se lo ha inculcado. Se nos dio como ejemplo el caso de Ananías y Safira, su esposa. El asunto es llevado de los humanos a Dios, de manera que si alguien da falso testimonio, no lo da ante los mortales, sino ante el gran Dios que lee el corazón y conoce la verdad exacta de cada caso. Nuestras leyes hacen del falso juramento un delito muy grave. Dios imponía a menudo un castigo al que juraba en falso, y a veces, mientras el juramento estaba aún en sus labios, el ángel destructor lo derribó. Esto había de aterrorizar a los malhechores.

Vi que si hay en la tierra alguien que pueda testificar bajo juramento en forma consecuente, ese tal es el creyente. Él vive a la luz del rostro de Dios. Se fortifica en su fortaleza. Y cuando la ley debe decidir asuntos de importancia, no hay quien pueda apelar con tanto acierto a Dios como el creyente...

Jesús se sometió al juramento en la hora de su juicio. El sumo sacerdote le dijo: "Te conjuro por el Dios viviente, que nos digas si tú eres el Cristo, el Hijo de Dios". Jesús le contestó: "Tú lo has dicho" (Mat. 26:63, 64). Si Jesús, en sus enseñanzas a los discípulos, se hubiese referido al juramento judicial, habría reprendido al sumo sacerdote, y puesto en práctica sus enseñanzas para beneficio de sus discípulos que estaban presentes.

A Satanás le ha agradado que algunos hayan considerado el juramento en forma errónea; porque le ha dado oportunidad de oprimirlos y quitarles el dinero de su Señor. Los mayordomos de Dios deben ser más prudentes, trazar sus planes y prepararse para resistir los designios de Satanás; porque él hará mayores esfuerzos que nunca antes.–*Joyas de los testimonios*, t. 1, pp. 74, 75.

Elecciones hechas entre dos partes

No pervertirás el derecho de tu mendigo en su pleito. De palabra de mentira te alejarás, y no matarás al inocente y al justo; porque yo no justificaré al impío. Éxodo 23:6, 7.

Cristo pronuncia un ay sobre todos los que transgreden la ley de Dios. Pronunció un ay sobre los doctores de la ley porque ejercían su poder para afligir a los que los buscaban en procura de justicia. Todas las terribles consecuencias del pecado recaerán sobre los que, aunque nominalmente miembros de iglesia, les parece poca cosa poner a un lado la ley de Jehová y no hacer diferencia entre el bien y el mal.

En las visiones que el Señor me ha dado, he visto a los que siguen sus propias inclinaciones, tergiversan la verdad, oprimen a sus hermanos y les crean dificultades. Ahora mismo se están desarrollando los caracteres y los seres humanos están tomando decisiones, algunos en favor del Señor Jesucristo y otros en favor de Satanás y sus ángeles. El Señor invita a todos los que son fieles y obedientes a su ley a apartarse de los que se ponen de parte del enemigo, y a no tener la menor relación con ellos. Frente a sus nombres está escrito: "TEKEL: Pesado has sido en balanza, y fuiste hallado falto" (Dan. 5:27)...

Hay muchos hombres y muchas mujeres que en apariencias son moralmente sanos, pero que no son cristianos. Están engañados con respecto a su opinión de lo que significa ser verdaderamente cristiano. Sus caracteres están formados por una aleación que priva al oro de su valor, y no pueden recibir el sello de la aprobación divina. Habrá que rechazarlos como impuros, como metal sin valor.

No podemos perfeccionar un verdadero carácter moral por nosotros mismos, pero podemos aceptar la justicia de Cristo. Podemos participar de la naturaleza divina y huir de la corrupción que existe en el mundo por causa de la concupiscencia. Cristo nos ha dejado un modelo perfecto de lo que debemos llegar a ser como hijos e hijas de Dios.–*Cada día con Dios*, p. 220 (edición ACES).

Manejar dinero para recibir la aprobación de Dios

Sino haceos tesoros en el cielo, donde ni la polilla ni el orín corrompen, y donde ladrones no minan ni hurtan. Porque donde esté vuestro tesoro, allí estará también vuestro corazón. Mateo 6:20, 21.

Muchos padres y muchas madres son pobres en medio de la abundancia. Reducen, en cierto grado, sus propias comodidades personales y con frecuencia se privan de aquellas cosas que son necesarias para el goce de la vida y la salud, mientras tienen abundantes recursos a su disposición. Por decirlo así, se sienten como impedidos de usar sus recursos para su propia comodidad o para propósitos de caridad. Tienen una meta ante ellos, la cual es ahorrar recursos para dejárselos a sus hijos.

Esta idea es tan prominente, está tan entretejida en todas sus acciones, que sus hijos aprenden a mirar hacia el futuro, al momento cuando esa propiedad sea suya. Dependen de ella, y esta perspectiva tiene una influencia importante pero no favorable sobre sus caracteres. Algunos llegan a ser derrochadores, otros llegan a ser egoístas y ambiciosos, y aún otros se vuelven indolentes y atolondrados. Muchos no cultivan hábitos de economía; no buscan llegar a tener confianza en sí mismos. Viven sin propósito y apenas tienen estabilidad de carácter. Las impresiones recibidas en la niñez y juventud se introducen poco a poco en la textura del carácter, y llegan a ser el principio de acción en la vida adulta...

Con la luz de la Palabra de Dios, tan simple y clara con referencia al dinero prestado a los mayordomos, y con las advertencias y los reproches que Dios ha dado a través de los *Testimonios* en relación con la disposición de los recursos; si, con toda esta luz ante ellos, los hijos directa o indirectamente influyen en sus padres para dividir su propiedad mientras viven, o si los padres la dejan mayormente como herencia a los hijos para que pase a sus manos después de su fallecimiento, toman sobre sí responsabilidades tremendas.

Los hijos de padres ancianos que profesan creer la verdad deberían, en el temor de Dios, recomendar y suplicar a sus padres que sean fieles a su profesión de fe, y sigan un proceder con respecto a sus recursos que Dios pueda aprobar. Los padres deberían acumular para sí mismos tesoros en el cielo, disponiendo ellos mismos de sus medios para el avance de la causa de Dios. No deberían despojarse a sí mismos del tesoro celestial, dejando un excedente de recursos a los que ya tienen suficiente; porque al hacerlo así no sólo se privan del precioso privilegio de hacerse un tesoro inagotable en los cielos, sino que roban a la tesorería de Dios.—*Testimonies for the Church*, t. 3, pp. 119, 120.

Para ganar almas, renunciar a la ganancia personal

Sé vivir humildemente, y sé tener en abundancia; en todo y por todo estoy enseñado, así para estar saciado como para tener hambre, así para tener en abundancia como para padecer necesidad. Todo lo puedo en Cristo que me fortalece. Filipenses 4:12, 13.

En todo tiempo Satanás ha tratado de perjudicar los esfuerzos de los siervos de Dios introduciendo en la iglesia un espíritu de fanatismo. Así era en los días de Pablo, y así fue en los siglos ulteriores, durante el tiempo de la Reforma. Wiclef, Lutero, y muchos otros que beneficiaron al mundo por su influencia y fe, afrontaron los ardides por los cuales el enemigo procura arrastrar a un fanatismo excesivamente celoso de las mentes desequilibradas y profanas.

Ciertas almas extraviadas han enseñado que la adquisición de la verdadera santidad eleva la mente por encima de todo pensamiento terrenal e induce a los hombres y a las mujeres a abstenerse enteramente del trabajo. Otros, interpretando con extremismo cierto texto de la Escritura, han enseñado que es un pecado trabajar, que los cristianos no debieran preocuparse de su bienestar temporal y del de sus familias, sino que deberían dedicar sus días enteramente a las cosas espirituales. La enseñanza y el ejemplo del apóstol Pablo son un reproche contra semejantes conceptos erróneos...

Cuando Pablo visitó Corinto por primera vez, se encontró entre gente que desconfiaba de los motivos de los extranjeros. Los griegos de la costa del mar eran hábiles traficantes. Tanto tiempo habían seguido sus inescrupulosas prácticas comerciales, que habían llegado a creer que la granjería era piedad, y que el obtener dinero, fuera por medios limpios o sucios, era encomiable. Pablo estaba familiarizado con sus características, y no quería darles ocasión para decir que predicaba el evangelio con el fin de enriquecerse. Hubiera podido con justicia pedir a sus oyentes corintios que lo sostuvieran; pero estaba dispuesto a renunciar a este derecho, no fuera que su utilidad y el éxito como ministro fueran perjudicados por la sospecha injusta de que predicaba el evangelio por ganancia. Trataba de eliminar toda ocasión de ser mal interpretado, para que su mensaje no perdiera fuerza.–*Los hechos de los apóstoles*, pp. 286, 287.

Establecer prioridades correctas para la vida

Mas buscad primeramente el reino de Dios y su justicia, y todas estas cosas os serán añadidas. Mateo 6:33.

A cada lado hay lo que tentaría al cristiano a abandonar el camino estrecho; pero los que deseen perfeccionar un carácter idóneo para la eternidad deben tomar la voluntad de Dios como norma, y separarse por completo de lo que le desagrada. Miles son traicionados por el pecado porque desguarnecen... el corazón. Se dedican por completo a los cuidados de este mundo, y expulsan de su corazón la verdadera piedad. Se apresuran impacientemente en la especulación, tratando de acumular tesoros de este mundo. De esa manera se colocan en donde les es imposible adelantar en la vida cristiana. "Sed sobrios y velad en oración" (1 Ped. 4:7). Y mientras oran, esfuércense fervientemente por guardar su corazón de toda contaminación, porque la oración sin hacer esfuerzos es una burla solemne.

"No améis al mundo ni las cosas que están en el mundo. Si alguno ama al mundo, el amor del Padre no está en él" (1 Juan 2:15). Cada momento de nuestro tiempo le pertenece a Dios y no tenemos derecho a cargarnos con cuidados de tal manera que no haya lugar en nuestro corazón para su amor. Al mismo tiempo, debemos obedecer la orden: "En lo que requiere diligencia, no perezosos" (Rom. 12:11). Debemos trabajar para tener qué dar al que sufre necesidad. Dios no desea que permitamos que se herrumbren nuestras energías por la inacción. Los cristianos deben trabajar; deben ocuparse en negocios, y pueden seguir hasta un cierto límite en esta línea, sin cometer pecado contra Dios. Pero demasiado a menudo los cristianos permiten que los cuidados de esta vida tomen el tiempo que pertenece a Dios. Dedican sus momentos preciosos de tiempo a los negocios o pasatiempos. Todas sus energías se emplean en adquirir tesoros terrenales. Al obrar de esa manera, se colocan en terreno prohibido.

Muchos profesos cristianos son muy cuidadosos para que todas sus transacciones comerciales lleven el sello de la honestidad más estricta, pero la deshonestidad señala sus relaciones con Dios. Absortos en los negocios mundanales, fallan en llevar a cabo los deberes debidos a los que están a su alrededor. Sus hijos no se crían en el temor y la amonestación del Señor. Se descuida el altar familiar; la devoción privada queda en el olvido. En vez de colocar en primer lugar los intereses eternos, sólo se les da un segundo lugar. Se roba a Dios porque sus mejores pensamientos se entregan al mundo y su tiempo se gasta en cosas de menor importancia. De esa forma quedan arruinados, no por su deshonestidad al tratar con otros, sino porque han defraudado a Dios de lo que es legítimamente suyo.–*Signs of the Times,* 17 de diciembre de 1896.

Los cristianos nunca deben apartarse de la integridad

Entonces les dijo: Vosotros sois los que os justificáis a vosotros mismos delante de los hombres; mas Dios conoce vuestros corazones; porque lo que los hombres tienen por sublime, delante de Dios es abominación.
Lucas 16:15.

En todos los detalles de la vida deben mantenerse los más estrictos principios de honestidad. Éstos... gobiernan el mundo, porque Satanás, un engañador, mentiroso y opresor, es el amo, y sus súbditos lo siguen y ejecutan sus propósitos. Pero los cristianos sirven bajo un Amo diferente, y sus acciones deben realizarlas sin tomar en cuenta la ganancia egoísta. La desviación de la perfecta limpieza en las transacciones comerciales puede ser poca cosa según algunos, pero nuestro Salvador no lo consideró así. Sus palabras... son claras y explícitas: "El que es fiel en lo muy poco, también en lo más es fiel" (Luc. 16:10). Si alguien se aprovecha de su vecino en cosas de poca monta, se aprovechará en mayor medida cuando se le presente la tentación. Un falso testimonio en un asunto de poca importancia es tan deshonesto a la vista de Dios como una falsedad en algo mucho más importante.

En el mundo cristiano actual se practica el fraude en una medida alarmante. La gente que guarda los mandamientos de Dios debería demostrar que está por encima de esas cosas. Las prácticas deshonestas, que malogran los tratos de los hombres y las mujeres con sus semejantes, nunca deberían ser llevadas a cabo por alguien que profesa creer la verdad presente. El pueblo de Dios le causa un gran daño a la verdad cuando se aparta en lo más mínimo de la integridad. Puede ser que la apariencia de alguien no sea muy agradable; puede que sea deficiente en muchos sentidos, pero si tiene la reputación de ser recto y honesto, se lo respetará. La estricta integridad cubre muchos rasgos objetables de carácter. Las personas que se aferren insistentemente a la verdad, ganarán la confianza de todos. No sólo confiarán en ellos sus hermanos en la fe; los incrédulos también se verán obligados a reconocerlas como personas de honor.

Los siervos de Dios están más o menos obligados a participar de las transacciones comerciales del mundo, pero deberían comprar y vender sabiendo que el ojo de Dios está sobre ellos. No se deben usar ni balanzas falsas ni pesas engañosas, porque son abominación para el Señor. En cada transacción comercial el cristiano debe ser exactamente lo que él quiere que sus hermanos crean que es. Su conducta tiene la dirección que le imprimen los principios fundamentales. No traza planes engañosos; por lo tanto, no tiene nada que ocultar, nada que disimular.–*Mente, carácter y personalidad*, t. 2, pp. 452, 453.

Revelar amor mientras se hace los negocios de Dios

Las moscas muertas hacen heder y dar mal olor al perfume del perfumista; así una pequeña locura, al que es estimado como sabio y honorable. Eclesiastés 10:1.

Me dirijo a mis hermanos y hermanas en la fe y los insto a cultivar la ternura de corazón. Cualquiera sea su profesión o cargo, si abrigan el egoísmo y la codicia, recibirán el desagrado del Señor. No conviertan la obra y la causa de Dios en una excusa para tratar mezquinamente y con egoísmo a la gente, ni en las transacciones comerciales que tiene que ver con su obra. Dios no aceptará ninguna suma que sea llevada a su tesorería ganada mediante transacciones egoístas.

Cada acto que se relaciona con su obra debe soportar la inspección divina. Cada transacción astuta, cada intento de obtener ventaja de una persona que se encuentra sometida a la presión de las circunstancias, cada plan para comprar su tierra o propiedad por una suma inferior a su valor, no serán aceptables a Dios, aunque el dinero ganado sea presentado como ofrenda para su causa. El precio de la sangre del Unigénito Hijo de Dios se ha pagado por cada ser humano, y es necesario que se trate honrada y equitativamente con cada persona con el fin de cumplir los principios de la ley de Dios...

Si un hermano que ha trabajado en forma desinteresada por la causa de Dios se debilita y no puede cumplir con su tarea, no se lo despida ni se lo obligue a componérselas lo mejor que pueda. Désele un salario adecuado para sostenerse, porque recuerden que pertenece a la familia de Dios, y que ustedes son sus hermanos y hermanas...–*Consejos sobre mayordomía cristiana*, pp. 151, 152.

Se nos ordena que amemos a nuestros prójimos como a nosotros mismos. Esta orden no es sencillamente para que amemos a los que piensan y creen exactamente como pensamos y creemos nosotros. Cristo ilustró el significado de este mandamiento por medio de la parábola del buen samaritano. Pero aunque parezca mentira, cómo se descuidan estas palabras, y cuán frecuentemente la gente oprime a sus semejantes y eleva su alma a la vanidad.–*Review and Herald,* 18 de diciembre de 1894.

Imitar a Cristo, no al mundo

Porque raíz de todos los males es el amor al dinero, el cual codiciando algunos, se extraviaron de la fe, y fueron traspasados de muchos dolores. 1 Timoteo 6:10.

Vi que el pueblo de Dios está en gran peligro: muchos son moradores de la tierra; sus intereses y afectos están concentrados en este mundo. Su ejemplo no es bueno. El mundo queda engañado por el proceder que siguen muchos que profesan verdades nobles y grandes. Nuestra responsabilidad está de acuerdo con la luz que nos fue dada, con los favores y dones que nos han sido concedidos. La responsabilidad más pesada descansa sobre los obreros que poseen los talentos, las oportunidades y las habilidades mayores...

Me fue presentado el hermano A como el que representa a una clase de personas que están en una posición similar. Nunca han sido indiferentes a las ventajas mundanales más pequeñas. Mediante una diligente discreción comercial y por medio de inversiones exitosas, por medio de operaciones bursátiles, no con dólares, sino con centavos y cuartos de peniques, han acumulado bienes. Pero, al hacer eso, han formado facultades inconsistentes con el desarrollo del carácter cristiano. Su vida de ninguna manera representa a Cristo, por cuanto aman el mundo y sus ganancias más de lo que aman a Dios o la verdad. "Si alguno ama al mundo, el amor del Padre no está en él" (1 Juan 2:15).

Todos los talentos que poseen los hombres y las mujeres pertenecen a Dios. La conformidad y los afectos mundanales están prohibidos enfáticamente en su Palabra. Cuando el poder de la gracia transformadora de Dios opera en el corazón, hará que una persona, que hasta ahora había sido mundana, camine en las sendas de la beneficencia. Los que han determinado en su corazón enriquecerse en el mundo, "caen en tentación y lazo, y en muchas codicias necias y dañosas, que hunden a los hombres en destrucción y perdición, porque raíz de todos los males es el dinero [el fundamento de toda avaricia y mundanalidad], el cual, codiciando algunos, se extraviaron de la fe, y fueron traspasados de muchos dolores" (1 Tim. 6:9, 10)...

Jesús ha abierto para todos un camino por el cual puede obtenerse sabiduría, gracia y poder. Él es nuestro ejemplo en todas las cosas y nada debe desviar la mente del objeto principal en la vida, que es tener a Cristo en el alma, ablandando y subyugando el corazón. Cuando esto sea el caso, cada miembro de iglesia, cada uno que profesa la verdad, será semejante a Cristo en carácter, palabras y acciones.–*Testimonies for the Church*, t. 5, pp. 277, 278.

Ser compasivos cuando la pobreza es inevitable

Pobreza y vergüenza tendrá el que menosprecia el consejo; mas el que guarda la corrección recibirá honra. Proverbios 13:18.

En la parábola, el Señor hizo comparecer ante sí al despiadado deudor y le dijo: "Siervo malvado, toda aquella deuda te perdoné, porque me rogaste. ¿No debías tú también tener misericordia de tu consiervo, como yo tuve misericordia de ti? Entonces su señor, enojado, le entregó a los verdugos, hasta que pagase todo lo que debía. Así", dijo Jesús, "mi Padre celestial hará con vosotros si no perdonáis de todo corazón cada uno a su hermano sus ofensas" (Mat. 18:32-35). El que rehúsa perdonar está desechando por este hecho su propia esperanza de perdón.

Pero no se deben aplicar mal las enseñanzas de esta parábola. El perdón de Dios hacia nosotros no disminuye en lo más mínimo nuestro deber de obedecerle. Así también el espíritu de perdón hacia nuestros prójimos no disminuye la demanda de las obligaciones justas. En la oración que Jesús enseñó a sus discípulos dijo: "Perdónanos nuestras deudas, como también nosotros perdonamos a nuestros deudores" (Mat. 6:12).

Con esto no quiso decir que para que se nos perdonen nuestros pecados no debemos requerir las deudas justas de nuestros deudores. Si no pueden pagar, aunque sea por su administración imprudente, no han de ser echados en prisión, oprimidos o tratados ásperamente; pero la parábola no nos enseña que fomentemos la indolencia. La Palabra de Dios declara que "si alguno no quiere trabajar, tampoco coma" (2 Tes. 3:10).

El Señor no exige que el trabajador sostenga a otros en la ociosidad. Hay muchos que llegan a la pobreza y a la necesidad porque malgastan el tiempo o no se esfuerzan. Si esas faltas no son corregidas por los que las abrigan, todo lo que se haga en su favor será como poner un tesoro en una bolsa agujereada. Sin embargo, hay cierta clase de pobreza que es inevitable, y hemos de manifestar ternura y compasión hacia los infortunados. Deberíamos tratar a otros así como a nosotros nos gustaría ser tratados en circunstancias semejantes.—*Palabras de vida del gran Maestro,* pp. 192, 193.

Mostramos amor divino al ser misericordiosos

Mas la misericordia de Jehová es desde la eternidad y hasta la eternidad sobre los que le temen, y su justicia sobre los hijos de los hijos. Salmo 103:17, 18.

La misericordia es un atributo que el agente humano puede compartir con Dios. Como Cristo lo hizo, así también uno puede asirse del brazo divino y estar en comunión con el poder divino. Nos ha sido señalado un servicio de misericordia que realizar por nuestros semejantes. Al cumplir dicho servicio, estamos trabajando juntamente con Dios. Por lo tanto, hacemos bien en ser misericordiosos así como nuestro Padre en los cielos es misericordioso.

Dios dice: "Misericordia quiero, y no sacrificio" (Mat. 9:13). La misericordia es bondadosa, compasiva. La misericordia y el amor de Dios purifican el alma, embellecen el corazón y limpian la vida de egoísmo. La misericordia es una manifestación del amor divino, y se muestra en los que, identificados con Dios, le sirven reflejando la luz del cielo sobre la senda de sus semejantes.

La condición de muchas personas requiere el ejercicio de la genuina misericordia. Los cristianos, en su trato el uno con el otro, deben ser regidos por principios de misericordia y amor. Deben utilizar cada oportunidad para ayudar a sus semejantes en desgracia. El deber de todo cristiano está claramente trazado en las palabras: "No juzguéis, y no seréis juzgados; no condenéis, y no seréis condenados; perdonad, y seréis perdonados. Dad, y se os dará; medida buena, apretada, remecida y rebosando". "Como queréis que hagan los hombres con vosotros, así también haced vosotros con ellos" (Luc. 6:37, 38, 31). Éstos son los principios que haremos bien en fomentar.

Que los que deseen perfeccionar un carácter semejante al de Cristo, mantengan siempre en vista la cruz en la que Cristo murió una muerte cruel para redimir a la humanidad. Que siempre alberguen el mismo espíritu misericordioso que llevó al Salvador a hacer un sacrificio infinito por nuestra redención.–*Signs of the Times*, 21 de mayo de 1902. (Ver *En los lugares celestiales*, pp. 240, 292.)

Al manejar dinero, buscar la sabiduría divina

Y su señor le dijo: Bien, buen siervo y fiel; sobre poco has sido fiel, sobre mucho te pondré; entra en el gozo de tu señor. Mateo 25:21.

Walter ocupa una posición de responsabilidad, pero si la familia con la cual se ha unido por medio del casamiento le es fiel, podrá ejercer influencia sobre él para que llegue a ser un fiel mayordomo de los bienes de Dios. De esa manera empleará sus medios como si estuviera a la vista misma del universo celestial. No participará de esquema ilícito alguno para hacer dinero, sino que se conducirá con integridad para la gloria de Dios. Tendrá que evitar las más pequeñas tretas y huir de los medios y artificios deshonestos, y no deberá hacer nada que, de alguna manera, vaya en contra del cultivo de la verdadera piedad. Tendrá que darse cuenta de que todas sus transacciones comerciales están dentro del dominio de Dios.

No podemos perder de vista el hecho de que el mayordomo tiene que negociar con los bienes del Señor y manejar una sagrada responsabilidad. La Biblia requiere que todas las personas que compran y venden se desempeñen en sus negocios con un agudo sentido de sus obligaciones religiosas, como cuando ofrecen sus peticiones al Padre celestial, reclamando fuerza y gracia. El Señor no ha dejado a nadie para hacer lo que le plazca con sus bienes, y dar dirigidos por impulsos, o de acuerdo con lo que demandan los amigos. El dinero con el cual opera no es suyo y no tiene que ser gastado innecesariamente, pues hay labor en la viña del Señor y ello requiere la inversión de medios.

Ahora es el tiempo cuando se nos confía un legado; el tiempo del ajuste de cuentas está por llegar. El Señor ha confiado medios a sus mayordomos para que los usen sabiamente, pues todos son agentes morales y se requiere de todos que cumplan sus responsabilidades. Nuestros diferentes legados nos son conferidos en proporción a nuestras capacidades para usarlos, pero no debemos utilizar los medios de Dios para la mera gratificación de los deseos egoístas, y como la inclinación nos indique.

Walter C. ha fallado a veces en lo pasado en el uso que ha hecho de los bienes de Dios, y no siempre ha considerado debidamente si los estaba utilizando de una manera que agradara al Maestro y para el avance de la causa de la verdad. Tendrá que dar cuenta de la manera como dispone de los medios que le fueron confiados. Él no tiene que considerar su propia voluntad en este asunto. Tiene que buscar la sabiduría de Dios.—*Testimonios acerca de conducta sexual, adulterio y divorcio*, pp. 76, 77.

Invertir para glorificar a Dios, no al yo

No multipliquéis palabras de grandeza y altanería; cesen las palabras arrogantes de vuestra boca. 1 Samuel 2:3.

En cierta ocasión se me hizo contemplar una noche los edificios que, piso tras piso, se elevaban hasta el cielo. Esos inmuebles, que eran la gloria de sus propietarios y constructores, eran garantizados incombustibles. Se elevaban siempre más alto y los materiales más costosos entraban en su construcción. Los propietarios no se preguntaban cómo podían glorificar mejor a Dios. El Señor estaba ausente de sus pensamientos.

Yo pensaba: "¡Ojalá que las personas que emplean así sus riquezas pudiesen apreciar su proceder como Dios lo aprecia! Levantan edificios magníficos, pero el Soberano del universo sólo ve locura en sus planes e invenciones. No se esfuerzan por glorificar a Dios con todas las facultades de su corazón y de su espíritu. Se han olvidado de esto, que es el primer deber de los seres humanos".

Mientras esas altas construcciones se levantaban, sus propietarios se regocijaban con orgullo por tener suficiente dinero para satisfacer sus ambiciones y excitar la envidia de sus vecinos. Una gran parte del dinero así empleado había sido obtenido injustamente, explotando al pobre. Olvidaban que en el cielo toda transacción comercial es anotada, que todo acto injusto y todo negocio fraudulento son registrados. El tiempo vendrá cuando hombres y mujeres llegarán en el fraude y la insolencia a un punto que el Señor no les permitirá sobrepasar, y entonces aprenderán que la paciencia de Jehová tiene límite...

Raros son, aun entre los educadores y los gobernantes, quienes perciben las causas reales de la actual situación de la sociedad. Quienes tienen en sus manos las riendas del poder son incapaces de resolver el problema de la corrupción moral, del pauperismo y el crimen que siempre aumentan. En vano se esfuerzan por dar a los asuntos comerciales una base más segura. Si los hombres y las mujeres quisieran prestar más atención a las enseñanzas de la Palabra de Dios, hallarían la solución de los problemas que los preocupan.–*Joyas de los testimonios*, t. 3, pp. 281, 282.

Representar a Cristo en cada circunstancia

Digo, pues, por la gracia que me es dada, a cada cual que está entre vosotros, que no tenga más alto concepto de sí que el que debe tener, sino que piense de sí con cordura, conforme a la medida de fe que Dios repartió a cada uno. Romanos 12:3.

Vivan para algo además del yo. Si sus motivos son puros y abnegados, si siempre están buscando el trabajo que alguien debe hacer, si siempre están atentos para mostrar atenciones bondadosas y actos de cortesía, inconscientemente están edificando su propio monumento. En la vida de hogar, en la iglesia y en el mundo están representando a Cristo en carácter. Esta es la obra que Dios nos invita a todos... a realizar...

Que sus aspiraciones y motivos sean puros. En cada transacción comercial, sean estrictamente honrados. Aunque se sientan tentados, no engañen ni mientan en lo más mínimo. A veces un impulso natural puede tentar a alejarse del camino recto de la honradez, pero no varíen ni en el grosor de un cabello. Si en algún asunto han hecho una declaración acerca de lo que harán, y después descubren que han favorecido a otro contra sus propios intereses, no se alejen ni un milímetro del principio. Cumplan su convenio.

Al tratar de cambiar sus planes, demostrarán que no son dignos de confianza. Y si se desdicen en las pequeñas transacciones, también lo harán en las de mayor cuantía. En tales circunstancias, algunos se sienten tentados a engañar, diciendo: "No me comprendieron. Han hecho decir a mis palabras más de lo que yo quería". La verdad es que en realidad querían decir lo que dijeron, pero, perdido el buen impulso, quisieron anular su convenio para que no les resultara perjudicial. El Señor quiere que hagamos justicia, que amemos la misericordia, la verdad y la rectitud...

Los hombres y las mujeres están destituidos de las virtudes de carácter requeridas para edificar la iglesia. No son capaces de trazar métodos y planes de un carácter saludable y sólido. Son deficientes en las mismas calificaciones que son esenciales para la prosperidad de la iglesia. Es esta clase de educación la que necesita cambiarse por una educación que sea firme y sensible, en armonía con los principios de la Biblia.–*Manuscript Releases*, t. 20, pp. 343, 344. (Ver *La conducción del niño*, p. 142.)

Al planificar, considerar el futuro interminable

Porque el ejercicio corporal para poco es provechoso, pero la piedad para todo aprovecha, pues tiene promesa de esta vida presente, y de la venidera. 1 Timoteo 4:8.

Las cuentas de cada negocio, los detalles de cada transacción, son sometidos al escrutinio de inspectores invisibles, agentes de Aquel que nunca transige con la injusticia, nunca tolera el mal, nunca disculpa el agravio...

La ley de Dios condena a todos aquellos que obran maldad. Éstos pueden desatender su voz, tratar de acallar su advertencia, pero es en vano. Los sigue a todas partes. Se hace oír. Perturba su paz. Si no le presta atención, lo persigue hasta el sepulcro. Da testimonio contra él en el juicio. Como fuego inextinguible, consume al fin el alma y el cuerpo.

"Porque, ¿qué aprovechará al hombre si ganare todo el mundo, y perdiere su alma? ¿O qué recompensa dará el hombre por su alma?" (Mar. 8:36, 37).

Este asunto requiere la consideración de todo padre, maestro y alumno, de todo ser humano, joven o viejo. No puede ser perfecto o completo ningún proyecto de negocios o plan de vida que abarque únicamente los breves años de la vida actual y no haga provisión para el futuro eterno. Enséñese a los jóvenes a considerar la eternidad al hacer sus cálculos. Enséñeseles a escoger los principios y buscar las cosas durables, a acumular para sí aquel "tesoro en los cielos que no se agote, donde ladrón no llega, ni polilla destruye" (Luc. 12:33)...

Todos los que hacen esto se están preparando de la mejor manera posible para la vida en este mundo. Nadie puede acumular tesoros en el cielo sin descubrir que de esa manera se enriquece y ennoblece su vida en la tierra.

"La piedad para todo aprovecha, pues tiene promesa de esta vida presente, y de la venidera" (1 Tim. 4:8).–*La educación*, pp. 144, 145.

Nunca deshonrar a Dios por violar los principios rectos

Tales son las sendas de todo el que es dado a la codicia, la cual quita la vida de sus poseedores. Proverbios 1:19.

A cada persona se le da su obra. Cada una tiene un lugar en el plan eterno del cielo. Es el deber de los padres y las madres vencer su propio desorden, sus hábitos poco metódicos. La verdad es limpia y pura, y de gran valor, y necesita ser incorporada en la edificación del carácter. Los que tienen la verdad, que tienen el amor de la verdad en su corazón, harán cualquier sacrificio para que esta verdad pueda tener el primer lugar en cada cosa...

Están en nuestras iglesias quienes tienen mucho que decir en cuanto al cristianismo, pero en cuya presencia siempre debemos estar en guardia, porque descartan la Palabra de Dios de sus transacciones comerciales. Cuando hay que comprar o vender, Dios no está a su lado. El enemigo está sobre el terreno, y se posesiona de ellos. Se coloca a la hermandad y al amor cristianos como un sacrificio sobre el altar de la codicia. Dios, el Cielo, los preceptos de Jehová, sus repetidos mandatos, se eliminan con frecuencia del alma. No saben lo que significa practicar los principios establecidos en la Palabra de Dios. Venden su alma por una ganancia ilícita. Tan espeso es el velo que ciega sus ojos, que sólo pueden ver la ganancia fraudulenta. Tan dura es la costra que rodea al corazón, que no sienten por sus semejantes el amor y la ternura y la piedad de Cristo. Excluyen de su alma la santidad y la verdad de Dios.

¿Desaprobará el pueblo de Dios toda esta influencia corruptora? ¿Entregarán su corazón a Dios? ¿Tratarán misericordiosamente con sus semejantes mortales? ¿Tendrán presente los adventistas del séptimo día que no pueden desviarse de la verdad en sus tratos con sus semejantes, que no pueden violar la justicia, o perder su integridad, sin dejar a Dios? Nunca lo beneficiará a usted cualquier cosa que deshonre a Dios. Los que esperan prosperar violando los principios eternos de la justicia, están amontonando una cosecha que no quisieran segar. Se colocan en las filas del enemigo y acarrean degradación sobre sí mismos. Aunque parezca que prosperan por un tiempo, nunca pueden ser contados entre la familia de Dios.–*Sermons and Talks*, t. 2, pp. 133, 134.

Los mayordomos fieles proveen para la causa de Dios

Yo Jehová te he llamado en justicia, y te sostendré por la mano; te guardaré y te pondré por pacto del pueblo, por luz de las naciones.
Isaías 42:6.

Se me ha mostrado que algunos que generalmente son astutos, prudentes y perspicaces con respecto a las transacciones comerciales, que se distinguen por su prontitud y minuciosidad, manifiestan imprevisión y una falta de prontitud en relación con un traspaso apropiado de sus bienes mientras viven. No saben cuán pronto terminará su tiempo de prueba, y sin embargo pasan de un año a otro con sus asuntos pendientes, y con frecuencia terminan finalmente su vida sin haber hecho uso de su razón. O pueden morir repentinamente, sin previa advertencia, y puede disponerse de sus bienes de una manera que no habrían aprobado si vivieran. Estas personas son culpables de negligencia; son mayordomos infieles.

Los cristianos que creen en la verdad presente deberían manifestar sabiduría y previsión. No deberían descuidar el disponer de sus recursos esperando una oportunidad favorable para arreglar sus negocios mientras padecen una larga enfermedad. Deberían tener sus asuntos en tal estado que, si fueran llamados a dejar la vida en cualquier momento, y no tuviesen voz en la disposición de sus bienes, éstos pudieran ser puestos en orden tal como ellos habrían deseado si estuvieran vivos.

A muchas familias se las ha despojado en forma deshonesta de todos sus bienes y han estado sujetos a la pobreza, porque la obra que podría haberse hecho muy bien en un momento fue descuidada. Los que hacen sus testamentos no deben escatimar esfuerzos o gastos para obtener consejo legal y para tenerlos preparados de una forma que resistan la prueba.

Vi que los que profesan creer la verdad deberían mostrar su fe por sus obras. Deben ganar amigos por medio de las riquezas injustas, para que cuando éstas falten, los reciban en las moradas eternas [ver Luc.16:9]. Dios hizo a los hombres y a las mujeres mayordomos de sus medios. Colocó en sus manos el dinero con el cual llevar adelante la gran obra para la salvación de las almas por las cuales Cristo dejó su hogar celestial, sus riquezas, su gloria y se hizo pobre para que pudiera, por su propia humillación y sacrificio, llevar muchos hijos y muchas hijas de Adán a Dios.

En su providencia el Señor ha ordenado que la obra en su viña debe ser sostenida por los medios confiados en las manos de sus mayordomos. Un descuido por parte de los mayordomos para responder a los llamados de la causa de Dios en hacer avanzar su obra, muestra que son siervos malos y negligentes.–*Testimonies for the Church*, t. 3, pp. 116, 117.

Nuevo estilo de vida a través de Jesús

Con Cristo estoy juntamente crucificado, y ya no vivo yo, mas vive Cristo en mí; y lo que ahora vivo en la carne, lo vivo en la fe del Hijo de Dios, el cual me amó y se entregó a sí mismo por mí. Gálatas 2:20.

El yo debe morir si vamos a ser considerados como seguidores de Cristo. El apóstol dice: "Ya que han resucitado con Cristo, busquen las cosas de arriba, donde está Cristo sentado a la derecha de Dios... Ustedes han muerto, y su vida está escondida con Cristo en Dios" (Col. 3:1, 3). "Por lo tanto, si alguno está en Cristo, es una nueva creación. ¡Lo viejo ha pasado, ha llegado ya lo nuevo!" (2 Cor. 5:17, NVI).

Cuando los hombres y las mujeres se convierten a Dios, se crea un nuevo gusto moral, y aman las cosas que Dios ama; porque su vida está unida por la cadena dorada de las promesas inmutables a la vida de Jesús. Su corazón se extiende hacia Dios. Su oración es: "Ábreme los ojos, para que contemple las maravillas de tu ley". En la norma inmutable ven el carácter del Redentor, y saben que aunque han pecado, no van a ser salvados en sus pecados, sino de sus pecados, porque Jesús es el Cordero de Dios que quita el pecado del mundo. Es por medio de la sangre de Cristo como se acercan a Dios.

Al contemplar la justicia de Cristo en los preceptos divinos, exclaman: "La ley de Jehová es perfecta, que convierte el alma" [Sal. 19:7]. Como pecadores son perdonados de sus transgresiones por medio de los méritos de Cristo, mientras son revestidos con la justicia de Cristo por medio de la fe en él, y declaran con el salmista: "¡Cuán dulces son a mi paladar tus palabras! Más que la miel a mi boca". "Deseables son más que el oro, y más que mucho oro afinado" [Sal. 119:103; 19:10]. Esto es conversión. Cuando el Espíritu de Dios controla la mente y el corazón, hace volver los corazones de los padres a los hijos, y a los rebeldes a la prudencia de los justos. Entonces la ley de Jehová será considerada como un trasunto del carácter divino, y un cántico nuevo brota de un corazón que ha sido tocado por la gracia divina, porque comprende que la promesa de Dios ha sido cumplida en su experiencia, que sus transgresiones han sido perdonadas y sus pecados cubiertos. Han ejercido arrepentimiento hacia Dios, por causa de la violación de su ley, y fe en nuestro Señor Jesucristo, quien murió por su justificación.–*Review and Herald*, 21 de junio de 1892.

Jesús requiere una entrega sin reservas

Amarás al Señor tu Dios con todo tu corazón, y con toda tu alma, y con todas tus fuerzas, y con toda tu mente; y a tu prójimo como a ti mismo. Lucas 10:27.

El Señor los está examinando y probando. Él ha dado consejos, ha amonestado y rogado. Todas estas solemnes advertencias o mejorarán a la iglesia o la harán decididamente peor. Mientras hable el Señor para corregir y amonestar, y ustedes desprecien su voz, más inclinados estarán a rechazarla una y otra vez, hasta que Dios diga: "Por cuanto llamé, y no quisisteis oír, extendí mi mano, y no hubo quien atendiese, sino que desechasteis todo consejo mío y mi reprensión no quisisteis... Entonces me llamarán, y no responderé; me buscarán de mañana, y no me hallarán. Por cuanto aborrecieron la sabiduría, y no escogieron el temor de Jehová, ni quisieron mi consejo, y menospreciaron toda reprensión mía, comerán del fruto de su camino, y serán hastiados de sus propios consejos" (Prov. 1:24, 25, 28-31).

¿No están claudicando ante dos opiniones? ¿No son negligentes al no hacer caso a la luz que Dios les ha dado? Cuídense, hermanos, de que ninguno de ustedes tenga un corazón pecaminoso e incrédulo que los haga apartarse del Dios vivo. No conocen el tiempo de su visitación. El gran pecado de los judíos fue el menosprecio y rechazo de las oportunidades presentes. Al contemplar Jesús la condición en que están sus seguidores hoy, lo que ve es una vil ingratitud, un formalismo hueco, una insinceridad hipócrita, un orgullo farisaico y una apostasía.

Las lágrimas derramadas por Jesús en la cima del Monte de las Olivas fueron por la impenitencia e ingratitud de cada ser humano hasta el fin del tiempo. Ve que su amor es despreciado. Los atrios del templo del alma se han convertido en lugares de tráfico profano. Egoísmo, avaricia, malicia, envidia, orgullo y pasión, todo eso está atesorado en el corazón. Sus amonestaciones son rechazadas y ridiculizadas, sus embajadores tratados con indiferencia y sus palabras vistas como cuentos ociosos. Jesús ha hablado mediante sus misericordias, pero ellas han sido ignoradas; ha hablado por medio de solemnes advertencias, pero éstas han sido rechazadas.

Les ruego a quienes han profesado la fe por mucho tiempo y todavía le rinden un homenaje superficial a Cristo: no engañen a su alma. Lo que Jesús aprecia es el corazón entero. La lealtad del alma es lo único que vale ante la vista de Dios. ¡Cómo quisiera que hoy supiera lo que le puede traer paz! *"A usted... también a usted"*. En este momento Cristo está dirigiéndose a usted personalmente, inclinándose desde su trono, suspirando con ternura compasiva por los que no están conscientes de su peligro, quienes no tienen compasión de sí mismos.–*Testimonies for the Church*, t. 5, pp. 72, 73.

Dios ha enviado advertencias, pero pocos son los que escuchan

Acontecerá en aquel tiempo que yo escudriñaré a Jerusalén con linterna, y castigaré a los hombres que reposan tranquilos como el vino asentado, los cuales dicen en su corazón: Jehová ni hará bien ni hará mal. Sofonías 1:12.

Nos estamos acercando al fin del tiempo. Me ha sido mostrado que los juicios retributivos de Dios ya están sobre la tierra. El Señor nos ha advertido de los acontecimientos que están por suceder. Resplandece la luz de su Palabra, y sin embargo las tinieblas cubren la tierra y densa oscuridad los pueblos. "Que cuando dirán paz y seguridad, entonces vendrá sobre ellos destrucción de repente... y no escaparán" (1 Tes. 5:3).

Es nuestro deber inquirir la causa de estas terribles tinieblas para que podamos evitar la conducta por la cual los seres humanos han atraído sobre sí mismos tan grande engaño. Dios ha dado al mundo una oportunidad de aprender y obedecer su voluntad. Les ha dado, en su Palabra, la luz de la verdad; les ha enviado advertencias, consejos y amonestaciones; pero pocos quieren obedecer su voz. Al igual que la nación judía, la mayoría, aun de los cristianos profesos, se enorgullece de sus magníficas ventajas pero no agradece a Dios por esas grandes bendiciones.

En su misericordia infinita, Dios ha enviado al mundo un último mensaje de amonestación, anunciando que Cristo está a la puerta, y llamando la atención a la quebrantada ley de Dios. Pero así como los antediluvianos rechazaron con desprecio la amonestación de Noé, así también los amadores de placeres de hoy rechazarán el mensaje de los fieles siervos de Dios. El mundo prosigue en su giro constante, absorto como nunca en los negocios y placeres, mientras la ira de Dios está por caer sobre los transgresores de su ley.

Nuestro compasivo Redentor, previendo los peligros que rodearían a sus discípulos en este tiempo, les dio una amonestación especial: "Tengan cuidado, no sea que se les endurezca el corazón por el vicio, la embriaguez y las preocupaciones de esta vida. De otra manera aquel día caerá de improviso sobre ustedes, pues vendrá como una trampa sobre todos los habitantes de la tierra. Estén siempre vigilantes, y oren para que puedan escapar de todo lo que está por suceder, y presentarse delante del Hijo del hombre" (Luc. 21:34-36, NVI).–*Testimonies for the Church*, t. 5, pp. 99, 100.

El fanatismo y el ruido no son evidencia de fe

Doy gracias a Dios que hablo en lenguas... pero en la iglesia prefiero hablar cinco palabras con mi entendimiento, para enseñar... a otros, que diez mil palabras en lengua desconocida. 1 Corintios 14:18, 19.

Primero debe arrancarse de raíz el error, luego el suelo queda preparado para que brote la buena semilla y lleve fruto para la gloria de Dios. El único remedio... es por medio de disciplina y organización. Un espíritu de fanatismo ha regido a cierta clase de observadores del sábado... Han bebido tan sólo pocos sorbos de la fuente de la verdad y no conocen el espíritu del mensaje del tercer ángel. Nada puede hacerse para esta clase hasta que corrija sus opiniones fanáticas. Algunos que estuvieron en el movimiento de 1854 han traído con ellos puntos de vista erróneos, tales como la no resurrección de los impíos y la era futura, y están tratando de unir esas opiniones y su experiencia pasada con el mensaje del tercer ángel. No pueden hacer eso; no hay concordia entre Cristo y Belial.

La no resurrección de los impíos y sus puntos de vista particulares con respecto al mundo futuro, son errores graves que Satanás ha introducido poco a poco entre las herejías de los últimos días para que sirvan a su propio propósito de arruinar almas. Esos errores no pueden estar en armonía con el mensaje de origen celestial.

Algunas de esas personas tienen manifestaciones de lo que llaman dones, y dicen que el Señor las ha colocado en la iglesia. Hablan una jerigonza incomprensible que llaman la lengua desconocida, y que lo es no sólo para los seres humanos, sino para el Señor y todo el cielo. Esos dones son fabricados por hombres y mujeres ayudados por el gran engañador. El fanatismo, la falsa agitación, el falso hablar en lenguas y los servicios ruidosos han sido considerados como dones que Dios ha colocado en la iglesia. Algunos han sido engañados. El fruto de todo esto no ha sido bueno. "Por sus frutos los conocerán". El fanatismo y el ruido han sido considerados como evidencias especiales de la fe. Algunos no se quedan satisfechos con una reunión a menos que sientan cierto poder y momentos felices. Trabajan para esto y despiertan sentimientos de excitación, pero la influencia de tales reuniones no es benéfica. Una vez desaparecida la sensación fugaz de felicidad, descienden más bajo que antes de la reunión, porque su felicidad no proviene de la debida fuente. Las reuniones más provechosas para el progreso espiritual son aquellas que se caracterizan por la solemnidad y el escudriñamiento profundo del corazón; en las cuales cada uno procura conocerse a sí mismo y con fervor y profunda humildad se esfuerza por aprender de Cristo.–*Testimonies for the Church,* t. 1, pp. 411, 412. (Ver *Joyas de los testimonios,* t. 1, p. 161.)

Dios no está contento con el desorden de mal gusto

Y Jehová dijo a Moisés: Ve al pueblo y santifícalos hoy y mañana; y laven sus vestidos... Y Moisés sacó del campamento al pueblo para recibir a Dios. Éxodo 19:10, 17.

Algunos piensan que para efectuar esa separación del mundo que la Palabra de Dios requiere, deben descuidar su manera de vestir. Hay una clase de hermanas que piensa que está practicando el principio de no conformidad con el mundo... al vestirse el día sábado con el mismo traje que llevan durante la semana, para estar en la asamblea de los santos y participar en el culto a Dios. Y algunos de los hombres que profesan ser cristianos contemplan bajo la misma luz la cuestión de la vestimenta. Se reúnen con el pueblo de Dios en el sábado con su ropa sucia y manchada, y hasta con roturas en ella, y la llevan con desaliño. Esta clase de personas, si tuvieran que encontrarse con amigos honrados por el mundo y si quisieran ser especialmente favorecidas por ellos, se esforzarían por presentarse con la mejor ropa que pudieran conseguir, porque esos amigos se sentirían ofendidos si aparecieran... despeinadas, con la ropa sucia y en desorden.

Sin embargo, estas personas piensan que no importa en qué forma se vistan ni cuál sea la condición de su persona cuando se reúnen el sábado para adorar al gran Dios. Se congregan en su casa, que es como la cámara de audiencias del Altísimo, donde los ángeles celestiales ministran, con poquísimo respeto o reverencia, según lo indica su persona y vestimenta. Toda su apariencia revela el carácter de estos hombres y de estas mujeres.

El tema favorito de esta clase de personas es el orgullo tal como se manifiesta en la vestimenta. Consideran como orgullo la decencia, el gusto y el orden. La conversación, las obras y los negocios de estas almas engañadas guardan una estrecha relación con la ropa que llevan. Son descuidadas, y a veces tienen una conversación rastrera en sus hogares, entre sus hermanos y ante el mundo. La ropa de una persona y la forma como se la lleva generalmente se consideran como un exponente de su personalidad. Los que son descuidados y desaliñados en su manera de vestir, difícilmente tienen una conversación elevada, y poseen sentimientos muy poco refinados. Algunas veces consideran como humildad la rudeza y la vulgaridad...

Nuestro Dios es un Dios de orden y no le agrada la distracción, la suciedad ni el pecado.–*Mensajes selectos*, t. 2, pp. 540, 541.

Seguir a Cristo y derrotar al enemigo

Porque todo lo que hay en el mundo, los deseos de la carne, los deseos de los ojos, y la vanagloria de la vida, no proviene del Padre, sino del mundo. 1 Juan 2:16.

En el pueblo de Dios hay muchos que están adormecidos por el espíritu del mundo, y que niegan su fe mediante sus obras. Cultivan el amor al dinero, a las casas y las tierras, hasta que éste absorbe las facultades de la mente y el ser, y desplaza el amor al Creador y a las almas por quienes Cristo murió. El dios de este mundo ha cegado sus ojos; sus intereses eternos pasan a ocupar un lugar secundario; y colocan un máximo de exigencia sobre el cerebro, los huesos y los músculos con el fin de aumentar sus posesiones mundanales. Y toda esa acumulación de preocupaciones y cargas se efectúa en violación directa de esta orden dada por Cristo: "No acumulen para sí tesoros en la tierra, donde la polilla y el óxido destruyen, y donde los ladrones se meten a robar" (Mat. 6:19, NVI).

Olvidan que él también dijo: "Más bien, acumulen para sí tesoros en el cielo"; y al olvidarlo, obran en favor de sus propios intereses. El tesoro acumulado en el cielo está seguro; ningún ladrón puede aproximarse a él ni la polilla puede arruinarlo. Pero su tesoro está en la tierra y sus afectos están sobre sus tesoros.

En el desierto Cristo enfrentó las grandes tentaciones que asaltarían a la humanidad. Allí, con las manos desnudas, se encontró con el enemigo astuto y sutil y lo venció. La primera gran tentación fue dirigida hacia el apetito; la segunda, hacia la presunción; la tercera, hacia el amor al mundo. Los tronos y los reinos de este mundo y su gloria fueron ofrecidos a Cristo. Satanás llevó el honor mundanal, las riquezas y los placeres de la vida, y se los presentó bajo la luz más atrayente con el fin de tentarlo y engañarlo. Le dijo: "Todo esto te daré si te postras y me adoras" [Mat. 4:9, NVI]. Sin embargo Cristo rechazó al astuto enemigo y salió victorioso...

El ejemplo de Cristo está ante nosotros. Él venció a Satanás y nos mostró cómo nosotros también podemos vencerlo. Cristo resistió a Satanás mediante las Escrituras. Pudo haber echado mano de su propio poder divino, y haber empleado sus propias palabras; pero dijo: "Escrito está: No sólo de pan vivirá el hombre, sino de toda palabra que sale de la boca de Dios" (Mat. 4:4). Si los cristianos estudiaran y obedecieran las Sagradas Escrituras, recibirían poder para hacer frente a la tentación del astuto enemigo; pero la Palabra de Dios es descuidada, y como consecuencia de esto se producen desastres y derrotas.–*Consejos sobre mayordomía cristiana*, pp. 221, 222.

Debemos hacer esfuerzos decididos contra el pecado

Camino a la vida es guardar la instrucción; pero quien desecha la reprensión, yerra. Proverbios 10:17.

Muchos se disculpan por su debilidad espiritual, por sus explosiones de pasión, por la falta de amor que muestran hacia sus hermanos. Experimentan una sensación de alejamiento de Dios, una comprensión de su esclavitud al yo y al pecado, pero su deseo de hacer la voluntad de Dios está basado en su propia inclinación, no sobre la convicción profunda e interior del Espíritu Santo. Con el interés ansioso de almas que tienen que aparecer en el juicio, creen que la ley de Dios es obligatoria, pero no comparan sus acciones con esa ley. Reconocen que hay que amar y adorar supremamente a Dios, pero Dios no está en ninguno de sus pensamientos. Creen que deben observarse los preceptos que les imponen que amen a otros; pero tratan a sus asociados con una fría indiferencia, y algunas veces con injusticia. De esa manera se alejan del sendero de la obediencia complaciente. No llevan la obra del arrepentimiento lo suficientemente lejos. El sentido de su mal debería llevarlos a buscar a Dios con la mayor seriedad, para obtener poder con el fin de revelar a Cristo por medio de la bondad y la paciencia.

Se hacen muchos esfuerzos espasmódicos de reforma, pero los que los hacen no crucifican el yo. No se entregan totalmente en las manos de Cristo buscando el poder divino para hacer su voluntad. No están dispuestos a ser moldeados conforme a la semejanza divina. En una forma general reconocen sus imperfecciones, pero no renuncian a los pecados particulares. "Hemos hecho las cosas que no deberíamos haber hecho", dicen "y no hemos hecho las cosas que deberíamos haber hecho". Pero sus actos de egoísmo, tan ofensivos para Dios, no se ven a la luz de su ley. No se expresa un arrepentimiento pleno por las victorias que ha ganado el yo.

El enemigo quiere que se hagan estos esfuerzos espasmódicos; porque los que los hacen no se ocupan en ninguna batalla decidida contra el mal. Por decirlo así, se coloca sobre su mente un parche calmante, y con autosuficiencia empiezan de nuevo a hacer la voluntad de Dios. Pero una convicción general de pecado no es reformadora. Podemos tener un sentido vago, desagradable de imperfección, pero esto no nos servirá de nada a menos que hagamos un esfuerzo decidido por obtener la victoria sobre el pecado. Si deseamos cooperar con Cristo, para vencer como él venció, debemos, en su fortaleza, resistir de la manera más determinada contra el yo y el egoísmo.—*Signs of the Times*, 11 de marzo de 1897.

Procurar ser temperantes en todas las cosas

En el camino de la justicia está la vida; y en sus caminos no hay muerte.
Proverbios 12:28.

Dios ha permitido que la luz de la reforma pro salud brillara sobre nosotros en estos últimos días, para que caminando en su luz podamos evitar muchos de los peligros a los cuales estaremos expuestos. Satanás está trabajando con gran poder para llevar a los hombres y a las mujeres a dar rienda suelta al apetito, complacer las inclinaciones y emplear sus días en descuidada locura. Les muestra atracciones en una vida de deleite egoísta y complacencia sensual.

La intemperancia mina las energías tanto del cuerpo como de la mente. Los que son vencidos por la intemperancia se han colocado sobre el terreno de Satanás, donde serán tentados y molestados, y finalmente serán controlados a voluntad por el enemigo de toda justicia.

Los padres tienen que ser impresionados con su obligación de dar al mundo hijos que tengan caracteres bien desarrollados; hijos que tengan el poder moral para resistir la tentación, y cuya vida sea un honor para Dios y una bendición para sus prójimos. Los que entran en la vida activa con principios firmes, estarán preparados para mantenerse límpidos en medio de la corrupción moral de este siglo corrupto. Que las madres mejoren cada oportunidad para educar a sus hijos para que sean útiles.

La obra de la madre es sagrada e importante. Debe enseñar a sus hijos, desde la misma cuna, a practicar hábitos de abnegación y de dominio propio. En un sentido especial, su tiempo le pertenece a sus hijos, pero si ocupa su tiempo mayormente con las necedades de esta época degenerada, si la sociedad, el vestido y las diversiones absorben su atención, sus hijos no recibirán la educación esencial...

La intemperancia comienza en nuestras mesas, y, junto con la mayoría, se complace el apetito hasta que su complacencia se vuelve una segunda naturaleza. Cualquiera que come demasiado, o come alimentos que no son saludables, está debilitando su fuerza para resistir las exigencias de otros apetitos y otras pasiones.

Para evitar la tarea de educar pacientemente a sus hijos en hábitos de abnegación, muchos padres los complacen dándoles de comer y beber lo que les plazca. El deseo de satisfacer el gusto y complacer las inclinaciones no disminuye con el correr de los años, y esos jóvenes mimados, al crecer, son gobernados por el impulso, son esclavos del apetito. Cuando ocupan su lugar en la sociedad y comienzan la vida por sí mismos, no tienen poder para resistir la tentación.–*Christian Education*, pp. 175-177.

Enseñar a los hijos es una responsabilidad sagrada

Por lo cual, salid de en medio de ellos, y apartaos, dice el Señor, y no toquéis lo inmundo; y yo os recibiré, y seré para vosotros Padre, y vosotros me seréis hijos e hijas, dice el Señor Todopoderoso. 2 Corintios 6:17, 18.

Cuando los padres y los niños se encuentren en el día final para rendir cuentas, ¡qué escena se verá! Miles de niños que han sido esclavos de los apetitos y de vicios degradantes, cuya vida ha sido un fracaso moral, estarán frente a frente con sus padres que los hicieron lo que son. ¿Quiénes, sino los padres, deben afrontar esta terrible responsabilidad? ¿Fue el Señor quien corrompió a estos jóvenes? ¡Oh, no! ¿Quién, entonces, ha hecho esta terrible obra? ¿No fueron transmitidos los pecados de los padres a los hijos por causa de apetitos y pasiones pervertidos? ¿Y no fue completada la obra por los que descuidaron su adiestramiento según el modelo que Dios ha dado? Tan ciertamente como que ellos existen, todos esos padres tendrán que pasar el examen de Dios.–*Mente, carácter y personalidad*, t. 1, pp. 144, 145.

Satanás está listo para hacer su obra; no descuidará presentar atractivos a los cuales los hijos no tendrán ni voluntad ni poder moral para resistir. Vi que Satanás, mediante sus tentaciones, está instituyendo modas que cambian continuamente, fiestas atractivas y diversiones, para que las madres sean inducidas a dedicar el tiempo de prueba que Dios les ha concedido a asuntos frívolos, de modo que tengan escasas oportunidades de educar debidamente a sus hijos. Nuestros niños necesitan madres que les enseñen desde la cuna a controlar la pasión, a negar el apetito y a vencer el egoísmo. Necesitan que se los eduque línea sobre línea, precepto sobre precepto, un poquito aquí y otro poquito allá...

La mujer debe ocupar el puesto que Dios le designó originalmente como igual a su esposo. El mundo necesita madres que lo sean no sólo de nombre, sino en todo sentido de la palabra. Puede muy bien decirse que los deberes distintivos de la mujer son más sagrados y más santos que los del hombre. Comprenda ella el carácter sagrado de su obra y, con la fuerza y el temor de Dios, emprenda su misión en la vida. Eduque a sus hijos para que sean útiles en este mundo y obtengan un hogar en el mundo mejor...

Les suplicamos a las madres cristianas que sientan su responsabilidad como madres, y no vivan para agradarse a sí mismas, sino para glorificar a Dios. Cristo no se complació a sí mismo, sino que asumió la forma de siervo. Dejó los atrios celestiales y vistió su divinidad con la humanidad, para que por su propio ejemplo pudiera enseñarnos cómo podemos ser exaltados a la posición de hijos e hijas en la familia real, hijos del Rey celestial.–*Christian Education*, pp. 177-179.

El trabajo y el ejercicio contribuyen a la salud

En la multitud de tus caminos te cansaste, pero no dijiste: No hay reme-
dio; hallaste nuevo vigor en tu mano, por tanto, no te desalentaste.
Isaías 57:10.

Algunos piensan que las riquezas y el ocio son realmente bendiciones.
Pero cuando algunas personas se enriquecen, o inesperadamente heredan una fortuna, interrumpen sus hábitos activos, están ociosos, viven cómodamente y su utilidad parece terminar; se vuelven intranquilos, ansiosos e infelices, y su vida pronto se acaba.

Los que siempre están ocupados, y llevan a cabo alegremente sus tareas diarias, son los más felices y más sanos. El descanso y la calma de la noche brinda a sus cuerpos cansados un continuado sueño. El Señor sabía lo que traería felicidad a los seres humanos cuando les dio el trabajo. La sentencia de que debían trabajar para ganar su pan, y la promesa de futura felicidad y gloria, vinieron del mismo trono. Ambas son bendiciones...

El ejercicio ayuda a la digestión. Salir a caminar después de comer, andando con la cabeza erguida y los hombros echados para atrás, haciendo un ejercicio moderado, es muy provechoso. La mente se desviará del yo hacia las bellezas de la naturaleza. Cuanto menos atención se preste al estómago después de una comida, mejor. Si temen constantemente que la comida les va a hacer daño, sin ninguna duda que les hará mal. Olvídense del yo y piensen en algo alegre...

Los pulmones no deben ser privados de aire puro y fresco. Si hay un momento en que el aire puro es necesario, es cuando alguna parte del organismo, [como] los pulmones o el estómago, se enferma. Un ejercicio prudente llevaría la sangre a la superficie, aliviando así los órganos internos. Un ejercicio vigoroso, pero no violento al aire libre, con un ánimo alegre, activará la circulación y dará un brillo saludable a la piel, y enviará la sangre vitalizada por el aire puro a las extremidades.

El estómago enfermo se aliviará con el ejercicio. Con frecuencia los médicos aconsejan a los enfermos que visiten países extranjeros, que vayan a las termas o que naveguen por el océano con el fin de recuperar la salud, cuando en nueve de diez casos si se alimentaran moderadamente e hicieran un ejercicio saludable con ánimo alegre, recuperarían la salud y ahorrarían tiempo y dinero. El ejercicio, y un empleo libre y abundante del aire y de la luz del sol, que son bendiciones que el Cielo brinda libremente a todos, darían vida y fuerza al demacrado enfermo.–*Testimonies for the Church*, t. 2, pp. 529-531.

Cuando vengan pruebas, aferrarse a Jesús

No temas, porque yo estoy contigo; no desmayes, porque yo soy tu Dios que te esfuerzo; siempre te ayudaré, siempre te sustentaré con la diestra de mi justicia. Isaías 41:10.

Los padres deberían inventar nuevas formas y medios para mantener a sus hijos ocupados en algo útil... Los padres nunca deben olvidar que deben trabajar con la mayor seriedad por ellos y por sus pequeños si van a estar reunidos con ellos en el arca de salvación. Todavía estamos en tierra del enemigo. Que luchen para alcanzar una norma elevada, y para llevar a sus hijos con ellos. Desechen las obras de las tinieblas y pónganse la armadura de la luz.

Padres, no omitan esfuerzo alguno por colocar a sus hijos en la situación más favorable posible para formar el carácter que Dios quiere que desarrollen. Empleen toda fibra moral y muscular en el esfuerzo por salvar a su pequeña grey. Las potencias del infierno se unirán para su destrucción. Oren mucho más de lo que oran. Con amor y ternura, enseñen a sus hijos a ir a Dios como a su Padre celestial.

Por medio de su ejemplo en la administración del hogar, enséñenles el dominio propio y el ser serviciales. Díganles que Cristo no vivió para agradarse a sí mismo. El Espíritu Santo llenará su mente con los pensamientos más preciosos mientras se ocupan en su propia salvación y en la salvación de sus hijos.

Recojan los rayos de luz divina que brillan sobre su senda. Anden en la luz como Cristo está en la luz. Al emprender la obra de ayudar a sus hijos a servir a Dios, vendrán las pruebas más provocadoras; pero no pierdan su confianza; aférrense a Jesús. Él dice: "Que se acojan a mi amparo, que hagan la paz conmigo, que conmigo hagan la paz" (Isa. 27:5, BJ).

Se presentarán dificultades. Encontrarán obstáculos; pero miren constantemente a Jesús. Cuando se presente una emergencia, pregunten: "Señor, ¿qué debo hacer ahora?" Si se niegan a inquietarse o reñir, el Señor les mostrará el camino. Les enseñará a usar el talento del habla de una manera tan cristiana que la paz y el amor reinarán en el hogar...

Hagan todo lo que esté en su poder para permanecer en terreno ventajoso ante sus hijos. Al seguir un curso de acción semejante al de Cristo, aferrándose firmemente a las promesas de Dios, pueden ser evangelistas en el hogar, ministros de gracia para sus hijos.–*Spalding and Magan Collection*, p. 185.

La gracia de Dios es suficiente para toda dificultad

Y me ha dicho: Bástate mi gracia; porque mi poder se perfecciona en la debilidad. 2 Corintios 12:9.

Nadie puede estar situado de tal manera que no pueda obedecer a Dios. Los cristianos de hoy tienen demasiada poca fe. Están dispuestos a trabajar por Cristo y por su causa sólo cuando pueden ver un panorama de resultados favorables. La gracia divina ayudará los esfuerzos de cada verdadero creyente. Esa gracia es suficiente para nosotros en todas las circunstancias. El Espíritu de Cristo ejercerá su poder renovador y perfeccionador sobre el carácter de todos los que sean fieles y obedientes.

Dios es el gran YO SOY, la fuente del ser, el centro de autoridad y poder. Cualquiera sea la condición o situación de sus criaturas, no pueden tener excusa suficiente para rehusar obedecer los pedidos de Dios. El Señor nos tiene por responsables de la luz que brilla en nuestro sendero. Podemos estar rodeados por dificultades que nos parecen insuperables, y por causa de ellas podemos tratar de excusarnos de obedecer la verdad tal cual es en Jesús; pero no podemos ofrecer una excusa razonable. Poder hacerlo significaría demostrar que Dios es injusto al imponer condiciones de salvación que sus hijos no sean capaces de cumplir...

Los cristianos no deben colocar ante su imaginación todas las pruebas que pueden ocurrir antes del fin de la carrera. No tienen sino que comenzar a servir a Dios, y vivir y trabajar cada día para la gloria de Dios ese día, y los obstáculos que parecían insuperables menguarán gradualmente cada vez más; o, si les sobreviene todo lo que han temido, la gracia de Cristo les será impartida de acuerdo con su necesidad. La fuerza aumenta con las dificultades a las que se les hace frente y se vencen.

Aquellos cuyo corazón está resuelto a servir a Dios, encontrarán oportunidades para servirle. Orarán, leerán la Palabra de Dios, buscarán la virtud y abandonarán el vicio. Pueden arrostrar el desprecio y las mofas mientras miran hacia Jesús, el Autor y Consumador de nuestra fe, que sufrió tal contradicción de pecadores contra sí mismo, pero la ayuda y la gracia están prometidas por Aquel cuyas palabras son verdad. Dios no fallará en cumplir su promesa a todos los que confían en él.–*Sketches from the Life of Paul*, pp. 296-298.

Los esposos deben ser considerados y alegres

Maridos, igualmente, vivid con ellas sabiamente, dando honor a la mujer como a vaso más frágil, y como a coherederas de la gracia de la vida, para que vuestras oraciones no tengan estorbo. 1 Pedro 3:7.

El esposo debe manifestar gran interés por su familia. En especial, debe ser muy considerado con los sentimientos de una esposa débil. Puede evitarle mucha enfermedad. Las palabras bondadosas y alentadoras resultarán más eficaces que las mejores medicinas. Infundirán valor al corazón de la desalentada y abatida, y la felicidad y alegría introducidas en la familia por los actos de bondad y palabras de aliento recompensarán diez veces el esfuerzo.

El esposo debe recordar que sobre la madre recae gran parte de la carga que representa la educación de los hijos, pues ella tiene mucho que ver con la formación de sus intelectos. Esto debe inducirle a él a manifestar los sentimientos más tiernos, y a aliviar con cuidado las cargas de ella. Debe animarla a apoyarse en los amplios afectos de él y a dirigir su atención hacia el cielo donde hay fuerza, paz y descanso final para los cansados. No debe llegar a casa con una frente adusta, sino que con su presencia debe infundir alegría a la familia y animar a su esposa a mirar hacia arriba y a creer en Dios. Unidos, pueden aferrarse a las promesas de Dios y atraer su rica bendición sobre la familia.

Más de un marido y padre podría sacar provechosa lección del solícito cuidado del fiel pastor. Jacob, al verse instado a emprender difícil y apurada caminata, contestó: "Los niños son tiernos... tengo ovejas y vacas paridas; y si las fatigan, en un día morirán todas las ovejas... Me iré poco a poco al paso de la hacienda que va delante de mí, y al paso de los niños".

En el camino penoso de la vida sepa el marido y padre ir "poco a poco", al paso en que pueda seguirle su compañera de viaje. En medio del gentío que corre locamente tras el dinero y el poder, aprenda el esposo y padre a medir sus pasos, a confortar y a sostener al ser humano llamado a andar junto a él.–*El hogar adventista*, pp. 194, 195.

Nuestra gran necesidad es la santidad bíblica

A quienes Dios quiso dar a conocer las riquezas de la gloria de este misterio entre los gentiles; que es Cristo en vosotros, la esperanza de gloria. Colosenses 1:27.

A los que se sienten seguros por causa de sus progresos y se creen ricos en conocimiento espiritual, les cuesta recibir el mensaje [a los laodicenses] que declara que están engañados y necesitan toda gracia espiritual. El corazón que no ha sido santificado es engañoso "más que todas las cosas y perverso" (Jer. 17:9). Se me mostró que muchos se ilusionan creyéndose buenos cristianos, aunque no tienen un solo rayo de la luz de Jesús. No tienen una viva experiencia personal en la vida divina. Necesitan humillarse profunda y cabalmente delante de Dios antes de sentir su verdadera necesidad de realizar esfuerzos fervientes y perseverantes para obtener los preciosos dones del Espíritu.

Dios conduce a su pueblo paso a paso. La vida cristiana es una constante batalla y una marcha. No hay descanso de la lucha. Es mediante esfuerzos constantes e incesantes como nos mantenemos victoriosos sobre las tentaciones de Satanás. Como pueblo, estamos triunfando en la claridad y fuerza de la verdad. Somos plenamente sostenidos en nuestra posición por una abrumadora cantidad de claros testimonios bíblicos. Pero somos muy deficientes en humildad, paciencia, fe, amor, abnegación, vigilancia y espíritu de sacrificio según la Biblia. El pecado prevalece entre el pueblo de Dios. El claro mensaje de represión enviado a los laodicenses no es recibido. Muchos se aferran a sus dudas y pecados predilectos, a la par que están tan engañados que hablan y sienten como si nada necesitasen. Piensan que es innecesario el testimonio de reproche del Espíritu de Dios, o que no se refiere a ellos.

Los tales se hallan en la mayor necesidad de la gracia de Dios y de discernimiento espiritual para poder descubrir su falta de conocimiento espiritual. Les falta casi toda cualidad necesaria para perfeccionar un carácter cristiano. No tienen el conocimiento práctico de la verdad bíblica que induce a la humildad en la vida y a conformar la voluntad a la de Cristo. No viven obedeciendo todos los requerimientos de Dios.

No es suficiente el simple hecho de profesar creer la verdad. Todos los soldados de la cruz de Cristo se obligan virtualmente a entrar en la cruzada contra el adversario de las almas, a condenar lo malo y sostener la justicia. Pero el mensaje del Testigo Fiel revela el hecho de que nuestro pueblo está sumido en un terrible engaño, que impone la necesidad de amonestarlo para que interrumpa su sueño espiritual y se levante a cumplir una acción decidida.–*Joyas de los testimonios*, t. 1, pp. 328, 329.

Ser fiel en las tareas pequeñas y comunes

Procura con diligencia presentarte a Dios aprobado, como obrero que no tiene de qué avergonzarse, que usa bien la palabra de verdad.
2 Timoteo 2:15.

Por su fidelidad en las cosas pequeñas, Eliseo se estaba preparando para cumplir otros cometidos mayores. Día tras día, por medio de la experiencia práctica, adquiría idoneidad para una obra más amplia y elevada. Aprendía a servir; y al aprender esto, aprendía también a dar instrucciones y a dirigir. Esto encierra una lección para todos. Nadie puede saber lo que Dios se propone lograr con sus disciplinas; pero todos pueden estar seguros de que la fidelidad en las cosas pequeñas es evidencia de idoneidad para llevar responsabilidades mayores...

El que considera que no tiene importancia la manera en que cumple las tareas más pequeñas, demuestra que no está preparado para un puesto de más honra. Puede considerarse muy competente para encargarse de los deberes mayores; pero Dios mira más hondo que la superficie. Después de la prueba, queda escrita esta sentencia contra él: "Pesado ha sido en balanza, y fue hallado falto" [ver Dan. 5:27]. Su infidelidad reacciona sobre él mismo. No obtiene la gracia, el poder, la fuerza de carácter, que se reciben como consecuencia de una entrega sin reservas.

Por no estar relacionados con alguna obra directamente religiosa, muchos consideran que su vida es inútil, que nada hacen para hacer progresar el reino de Dios. Si tan sólo pudiesen hacer algo grande, ¡con cuánto gusto lo emprenderían! Pero porque sólo pueden servir en cosas pequeñas, se consideran justificados por no hacer nada. En esto yerran...

Muchos sienten el anhelo de poseer algún talento especial con qué hacer una obra maravillosa, mientras pierden de vista los deberes que tienen a mano, cuyo cumplimiento llenaría la vida de fragancia. Ejecuten los padres los deberes que se encuentran directamente en su camino. El éxito no depende tanto del talento como de la energía y de la buena voluntad. No es la posesión de talentos magníficos lo que nos habilita para prestar un servicio aceptable, sino el cumplimiento concienzudo de los deberes diarios, el espíritu contento, el interés sincero y sin afectación por el bienestar de los demás. En la suerte más humilde puede hallarse verdadera excelencia. Las tareas más comunes, realizadas con una fidelidad impregnada de amor, son hermosas a la vista de Dios.–*Profetas y reyes*, pp. 163, 164.

Afrontar dificultades desarrolla el músculo espiritual

El Señor no retarda su promesa, según algunos la tienen por tardanza, sino que es paciente para con nosotros, no queriendo que ninguno perezca, sino que todos procedan al arrepentimiento. 2 Pedro 3:9.

En tiempo de tentación pareciera que perdemos de vista el hecho de que Dios nos prueba para demostrar la calidad de nuestra fe, y para que a la venida de Jesús podamos tributarle alabanza, honor y gloria. El Señor nos coloca en diferentes situaciones para desarrollarnos. Si tenemos defectos de carácter que no conocemos, nos disciplina para que veamos esos defectos y podamos vencerlos.

Él ha dispuesto que nos encontremos en diferentes circunstancias para que hagamos frente a diversas tentaciones. Cuántas veces, cuando nos encontramos en una situación difícil, pensamos: "Esto es un error pasmoso. Cómo quisiera haber quedado donde estaba antes". ¿Pero por qué no están satisfechos? Se debe a que esa circunstancia particular ha servido para mostrarles nuevos defectos de su carácter; pero no se revela nada sino lo que estaba en ustedes. ¿Qué harán cuando sean probados por designio del Señor? Deben hacer frente a la emergencia y vencer sus defectos de carácter.

El contacto con las dificultades les dará músculo y fibra espirituales. Se harán fuertes en Cristo si soportan el proceso probatorio. Pero si critican su situación y a cada uno a su alrededor, sólo se debilitarán. He visto a personas que siempre estaban criticando cada cosa y a todos a su alrededor, pero la falta estaba en ellos mismos. Tenían necesidad de caer sobre la Roca y ser quebrantados. Se sentían completos en su propia justicia propia. Las adversidades que nos suceden, nos suceden para probarnos. El enemigo de nuestra alma está trabajando continuamente contra nosotros, pero se nos revelarán nuestros defectos de carácter, y cuando nos sean evidentes, en vez de criticar a otros, digamos: "Me levantaré e iré a mi Padre".

Cuando comenzamos a comprender que somos pecadores, y caemos sobre la Roca para ser quebrantados, nos rodean los brazos eternos y somos colocados cerca del corazón de Jesús. Entonces seremos cautivados por su belleza y quedaremos disgustados con nuestra propia justicia. Necesitamos acercarnos a los pies de la cruz. Mientras más nos humillemos allí, más excelso nos parecerá el amor de Dios.–*Review and Herald*, 6 de agosto de 1889. (Ver *A fin de conocerle*, p. 284.)

Mantener la integridad a cualquier costo

Acuérdense de sus dirigentes, que les comunicaron la palabra de Dios. Consideren cuál fue el resultado de su estilo de vida. Hebreos 13:7, NVI.

Cada plan y propósito de la vida debe estar sujeto a esta prueba infalible [la Palabra de Dios]. La Palabra de la inspiración es la sabiduría de Dios aplicada a los asuntos humanos. No importa cuán ventajoso pueda aparecer un cierto proceder al juicio finito, si está denunciado por la Palabra de Dios, sólo será malo en sus resultados.

Quizá sea difícil que los que ocupan cargos elevados puedan seguir una senda de integridad constante, ya sea que reciban alabanzas o censuras. Sin embargo, ésta es la única conducta segura. Toda la recompensa que puedan ganar al vender su honor, será sólo como el aliento de labios contaminados, como la escoria que debe ser consumida en el fuego. Los que tienen valor moral para oponerse a los vicios y errores de sus prójimos, que quizá sean de aquellos a quienes honra el mundo, recibirán odios, insultos e injuriosa falsedad. Quizá sean expulsados de sus altos cargos porque no se dejan comprar ni vender, porque no se dejan influir con sobornos ni amenazas para que manchen sus manos con iniquidad.

Todo lo que hay sobre la tierra quizá parezca conspirar contra ellos; pero Dios ha puesto su sello sobre su obra divina. Quizá sean considerados por sus semejantes como débiles, desprovistos de virilidad, incapaces para mantener el cargo. Pero cuán diferente es el concepto que tiene de ellos el Altísimo. Los que los desprecian son... ignorantes. Aunque las tormentas de las calumnias y el oprobio puedan perseguir al íntegro durante toda la vida y puedan estrellarse contra su tumba, Dios tiene preparado para él el "Bien hecho". En el mejor de los casos, la necedad y la iniquidad producirán una vida de inquietud y descontento que terminará angustiosamente. Y cuántos, al contemplar su conducta y sus resultados, son inducidos a terminar con sus propias manos su desdichada carrera. Y más allá... aguarda el juicio y la sentencia final irrevocable: ¡Apártense...!

El Hijo de Dios ha establecido un ejemplo para todos sus seguidores. No deben procurar la alabanza de los mortales, ni buscar para sí mismos comodidad o riqueza... Deben imitar la vida de pureza y abnegación del Hijo de Dios a cualquier costo... No manifestarán descuido hacia los derechos de otros. La ley de Dios nos ordena que amemos a nuestro prójimo como a nosotros mismos, que no permitamos que se establezca el mal contra ellos si lo podemos impedir. Pero la norma que dio Cristo va todavía más allá...: "Que se amen los unos a los otros, así como yo los he amado". Nada menos que esto puede alcanzar la norma del cristianismo.–*Signs of the Times,* 2 de febrero de 1882. (Ver *Comentario bíblico adventista,* t. 4, p. 1.192.)

El motivo determina el valor de nuestros actos

Entonces llamando a sus discípulos, les dijo: De cierto os digo que esta viuda pobre echó más que todos los que han echado en el arca; porque todos han echado de lo que les sobra; pero ésta, de su pobreza echó todo lo que tenía, todo su sustento. Marcos 12:43, 44.

Es el motivo lo que da carácter a nuestros actos, marcándolos con ignominia o con alto valor moral. No son las cosas grandes que todo ojo ve y que toda lengua alaba lo que Dios tiene por más precioso. Los pequeños deberes cumplidos alegremente, los pequeños donativos dados sin ostentación, y que a los ojos humanos pueden parecer sin valor, se destacan con frecuencia más altamente a su vista. Un corazón lleno de fe y de amor es más apreciable para Dios que el don más costoso.

La pobre viuda dio lo que necesitaba para vivir al dar lo poco que dio. Se privó de alimento para entregar esas dos blancas a la causa que amaba. Y lo hizo con fe, creyendo que su Padre celestial no pasaría por alto su gran necesidad. Fue este espíritu abnegado y esta fe infantil lo que mereció el elogio del Salvador.

Entre los pobres hay muchos que desean demostrar su gratitud a Dios por su gracia y verdad. Anhelan participar con sus hermanos más prósperos en el sostenimiento de su servicio. Estas almas no deben ser repelidas. Permítaseles poner sus blancas en el Banco del cielo. Si las dan con corazón lleno de amor por Dios, estas aparentes bagatelas llegan a ser donativos consagrados, ofrendas inestimables que Dios aprecia y bendice.

Cuando Jesús dijo acerca de la viuda: "Echó más que todos", sus palabras expresaron la verdad no sólo en cuanto al motivo, sino también acerca de los resultados de su don. Las "dos blancas", que son un maravedí, han traído a la tesorería de Dios una cantidad de dinero mucho mayor que las contribuciones de aquellos judíos ricos. La influencia de ese pequeño donativo ha sido como un arroyo, pequeño en su principio, pero que se ensancha y se profundiza a medida que va fluyendo en el transcurso de los siglos. Ha contribuido de mil maneras al alivio de los pobres y a la difusión del evangelio.

El ejemplo de abnegación de esa mujer ha obrado y vuelto a obrar en miles de corazones en todo país, en toda época. Ha impresionado tanto a ricos como a pobres, y sus ofrendas han aumentado el valor de su donativo. La bendición de Dios sobre las blancas de la viuda ha hecho de ellas una fuente de grandes resultados. Así también sucede con cada don entregado y todo acto realizado con un sincero deseo de glorificar a Dios. Está vinculado con los propósitos de la Omnipotencia. Nadie puede medir sus resultados para el bien.–*El Deseado de todas las gentes,* pp. 567, 568.

Permanecer cerca de Jesús y llegar a ser semejantes a él

Me mostrarás la senda de la vida; en tu presencia hay plenitud de gozo; delicias a tu diestra para siempre. Salmo 16:11.

Este mundo es nuestra escuela, una escuela de disciplina y preparación. Estamos aquí para formar caracteres semejantes al de Cristo, y para adquirir los hábitos y el idioma de la vida superior. Las influencias que se oponen al bien abundan en todos lados. La evolución del pecado ha llegado a tales niveles de abundancia y profundidad, y ha llegado a ser tan abominable para Dios, que pronto se levantará en su majestad para sacudir terriblemente la tierra.

Tan astutos son los planes del enemigo, tan aparentemente correctos los resultados que producen, que los débiles en la fe no pueden discernir sus engaños Caen en las trampas preparadas por Satanás, quien obra por medio de instrumentos humanos para engañar, si fuere posible, aun a los escogidos. Solamente los que están íntimamente relacionados con Dios serán capaces de descubrir las falsedades y las intrigas del enemigo.–*Cada día con Dios*, p. 96.

En este mundo hay sólo dos clases: los que sirven a Dios, y los que están bajo el negro estandarte del príncipe de las tinieblas. Mientras estén en este mundo, los que entren por las puertas de la ciudad de Dios deben vivir unidos a Cristo. Los principios del gobierno divino, los únicos que perdurarán de eternidad a eternidad, deben ser seguidos por los que buscan entrar en el reino de los cielos. La línea de demarcación entre los que sirven a Dios y los que no lo sirven debe mantenerse clara e inconfundible.

Permitamos que Dios controle nuestra mente. No digamos ni hagamos nada que desvíe a un semejante del camino recto. Me siento muy triste al pensar cuán pocos han experimentado la profunda bendición de estar en comunión con un Salvador que ha resucitado y ha ascendido al cielo. Los hombres y las mujeres del mundo luchan por la supremacía. Los seguidores de Dios nunca pierden de vista a Cristo, y preguntan: "¿Es éste el camino del Señor?" Un santo anhelo de vivir la vida de Cristo debe llenar nuestro corazón. En Jesús reside la plenitud de la Deidad corporalmente [Col. 2:9]. En él están escondidos todos los tesoros de la sabiduría y el conocimiento.

¡Oh, si nuestros hermanos pudiesen comprender las ventajas que tendrían si miraran siempre a Jesús!... Él es nuestro Alfa y Omega. Al ponernos íntimamente a su lado y al mantener comunión con él, llegaremos a ser semejantes a él. Por medio del poder transformador del Espíritu de Cristo, cambia nuestro corazón y nuestra vida.–*Australasian Union Conference Record*, 1º de febrero de 1904.

Para encontrar verdadera felicidad, obedecer a Dios

Estas bendiciones tuve porque guardé tus mandamientos. Salmo 119:56.

Debemos buscar la felicidad en la forma correcta, y en la fuente correcta. Algunos piensan que seguramente pueden encontrar la felicidad en una conducta de satisfacción en placeres pecaminosos, o en atracciones mundanales engañosas. Y algunos sacrifican obligaciones físicas y morales pensando encontrar felicidad, y pierden tanto el alma como el cuerpo. Otros buscarán su felicidad en la complacencia de un apetito desnaturalizado, y consideran la complacencia del gusto más deseable que la salud y la vida. Muchos se permiten estar encadenados por pasiones sensuales y sacrifican la fuerza física, el intelecto y los poderes de la mente en la gratificación del placer. Descenderán prematuramente a la tumba, y en el juicio serán acusados de haberse asesinado.

¿Es deseable esta... felicidad que se encuentra en el sendero de la desobediencia y de la transgresión de la ley física y moral? La vida de Cristo señala la verdadera fuente de felicidad, y de qué manera debe alcanzarse. Su vida señala el camino directo y único al cielo.

Escuchemos la voz de la sabiduría. Permitamos que marque nuestra senda. "Sus caminos son caminos deleitosos, y todas sus veredas paz" (Prov. 3:17).

Las tentaciones están a cada lado para atraer los pasos de los jóvenes hacia su ruina. La triste deficiencia en la educación de los hijos los deja débiles e indefensos, fluctuantes en carácter, flojos en intelecto y deficientes en fortaleza moral, de tal manera que lejos de imitar la vida de Cristo, generalmente los jóvenes son semejantes a una caña que se estremece por el viento. No tienen constitución física o poder moral porque ceden a las tentaciones. Por medio de complacencias pecaminosas, mancillan su pureza, y sus modales están corrompidos. Son intolerantes hacia las limitaciones, y se lisonjean de que si pudieran hacer lo que quisieran, entonces serían muy felices...

Si los niños y los jóvenes quisieran buscar su bien terrenal más elevado, deben buscarlo en la senda de la obediencia fiel. Un estado físico sano, que es el mayor premio terrenal, puede obtenerse sólo por medio de una negación del apetito antinatural. Si en verdad quisieran ser felices, deberían buscar alegremente estar en el puesto del deber, haciendo con fidelidad la obra que les corresponde, conformando su corazón y vida al modelo perfecto.–*The Youth's Instructor*, abril de 1872.

Cuando pasemos por pruebas, repasar la gran misericordia de Dios

Sustenta mis pasos en tus caminos, para que mis pies no resbalen. Yo te he invocado, por cuanto tú me oirás, oh Dios; inclina a mí tu oído, escucha mi palabra. Salmo 17:5, 6.

El Señor ordenó a Moisés que refiriese a los hijos de Israel cómo los había librado del yugo de Egipto y les había conservado milagrosamente la vida en el desierto. Moisés debía recordarles su incredulidad, sus murmuraciones cuando fueron probados, así como la gran misericordia y tierna bondad del Señor que no los abandonaron nunca. Ello debía estimular su fe y fortalecer su valor...

De igual importancia es hoy que el pueblo de Dios recuerde los lugares y las circunstancias en que fue probado, en que su fe desfalleció, en que hizo peligrar su causa por motivo de su incredulidad y confianza en sí mismo. La misericordia de Dios, su providencia, sus libramientos inolvidables, deben ser recordados unos tras otros. A medida que el pueblo de Dios repase así lo pasado, debe comprender que el Señor repite su trato. Debe prestar atención a las advertencias que le son dadas y guardarse de volver a caer en las mismas faltas. Renunciando a toda confianza en sí mismos, los hijos de Dios deben confiar en él para que los guarde del pecado que podría deshonrar su nombre. Cada vez que Satanás obtiene una victoria, hay almas que peligran; algunos caen bajo sus tentaciones y no pueden recuperarse...

Dios manda pruebas para saber quiénes permanecerán fieles cuando estén expuestos a la tentación. Coloca a cada uno en situaciones difíciles para ver si confiará en una potencia superior. Cada uno posee rasgos de carácter todavía ignorados y que deben ser puestos en evidencia por medio de la prueba. Dios permite que quienes confían en sí mismos sean gravemente tentados, con el fin de que puedan comprender su incapacidad.

Cuando sobrevienen pruebas; cuando vemos delante de nosotros no una gran prosperidad, sino, por el contrario, una situación que exige algún sacrificio por parte de todos, ¿cómo recibimos las insinuaciones de Satanás de que nos esperan momentos extremadamente penosos? Si escuchamos lo que él nos sugiere, perderemos nuestra confianza en Dios... Debemos juntar las pruebas de las bendiciones del cielo, las bendiciones ya recibidas de lo alto, y decir: "Señor, creemos en ti, en tus siervos y en tu obra".–*Joyas de los testimonios, t. 3, pp. 190, 191.*

Recibir luz y caminar en ella

Vosotros sois la luz del mundo. Una ciudad asentada sobre un monte no se puede esconder. Mateo 5:14.

Hay una cosa en el mundo que es el objeto de la mayor solicitud de Cristo. Es su iglesia en la tierra; porque sus miembros deben ser representantes de él en espíritu y en carácter. El mundo debe reconocer en ellos a los representantes del cristianismo, a los depositarios de las sagradas verdades en las cuales están almacenadas las joyas más preciosas para el enriquecimiento de otros. A través de las edades de oscuridad moral y de error, a través de los siglos de lucha y persecución, la iglesia de Cristo ha sido como una ciudad asentada en lo alto de una colina. De generación en generación, a través de las generaciones sucesivas hasta el tiempo presente, las doctrinas puras de la Biblia se han estado desplegando dentro de sus límites.

Pero para que la iglesia en la tierra pueda ser un poder educador en el mundo, debe cooperar con la iglesia en el cielo. El corazón de los que son miembros de iglesia deben abrirse para recibir cada rayo de luz que Dios eligió impartir. Dios tiene luz para impartirnos de acuerdo con nuestra capacidad para recibirla, y mientras recibimos la luz, seremos capaces de recibir más y más de los rayos del Sol de justicia...

Cada uno de nosotros está a prueba, en una escuela, donde se nos requiere ser estudiantes diligentes. Se nos ordena que caminemos en la luz, como Cristo está en la luz. Es al caminar en la luz cuando aprendemos de Dios, y "esta es la vida eterna: que te conozcan a ti, el único Dios verdadero, y a Jesucristo, al cual has enviado" (Juan 17:3). Estas son las palabras de aquel que estaba con el Padre antes de que el mundo fuera, y las pronunció mientras oraba por todos los que iban a creer en Dios por medio de las palabras de sus discípulos. Conocer a Dios en sus obras es verdadera ciencia. Continuemos conociendo al Señor hasta que conozcamos que sus salidas están preparadas como la mañana...

Las almas fieles han constituido la iglesia de Dios en la tierra, y él las ha llevado a una relación de pacto consigo mismo, uniendo su iglesia en la tierra con su iglesia en el cielo. Ha enviado a ángeles celestiales para velar por su iglesia, y las puertas del infierno no fueron capaces de prevalecer contra su pueblo.–*Manuscript Releases*, t. 2, pp. 265, 266.

Revelar amor, compasión y ternura

Y todo lo que hacéis, sea de palabra o de hecho, hacedlo todo en el nombre del Señor Jesús, dando gracias a Dios Padre por medio de él. Colosenses 3:17.

Una gran responsabilidad reposa sobre los que han sido bautizados en el nombre del Padre, del Hijo y del Espíritu Santo. Esfuércense por comprender el significado de las palabras: "Porque habéis muerto, y vuestra vida está escondida con Cristo en Dios" (Col. 3:3). En la nueva vida a que han entrado, se los señala para que representen la vida de Cristo...

La vieja vida pecaminosa ha muerto; por medio del compromiso del bautismo, la nueva vida tomó su lugar con Cristo. Practiquen las virtudes del carácter del Salvador. "La palabra de Cristo more en abundancia en vosotros, enseñándoos y exhortándoos unos a otros en toda sabiduría, cantando con gracia en vuestros corazones al Señor con salmos e himnos y cánticos espirituales" (Col. 3:16)...

Estas cosas deben presentarse en las iglesias. Debe revelarse entre nosotros el amor, la compasión y la ternura. Como escogidos de Dios, vístanse de misericordia y bondad. Los pecados que se practicaban antes de la conversión deben abandonarse con el viejo hombre. Con el nuevo, Cristo Jesús, debemos vestirnos de "benignidad, de humildad, de mansedumbre, de paciencia" (Col. 3:12).

Los que se han levantado con Cristo para andar en novedad de vida son los elegidos de Dios. Son santos frente al Señor, y él los reconoce como sus amados. Como tales, están bajo el solemne pacto de distinguirse manifestando humildad de mente. Deben revestirse del manto de justicia. Están separados del mundo, de su espíritu, de sus prácticas, y deben revelar que están aprendiendo de él, quien dijo: "Soy manso y humilde de corazón" (Mat. 11:29).

Si comprenden que han muerto con Cristo, si mantienen su voto bautismal, el mundo no tendrá poder para apartarlos con el fin de que nieguen a Cristo. Si viven la vida de Cristo en este mundo, son participantes de la naturaleza divina. Entonces, cuando Cristo, que es la vida de ustedes, se manifieste, también ustedes serán manifestados con él en gloria.–*Manuscript Releases*, t. 19, pp. 236, 237. (Ver *Hijos e hijas de Dios*, pp. 302, 135.)

No acusar a otros, sino interceder por ellos

Por lo cual debía ser en todo semejante a sus hermanos, para venir a ser misericordioso y fiel sumo sacerdote en lo que a Dios se refiere, para expiar los pecados del pueblo. Hebreos 2:17.

Los seres humanos, sujetos a la tentación, recuerden que en las cortes celestiales tienen un Sumo Sacerdote que se conmueve con el sentimiento de sus debilidades, porque él mismo fue tentado así como lo son ellos. Y que los que están en posiciones de responsabilidad recuerden especialmente que están sujetos a la tentación, y que dependen totalmente de los méritos del Salvador. Por muy sagrada que sea la tarea a la cual pueden ser llamados, todavía son pecadores que pueden ser salvados sólo a través de la gracia de Cristo. Un día deberán estar ante el trono de Dios, salvados por la sangre del Cordero, o condenados al castigo de los impíos...

¡Cuán apenado está Cristo por la falta de amor y ternura manifestada por su pueblo en sus tratos los unos con los otros! Él observa las palabras, los tonos de la voz. Escucha el juicio cruel y severo que se pronuncia sobre los que él, a un precio infinito, está presentando ante el Padre. Escucha cada suspiro de dolor y tristeza causado por la dureza humana, y su Espíritu se apena.

Fuera de Cristo no podemos hacer ninguna cosa buena. Entonces, ¡cuán inconsistente es que los seres humanos se exalten a sí mismos! Cuán extraño que algunos puedan olvidar que deben arrepentirse, al igual que sus semejantes, y que aquellos a quienes condenan con severidad pueden estar justificados ante Dios, recibiendo la simpatía de Cristo y de los ángeles.

Que los mensajeros de Dios actúen como hombres y mujeres sabios. Que no eleven su alma a la vanidad, sino que alberguen la humildad. "Porque así dijo el Alto y Sublime, el que habita en la eternidad, y cuyo nombre es el Santo: Yo habito en la altura y la santidad, y con el quebrantado y humilde de espíritu, para hacer vivir el espíritu de los humildes, y para vivificar el corazón de los quebrantados" (Isa. 57:15)...

Cristo está intercediendo por el caso de cada alma tentada, pero mientras hace eso, muchos de su pueblo lo están contristando al ponerse del lado de Satanás para acusar a sus hermanos y hermanas, señalando sus vestidos contaminados.

Que los que son así criticados no lleguen a desanimarse; porque mientras otros los están condenando, Cristo está diciendo de ellos: los tengo esculpidos en las palmas de mis manos. Son míos por creación y redención.–*Review and Herald*, 17 de marzo de 1903.

Vivir con altruismo, y enseñar a la gente a amar a Jesús

Sigan por el camino que el SEÑOR su Dios les ha trazado, para que vivan, prosperen y disfruten de larga vida en la tierra que van a poseer.
Deuteronomio 5:33, NVI.

Cristo es el camino, la verdad y la vida. Les ruego que estudien su vida... Él vino para traer el don de la vida eterna a las almas perdidas. En el sacrificio de su Hijo, el Padre reveló cuánto desea que los pecadores sean salvados. "Por eso me ama el Padre", declaró Cristo, "porque yo pongo mi vida" (Juan 10:17). El Padre nos ama con un amor que apenas se comprende débilmente.

Debido a que a los hombres y a las mujeres les falta el espíritu de abnegación y de sacrificio de sí mismos, no pueden comprender el sacrificio hecho por el Cielo al dar a Cristo al mundo. Su experiencia religiosa está mezclada con egoísmo y vanagloria. ¿Cómo pueden semejantes maestros tener siquiera una escasa esperanza de compartir la herencia de Cristo? "Les aseguro", les dijo a sus discípulos, "que a menos que ustedes cambien y se vuelvan como niños, no entrarán en el reino de los cielos" (Mat. 18:3).

Hay muchos que, mientras profesan piedad, se miden entre ellos mismos, y como resultado se debilitan en la vida espiritual. No se vence al orgullo. Esas almas no entenderán su necesidad hasta que caigan sobre la Roca y sean quebrantadas. ¡Ojalá que puedan confesar sus equivocaciones ante Dios y rogar por la presencia del Espíritu Santo en su vida! La verdad y la justicia fluirán en el corazón que es limpiado del egoísmo y el pecado, y a través de la vida de aquellos en cuya alma la verdad ocupa el primer lugar...

La maldad del mundo no ha llegado a su fin. Cada año, el mal llega a estar más extendido, y se lo considera más livianamente. Que nuestras reuniones, cuando nos juntamos, sean períodos de examen de conciencia y de confesión. Es el privilegio de este pueblo, que ha tenido tan grandes bendiciones, ser árboles de justicia, impartiendo consuelo y bendición. Deben ser piedras vivas, que emitan luz. Los que han recibido el perdón de sus pecados, con un propósito fervoroso deberían conducir a los que están en los caminos del pecado a las sendas de justicia. Al participar de la abnegación y del sacrificio de sí mismos, enseñarán a los hombres y a las mujeres a abandonar el egoísmo y el pecado, y a aceptar en su lugar los amables atributos de la naturaleza divina.–*Review and Herald*, 22 de julio de 1909.

Poner las bajas pasiones bajo sujeción

Amados, yo os ruego como a extranjeros y peregrinos en este mundo, que os abstengáis de los deseos carnales que batallan contra el alma, manteniendo buena vuestra manera de vivir entre los gentiles; para que... glorifiquen a Dios en el día de la visitación, al considerar vuestras buenas obras. 1 Pedro 2:11, 12.

Al acercarse el fin de la historia de esta tierra, Satanás obrará con todo su poder de la misma manera y con las mismas tentaciones con que tentó al antiguo Israel cuando estaba por entrar en la tierra prometida. Tenderá lazos para los que aseveran guardar los mandamientos de Dios, y que están casi en los límites de la Canaán celestial. Empleará hasta lo sumo sus poderes para entrampar a las almas y hacer caer en lo que respecta a sus puntos más débiles a los que profesan ser hijos de Dios.

Satanás ha resuelto destruir por medio de sus tentaciones y contaminar por medio de la licencia el alma de quienes no hayan sujetado las pasiones inferiores a las facultades superiores de su ser, a los que dejaron correr sus pensamientos por el canal de la satisfacción carnal de las pasiones más bajas. No apunta especialmente a los blancos menos importantes, sino que se vale de sus engaños mediante personas a quienes puede alistar como agentes suyos para inducir a los hombres a las mujeres a permitirse libertades que la ley de Dios condena.

Ataca a quienes ocupan puestos de responsabilidad, los que enseñan lo exigido por la ley de Dios, a aquellos de cuya boca rebosan los argumentos para vindicar dicha ley, y dirigiendo contra ellos sus poderes infernales, pone sus agentes a trabajar para hacerlos caer en los puntos débiles de su carácter, sabiendo que quien transgrede en un punto, es culpado de todos, y él, Satanás, domina así todo su ser. La ruina abarca la mente, el alma y el cuerpo. Si se trata de quien fue mensajero de la justicia, poseedor de mucha luz, o si el Señor lo usó como obrero especial en la causa de la verdad, entonces ¡cuán grande es el triunfo de Satanás! ¡Cómo se regocija él! ¡Cuánto deshonor para Dios!–*El hogar adventista*, p. 296.

Satanás sabe que es su tiempo. Sabe que le queda poco tiempo para trabajar, y obrará con tremendo poder para entrampar al pueblo de Dios en los puntos débiles de su carácter... Es necesario guardar los pensamientos; proteger el alma con los mandatos de la Palabra de Dios, y ser muy cuidadosos en cada pensamiento, palabra, acción, para no ser engañados para pecar.–*Review and Herald*, 17 de mayo de 1887.

Buscar reflejar la imagen de Jesús

El que dice que permanece en él, debe andar como él anduvo.
1 Juan 2:6.

¡Qué amor supremo y qué condescendencia, que cuando no merecíamos en absoluto la misericordia divina, Cristo estuvo dispuesto a realizar nuestra redención! Pero nuestro gran Médico requiere de cada alma sumisión absoluta. Nosotros nunca debemos extender una receta para nuestro propio mal. Cristo debe disponer plenamente de la voluntad y de la acción, o no lo hará en nuestro beneficio.

Muchos no perciben su condición y su peligro, y hay mucho en la naturaleza de la religión cristiana que es contraria a cada sentimiento y principio mundanos, y opuesta al orgullo del corazón humano. Podemos vanagloriarnos, como lo hizo Nicodemo, de que nuestro carácter moral ha sido correcto y no necesitamos humillarnos delante de Dios como los pecadores comunes, pero debemos estar contentos de poder entrar en la vida en la misma forma que el principal de los pecadores. El yo debe morir. Debemos renunciar a nuestra propia justicia y rogar que se nos impute la justicia de Cristo. Él es nuestra fortaleza y nuestra esperanza.

El amor sigue a la fe genuina; amor que se manifiesta en el hogar, en la sociedad y en todas las relaciones de la vida; amor que allana las dificultades y que nos eleva por encima de las insignificancias desagradables que Satanás coloca en nuestro camino para irritarnos. Y la obediencia sigue al amor. Todas las facultades y pasiones de la persona convertida quedan bajo el dominio de Cristo. Su espíritu es un poder renovador, que transforma de acuerdo con la imagen divina a todos los que lo reciben.

Llegar a ser un discípulo de Cristo es negar el yo, y seguir a Jesús a través de la reputación, ya sea buena o mala. Es cerrar la puerta al orgullo, la envidia, la duda y otros pecados, y de esa manera excluir la lucha, el odio y cada obra mala. Es dar la bienvenida en nuestro corazón a Jesús, el manso y humilde, que está buscando entrar como nuestro huésped...

Jesús es un Modelo para la humanidad, completo y perfecto. Se propone hacernos semejantes a él: verdaderos en cada propósito, sentimiento y pensamiento; verdaderos en corazón, alma y vida. El hombre o la mujer que aprecia lo más supremo del amor de Cristo en el alma, que refleja más perfectamente la imagen de Cristo, es, a la vista de Dios, la persona más verdadera, más noble y más honorable. Pero los que no tienen el espíritu de Cristo, "no son de él".–*Signs of the Times*, 14 de julio de 1887. (Ver *¡Maranata: El Señor viene!*, p. 71.)

Debemos dar esperanza a los caídos

Y renovaos en el espíritu de vuestra mente, y vestíos del nuevo hombre, creado según Dios en la justicia y santidad de la verdad.
Efesios 4:23, 24.

Cristo reprendía fielmente. Nunca vivió otro que odiara tanto el mal, ni cuyas acusaciones fuesen tan terribles. Su misma presencia era un reproche para todo lo falso y bajo. A la luz de su pureza, las personas veían que eran impuras, y que el propósito de su vida era despreciable y falso. Sin embargo, él los atraía. El que los había creado apreciaba el valor de la humanidad. Delataba el mal como enemigo de aquellos a quienes trataba de bendecir y salvar. En todo ser humano, cualquiera fuera el nivel al cual hubiese caído, veía a un hijo de Dios que podía recobrar el privilegio de su relación divina.

"Porque no envió Dios a su Hijo al mundo para condenar al mundo, sino para que el mundo sea salvo por él" (Juan 3:17). Al contemplar a la gente sumida en el sufrimiento y la degradación, Cristo percibió que, donde sólo se veía desesperación y ruina, había motivos de esperanza. Dondequiera que existiera una sensación de necesidad, él veía una oportunidad de elevación. Respondía a las almas tentadas, derrotadas, que se sentían perdidas, a punto de perecer, no con acusación, sino con bendición.

Las bienaventuranzas constituyeron un saludo para toda la familia humana. Al contemplar la vasta multitud reunida para escuchar el Sermón del Monte, pareció olvidar por el momento que no se hallaba en el cielo, y usó el saludo familiar del mundo de la luz. De sus labios brotaron bendiciones como de un manantial por largo tiempo obstruido.

Apartándose de los ambiciosos y engreídos favoritos de este mundo, declaró que serían bendecidos quienes, aunque fuera grande su necesidad, recibiesen su luz y su amor. Tendió sus brazos a los pobres en espíritu, a los afligidos, a los perseguidos, diciendo: "Vengan a mí... y yo les daré descanso" (Mat. 11:28, NVI).

En cada ser humano percibía posibilidades infinitas. Veía a los hombres y a las mujeres según podrían ser, transformados por su gracia, en "la luz de Jehová nuestro Dios" (Sal. 90:17). Al mirarlos con esperanza, inspiraba esperanza. Al saludarlos con confianza, inspiraba confianza... En más de un corazón que parecía muerto a todas las cosas santas, se despertaron nuevos impulsos. A más de un desesperado se le presentó la posibilidad de una nueva vida.–*La educación*, pp. 79, 80.

Tomar tiempo para orar y leer la Palabra

Éstos son los que fueron sembrados entre espinos: los que oyen la palabra, pero los afanes de este siglo, y el engaño de las riquezas, y las codicias de otras cosas, entran y ahogan la palabra, y se hace infructuosa.
Marcos 4:18, 19.

Cristo especificó las cosas que son dañinas para el alma. Según Marcos, él mencionó los cuidados de este siglo, el engaño de las riquezas y la codicia de otras cosas. Lucas especifica los cuidados, las riquezas y los pasatiempos de la vida. Esto es lo que ahoga la palabra, el crecimiento de la semilla espiritual. El alma deja de obtener su nutrición de Cristo, y la espiritualidad se desvanece del corazón.

"Los cuidados de este siglo". Ninguna clase de personas está libre de la tentación de los cuidados del mundo. El trabajo penoso, la privación y el temor de la necesidad le acarrean al pobre perplejidades y cargas. Al rico le sobreviene el temor de la pérdida y una multitud de congojas. Muchos de los que siguen a Cristo olvidan la lección que él nos ha invitado a aprender de las flores del campo. No confían en su cuidado constante. Cristo no puede llevar sus cargas porque ellos no las echan sobre él...

Muchos que podrían ser fructíferos en el servicio de Dios se dedican a adquirir riquezas. La totalidad de su energía es absorbida en las empresas comerciales, y se sienten obligados a descuidar las cosas de naturaleza espiritual. Así se separan de Dios... Hemos de trabajar para poder dar al que necesita. Los cristianos deben trabajar, deben ocuparse en los negocios, y pueden hacerlo sin pecar. Pero muchos llegan a estar tan absortos en los negocios, que no tienen tiempo para orar, para estudiar la Biblia, para buscar y servir a Dios.

A veces su alma anhela la santidad y el cielo; pero no tienen tiempo para apartarse del ruido del mundo con el fin de escuchar el lenguaje del Espíritu de Dios, que habla con majestad y autoridad. Las cosas de la eternidad se convierten en secundarias y las cosas del mundo en supremas. Es imposible que la simiente de la palabra produzca fruto; pues la vida del alma se emplea en alimentar las espinas de la mundanalidad.

Y muchos que obran con un propósito muy diferente caen en un error similar. Están trabajando para el bien de otros; sus deberes apremian, sus responsabilidades son muchas, y permiten que su trabajo ocupe hasta el tiempo que deben a la devoción... Andan lejos de Cristo; su vida no está saturada de su gracia y se revelan las características del yo.–*Palabras de vida del gran Maestro*, pp. 31, 32.

Estudiar las palabras de Cristo, no las opiniones humanas

Pues la ley por medio de Moisés fue dada, pero la gracia y la verdad vinieron por medio de Jesucristo. Juan 1:17.

Jesús era la luz del mundo. Vino de Dios con un mensaje de esperanza y salvación para los hijos caídos de Adán. Si los hombres y las mujeres quisieran recibirlo como su Salvador personal, él prometió restaurarlos a la imagen de Dios y redimir todo lo que se había perdido por causa del pecado. Presentó la verdad a los seres humanos sin una hebra entretejida de error. Cuando enseñó, sus palabras vinieron con autoridad, porque habló con conocimiento positivo de la verdad.

La enseñanza de los mortales es totalmente diferente de la enseñanza de Cristo. Hay una tendencia constante por parte de los humanos a presentar sus propias teorías y opiniones como asuntos dignos de atención, aun cuando no tengan fundamento en la verdad. Son muy tenaces para sus ideas erróneas y para sus opiniones ociosas. Se aferrarán firmemente a las tradiciones de la humanidad, y las defenderán tan vigorosamente como si fueran realmente la verdad.

Jesús declaró que cada uno que fuera de la verdad oiría su voz. Cuánto más poder acompañaría hoy a la predicación de la Palabra si los ministros se espaciaran menos sobre teorías y argumentos humanos, y mucho más sobre las lecciones de Cristo y sobre la piedad práctica. El que estuvo en el consejo de Dios, que había morado en su presencia, estaba bien familiarizado con el origen y los elementos de la verdad, y entendía su relación e importancia para la humanidad. Presentó al mundo el plan de salvación, y desplegó verdad del orden más elevado, incluso palabras de vida eterna.

Patriarcas, profetas y apóstoles hablaron según eran movidos por el Espíritu Santo, y declararon claramente que hablaban no por su propio poder ni en su propio nombre. Deseaban que no se les atribuyera ningún crédito, para que nadie los considerara como los originadores de algo de lo cual pudieran gloriarse. Fueron celosos por el honor de Dios, a quien pertenece toda alabanza. Declararon que su capacidad y los mensajes que trajeron les fueron dados como delegados del poder de Dios. Dios fue su autoridad y suficiencia...

Cristo es el Autor de toda verdad. Toda concepción brillante, todo pensamiento de sabiduría, toda capacidad y talento de los seres humanos, son dones de Cristo. Él no tomó ideas nuevas de la humanidad, porque él es el originador de todo.–*Review and Herald,* 7 de enero de 1890.

Ser usado por el Espíritu en el servicio de Cristo

Grandes y maravillosas son tus obras, Señor Dios Todopoderoso; justos y verdaderos son tus caminos, Rey de los santos. ¿Quién no te temerá, oh Señor, y glorificará tu nombre?, pues sólo tú eres santo; por lo cual todas las naciones vendrán y te adorarán. Apocalipsis 15:3, 4.

Dios inspirará a los que se hallan en posiciones humildes para que prediquen el mensaje de la verdad presente. Se verá que muchos de ellos se apresurarán de aquí para allá, constreñidos por el Espíritu de Dios, llevando la luz a los que se hallan en tinieblas. En ellos la verdad es como un fuego en sus huesos que los llena de un ardiente deseo de alumbrar a los que están en oscuridad. Muchos, aun entre los iletrados, proclamarán la Palabra del Señor. Aun los niños se sentirán impulsados por el Espíritu de Dios para salir a declarar el mensaje del cielo. El Espíritu será derramado sobre los que se sometan a sus indicaciones. Desechando los reglamentos humanos obligatorios y los movimientos prudentes, se unirán al ejército del Señor.

En el futuro, el Espíritu del Señor impresionará a personas que se dedican a los quehaceres comunes de la vida para que dejen sus empleos ordinarios y salgan a proclamar el último mensaje de misericordia. Se los debe preparar para el trabajo tan rápidamente como sea posible, para que sus esfuerzos sean coronados por el éxito. Colaboran con los ángeles celestiales, porque están dispuestos a gastarse y ser gastados en el servicio del Maestro. Nadie está autorizado a entorpecer a estos obreros. En cambio, se les debe desear la bendición de Dios cuando salen a cumplir la gran comisión. No debe hablarse de ellos ninguna palabra de mofa mientras siembran la semilla del evangelio en los lugares difíciles de la tierra.

Las cosas mejores de la vida: la sencillez, la honestidad, la veracidad, la pureza, la integridad intachable, no pueden comprarse ni venderse; son tan gratuitas para el ignorante como para el educado, para la persona de color como para el blanco, y para el humilde campesino como para el rey sobre su trono.

Los obreros humildes que no confían en sus propias fuerzas, pero que trabajan con sencillez, confiando siempre en Dios, compartirán el gozo del Salvador. Sus oraciones perseverantes conducirán almas a la cruz. En cooperación con sus esfuerzos abnegados, Jesús influirá en el corazón de la gente, obrando milagros en la conversión de las almas. Hombres y mujeres serán reunidos en la comunidad de la iglesia. Se edificarán templos y se establecerán escuelas. El corazón de los obreros se llenará de regocijo al ver la salvación de Dios.–*Testimonies for the Church*, t. 7, pp. 26-28.

La felicidad se encuentra en el ambiente de la naturaleza

Y llamó Dios a lo seco Tierra, y a la reunión de las aguas llamó Mares. Y fue la tarde y la mañana el día segundo. Génesis 1:10.

El Padre y el Hijo emprendieron la grandiosa y admirable obra que habían proyectado: la creación del mundo. La tierra que salió de las manos del Creador era sumamente hermosa. Había montañas, colinas y llanuras, y, entre ellas, ríos, lagos y lagunas. La tierra no era una vasta llanura. Su superficie estaba interrumpida por colinas y montañas, no altas y abruptas como las de ahora, sino de formas hermosas y regulares. No se veían las rocas escarpadas y desnudas, porque yacían bajo la superficie como si fueran los huesos de la tierra.

Las aguas se distribuían con regularidad. Las colinas, montañas y bellísimas llanuras estaban adornadas con plantas y flores, y altos y majestuosos árboles de toda clase, muchísimo más grandes y hermosos que los de ahora. El aire era puro y saludable, y la tierra parecía un noble palacio. Los ángeles se regocijaban al contemplar las admirables y hermosas obras de Dios.

Después de crear la tierra y los animales que la habitaban, el Padre y el Hijo llevaron adelante su propósito, ya concebido antes de la caída de Satanás, de crear al hombre a su propia imagen. Habían actuado juntos en ocasión de la creación y de todos los seres vivientes que había en ella. Entonces Dios dijo a su Hijo: "Hagamos al hombre a nuestra imagen". Cuando Adán salió de las manos de su Creador era de noble talla y hermosamente simétrico. Era bien proporcionado, y su estatura era un poco más del doble que la de los hombres que hoy habitan la tierra. Sus facciones eran perfectas y hermosas. Su tez no era blanca ni pálida, sino sonrosada, y resplandecía con el exquisito matiz de la salud. Eva no era tan alta como Adán. Su cabeza se alzaba algo más arriba de los hombros de él. También era de noble aspecto, perfecta simetría y muy hermosa.

La santa pareja no usaba vestiduras artificiales. Estaban revestidos de un velo de luz y esplendor como el de los ángeles. Este halo de luz los envolvió mientras vivieron en obediencia a Dios. Aunque todo cuanto el Señor había creado era perfecto y hermoso, y parecía que nada faltaba en la tierra creada por él para la felicidad de Adán y Eva, les manifestó su gran amor al plantar un huerto especialmente para ellos... Ese hermoso jardín iba a ser su hogar, su residencia especial.–*Exaltad a Jesús*, p. 41; *Signs of the Times*, 9 de enero de 1879.

Toda la naturaleza fue confiada a Adán y Eva

Entonces dijo Dios: Hagamos al hombre a nuestra imagen, conforme a nuestra semejanza; y señoree en los peces del mar, en las aves de los cielos, en las bestias, en toda la tierra, y en todo animal que se arrastra sobre la tierra. Génesis 1:26.

Mientras permaneciesen leales a Dios, Adán y su compañera iban a ser los señores de la tierra. Recibieron dominio ilimitado sobre toda criatura viviente. El león y la oveja triscaban pacíficamente a su alrededor o se echaban junto a sus pies. Los felices pajarillos revoloteaban alrededor de ellos sin temor alguno; y cuando sus alegres trinos ascendían alabando a su Creador, Adán y Eva se unían a ellos en acción de gracias al Padre y al Hijo.

La santa pareja era no sólo hijos bajo el cuidado paternal de Dios, sino también estudiantes que recibían instrucción del omnisciente Creador. Eran visitados por los ángeles, y se gozaban en la comunión directa con su Creador, sin ningún velo oscurecedor de por medio. Se sentían pletóricos del vigor que procedía del árbol de la vida, y su poder intelectual era apenas un poco menor que el de los ángeles. Los misterios del universo visible, "las maravillas del Perfecto en sabiduría" (Job 37:16), les suministraban una fuente inagotable de instrucción y placer.

Las leyes y los procesos de la naturaleza que han sido objeto del estudio de la humanidad durante seis mil años, fueron puestos al alcance de su mente por el infinito Forjador y Sustentador de todo. Se entretenían con las hojas, las flores y los árboles, descubriendo en cada uno de ellos los secretos de su vida. Toda criatura viviente era familiar para Adán, desde el poderoso leviatán que juega entre las aguas hasta el más diminuto insecto que flota en el rayo del sol. A cada uno le había dado su nombre y conocía su naturaleza y sus costumbres.

La gloria de Dios en los cielos, los innumerables mundos en sus ordenados movimientos, "las diferencias de las nubes" (Job 27:16), los misterios de la luz y del sonido, de la noche y del día, todo estaba al alcance de la comprensión de nuestros primeros padres. El nombre de Dios estaba escrito en cada hoja del bosque, y en cada piedra de la montaña, en cada brillante estrella, en la tierra, en el aire y en los cielos. El orden y la armonía de la creación les hablaba de una sabiduría y un poder infinitos. Continuamente descubrían algo nuevo que llenaba su corazón del más profundo amor, y les arrancaba nuevas expresiones de gratitud.–*Patriarcas y profetas, pp. 32, 33.*

La sabiduría y el amor de Dios revelados en la naturaleza

Y los bendijo Dios, y les dijo: Fructificad y multiplicaos; llenad la tierra, y sojuzgadla, y señoread en los peces del mar, en las aves de los cielos, y en todas las bestias que se mueven sobre la tierra. Génesis 1:28.

La santa pareja miraba la naturaleza como un cuadro de hermosura sin par. La tierra de color marrón estaba vestida con una alfombra de animado verdor, diversificado con una variedad interminable de flores que se propagaban por sí solas y se perpetuaban. Arbustos, flores y vides trepadoras regalaban los sentidos con su belleza y fragancia. Las muchas variedades de árboles elevados estaban cargadas con frutos de toda clase, y de sabor delicioso, adaptados para complacer el paladar y satisfacer las necesidades de la feliz pareja. Dios proporcionó ese hogar del Edén para nuestros primeros padres, dándoles evidencias inequívocas del gran amor y cuidado que tenía por ellos.

Adán fue coronado rey en el Edén. Se le dio dominio sobre toda cosa viviente que Dios había creado. El Señor bendijo a Adán y a Eva con una inteligencia que no dio a ninguna otra criatura. Hizo de Adán el legítimo soberano de todas las obras de las manos de Dios...

Adán y Eva podían trazar la habilidad y la gloria de Dios en cada brizna de hierba y en cada arbusto y cada flor. La hermosura natural que los rodeaba, al igual que un espejo, reflejaba la sabiduría, excelencia y amor de su Padre celestial. Y sus cánticos de afecto y alabanza se elevaban dulce y reverentemente hacia el cielo, armonizando con los cantos de los ángeles exaltados, y con las felices aves que cantaban alegremente su música sin sobresaltos. No había enfermedad, decadencia, ni muerte por ningún lado. Había vida en cada cosa sobre la que descansaba la vista. La atmósfera estaba impregnada con vida. Había vida en cada hoja, en cada flor y en cada árbol.

El Creador sabía que Adán no podía ser feliz sin ocupación; por lo tanto, le dio la placentera ocupación de labrar el jardín. Y mientras cuidaba las cosas de belleza y utilidad que había a su alrededor, podía contemplar la bondad y la gloria de Dios en sus obras creadas. Adán tenía temas para la contemplación en las obras de Dios en el Edén, que era el cielo en miniatura.

Dios no formó al hombre meramente para contemplar sus obras gloriosas; por lo tanto, le dio manos para trabajar, así como una mente y un corazón para la contemplación. Si la felicidad del hombre consistiera en no hacer nada, el Creador no le habría dado a Adán la obra que le señaló que hiciera. En el trabajo, el hombre iba a encontrar felicidad, como también la iba a encontrar en la meditación.–*Review and Herald*, 24 de febrero de 1874.

Se dio el trabajo como una fuente de felicidad

Tomó, pues, Jehová Dios al hombre, y lo puso en el huerto de Edén, para que lo labrara y lo guardase. Génesis 2:15.

Dios puso a los seres humanos bajo una ley, como condición indispensable para su propia existencia. Eran súbditos del gobierno divino, y no puede existir gobierno sin ley. Dios pudo haber creado a los seres humanos incapaces de violar su ley; pudo haber detenido la mano de Adán para que no tocara el fruto prohibido, pero en este caso las personas no hubiesen sido entes morales libres sino meros autómatas. Sin libre albedrío su obediencia no habría sido voluntaria, sino forzada. No habría sido posible el desarrollo de su carácter. Semejante procedimiento habría sido contrario al plan que Dios seguía en su relación con los habitantes de los otros mundos. Hubiese sido indigno del ser humano como ser inteligente, y hubiese dado base a las acusaciones de Satanás de que el gobierno de Dios era arbitrario...

El hogar de nuestros primeros padres había de ser un modelo para cuando sus hijos saliesen a ocupar la tierra. Ese hogar, embellecido por la misma mano de Dios, no era un suntuoso palacio. En su orgullo, los hombres y las mujeres se deleitan en tener magníficos y costosos edificios, y se enorgullecen de las obras de sus propias manos; pero Dios puso a Adán en un huerto. Esa fue su morada. Los azulados cielos le servían de techo; la tierra, con sus delicadas flores y su alfombra de animado verdor, era su piso; y las ramas frondosas de los hermosos árboles le servían de dosel. Sus paredes estaban engalanadas con los adornos más esplendorosos, que eran obra de la mano del sumo Artista.

En el medio en que vivía la santa pareja había una lección para todos los tiempos; a saber, que la verdadera felicidad se encuentra, no en dar rienda suelta al orgullo y al lujo, sino en la comunión con Dios por medio de sus obras creadas. Si las personas pusiesen menos atención en lo superficial y cultivasen más la sencillez, cumplirían con mayor plenitud los designios que Dios tuvo al crearlos. El orgullo y la ambición jamás se satisfacen, pero quienes realmente son inteligentes encontrarán placer verdadero y elevado en las fuentes de gozo que Dios ha puesto al alcance de todos.

A los moradores del Edén se les encomendó el cuidado del huerto, para que lo labraran y lo guardasen. Su ocupación no era cansadora, sino agradable y vigorizadora. Dios dio el trabajo como una bendición con que nuestros primeros padres ocuparan su mente, fortalecieran su cuerpo y desarrollaran sus facultades.–*Patriarcas y profetas*, pp. 30, 31.

La tierra producirá en abundancia para los obreros diligentes

Y el árbol del campo dará su fruto, y la tierra dará su fruto, y estarán so-
bre su tierra con seguridad; y sabrán que yo soy Jehová, cuando rompa
las coyundas de su yugo, y los libre de la mano de los que se sirven de
ellos. Ezequiel 34:27.

Hay necesidad de un conocimiento mucho más amplio con respecto a la preparación del suelo. No hay suficiente amplitud de criterio en cuanto a lo que puede obtenerse de la tierra. Se sigue una rutina estrecha e invariable con resultados descorazonadores. Que las capacidades educadas se empleen en idear mejores métodos de trabajo. Eso es exactamente lo que el Señor desea.

Se necesita una capacidad inteligente y educada para idear los mejores métodos en la agricultura, la edificación y en toda otra área, para que el obrero no trabaje en vano. Dios, quien hizo el mundo para beneficio de los seres humanos, proporcionará los medios de la tierra para sostener al trabajador diligente.

La semilla plantada en un terreno preparado cuidadosamente, producirá su cosecha. Dios puede preparar una mesa en el desierto para su pueblo. Hay muchas lamentaciones por el terreno improductivo, cuando, si la gente leyera el Antiguo Testamento, vería que el Señor sabía mucho más y mucho mejor de lo que saben ellos en cuanto al tratamiento adecuado de la tierra. Después de haber sido trabajado por varios años, y de dar sus tesoros a la posesión de la humanidad, se debería permitir descansar a parcelas del terreno, y después debería hacerse una rotación de los cultivos. También podemos aprender mucho del Antiguo Testamento con respecto al problema del trabajo.

La tierra tiene sus tesoros escondidos, y el Señor preferiría que miles y decenas de miles trabajarán la tierra, gente que ahora se apiña en las ciudades para conseguir una oportunidad para ganar una bagatela. Debe hacerse que la tierra dé su fuerza, pero sin la bendición de Dios nada se puede hacer.

En el principio, Dios contempló todo lo que había hecho, y dijo que era bueno en gran manera. Como consecuencia del pecado, se pronunció la maldición sobre la tierra, pero, ¿debe multiplicarse esta maldición por el pecado creciente? La ignorancia está haciendo su obra funesta. Siervos perezosos están aumentando el mal por sus hábitos holgazanes... Pero la tierra tiene bendiciones ocultas en sus profundidades para los que tienen el valor, la voluntad y la perseverancia de reunir sus tesoros... ¿Quiénes serán los misioneros para hacer esta tarea, para enseñar los métodos apropiados a los jóvenes y a todos los que se sientan lo suficientemente dispuestos y humildes para aprender?–*The Advocate*, marzo de 1901.

El trabajo y el estudio son beneficiosos tanto para la tierra como para la mente

He aquí, de Jehová tu Dios son los cielos, y los cielos de los cielos, la tierra, y todas las cosas que hay en ella. Deuteronomio 10:14.

La belleza de la naturaleza, por sí misma, aparta el alma del pecado y de las atracciones mundanas, y la lleva hacia la pureza, la paz y Dios. Por esta razón, el cultivo del suelo es un buen trabajo para los niños y los jóvenes. Los pone en contacto directo con la naturaleza y el Dios de ella. Y para que tengan esta ventaja debe haber, en cuanto sea posible, en relación con nuestras escuelas, grandes jardines y extensos terrenos para el cultivo.–*Consejos para los maestros*, p. 178 (edición de 1991).

En la escuela que se ha iniciado aquí en Cooranbong [Australia] esperamos tener verdadero éxito en los ramos agrícolas, combinados con el estudio de las ciencias. Queremos que este lugar sea un centro del cual irradie luz y precioso conocimiento avanzado, que resulte en el trabajo de campos mejorados, de manera que las colinas y los valles florezcan como las rosas. Tanto para los niños como para los adultos, el trabajo, combinado con la actividad mental, proporcionará la debida clase de educación equilibrada. El cultivo de la mente dará tacto, y brindará incentivos para el cultivo de la tierra.

La escuela ha hecho un excelente comienzo. Los alumnos están aprendiendo a plantar árboles, fresas [frutillas], etc.; [es decir,] cómo deben cuidar cada brote y fibra de las raíces sueltas para darle una oportunidad de crecer. ¿No es ésta una muy preciosa lección sobre cómo tratar la mente humana, y también con el cuerpo: No oprimir ninguno de los órganos del cuerpo, sino darles amplia libertad para hacer su obra?...

Debemos trabajar el suelo con alegría, con esperanza, con gratitud, creyendo que la tierra posee en su seno ricas reservas para ser acopiadas por el obrero fiel, más ricas que el oro o la plata... Con un cultivo adecuado e inteligente, la tierra abrirá sus tesoros para beneficio de la humanidad.

El cultivo de nuestras tierras requiere el ejercicio de todo el poder del cerebro y del tacto que poseemos. Las tierras que nos rodean testifican de la indolencia de los seres humanos. Esperamos despertar a la acción de los sentidos dormidos. Esperamos ver agricultores inteligentes, que serán recompensados por su ferviente labor. La mano y el corazón deben cooperar, poniendo en operación planes nuevos y razonables en el cultivo del suelo.–*Testimonios para los ministros*, pp. 248, 245, 246, 247; *The Advocate*, marzo de 1901.

Cooperar con Dios en el trabajo promueve la felicidad

Nos fatigamos trabajando con nuestras propias manos; nos maldicen, y bendecimos; padecemos persecución, y la soportamos. 1 Corintios 4:12.

En ocasión de la creación, el trabajo fue establecido como una bendición. Implicaba desarrollo, poder y felicidad. El cambio producido en la condición de la tierra, debido a la maldición del pecado, ha modificado también las condiciones del trabajo, y aunque ahora va acompañado de ansiedad, cansancio y dolor, sigue siendo una fuente de felicidad y desarrollo. Es también una salvaguardia contra la tentación. Su disciplina pone freno a la complacencia y promueve la laboriosidad, la pureza y la firmeza. De este modo forma parte del gran plan de Dios para que nos repongamos de la caída.

Se debiera inducir a los jóvenes [y otros] a apreciar la verdadera dignidad del trabajo. Muéstreseles que Dios obra constantemente. Todas las cosas de la naturaleza cumplen la tarea que se les ha asignado. Se ve actividad en toda la creación, y, para cumplir nuestra misión, nosotros también debemos ser activos.

Al trabajar debemos ser colaboradores con Dios. Nos da la tierra y sus tesoros, pero nosotros tenemos que adaptarlos a nuestro uso y nuestra comodidad. Hace crecer los árboles, pero nosotros preparamos la madera y construimos la casa. Ha escondido en la tierra la plata y el oro, el hierro y el carbón, pero sólo podemos obtenerlos mediante el trabajo perseverante...

Aunque Dios ha creado todas las cosas y las dirige constantemente, nos ha dotado de un poder que no es enteramente diferente del suyo. Se nos ha concedido cierto dominio sobre las fuerzas de la naturaleza. Tal como Dios sacó del caos la tierra con toda su belleza, nosotros podemos extraer poder y belleza de la confusión. Y aunque todas las cosas están ahora mancilladas por el pecado, sentimos, sin embargo, cuando terminamos algo, un gozo semejante al de Dios cuando, al contemplar la hermosa tierra, dijo que todo era "bueno en gran manera".

En general podemos decir que el ejercicio más benéfico para la juventud es el trabajo útil. El niño halla en el juego a la vez diversión y desarrollo, y sus deportes deberían ser de tal naturaleza que promovieran no sólo su crecimiento físico, sino también el mental y espiritual. Cuando aumentan su fuerza y su inteligencia, su mejor recreación la encontrará en algún esfuerzo útil. Lo que adiestra la mano para la labor útil, y enseña al joven a asumir las responsabilidades de la vida, es sumamente eficaz para promover el desarrollo de la mente y el carácter.–*La educación,* pp. 214, 215.

El trabajo bien regulado ayuda a un desarrollo completo

Porque la tierra que bebe la lluvia que muchas veces cae sobre ella, y produce hierba provechosa a aquellos por los cuales es labrada, recibe bendición de Dios; pero la que produce espinos y abrojos es reprobada, está próxima a ser maldecida, y su fin es el ser quemada. Hebreos 6:7, 8.

Es necesario enseñar a los jóvenes que la vida implica trabajo serio, responsabilidad, preocupación. Necesitan una preparación que les dé sentido práctico, que haga de ellos hombres y mujeres capaces de hacer frente a las emergencias. Debería enseñárseles que la disciplina del trabajo sistemático y bien regulado es esencial no sólo como salvaguardia contra las vicisitudes de la vida, sino como medio para lograr un desarrollo completo.

A pesar de todo lo que se ha dicho y escrito acerca de la dignidad del trabajo, prevalece la idea de que es degradante. Los jóvenes anhelan ser maestros, empleados, comerciantes, médicos y abogados, u ocupar algún otro puesto que no requiera trabajo físico. Las jóvenes evitan los quehaceres domésticos y tratan de prepararse para otra cosa. Necesitan aprender que el trabajo honrado no degrada a nadie. Lo que degrada es la ociosidad y la dependencia egoísta. La ociosidad fomenta la complacencia y da como resultado una vida vacía y estéril, un terreno propicio para el desarrollo de toda clase de mal...

Puesto que tanto los hombres como las mujeres ocupan su lugar en el hogar, los niños y las niñas deberían saber en qué consisten los deberes domésticos...

Aprendan los niños y los jóvenes, mediante el estudio de la Biblia, cómo ha honrado Dios el trabajo del obrero. Lean acerca de los "hijos de los profetas" (2 Rey. 6:1-7) que asistían a la escuela y construyeron una casa para su uso, y para quienes se hizo un milagro con el fin de recuperar un hacha prestada. Lean acerca de Jesús, el carpintero; de Pablo, el fabricante de tiendas. Al trabajo del artesano unían el ministerio superior, humano y divino. Lean acerca del muchacho que proveyó los cinco panes usados por Jesús en el maravilloso milagro de la alimentación de la multitud; de Dorcas, la costurera, resucitada con el fin de que siguiera haciendo ropa para los pobres; de la mujer sabia descrita en Proverbios, que "busca lana y lino, y con voluntad trabaja con sus manos"... que "considera los caminos de su casa, y no come el pan de balde" (31:13, 27).–*La educación*, pp. 215-217.

La belleza de la naturaleza revela el carácter de Dios

Alzaré mis ojos a los montes; ¿de dónde vendrá mi socorro? Mi socorro viene de Jehová, que hizo los cielos y la tierra. Salmo 121:1, 2.

Una vez tuve el placer de contemplar una de las más hermosas puestas de sol en Colorado. El gran Artista maestro había puesto en el lienzo cambiante de los cielos uno de sus cuadros más hermosos para beneficio de todos, tanto del rico como del pobre. Casi parecía que las puertas del cielo se habían entreabierto para que pudiéramos ver la belleza que había adentro. "¡Oh!", pensé, mientras uno tras otro pasaron sin observar la escena, "si hubiera sido pintado por manos humanas, ¡cuántos habrían estado dispuestos a caer al suelo y adorarlo!"

Dios es amante de lo bello, y sobre todo ama la belleza del carácter, y quiere que cultivemos la pureza y la sencillez, las gracias características de las flores. Debemos buscar el adorno de un espíritu manso y tranquilo, que a la vista de Dios es de gran precio.

Padres, ¿qué clase de educación les están dando a sus hijos? ¿Les están enseñando a apreciar lo que es puro y precioso, o están tratando de que alcancen las normas del mundo y sean aprobados por los impíos? ¿Están usando tiempo y medios para que puedan aprender el decoro exterior de la vida, y que obtengan lo superficial, los adornos engañosos del mundo?

Desde su niñez más temprana, abran ante ellos el gran libro de la naturaleza. Enséñenles el ministerio de las flores. Muéstrenles que si Jesús no hubiera venido a la tierra y hubiera muerto, no tendríamos ninguna de las cosas hermosas de las que disfrutamos. Llamen su atención al hecho de que el color y aun el arreglo de cada capullo y flor delicados es una expresión del amor de Dios hacia los seres humanos, y que debe despertarse en su corazón afecto y gratitud a su Padre celestial por todos esos dones.

Jesús, el mayor Maestro que el mundo haya conocido, sacaba las ilustraciones más valiosas de la verdad de escenas de la naturaleza. Padres, imiten su ejemplo, y empleen las cosas que deleitan los sentidos para impresionar verdades importantes en la mente de sus hijos. Llévenlos afuera en la mañana, y dejen que escuchen los pájaros que cantan alegremente sus cantos de alabanza. Enséñenles que nosotros también deberíamos dar gracias al generoso Dador de todas las bendiciones que recibimos diariamente. Enséñenles que no es el vestido el que hace al caballero o a la dama, sino que lo que lo hace a uno caballero o dama es la verdadera bondad de corazón.–*Review and Herald*, 27 de octubre de 1885.

En la naturaleza se ven el amor y la gloria de Dios

¿Qué es el hombre para que tengas de él memoria, y el hijo del hombre para que lo visites? Le has hecho un poco menor que los ángeles, y lo coronaste de gloria y de honra. Salmo 8:4, 5.

Nuestro bondadoso Padre celestial quiere que sus hijos confíen en él como un niño confía en sus padres terrenales. Pero demasiado a menudo vemos a los desalentados y débiles mortales sobrecargados con cuidados y perplejidades que Dios nunca se propuso que llevaran. Invirtieron el orden; están buscando primero el mundo, y haciendo secundario el reino de los cielos. Si aún Dios cuida al gorrioncillo que no conoce su futura necesidad, ¿por qué el tiempo y la atención de los seres humanos, que fueron hechos a la imagen de Dios, deben estar completamente enfrascados con esas cosas?

Dios nos ha dado evidencias completas de su amor y cuidado, y sin embargo, cuán a menudo fallamos en discernir la mano divina en nuestras múltiples bendiciones. Cada facultad de nuestro ser, cada soplo de aire que inspiramos, cada comodidad de la que gozamos, viene de él. Cada vez que nos reunimos alrededor de la mesa familiar para participar del refrigerio, deberíamos recordar que todo esto es una expresión del amor de Dios. ¡Y vamos a tomar el don y negar al Dador!...

Cuando Adán y Eva fueron colocados en su hogar del Edén, tenían todo lo que un Creador bondadoso podía darles para aumentar su comodidad y felicidad. Pero se arriesgaron a desobedecer a Dios, y por lo tanto fueron expulsados de su hermoso hogar. Fue entonces cuando el gran amor de Dios se nos expresó en un don, el de su amado Hijo. Si nuestros primeros padres no hubieran aceptado el don, hoy la raza humana estaría en la aflicción más desesperada. Pero cuán alegremente aclamaron la promesa del Mesías.

Es el privilegio de todos aceptar a este Salvador, llegar a ser hijos de Dios, miembros de la familia real y sentarse al fin a la mano derecha de Dios. ¡Qué amor, qué maravilloso amor es este! Juan nos exhorta a contemplarlo: "Mirad cuál amor nos ha dado el Padre, para que seamos llamados hijos de Dios" (1 Juan 3:1).

A pesar de que sobre la tierra fue pronunciada la maldición de que produciría espinas y cardos, hay una flor en el cardo. En el mundo no todo es tristeza y desgracia. El gran libro de la naturaleza de Dios está abierto para nuestro estudio, y de él debemos obtener más excelsas ideas de su grandeza y amor y gloria insuperables.–*Review and Herald,* 27 de octubre de 1885.

El poder de Dios se ejerce constantemente en la naturaleza

¿Quién midió las aguas con el hueco de su mano y los cielos con su palmo, con tres dedos juntó el polvo de la tierra, y pesó los montes con la balanza y con pesas los collados? Isaías 40:12.

Dice el salmista: "Los cielos cuentan la gloria de Dios, y el firmamento anuncia la obra de sus manos. Un día emite palabra a otro día, y una noche a otra noche declara sabiduría. No hay lenguaje, ni palabras, ni es oída su voz" (Sal. 19:1-3). Algunos quizá supongan que estas grandes cosas del mundo natural son Dios. No son Dios. Todas estas maravillas de los cielos tan sólo están haciendo la obra que les ha sido señalada. Son los instrumentos del Señor. Dios es el que vigila la marcha de todas las cosas, así como fue su Creador. El Ser divino se ocupa en sostener las cosas que ha creado. La misma mano que sostiene y equilibra las montañas en su posición, guía los mundos en su misteriosa marcha alrededor del sol.

Apenas si hay alguna función de la naturaleza a la que no encontremos referencia en la Palabra de Dios. La Palabra declara que "hace salir su sol" y "hace llover" (Mat. 5:45), "hace a los montes producir hierba... Da la nieve como lana, y derrama la escarcha como ceniza... Enviará su palabra y los derretirá; soplará su viento y fluirán las aguas" (Sal. 147:8, 16-18). "Hace los relámpagos para la lluvia; saca de sus depósitos los vientos" (Sal. 135:7).

Estas palabras de las Sagradas Escrituras no dicen nada de la independencia de las leyes de la naturaleza. Dios proporciona la materia y las propiedades con las cuales llevar a cabo sus planes. Emplea sus instrumentos para que pueda florecer la vegetación. Envía el rocío, la lluvia y la luz del sol para que brote el verdor y extienda su tapiz sobre la tierra; para que los arbustos y los frutales puedan retoñar y florecer, y dar frutos.

No se ha de suponer que es puesta en movimiento una ley para que la semilla obre por sí misma, para que aparezca la hoja porque así debe hacerlo por sí misma. Dios tiene leyes que ha instituido, pero éstas son sólo los siervos mediante los cuales él obra los resultados. Mediante los agentes inmediatos de Dios, cada semillita se abre paso a través de la tierra y brota a la vida. Crece cada hoja y florece cada flor por el poder de Dios.–*Mensajes selectos*, t. 1, pp. 345, 346.

Apreciar la belleza natural y sosegada de la tierra

¿Quién repartió conducto al turbión, y camino a los relámpagos y true-
nos, haciendo llover sobre la tierra deshabitada, sobre el desierto, donde
no hay hombre, para saciar la tierra desierta e inculta, y para hacer bro-
tar la tierna hierba? Job 38:25-27.

Aquel que estableció los fundamentos de la tierra, que adornó los cielos y colocó las estrellas en su orden; Aquel que ha revestido la tierra
con una alfombra viviente y la ha embellecido con preciosas flores de toda tonalidad y variedad, quiere que sus hijos aprecien sus obras y se de-
leiten en la sencilla y serena belleza con la cual ha adornado el hogar terrenal de ellos.

Cristo procuró desviar la atención de sus discípulos de lo artificial hacia lo natural: "Si la hierba del campo que hoy es, y mañana se echa en
el horno, Dios la viste así, ¿no hará mucho más a vosotros, hombres de
poca fe?" (Mat. 6:30).

¿Por qué nuestro Padre celestial no alfombró la tierra de marrón o de
gris? Escogió el color que da más descanso, el que es mejor para los sentidos. ¡Cómo alegra el corazón y vivifica el cansado espíritu contemplar
la tierra vestida con su atavío de viviente verdor! El aire estaría lleno de
polvo sin esa cobertura, y la tierra parecería un desierto. Cada brizna de
hierba, cada capullo que se abre y cada lozana flor es una prueba del
amor de Dios, y debiera enseñarnos una lección de fe y confianza en él.
Cristo llama nuestra atención a su belleza natural, y nos asegura que el
vestido más hermoso del rey más grande que jamás haya empuñado un
cetro, no fue igual al ropaje de la flor más humilde...–*Comentario bíblico*
adventista, t. 5, p. 1.062.

Quiero presentarles a Cristo y a él crucificado. Denle los mejores
afectos de su corazón. Denle su intelecto, porque le pertenece. Denle sus
talentos de medios y de influencia; sólo les fueron prestados a ustedes para que los desarrollen. Jesús puso a un lado sus vestiduras reales, descendió de su hogar eterno, vistió su divinidad con la humanidad, y por amor
a nosotros se hizo pobre, para que nosotros, por medio de su pobreza, podamos ser hechos ricos. ¿Ricos en dinero? ¿En tierras? ¿En acciones ban-
carias? No; para que podamos conseguir riquezas eternas.

No hay salvación excepto la que viene a través de Cristo. Vino a la
tierra para elevar al caído. Con su brazo humano rodea a toda la raza, al
tiempo que con su brazo divino se aferra el trono del Infinito, conectan-
do así a los humanos finitos con el Dios infinito, y uniendo la tierra y el
cielo.–*Review and Herald*, 27 de octubre de 1885.

La naturaleza ofrece mensajes de esperanza y consuelo

Tú eres el que envía las fuentes por los arroyos; van entre los montes; dan de beber a todas las bestias del campo; mitigan su sed los asnos monteses. Salmo 104:10, 11.

La naturaleza y la revelación a una dan testimonio del amor de Dios. Nuestro Padre celestial es la fuente de vida, sabiduría y gozo. Miren las maravillas y bellezas de la naturaleza. Piensen en su prodigiosa adaptación a las necesidades y a la felicidad, no solamente de los seres humanos, sino de todos los seres vivientes. El sol y la lluvia que alegran y refrescan la tierra; los montes, los mares y los valles, todos nos hablan del amor del Creador. Dios es el que suple las necesidades diarias de sus criaturas. Ya el salmista lo dijo en las bellas palabras siguientes: "Los ojos de todos esperan en ti, y tú les das su comida a su tiempo. Abres tu mano, y colmas de bendición a todo ser viviente" (Sal. 145:15, 16).

Dios hizo a Adán y a Eva perfectamente santos y felices; y la hermosa tierra no tenía, al salir de la mano del Creador, mancha de decadencia ni sombra de maldición. La transgresión de la ley de Dios, de la ley de amor, fue lo que trajo consigo dolor y muerte.

Sin embargo, en medio del sufrimiento resultante del pecado se manifiesta el amor de Dios. Está escrito que Dios maldijo la tierra por causa del hombre (Gén. 3:17). Los cardos y las espinas, las dificultades y pruebas que colman su vida de afán y cuidado, le fueron asignados para su bien, como parte de la preparación necesaria, según el plan de Dios, para levantarlo de la ruina y degradación que el pecado había causado.

El mundo, aunque caído, no es todo tristeza y miseria. En la naturaleza misma hay mensajes de esperanza y consuelo. Hay flores en los cardos, y las espinas están cubiertas de rosas.

"Dios es amor" está escrito en cada capullo de flor que se abre, en cada tallo de la naciente hierba. Los hermosos pájaros que con sus preciosos cantos llenan el aire de melodías, las flores exquisitamente matizadas que en su perfección perfuman el aire, los elevados árboles del bosque con su rico follaje de viviente verdor, todos atestiguan del tierno y paternal cuidado de nuestro Dios y de su deseo de hacer felices a sus hijos.–*El camino a Cristo*, pp. 7, 8.

Sacar lecciones espirituales y beneficios de salud de los árboles

Él hace producir el heno para las bestias, y la hierba para el servicio del hombre, sacando el pan de la tierra. Salmo 104:14.

En un cierto lugar se efectuaban los preparativos para limpiar los terrenos donde se construiría un sanatorio. Se me dijo que la fragancia del pino, del cedro y del abeto tenía propiedades salutíferas. Y hay varias otras clases de árboles que tienen propiedades medicinales estimulantes de la salud.

No hay que cortar despiadadamente esos árboles. Es mejor cambiar el lugar del edificio [sanatorio] que talar esos árboles de hoja perenne. En esos árboles hay lecciones para nosotros. La Palabra de Dios declara: "El justo florecerá como la palmera; crecerá como cedro en el Líbano" (Sal. 92:12). David dice: "Pero yo estoy como olivo verde en la casa de Dios; en la misericordia de Dios confío eternamente y para siempre" (Sal. 52:8).

El cristiano es comparado al cedro del Líbano. He leído que este árbol hace más que enviar unas pocas raíces a la tierra blanda. Implanta profundamente en la tierra sus fuertes raíces, y cada vez las extiende más lejos en busca de una posición todavía más fuerte. Y cuando se desata la fiera tempestad, permanece firme, sostenido por su raigambre.

También el cristiano se arraiga profundamente en Cristo. Tiene fe en su Redentor. Sabe en quién ha creído. Está plenamente persuadido de que Jesús es el Hijo de Dios y el Salvador de los pecadores... El sonido divino del evangelio se recibe sin dudas conflictivas. Las raíces de la fe se extienden cada vez más. Los cristianos genuinos, como el cedro del Líbano, no crecen en una tierra blanda y superficial, sino que están arraigados en Dios, asegurados en las grietas de las rocas de la montaña.

Estudien estas lecciones de los árboles. Podría extenderme sobre este tema, pero no debo hacerlo precisamente ahora. Les pido que no corten los pinos; serán una bendición para muchos. Déjenlos vivir.

Deseo decirles, mis hermanos y hermanas, que cuentan con mis oraciones y mi simpatía en su trabajo. Recuerden que son árboles en el jardín del Señor, y que la protección divina está a su alrededor. Cuanto más visible sea la línea de demarcación entre las flores de Dios y las zarzas y espinas de la plantación de Satanás, más es glorificado el Señor.–*Spalding and Magan Collection*, pp. 228, 229.

La naturaleza es guiada y sostenida por el Creador

Cantad a Jehová con alabanza, cantad con arpa a nuestro Dios. Él es quien cubre de nubes los cielos, el que prepara la lluvia para la tierra. Salmo 147:7, 8.

Muchos enseñan que la materia posee poderes vitales. Sostienen que se le impartieron ciertas propiedades y que luego se la dejó actuar mediante su propia energía inherente; y que las operaciones de la naturaleza se llevan a cabo en conformidad con leyes fijas, en las cuales Dios mismo no puede intervenir. Esta es una ciencia falsa, y no está respaldada por la Palabra de Dios.

La naturaleza no actúa por sí misma; es la sierva de su Creador. Dios no anula sus leyes, ni tampoco obra contrariándolas: las usa continuamente como sus instrumentos. La naturaleza atestigua que hay una inteligencia, una presencia y una energía activa que obran dentro de sus leyes, mediante ellas y por encima de ellas. Existe en la naturaleza la obra continua del Padre y del Hijo. Dijo Cristo: "Mi Padre hasta ahora trabaja, y yo trabajo" (Juan 5:17).

Dios terminó su obra de la creación, pero su energía sigue ejerciendo su influencia para sustentar los objetos de su creación. Una pulsación no sigue a la otra, y un hálito al otro, porque el mecanismo que una vez se puso en marcha continúa accionando por su propia energía inherente; sino que todo hálito, toda pulsación del corazón, es una evidencia del completo cuidado que tiene de todo lo creado Aquel en quien vivimos y somos.

No es en virtud de alguna fuerza inherente que año tras año la tierra produce sus abundantes cosechas y continúa su movimiento alrededor del sol. La mano de Dios dirige los planetas, y los mantiene en su puesto en su ordenada marcha a través de los cielos... En virtud de su poder la vegetación florece, aparecen las hojas y las flores se abren... Su Palabra controla los elementos, y por su poder los valles se fertilizan... Cubre de nubes los cielos y prepara la lluvia para la tierra. "Hace a los montes producir hierba... Da la nieve como lana, y derrama la escarcha como ceniza" (Sal. 147:8, 16). "A su voz se produce muchedumbre de aguas en el cielo, y hace subir las nubes de lo postrero de la tierra; hace los relámpagos con la lluvia, y saca el viento de sus depósitos" (Jer. 10:13)...

Su solícito cuidado está sobre todas las obras de sus manos. Nada es demasiado grande para que él lo dirija; nada es demasiado pequeño como para que se escape de su atención.–*Patriarcas y profetas*, pp. 105-107; *Signs of the Times*, 20 de marzo de 1884.

Cristo nos señala un mundo más glorioso

No mirando nosotros las cosas que se ven, sino las que no se ven; pues las cosas que se ven son temporales, pero las que no se ven son eternas. 2 Corintios 4:18.

La tierra y las cosas de la tierra perecerán con el uso. Pasarán unos pocos años y vendrá la muerte. El destino eterno de ustedes quedará fijado, fijado eternamente. Si pierden su alma, ¿qué recompensa darán por su pérdida? Cristo el Dador de la vida, Cristo el Redentor, Cristo el Cordero de Dios que quita los pecados del mundo les señala un mundo más noble, y lo pone dentro del alcance de su vista. Los lleva a los umbrales del cielo para que contemplen la gloria de las realidades eternas, para que sus aspiraciones puedan avivarse para captar el cada vez más excelente y eterno peso de gloria. Al contemplar las escenas celestiales, en su corazón se enciende el deseo de tener compañerismo con Dios, de estar totalmente reconciliados con él.

La obra de nuestro Salvador es conciliar las demandas entre los intereses terrenales y los celestiales, colocar los deberes y las responsabilidades de la vida que tenemos ahora en una relación apropiada con las demandas que pertenecen a la vida eterna. El temor y el amor de Dios son las primeras cosas que deberían reclamar nuestra atención. No podemos darnos el lujo de postergar hasta mañana lo que afecta al interés de nuestra alma. La vida que ahora vivimos, la vivimos por la fe en el Hijo de Dios. Fuimos redimidos de los elementos miserables del mundo con una redención que es total y completa, que no puede agrandarse por ningún suplemento de fuentes humanas.

Pero en el medio de este diluvio de misericordias, de esta plenitud del amor divino, muchos corazones continúan en la indiferencia, despreocupados, y sin impresionarse por las provisiones de la gracia de Dios. ¿No haremos ningún esfuerzo nosotros que afirmamos ser cristianos para romper el hechizo que Satanás ha lanzado sobre esas almas? ¿Las dejaremos que continúen en la dureza de su corazón, sin Dios y sin esperanza en el mundo? No. Aunque cada llamado que les hagamos sea menospreciado y rechazado, no podemos dejar de orar por ellas, y suplicar con ternura por sus almas. Debemos hacer todo lo que podemos, por medio de la ayuda del Espíritu Santo de Dios, para quebrar las barreras por las cuales han intentado hacerse inexpugnables a la luz de la verdad de Dios. Debemos esforzarnos por abrirles sus ojos para que vean su ceguera, para que se liberen de la cautividad de Satanás.–*Signs of the Times*, 17 de julio de 1893.

Muchas lecciones que aprender de la naturaleza

Alaben el nombre de Jehová; porque él mandó, y fueron creados. Los hizo eternamente y para siempre; les puso ley que no será quebrantada. Salmo 148:5, 6.

Es hermosa la descripción que hace el salmista del cuidado de Dios por las criaturas de los bosques: "Los montes altos para las cabras monteses; las peñas, madrigueras para los conejos" (Sal. 104:18). Él hace correr los manantiales por las montañas donde los pájaros tienen su habitación y "cantan entre las ramas" (Sal. 104:12). Todas las criaturas de los bosques y de las montañas forman parte de su gran familia. Él abre la mano y satisface con "bendición a todo ser viviente" (Sal. 145:16).

El águila de los Alpes es a veces arrojada por la tempestad a los estrechos desfiladeros de las montañas. Las nubes tormentosas cercan a esta poderosa ave del bosque, y con su masa oscura la separan de las alturas asoleadas donde ha construido su nido. Los esfuerzos que hace para escapar parecen infructuosos. Se precipita de aquí para allá, bate el aire con sus fuertes alas y despierta el eco de las montañas con sus gritos. Al fin se eleva con una nota de triunfo y, atravesando las nubes, se encuentra una vez más en la claridad solar, por encima de la oscuridad y la tempestad.

Nosotros también podemos hallarnos rodeados de dificultades, desaliento y oscuridad. Nos cerca la falsedad, la calamidad, la injusticia. Hay nubes que no podemos disipar. Luchamos en vano con las circunstancias. Hay una sola vía de escape. Las neblinas y brumas cubren la tierra; más allá de las nubes brilla la luz de Dios. Podemos elevarnos con las alas de la fe hasta la región de la luz de su presencia.

Muchas lecciones se pueden aprender de ese modo. La de la confianza propia, del árbol que crece solo en la llanura o en la ladera de la montaña, hundiendo sus raíces hasta lo profundo de la tierra y desafiando con su fuerza la tempestad. La del poder de la primera influencia, del tronco torcido, nudoso y doblado al cual ningún poder terrenal puede devolver la simetría perdida. La del secreto de una vida santa, del nenúfar que, en el fondo de un estanque sucio, rodeado por desperdicios y malezas, entierra su tallo acanalado hasta encontrar la arena pura y, sacando de allí su vida, eleva su flor fragante, de una pureza impecable, hasta encontrar la luz.–*La educación*, pp. 118, 119.

Cómo aprender de la naturaleza sus lecciones más profundas

¿Qué cosa de todas estas no entiende que la mano de Jehová la hizo? En su mano está el alma de todo viviente, y el hálito de todo el género humano. Job 12:9, 10.

Al mismo tiempo que los niños y los jóvenes obtienen el conocimiento de los hechos por medio de los maestros y libros de texto, pueden aprender a sacar lecciones y descubrir verdades por sí mismos. Cuando trabajan en el jardín, interróguenlos acerca de lo que aprenden del cuidado de sus plantas. Cuando contemplan un paisaje hermoso, pregúntenles por qué Dios vistió los campos y los bosques con tonos tan encantadores y variados. ¿Por qué no es todo de un tinte pardo sombrío? Cuando recogen flores, indúzcanlos a pensar por qué conservó para nosotros la belleza de esos restos del Edén. Enséñenles a notar por todas partes, mediante las evidencias que ofrece la naturaleza, el cuidado de Dios por nosotros, la maravillosa adaptación de todas las cosas a nuestras necesidades y felicidad.

Sólo aquel que reconoce en la naturaleza la obra del Padre, que en la riqueza y belleza de la tierra lee lo que ha sido escrito por él, aprende de las cosas de la naturaleza sus más profundas lecciones y recibe su elevado ministerio. Sólo puede apreciar plenamente el significado de la colina y el valle, el río y el mar, aquel que los contempla como una expresión del pensamiento de Dios, una revelación del Creador.

Los escritores de la Biblia hacen uso de muchas ilustraciones que ofrece la naturaleza, y si observamos las cosas del mundo natural, podremos comprender más plenamente, bajo la mano guiadora del Espíritu Santo, las lecciones de la Palabra de Dios. De ese modo la naturaleza llega a ser una llave del tesoro de la Palabra.

Debería animarse a los niños a buscar en la naturaleza los objetos que ilustran las enseñanzas bíblicas, y rastrear en la Biblia los símiles sacados de la naturaleza. Deberían buscar, tanto en la naturaleza como en la Sagrada Escritura, todos los objetos que representan a Cristo, como también los que él empleó para ilustrar la verdad. Así pueden aprender a verle en el árbol y en la vid, en el lirio y en la rosa, en el sol y en la estrella. Pueden aprender a oír su voz en el canto de los pájaros, en el murmullo de los árboles, en el ruido del trueno y en la música del mar. Y cada objeto de la naturaleza les repetirá las preciosas lecciones del Creador.

Para los que así se familiaricen con Cristo, nunca jamás será la tierra un lugar solitario y desolador. Será para ellos la casa de su Padre, llena de la presencia de Aquel que una vez moró entre los hombres.–*La educación*, pp. 119, 120.

La naturaleza enseña el valor de obedecer la ley

¿No se venden dos pajarillos por un cuarto? Con todo, ni uno de ellos
cae a tierra sin vuestro Padre. Mateo 10:29.

El gran Maestro puso a sus oyentes en contacto con la naturaleza para que oyeran la voz que habla en todas las cosas creadas, y a medida que su corazón se hacía más sensible y su mente más receptiva, les ayudaba a interpretar la enseñanza espiritual de las escenas que contemplaban sus ojos. Las parábolas, por medio de las cuales le gustaba enseñar lecciones de verdad, muestran cuán abierto estaba su espíritu a las influencias de la naturaleza y cómo le agradaba extraer la enseñanza espiritual del ambiente en que transcurría la vida diaria.

Cristo se valía de las aves del cielo, los lirios del campo, el sembrador y la semilla, el pastor y las ovejas, para ilustrar verdades inmortales. También obtenía ilustraciones de los acontecimientos de la vida, de cosas familiares a sus oyentes, tales como la levadura, el tesoro escondido, la perla, la red del pescador, la moneda perdida, el hijo pródigo, las casas construidas en la arena y en la roca. En sus lecciones había algo para interesar a cada mente e impresionar cada corazón. De ese modo la tarea diaria, en vez de ser una serie repetida de trabajos, exenta de pensamientos elevados, resultaba animada por recuerdos constantes de lo espiritual y lo invisible.

Del mismo modo deberíamos enseñar nosotros. Aprendan los niños a ver en la naturaleza una expresión del amor y de la sabiduría de Dios; vincúlese el concepto del Creador al ave, la flor y el árbol; lleguen todas las cosas visibles a ser para ellos interpretaciones de lo invisible, y todos los sucesos de la vida medios de enseñanza divina.

Al mismo tiempo que aprenden así a estudiar lecciones que enseñan todas las cosas creadas y todas las circunstancias de la vida, muéstrese que las mismas leyes que rigen las cosas de la naturaleza y los sucesos de la vida deben regirnos a nosotros; que son promulgadas para nuestro bien; y que únicamente obedeciéndolas podemos hallar felicidad y éxito verdaderos.–*La educación*, pp. 102, 103.

En la naturaleza, a los objetos valiosos se los poda o refina

He aquí que te he purificado, y no como a plata; te he escogido en horno de aflicción. Isaías 48:10.

El fuego del horno no es para destruir, sino para refinar, ennoblecer, santificar. Sin estas pruebas no sentiríamos tanto nuestra necesidad de Dios y de su ayuda. Nos volveríamos orgullosos y autosuficientes. En las aflicciones que nos sobrevienen deberíamos ver las evidencias de que el ojo del Señor está sobre nosotros, y que se propone atraernos hacia él. No son los sanos, sino los enfermos, los que tienen necesidad de médico; los que se sienten abrumados más allá del límite de tolerancia necesitan un Ayudador.

El hecho de que somos llamados a soportar pruebas demuestra que el Señor ve en nosotros algo muy precioso, el cual desea desarrollar. Si no viese en nosotros algo que puede glorificar su nombre, no dedicaría tiempo a refinarnos. No nos esmeramos en podar zarzas. Cristo no arroja a su horno piedras sin valor. Lo que él purifica es mineral valioso.

El herrero pone el hierro y el acero en el fuego para saber qué clase de metal es. El Señor permite que sus escogidos sean puestos en el horno de la aflicción con el fin de ver cuál es su temple, y si podrá moldearlos para su obra.

Es posible que sea necesario realizar mucho trabajo en la formación de su carácter, y que usted sea una piedra tosca que debe ser cortada en perfecta escuadra y pulida antes que pueda ocupar un lugar en el templo de Dios. No necesita sorprenderse si con martillo y cincel Dios corta las aristas agudas de su carácter, hasta que usted esté preparado para ocupar el lugar que él le reserva. Ningún ser humano puede realizar esta obra. Únicamente Dios puede hacerla. Y tenga usted la seguridad de que él no asestará un solo golpe inútil. Da cada uno de sus golpes con amor, para su felicidad eterna. Conoce sus flaquezas y obra para curar y no para destruir.

Cuando sobrevienen pruebas que parecen inexplicables, no debemos permitir que se eche a perder nuestra paz. No importa cuán injustamente podamos ser tratados, no permitamos que surja la pasión. Al ceder a un espíritu de represalia, nos perjudicamos a nosotros mismos. Destruimos nuestra confianza en Dios y contristamos al Espíritu Santo. Está a nuestro lado un testigo, un mensajero celestial, que levantará por nosotros una bandera contra el enemigo. Nos rodeará con los rayos brillantes del Sol de justicia. Más allá de eso, Satanás no puede penetrar. No puede pasar este escudo de luz santa.–*Signs of the Times*, 18 de agosto de 1909. (Ver también *Joyas de los testimonios*, t. 3, pp. 194, 204.)

La naturaleza da testimonio de un Artista y Diseñador maestro

Un día emite palabra a otro día, y una noche a otra noche declara sabiduría. No hay lenguaje, ni palabras, ni es oída su voz. Salmo 19:2, 3.

Las cosas de la naturaleza que ahora contemplamos nos dan apenas un débil concepto de la gloria del Edén. El pecado afeó la belleza de la tierra, y por doquiera pueden verse los estragos del mal. No obstante, queda aún mucha hermosura. La naturaleza atestigua que un Ser infinito en poder, grande en bondad, misericordia y amor, creó la tierra y la llenó de vida y de alegría. Aunque ajadas, todas las cosas manifiestan la obra de la mano del gran Artista y Maestro. Por doquiera que nos volvamos, podemos oír la voz de Dios, y ver pruebas evidentes de su bondad.

Desde el solemne retumbar del trueno y el bramido incesante del viejo océano, hasta los alegres cantos que hacen de las selvas un concierto de melodías, las miríadas de voces de la naturaleza entonan las alabanzas de Dios. Contemplamos su gloria en la tierra, el mar y el firmamento con sus maravillosos tintes y colores, que varían en grandioso contraste o armonizan unos con otros.

Los perennes collados nos hablan de su poder. Los árboles que hacen ondear sus verdes banderas bajo los rayos del sol, y las flores en su delicada belleza, nos señalan al Creador. El vivo verdor que alfombra la tierra nos habla del solícito cuidado de Dios por sus más humildes criaturas. Las cavernas del mar y las profundidades de la tierra revelan sus tesoros. El que puso las perlas en el océano y la amatista y el crisólito entre las rocas, ama lo bello. El sol que sale en el horizonte es representante de Aquel que es vida y luz de todo lo que hizo. Todo el brillo y la belleza que adornan la tierra e iluminan los cielos, hablan de Dios... Todas las cosas hablan de su tierno cuidado paternal y de su deseo de hacer felices a sus hijos.

El gran poder que obra en toda la naturaleza y sostiene todas las cosas no es, como muchos proponentes de la ciencia lo representan, un mero principio que todo lo penetra, una energía siempre activa. Dios es Espíritu; y sin embargo es un ser personal, pues así se ha revelado. "Mas Jehová es el Dios verdadero; él es Dios vivo y Rey eterno" (Jer. 10:10)...

La obra de la mano de Dios en la naturaleza no es Dios mismo en la naturaleza. Las cosas de la naturaleza son expresión del carácter y poder de Dios; pero no debemos considerar que la naturaleza sea Dios. La destreza artística de los seres humanos produce obras muy hermosas por cierto, que deleitan nuestros ojos y nos revelan algo del pensamiento de su autor; pero las cosas hechas no son el que las hizo. No es la obra, sino el artífice, el que es considerado digno de honor. Así también, aunque la naturaleza es expresión del pensamiento de Dios, no debemos ensalzar la naturaleza sino al Dios de la naturaleza.–*El ministerio de curación*, pp. 319-321.

Las dádivas de la tierra dan evidencias del amor de Dios

Y el que da semilla al que siembra, y pan al que come, proveerá y multiplicará vuestra sementera, y aumentará los frutos de vuestra justicia, para que estéis enriquecidos en todo para toda liberalidad, la cual produce por medio de nosotros acción de gracias a Dios. 2 Corintios 9:10, 11.

Así como recibimos continuamente las bendiciones de Dios, así también debemos dar constantemente. Cuando el Benefactor celestial deje de darnos, sólo entonces se nos podrá disculpar, porque no tendremos nada para compartir. Dios nunca nos ha dejado sin darnos evidencias de su amor, porque siempre nos ha rodeado de beneficios. Nos da la lluvia de los cielos y estaciones fructíferas, proveyéndonos copiosamente con sus abundantes cosechas, y llena nuestro corazón con alegría. Declaró que "mientras la tierra permanezca, no cesarán la sementera y la siega, el frío y el calor, el verano y el invierno, y el día y la noche" (Gén. 8:22).

A cada instante somos sostenidos por el cuidado de Dios y por su poder. Él pone alimento en nuestras mesas. Nos proporciona un sueño pacífico y reparador. Cada semana nos da el día sábado para que reposemos de nuestras labores temporales y lo adoremos en su propia casa. Nos ha dado su Palabra para que ésta sea como una lámpara para nuestros pies y una lumbrera en nuestro camino. En sus páginas sagradas encontramos sabios consejos; y tantas veces como elevamos nuestro corazón hacia él en penitencia y con fe, él nos concede las bendiciones de su gracia. Pero por encima de todo se destaca el don infinito que Dios hizo al dar a su Hijo amado, por medio de quien fluyen todas las demás bendiciones para esta vida y para la vida venidera.

Ciertamente la bondad y la misericordia nos asisten a cada paso. Solamente cuando deseemos que el Padre infinito cese de proporcionarnos sus dones, podremos exclamar con impaciencia: "¿Tendremos que dar siempre?" No sólo deberíamos devolver siempre nuestros diezmos a Dios, que él reclama como suyos, sino además llevar un tributo a la tesorería como una ofrenda de gratitud. Llevemos a nuestro Creador, rebosantes de gozo, las primicias de su munificencia: nuestras posesiones más escogidas, y nuestro servicio mejor y más piadoso.–*Consejos sobre mayordomía cristiana*, p. 20.

El mundo natural habla del Creador

Alábenle los cielos y la tierra, los mares y todo lo que se mueve en ellos.
Salmo 69:34.

La misma energía creadora que sacó el mundo a la existencia, sigue manifestándose en el sostenimiento del universo y en la continuación de las operaciones de la naturaleza. La mano de Dios guía los planetas en su marcha ordenada a través de los cielos. No se debe a un poder inherente que la tierra continúe su movimiento en derredor del sol, año tras año, y produzca sus bendiciones. La palabra de Dios controla los elementos. Él cubre los cielos de nubes y prepara la lluvia sobre la tierra. Hace fructíferos los valles, y hace "a los montes producir hierba" (Sal. 147:7, 8). Por su poder crece la vegetación, aparecen las hojas y se abren las flores.

Todo el mundo natural está destinado a ser intérprete de las cosas de Dios. Para Adán y Eva en su hogar del Edén, la naturaleza estaba llena del conocimiento de Dios, rebosante de instrucción divina. Para sus oídos atentos, hacía repercutir la voz de la sabiduría. La sabiduría hablaba al ojo, y era recibida en el corazón, porque ellos comulgaban con Dios en sus obras creadas. Tan pronto como la santa pareja transgredió la ley del Altísimo, el esplendor del rostro de Dios se apartó de la faz de la naturaleza. Ésta ahora está arruinada y mancillada por el pecado, pero las lecciones objetivas de Dios no se han obliterado; aun ahora, cuando se la estudia e interpreta correctamente, habla de su Creador.–*Consejos para los maestros*, pp. 177, 178 (edición de 1991).

Así como se revela la verdad divina en la Sagrada Escritura, así también se refleja, como en un espejo, en la faz de la naturaleza; y a través de su creación llegamos a familiarizarnos con el Creador. Por eso el libro de la naturaleza es un gran libro de texto, que los maestros que son sabios pueden usar conjuntamente con las Escrituras para guiar a las ovejas perdidas de vuelta al aprisco del Señor. Mientras se estudian las obras de Dios, el Espíritu Santo imparte convicción a la mente. No se trata de la convicción que producen los razonamientos lógicos; y a menos que la mente haya llegado a estar demasiado oscurecida para conocer a Dios, la vista demasiado anublada para verlo, el oído demasiado embotado para oír su voz, se percibe un significado más profundo, y las sublimes verdades espirituales de la Palabra escrita quedan impresas en el corazón.

El modo más eficaz de enseñar a los paganos que no conocen a Dios es a través de las obras de Dios. De esa forma, mucho más fácil que por algún otro método, pueden ser llevados a darse cuenta de la diferencia entre sus ídolos, obras de sus propias manos, y el Dios verdadero, el Hacedor de los cielos y la tierra.–*Special Testimonies on Education*, pp. 58, 59.

Ricas bendiciones de un sábado de descanso para la tierra

Seis años sembrarás tu tierra, y seis años podarás tu viña y recogerás sus frutos. Pero el séptimo año la tierra tendrá descanso, reposo para Jehová; no sembrarás tu tierra, ni podarás tu viña. Levítico 25:3, 4.

La fiesta de las Cabañas, de los Tabernáculos o de las Cosechas, con sus ofrendas de la huerta y del campo, el acampar durante una semana bajo enramadas, las reuniones sociales, el servicio recordativo sagrado, y la generosa hospitalidad hacia los obreros de Dios: los levitas del Santuario, y hacia sus hijos: el extranjero y el pobre, elevaba todas las mentes en gratitud hacia Aquel que había coronado el año con sus bondades, y cuyas huellas destilan abundancia.

Los israelitas devotos ocupaban así un mes entero del año. Era un lapso libre de cuidados y trabajos, y casi enteramente dedicado, en su sentido más verdadero, a los fines de la educación.

Al distribuir la herencia de su pueblo, Dios se proponía enseñarles, y por medio de ellos a las generaciones sucesivas, los principios correctos referentes a la propiedad. La tierra de Canaán fue repartida entre todo el pueblo a excepción únicamente de los levitas, como ministros del Santuario. Aunque alguien vendiera, transitoriamente, su posesión, no podía enajenar la herencia de sus hijos. En cualquier momento en que estuviera en condición de hacerlo podría redimirla; las deudas eran perdonadas cada siete años, y el año quincuagésimo, o de jubileo, toda propiedad volvía a su dueño original. De ese modo la herencia de cada familia estaba asegurada y se proveía una salvaguardia contra la pobreza o la riqueza extremas.

Por medio de la distribución de la tierra entre el pueblo, Dios proveyó para él, lo mismo que para los moradores del Edén, la ocupación más favorable al desarrollo: el cuidado de las plantas y los animales. Otra provisión para la educación fue la suspensión de toda labor agrícola cada séptimo año, durante el cual se dejaba abandonada la tierra, y sus productos espontáneos pertenecían al pobre. De ese modo se daba oportunidad para profundizar el estudio, para que se realizaran cultos y hubiese intercambio social, y para practicar la generosidad, con tanta frecuencia asfixiada por los cuidados y trabajos de la vida.

Si hoy día se practicaran en el mundo los principios de las leyes de Dios, concernientes a la distribución de la propiedad, ¡cuán diferente sería la condición de la gente!–*La educación*, pp. 42-44.

Los pobres tienen derechos en el mundo de Dios

De Jehová es la tierra y su plenitud; el mundo, y los que en él habitan.
Salmo 24:1.

// En el mes séptimo, a los diez días del mes", en el Día de la Expiación, sonaba la trompeta del jubileo. Por todos los ámbitos de la tierra, doquiera habitaran los judíos, se oía el toque que invitaba a todos los hijos de Jacob a que saludaran el año de la remisión. En el gran Día de la Expiación se expiaban los pecados de Israel, y con corazones llenos de regocijo el pueblo daba la bienvenida al jubileo.

Como en el año sabático, no se debía sembrar ni segar, y todo lo que produjera la tierra había de considerarse como propiedad legítima de los pobres. Quedaban entonces libres ciertas clases de esclavos hebreos: todos los que no recibían su libertad en el año sabático.

Pero lo que distinguía especialmente el año del jubileo era la restitución de toda la propiedad inmueble a la familia del poseedor original. Por indicación especial de Dios, las tierras habían sido repartidas por suertes. Después de la repartición, nadie tenía derecho a cambiar su hacienda por otra. Tampoco debía vender su tierra, a no ser que la pobreza lo obligara a hacerlo, y aun en tal caso, en cualquier momento que él o alguno de sus parientes quisiera rescatarla, el comprador no debía negarse a venderla; y si no se redimía la tierra, debía volver a su primer poseedor o a sus herederos en el año del jubileo...

Debía inculcársele al pueblo el hecho de que la tierra que se le permitía poseer por un tiempo pertenecía a Dios, que él era su dueño legítimo, su poseedor original, y que él quería que se le diera al pobre y al menesteroso una consideración especial. Debía hacerse comprender a todos que los pobres tienen tanto derecho como los más ricos a un sitio en el mundo de Dios.

Tales fueron las medidas que nuestro Creador misericordioso tomó para aminorar el sufrimiento e impartir algún rayo de esperanza y alegría en la vida de los indigentes y angustiados.–*Patriarcas y profetas*, pp. 574, 575.

Trabajar, porque llega la noche de la tierra

Los entendidos resplandecerán como el resplandor del firmamento; y los que enseñan la justicia a la multitud, como las estrellas a perpetua eternidad. Daniel 12:3.

La obra que se nos confió es grande e importante; y para cumplirla necesitamos obreros sabios, desinteresados, capaces de consagrarse abnegadamente a la salvación de las almas. No hay lugar para los tibios; Cristo no puede usarlos. Se necesitan hombres y mujeres cuyo corazón sea sensible a los sufrimientos humanos y que demuestren por medio de su vida que reciben y transmiten la luz, la vida y la gracia.

Los hijos de Dios deben acercarse a Cristo a través de la abnegación y el sacrificio, con el único propósito de dar al mundo entero el mensaje de misericordia. Algunos trabajarán de un modo y otros de otro, según la manera en que el Señor los llame y conduzca. Pero todos deben trabajar en armonía, esforzándose por mantener en la obra un carácter de perfecta unidad. De viva voz y por la pluma deben trabajar para él. La Palabra de la verdad impresa debe ser traducida en varias lenguas y llevada a los extremos de la tierra.

Mi corazón está oprimido porque un número tan grande de los que podrían trabajar no hacen nada. Son juguetes de las tentaciones de Satanás. Cada miembro de la iglesia debe trabajar mientras dure el día; porque viene la noche cuando nadie puede trabajar. Muy pronto sabremos lo que es la noche. El Espíritu de Dios, contristado, se retira de la tierra. Las naciones están airadas unas contra otras. Se hacen inmensos preparativos para la guerra. La noche se acerca. Levántese la iglesia para cumplir la tarea que le ha sido asignada. Todo creyente, cualquiera sea el grado de su instrucción, puede llevar el mensaje.

La eternidad se extiende ante nosotros. El telón está por levantarse. ¿Qué estamos pensando al aferrarnos egoístamente a nuestra comodidad mientras en derredor nuestro hay almas que perecen? ¿Está nuestro corazón completamente endurecido? ¿No podemos ver y comprender que nos incumbe hacer una obra en favor de nuestros semejantes? Hermanos y hermanas, ¿son de los que teniendo ojos no ven y teniendo oídos no oyen? ¿Será en vano que Dios les haya revelado su voluntad? ¿Será en vano que les haya dirigido amonestación tras amonestación con respecto a la proximidad del fin? ¿Creen las declaraciones de su Palabra tocante a las cosas que han de sobrevenir al mundo? ¿Creen que los juicios de Dios están suspendidos sobre los habitantes de la tierra? En caso afirmativo, ¿cómo pueden quedar tranquilos, ociosos e indiferentes?–*Joyas de los testimonios,* t. 3, pp. 294, 295.

Cultivar la tierra es hacer el servicio de Dios

Y he aquí que esta vid... junto a muchas aguas, fue plantada, para que hiciese ramas y diese fruto, y para que fuese vid robusta. Ezequiel 17:7, 8.

El sistema del diezmo fue instituido por el Señor como el mejor medio posible para ayudar al pueblo a llevar a cabo los principios de la ley. Si esa ley era obedecida, al pueblo se le confiaría la viña entera, toda la tierra...

Los seres humanos debían cooperar con Dios en la restauración de la salud de la tierra enferma para que pudiera resultar en alabanza y gloria para el nombre divino. Y así como la tierra que poseían, si era cuidada con habilidad y fervor, produciría sus tesoros, así también su corazón, si era regido por Dios, reflejaría el carácter de Dios...

En las leyes que Dios dio para el cultivo del suelo, estaba dando al pueblo la oportunidad de vencer su egoísmo y tener inclinación por las cosas celestiales. Canaán sería como el Edén si obedecían la Palabra del Señor. Mediante ellos, el Señor tenía el propósito de enseñar a todas las naciones del mundo cómo cultivar el suelo para que diera frutos sanos y libres de enfermedad. La tierra es la viña del Señor, y ha de ser tratada de acuerdo con su plan. Los que cultivaban el suelo habían de comprender que estaban haciendo el servicio de Dios. Estaban tan ciertamente en su destino y lugar como lo estaban los hombres nombrados para ministrar en el sacerdocio y en la obra relacionada con el tabernáculo. Dios dijo al pueblo que los levitas eran una dádiva para ellos, y no importa cuál fuera su oficio, habían de ayudar a sostenerlos.–*Comentario bíblico adventista*, t. 1, p. 1.126.

Por su desobediencia a Dios, Adán y Eva habían perdido el Edén, y debido a su pecado toda la tierra quedó maldita. Pero si el pueblo de Dios seguía su instrucción, su tierra había de ser restaurada a la fertilidad y la belleza. Dios mismo les dio instrucciones en cuanto a la forma de cultivar el suelo, y ellos habían de cooperar con él en su restauración. De modo que toda la tierra, bajo el dominio de Dios, llegaría a ser una lección objetiva de verdad espiritual. Así como en obediencia a las leyes naturales de Dios la tierra había de producir sus tesoros, así en obediencia a sus leyes morales en el corazón la gente había de reflejar los atributos del carácter de Dios. Aun los paganos reconocerían la superioridad de los que servían y adoraban al Dios viviente.–*Palabras de vida del gran Maestro*, pp. 231, 232.

"Una fuente inagotable de instrucción y delicia"

¿Dónde estabas tú cuando yo fundaba la tierra? Házmelo saber si tienes inteligencia. ¿Quién ordenó sus medidas si lo sabes? ¿O quién extendió sobre ella cordel? Job 38:4, 5.

Adán y Eva estaban encargados del cuidado del jardín, para que lo guardasen y lo labrasen. Aunque poseían en abundancia todo lo que el Dueño del universo les podía proporcionar, no debían estar ociosos. Se les había asignado como bendición una ocupación útil, que había de fortalecer su cuerpo, ampliar su mente y desarrollar su carácter.

El libro de la naturaleza, al desplegar ante ellos sus lecciones vivas, les proporcionaba una fuente inagotable de instrucción y deleite. El nombre de Dios estaba escrito en cada hoja del bosque y en cada piedra de las montañas, en toda estrella brillante, en el mar, el cielo y la tierra. Los moradores del Edén trataban con la creación animada e inanimada; con las hojas, las flores y los árboles, con toda criatura viviente, desde el leviatán de las aguas hasta el átomo en el rayo del sol, y aprendían de ellos los secretos de su vida. La gloria de Dios en los cielos, los mundos innumerables con sus movimientos prefijados, "las diferencias de las nubes" (Job 37:16), los misterios de la luz y del sonido, del día y de la noche, todos eran temas de estudio para los alumnos de la primera escuela de la tierra.

El infinito Autor de todo abría a su mente las leyes y operaciones de la naturaleza, y los grandes principios de verdad que gobiernan el universo espiritual. Sus facultades mentales y espirituales se desarrollaban en la "iluminación del conocimiento de la gloria de Dios" (2 Cor. 4:6), y disfrutaban de los más elevados placeres de su santa existencia.

No sólo el Jardín del Edén, sino toda la tierra era sumamente hermosa al salir de la mano del Creador. No la desfiguraba ninguna mancha de pecado ni sombra de muerte. La gloria de Dios "cubrió los cielos y la tierra se llenó de alabanza" (Hab. 3:3)...

El huerto del Edén era una representación de lo que Dios deseaba que llegase a ser toda la tierra, y su propósito era que a medida que la familia humana creciera en número, estableciese otros hogares y escuelas semejantes a los que él había dado. De ese modo, con el transcurso del tiempo, toda la tierra debía ser ocupada por hogares y escuelas donde se estudiaran la Palabra y las obras de Dios, y donde los estudiantes se prepararsen para reflejar cada vez más plenamente, a través de los siglos sin fin, la luz del conocimiento de su gloria.—*La educación*, pp. 21, 22.

Debe trabajarse el terreno barbecho del corazón humano

Sembrad para vosotros en justicia, segad para vosotros en misericordia; haced para vosotros barbecho; porque es el tiempo de buscar a Jehová, hasta que venga y os enseñe justicia. Oseas 10:12.

Deseo exhortar a los que están en posiciones de responsabilidad que despierten a su deber, y que no pongan en peligro la causa de la verdad presente ocupando a hombres y a mujeres que son incompetentes para hacer la obra de Dios. Queremos a los que están dispuestos a entrar en nuevos campos y a trabajar enérgicamente para el Señor.

Recuerdo haber visitado el Estado de Iowa cuando se estaba colonizando el campo, y vi a los agricultores cultivar el campo. Observé que tenían equipos fuertes y que hacían tremendos esfuerzos para hacer surcos profundos, y los trabajadores obtenían fuerza y músculo por medio del ejercicio de sus poderes físicos. El trabajo duro fortalecerá a nuestros jóvenes para que entren en campos nuevos y preparen el terreno barbecho del corazón. Esta tarea los llevará más cerca de Dios. Les ayudará a ver que por sí mismos son totalmente incompetentes.

Deben ser completamente del Señor. Deben abandonar su amor propio y su presunción, y vestirse del Señor Jesucristo. Cuando hagan esto, estarán dispuestos a salir fuera del campamento y llevar las cargas como buenos soldados de la cruz. Obtendrán eficiencia y aptitud al dominar las dificultades y vencer los obstáculos. Se necesitan obreros para posiciones de responsabilidad, pero deben ser quienes han dado una prueba completa de su ministerio en su disposición a llevar el yugo de Cristo. El cielo considera con beneplácito esta clase de obreros.

Les amonesto para que tengan el colirio, para que puedan discernir lo que Dios quiere que hagan. Se predican muchos sermones sin Cristo. Un conjunto de palabras sin poder sólo confirma a la gente en sus recaídas. Que Dios nos ayude con el fin de que su Espíritu pueda manifestarse entre nosotros. No debemos esperar hasta que vayamos a nuestros hogares para obtener las bendiciones del cielo. Los ministros deberían estar aquí con la gente para buscar a Dios, y trabajar desde el punto de vista correcto. Quienes han estado por bastante tiempo en la obra, han estado demasiado complacidos esperando que los aguaceros de la lluvia tardía los reavivaran.

Somos el pueblo que, al igual que Juan, debemos preparar el camino del Señor; y si estamos preparados para la segunda venida de Cristo, debemos trabajar con toda diligencia para preparar a otros para el segundo advenimiento de Cristo, como lo hizo el precursor de Cristo para su primera venida, llamando a hombres y a mujeres al arrepentimiento...–*Review and Herald*, 8 de octubre de 1889.

Se necesita gran eficiencia y profunda consagración

Pero cuando venga el Espíritu de verdad, él os guiará a toda verdad; porque no hablará por su propia cuenta, sino que hablará todo lo que oyere, y os hará saber las cosas que habrán de venir. Juan 16:13.

Cada día que pasa nos acerca al fin. ¿Nos acerca también a Dios? ¿Velamos en oración? Las personas con las que tratamos continuamente necesitan recibir nuestras instrucciones. Es posible que su estado mental sea tal que una sola palabra oportuna, grabada en el alma por la influencia del Espíritu Santo, penetre como un clavo en el lugar apropiado. Puede ser que mañana algunas de esas almas estén para siempre fuera de nuestro alcance. ¿Qué influencia ejercemos sobre esos compañeros de ruta? ¿Qué esfuerzos hacemos para ganarlos para Cristo?

El tiempo es corto y nuestras fuerzas deben organizarse para hacer una obra más amplia. Necesitamos obreros que comprendan la inmensidad de la tarea y que estén dispuestos a cumplirla, no por el salario que reciben, sino porque se dan cuenta de que el fin se acerca. El tiempo exige más capacidad y una consagración más profunda. Estoy tan compenetrada de este pensamiento que clamo a Dios: "Levanta y envía mensajeros que tengan conciencia de su responsabilidad, mensajeros en quienes la idolatría y el yo, fuente de todo pecado, sea crucificado"...

Debemos avanzar con firmeza, poniendo nuestra confianza en Dios, haciendo su obra con abnegación, dependiendo humildemente de él, entregándonos nosotros mismos a su sabia providencia, ahora y para el futuro, reteniendo hasta el fin nuestra seguridad de los primeros días, y recordando hasta el fin que las bendiciones celestiales no son la recompensa de nuestros méritos, sino la recompensa de los méritos de Cristo y de nuestra aceptación, por fe en él, de la gracia abundante de Dios.–*Joyas de los testimonios*, t. 3, pp. 295-297.

Mantener los manantiales de beneficencia en circulación constante

¿No decís vosotros: Aún faltan cuatro meses para que llegue la siega? He aquí os digo: Alzad vuestros ojos y mirad los campos, porque ya están blancos para la siega. Juan 4:35.

El poder humano no estableció la obra de Dios, ni puede destruirla. Dios concederá la dirección constante y la custodia de sus santos ángeles a quienes llevan su obra adelante frente a dificultades y opresión. Nunca cesará su obra en la tierra. La edificación de su templo espiritual irá adelante hasta que esté completo, y la piedra angular será colocada con clamores: "Gracia, gracia a ella" (Zac. 4:7).

Los cristianos están para beneficiar a los demás. De este modo se benefician a sí mismos. "El que saciare, él también será saciado" (Prov. 11:25). Esta es una ley de la administración divina, una ley mediante la cual Dios se propone mantener las corrientes de la beneficencia en constante circulación, como las aguas del gran océano regresan perpetuamente a su fuente. El poder de las misiones cristianas se halla en el cumplimiento de esta ley.

He sido instruida acerca de que dondequiera que la gente se haya sacrificado y haya realizado esfuerzos urgentes para proveer medios para el establecimiento y avance de la causa, y el Señor haya prosperado la obra, la gente de dichos lugares debiera a su vez dar de sus medios para ayudar a sus siervos que han sido enviados a nuevos campos. Dondequiera que se haya establecido la obra sobre una buena base, los creyentes deberían sentirse bajo la obligación de ayudar a los que tienen necesidades, transfiriendo, aun al costo de un gran sacrificio, una parte o todos los medios que en años anteriores se invirtió en favor del establecimiento de la obra en su propia localidad. De esa manera el Señor se propone hacer crecer su obra. Este es el lineamiento correcto de la ley de la restitución.—*Testimonies for the Church*, t. 7, p. 170.

Decirles a otros que amen y obedezcan a Cristo

Vosotros sois mis testigos, dice Jehová, y mi siervo que yo escogí, para que me conozcáis y creáis y entendáis que yo mismo soy; antes de mí no fue formado dios, ni lo será después de mí. Isaías 43:10.

Satanás está tentando constantemente a los seres humanos para desviarlos de la fidelidad y de la consumación de las obras esenciales de preparación para el gran evento que probará el alma de cada persona. La obra en el Santuario celestial está avanzando. Jesús está purificando el Santuario. La obra en la tierra se corresponde con la obra en el cielo. Los ángeles celestiales están trabajando constantemente para llamar la atención de los seres humanos, el instrumento viviente, hacia la contemplación y meditación en Jesús, para que mirando la perfección de Cristo sean impresionados por las imperfecciones de sus propios caracteres. Cristo... declaró que el Consolador prometido "testificará de mí". Esta es la carga del mensaje para este tiempo...

Hablen como Cristo habló. Trabajen como Cristo trabajó. Debemos mirar a Cristo y vivir. Al contemplar su hermosura, desearemos practicar sus virtudes y su justicia. Contemplando a Cristo somos transformados a su imagen, y renunciando a nosotros mismos al dar nuestro corazón completamente a Jesús para que su Espíritu nos refine, ennoblezca y eleve, estaremos en comunión íntima con el mundo futuro, bañados por los rayos brillantes del Sol de justicia. Nos alegramos con gozo inefable y glorioso. Entonces se nos encomienda que vayamos a otras ciudades y pueblos a llevar las buenas nuevas con el corazón encendido del amor divino, aun a los que están lejos, a todos aquellos a quienes el Señor nuestro Dios llame.

Comuniquemos a otros las benditas verdades de su Palabra, y obedeciendo las palabras de Cristo, permanezcamos en su amor. Él nos insta a que por el amor que le tenemos guardemos sus mandamientos. Lo hace, no para impulsarnos a hacer cosas imposibles, sino porque sabe lo que significa guardar los mandamientos de su Padre. Quiere que cada alma que escuche su invitación, invite a otros a escucharla y a recibir sus preciosos dones, porque sabe que al guardar los mandamientos de Dios no caeremos en servil esclavitud, sino que seremos hechos libres por medio de la sangre de Jesucristo. "En guardarlos [sus mandamientos] hay grande galardón" (Sal. 19:11).

Díganlo a otros con la pluma y la voz, con piedad, humildad y amor, representando el carácter de Cristo. "Y el Espíritu y la Esposa dicen: Ven. Y el que oye, diga: Ven. Y el que tiene sed, venga; y el que quiera, tome del agua de la vida gratuitamente" (Apoc. 22:17).—*Alza tus ojos*, p. 342.

Todos tienen el deber de testificar

Pero recibiréis poder, cuando haya venido sobre vosotros el Espíritu Santo, y me seréis testigos en Jerusalén, en toda Judea, en Samaria, y hasta lo último de la tierra. Hechos 1:8.

Mi corazón sintió regocijo de ver entre los conversos a tantos jóvenes de ambos sexos con corazones suavizados y subyugados por el amor de Jesús, que reconocían la buena obra llevada a cabo por Dios en su corazón. Fue realmente una preciosa ocasión. "Porque con el corazón se cree para justicia, pero con la boca se confiesa para salvación" (Rom. 10:10). No permita Dios que estas almas pierdan alguna vez el calor de su primer amor, que por el orgullo y el amor al mundo, una frialdad desconocida llegue a tomar posesión de su mente y su corazón.

Es esencial que los que acaban de aceptar la fe tengan un sentido de su obligación hacia Dios, quien los ha llamado a conocer la verdad y ha llenado su corazón con su sagrada paz, para que puedan ejercer una influencia santificadora sobre todos aquellos con quienes se relacionen. "Vosotros sois mis testigos, dice Jehová" (Isa. 43:10).

A cada cual Dios le ha confiado una tarea: Dar a conocer su salvación al mundo. En la religión verdadera no hay egoísmo ni exclusividad. El evangelio de Cristo es expansivo y agresivo. Se lo describe como la sal de la tierra, como la levadura transformadora, como la luz que alumbra en lugar oscuro. Es imposible que alguien retenga el amor y el favor de Dios, y disfrute de comunión con él, y no sienta responsabilidad por las almas por las cuales Cristo murió, quienes se encuentran en el error y las tinieblas y perecen en sus pecados.

Si los que profesan ser seguidores de Cristo no resplandecen como luminarias en el mundo, el poder vital los abandonará y se volverán fríos y sin la semejanza de Cristo. El embrujo de la indiferencia se apoderará de ellos, junto con una mortal pereza espiritual, que los convertirá en cadáveres en lugar de representantes vivientes de Jesús. Todos debemos levantar la cruz, y asumir con modestia, humildad y sencillez intelectual los deberes que Dios nos asigna, para realizar esfuerzos personales en favor de los que nos rodean y necesitan auxilio y luz.

Todos los que acepten estos deberes gozarán de una experiencia rica y variada, su propio corazón irradiará fervor, y serán fortalecidos y estimulados para hacer esfuerzos renovados y perseverantes con el fin de obrar su propia salvación con temor y temblor, porque Dios es quien obra en ellos tanto el querer como el hacer según su buena voluntad.–*Review and Herald*, 21 de julio de 1891. (Ver *Cada día con Dios*, p. 211.)

Llevar luz y esperanza a todas partes

Así alumbre vuestra luz delante de los hombres, para que vean vuestras buenas obras, y glorifiquen a vuestro Padre que está en los cielos.
Mateo 5:16.

La obra práctica tendrá mucho más efecto que el mero sermonear. Hemos de dar aliento al hambriento, vestir al desnudo y proteger al que no tiene hogar. Y se nos llama a hacer más que esto. Únicamente el amor de Cristo puede satisfacer las necesidades del alma. Si Cristo habita permanentemente en nosotros, nuestro corazón estará lleno de divina simpatía. Las fuentes selladas del amor fervoroso, semejante al de Cristo, serán abiertas. Dios nos pide para los necesitados no sólo nuestros dones, sino además un semblante alegre, palabras llenas de esperanza, un bondadoso apretón de manos. Cuando Cristo sanaba a los enfermos, colocaba sus manos sobre ellos. De la misma manera debemos nosotros colocarnos en íntimo contacto con aquellos a quienes tratamos de beneficiar.

Hay muchas personas que han perdido la esperanza. Devuélvanles la luz del sol. Muchos han perdido su valor. Háblenles alegres palabras de aliento. Oren por ellos. Hay personas que necesitan el pan de vida. Léanles la Palabra de Dios. Muchos están afectados por una enfermedad del alma que ningún bálsamo humano puede alcanzar y que ningún médico puede curar. Oren por esas almas. Llévenlas a Jesús. Díganles que hay bálsamo en Galaad y que también allí hay Médico.

La luz es una bendición... universal que derrama sus tesoros sobre un mundo ingrato, impío, corrompido. Tal ocurre con la luz del Sol de justicia. Toda la tierra, envuelta... en las tinieblas del pecado, el dolor y el sufrimiento, debe ser iluminada con el conocimiento del amor de Dios. Ninguna secta, categoría o clase de gente ha de ser privada de la luz que irradia del trono celestial. El mensaje de esperanza y misericordia debe ser llevado a los confines de la tierra... Ya no deben los paganos seguir envueltos en las tinieblas de medianoche. La lobreguez ha de desaparecer ante los brillantes rayos del Sol de justicia. El poder del infierno ha sido vencido.

Pero nadie puede impartir lo que no ha recibido. En la obra de Dios, la humanidad no puede generar nada... Era el áureo aceite vertido por los mensajeros celestiales en los tubos de oro, para ser conducido del recipiente de oro a las lámparas del Santuario, lo que producía una luz continua, brillante y resplandeciente. Es el amor de Dios continuamente transferido a los hombres y a las mujeres lo que los capacita para impartir luz. En el corazón de todos los que están unidos a Dios por la fe, el áureo aceite del amor fluye libremente, para brillar en buenas obras, en un servicio real y sincero por Dios.–*Palabras de vida del gran Maestro*, pp. 343-345.

Para testificar con éxito, el yo debe ser crucificado

Hubo un hombre enviado de Dios... se llamaba Juan. Este vino... para que diese testimonio de la luz, a fin de que todos creyesen... Juan 1:6, 7.

La palabra de Dios para nosotros es: "Sed, pues, vosotros perfectos, como vuestro Padre que está en los cielos es perfecto" (Mat. 5:48). Pide que cada uno crucifique el yo. Los que responden, crecen fuertes en él. Aprenden cada día de Cristo, y cuanto más aprenden, más grande es su deseo de edificar el reino de Dios ayudando a sus semejantes. Cuanta más luz tienen, mayor es su deseo de iluminar a otros. Cuanto más caminan con Dios, menos viven para sí mismos. Cuanto más grandes son sus privilegios, oportunidades y habilidades para la obra cristiana, mayor es la obligación que sienten para trabajar por otros.

La naturaleza humana pugna siempre por expresarse. Una persona que fue hecha completa en Cristo, debe primero vaciarse del orgullo, de la autosuficiencia. Entonces hay silencio en el alma y se puede escuchar la voz de Dios. Entonces el Espíritu puede encontrar una entrada libre. Permita que Dios trabaje en usted y por medio de usted. Entonces podrá decir como dijo Pablo: "Ya no vivo yo, mas vive Cristo en mí" (Gál. 2:20). Pero hasta que se coloque el yo sobre el altar, hasta que permitamos que el Espíritu Santo nos moldee y nos forme de acuerdo con la similitud divina, no podemos alcanzar el ideal de Dios para nosotros. Dijo Cristo: "Yo he venido para que tengan vida, y para que la tengan en abundancia" (Juan 10:10). Esta vida es la que debemos tener para trabajar por Cristo, y debemos tenerla "en abundancia". Dios soplará esta vida en cada alma que muere al yo, pero se requiere abnegación completa. A menos que suceda esto, llevaremos con nosotros lo que destruye nuestra felicidad y utilidad.

El Señor necesita hombres y mujeres que lleven con ellos en su vida diaria la luz de un buen ejemplo; hombres y mujeres cuyas palabras y acciones muestren que Cristo está morando en el corazón, enseñando, dirigiendo, guiando. Necesita hombres y mujeres de oración, quienes, al luchar solos con Dios, obtengan la victoria sobre el yo, y que salgan después para impartir a otros lo que recibieron de la Fuente de poder.

Dios acepta a los que crucifican al yo, y los hace vasos de honra. Están en sus manos como el barro en las manos del alfarero, y lleva a cabo su voluntad por medio de ellos. Tales hombres y mujeres recibirán poder espiritual. Cristo vive en ellos, y el poder del Espíritu acompaña sus esfuerzos. Se dan cuenta de que deben vivir en este mundo la vida que vivió Jesús: una vida libre de todo egoísmo; y él los capacita para que den testimonio de él, testimonio que atrae a las almas hacia la cruz del Calvario.–*Signs of the Times*, 9 de abril de 1902.

Invitar a la gente para que lleguen a ser hijos de Dios

Mirad cuál amor nos ha dado el Padre, para que seamos llamados hijos de Dios; por esto el mundo no nos conoce, porque no le conoció a él. 1 Juan 3:1.

"Amados, ahora somos hijos de Dios, y aún no se ha manifestado lo que hemos de ser; pero sabemos que cuando él se manifieste, seremos semejantes a él, porque le veremos tal como él es. Y todo aquel que tiene esta esperanza en él, se purifica así mismo, así como él es puro" (1 Juan 3:2).

En esta escritura se describen los privilegios cristianos que, comparativamente, comprenden sólo muy pocas personas. Cada uno debería familiarizarse con las bendiciones que Dios nos ha ofrecido en su Palabra. Nos ha dado muchas promesas en cuanto a lo que hará por nosotros. Y todo eso que ha prometido es hecho posible por el sacrificio de Cristo en favor de nosotros.

Juan el Bautista dio testimonio de Aquel por medio de quien podemos llegar a ser hijos e hijas de Dios... "Mas a todos los que le recibieron, a los que creen en su nombre, les dio potestad de ser hechos hijos de Dios" (Juan 1:12).

La filiación divina no es algo que obtenemos por nosotros mismos. Sólo a los que reciben a Cristo como su Salvador se les da la facultad de llegar a ser hijos e hijas de Dios. El pecador no puede librarse del pecado por ningún poder inherente. Para el logro de este resultado, debe buscar un Poder superior. Juan exclamó: "He aquí el Cordero de Dios, que quita el pecado del mundo" (Juan 1:29). Sólo Cristo tiene poder para limpiar el corazón. El que busque perdón y aceptación, sólo puede decir: "Nada traigo en mi mano, sólo me aferro a la cruz".

Pero la promesa de filiación se brinda a **todos** los que "creen en su nombre". Todo el que venga a Jesús con fe, recibirá perdón. Tan pronto como el penitente mira al Salvador para que lo ayude a volverse del pecado, el Espíritu Santo comienza su obra transformadora en el corazón. "Mas a todos los que le recibieron, les dio poder de ser hechos hijos de Dios".

Qué incentivo para un esfuerzo mayor debe ser esto para todos los que están tratando de presentar la esperanza del evangelio ante quienes aún están en las tinieblas del error.–*Review and Herald,* 3 de septiembre de 1903.

Los ángeles cooperan con los ganadores de almas

De éste dan testimonio todos los profetas, que todos los que en él creyeren, recibirán perdón de pecados por su nombre. Hechos 10:43.

Dios obra por medio de agentes celestiales para que los que conocen la verdad puedan ser puestos en conexión con las almas que necesitan luz y conocimiento. Lean el capítulo 10 del libro de Hechos. El Dios del cielo contempló la devoción y la piedad de Cornelio. Fue testigo de sus oraciones y de sus limosnas, y señaló el poder de su influencia. Deseó darle la luz con respecto a la misión de Cristo y conectarlo con su obra.

El Señor envió a su ángel para comunicarle esto a Cornelio y colocarlo en contacto con el apóstol Pedro. El ángel le dijo a Cornelio dónde vivía Pedro, y le aseguró: "Él te dirá lo que es necesario que hagas". Después envió un ángel a Pedro para quitarle sus dudas en cuanto a la conveniencia de trabajar en favor de los gentiles. "Lo que Dios limpió, no lo llames tú común". Mientras Pedro estaba pensando en la visión misteriosa que se le había dado, el Espíritu le dijo: "He aquí tres hombres te buscan. Levántate, pues, y desciende, y no dudes ir con ellos, porque yo los he enviado" (Hech. 10:19, 20).

Qué historia es esta para mostrar que el cielo está en íntima relación con nuestro mundo. En la escalera que vio Jacob, los ángeles de Dios ascendían y descendían. Dios estaba en lo alto de la escalera, y rayos de luz y gloria estaban brillando en todo el trayecto desde el cielo a la tierra. Aún está abierta esta línea de comunicación.

¿Y cuál fue el resultado del trato de Dios con Cornelio? Lean la preciosa historia, y aprendan, y alaben a Dios, porque su lección es para nosotros... Y Dios "nos mandó que predicásemos al pueblo, y testificásemos de que él es al que Dios ha puesto por Juez de vivos y muertos. De éste dan testimonio todos los profetas, que todos los que en él creyeren, recibirán perdón de pecados por su nombre" (Hech. 10:42, 43).

Mientras aún hablaba Pedro estas palabras, el Espíritu Santo cayó sobre todos los que oían el discurso, y fueron bautizados en el nombre del Señor Jesús. De esta manera, en Cesarea, se estableció una compañía de creyentes cristianos para mantener en alto la luz de la verdad.

Esta es la obra que debe ser hecha hoy. Tenemos un mensaje para dar a la gente... Cristo declara: "Yo soy el pan de vida; el que a mí viene, nunca tendrá hambre; y el que en mí cree, no tendrá sed jamás... Todo lo que el Padre me da, vendrá a mí; y al que a mí viene, no le echo fuera" (Juan 6:35, 37).–*Australasian Union Conference Record*, 1° de enero de 1900.

Cuidar las palabras y ser discretos al testificar

Andad sabiamente con los de afuera, redimiendo el tiempo. Sea vuestra palabra siempre con gracia, sazonada con sal, para que sepáis cómo debéis responder a cada uno. Colosenses 4:5, 6.

Es verdad que se nos ha ordenado: "Clama a voz en cuello, no te detengas; alza tu voz como trompeta, y anuncia a mi pueblo su rebelión, y a la casa de Jacob su pecado" (Isa. 58:1). Es necesario proclamar este mensaje, pero mientras lo damos, debemos ser cuidadosos para no herir, mortificar y condenar a quienes no tienen la luz que tenemos...

Los que han tenido grandes privilegios y oportunidades, y que han fracasado en mejorar sus facultades físicas, morales y espirituales, que han vivido para satisfacerse a sí mismos y han rehusado cumplir su responsabilidad, se encuentran en gran peligro y en mayor condenación delante de Dios que los que están en el error en cuestiones doctrinales, pero que procuran vivir para hacer bien a otros. No censuren ni condenen a esas personas.

Si permitimos que las consideraciones egoístas, los razonamientos falsos y las excusas erróneas nos conduzcan a un estado pervertido de mente y corazón, de manera que no reconozcamos los caminos y la voluntad de Dios, seremos mucho más culpables que el pecador que peca abiertamente. Necesitamos ser muy prudentes para no condenar a quienes, delante de Dios, son menos culpables que nosotros mismos.

Que todos recuerden que en ningún caso debemos invitar la persecución. No debemos emplear palabras duras y cortantes. Exclúyanlas de cada artículo escrito, elimínenlas de cada discurso que se presenta. Que la Palabra de Dios sea la que corte y reprenda; que los seres finitos se oculten y moren en Jesucristo. Permitamos que se manifieste el espíritu de Cristo. Tengan cuidado con sus palabras, no sea que coloquen a los que no son de nuestra fe en una oposición acerba contra nosotros, y le den una oportunidad a Satanás para usar las palabras imprudentes con las cuales levantar barreras en nuestro camino.

Habrá un tiempo de tribulación como no ha existido desde que ha habido nación. Nuestra tarea es eliminar de todos nuestros discursos cualquier cosa que tenga sabor a desquite y desafío, y que ataque a iglesias o a individuos, porque esto no es el camino ni el método de Cristo.

El hecho de que el pueblo de Dios, que conoce la verdad, ha fracasado en cumplir con su deber de acuerdo con la luz presentada en la Palabra de Dios, hace necesario que seamos sumamente cautelosos, no sea que ofendamos a los que no son creyentes antes de que hayan oído las razones para nuestra fe con respecto al sábado y al domingo.–*Testimonies for the Church*, t. 9, pp. 243, 244.

Ahora es el tiempo de trabajar para Cristo

Te encarezco delante de Dios y del Señor Jesucristo, que juzgará a los vivos y a los muertos en su manifestación y en su reino, que prediques la palabra; que instes a tiempo y fuera de tiempo; redarguye, reprende, exhorta con toda paciencia y doctrina. 2 Timoteo 4:1, 2.

¿Qué uso ha hecho usted de este don de Dios? Le ha provisto fuerzas motivadoras de acción, con el fin de que con paciencia y esperanza, y con una vigilancia sin descanso, pueda predicar a Cristo y a él crucificado, llamando a los perdidos a arrepentirse de sus pecados, haciendo resonar la nota de amonestación de que Cristo pronto va a venir con poder y grande gloria.

Si los miembros de la iglesia de_____ no se levantan ahora y van a trabajar a los campos misioneros, retrocederán a un sueño semejante a la muerte. ¿Cómo trabajó el Espíritu Santo en su corazón?... ¿No fueron inspirados para valerse de los talentos que Dios les dio, que cada hombre, mujer y joven deben emplear para mostrar la verdad para este tiempo, haciendo esfuerzos personales, yendo a las ciudades donde la verdad nunca ha sido proclamada, y levantando el estandarte?

¿No han sido avivadas sus energías por causa de la bendición que Dios les ha concedido? ¿No ha sido la verdad grabada más profundamente en su alma? ¿No pueden ver con más claridad su importancia relativa para los que están pereciendo sin Cristo? Desde la reveladora manifestación de la bendición de Dios, ¿están testificando por Cristo de una manera más clara y decidida que nunca antes?

El Espíritu Santo ha traído decididamente a su mente las verdades importantes y vitales para este tiempo. ¿Debe vendarse este conocimiento en una servilleta y esconderse en la tierra? No, no. Debe ser dado a los banqueros. Cuando una persona usa sus talentos, aunque sean pequeños, con fidelidad, el Espíritu Santo toma las cosas de Dios y las presenta de nuevo a la mente. Por medio de su Espíritu, Dios hace que su Palabra sea un poder vivificante. Es ágil y poderosa, y ejerce una tremenda influencia sobre las mentes no debido a la erudición o inteligencia del instrumento humano, sino porque el poder divino obra con el poder humano. Y toda la alabanza debe darse al poder divino.–*Testimonies for the Church*, t. 8, pp. 54, 55.

El cristianismo práctico es importante en la testificación

Los mandamientos sabes: No adulteres. No mates. No hurtes. No digas falso testimonio. No defraudes. Honra a tu padre y tu madre. Marcos 10:19.

La gente no admite las exigencias de la ley de Dios, que son muy claras, y toma generalmente un curso de acción ilegal; por causa de que se han puesto por mucho tiempo al lado del gran rebelde en su guerra contra la ley de Dios, ley que es el fundamento de su gobierno en el cielo y en la tierra, es que ya están adiestrados en hacer ese trabajo. En su lucha no abrirán sus ojos o conciencia a la luz. Cierran sus ojos, no sea que lleguen a iluminarse.

El caso es tan desesperado como fue el de los judíos que no vieron la luz que Cristo les trajo. Las evidencias maravillosas que les dio de su mesianismo en los milagros que realizó, al curar a los enfermos, levantar a los muertos y en hacer las obras que ningún otro hombre había hecho o podía hacer, en vez de ablandar y subyugar su corazón, y vencer sus malvados prejuicios, los inspiró con odio y furia satánicas como las que Satanás poseía cuando fue arrojado del cielo. Cuanto mayor luz y evidencia tuvieron, mayor fue su odio. Estaban decididos a extinguir la luz matando a Cristo...

Nuestra obra debe consistir en aprovechar cada oportunidad de presentar la verdad en su pureza y sencillez, siempre que exista el deseo o el interés de escuchar las razones de nuestra fe. Los que se han espaciado mayormente sobre las profecías y los puntos teóricos de nuestra fe, deben sin demora llegar a ser estudiantes de la Biblia sobre temas prácticos. Deben tomar una dosis más profunda de la fuente de la divina verdad. Deben estudiar cuidadosamente la vida de Cristo y sus lecciones de piedad práctica, dadas para el beneficio de todos y para ser la regla del correcto vivir para todos los que creen en su nombre. Deben ser imbuidos con el espíritu de su gran Ejemplo, y tener un sentido elevado de la vida sagrada de un seguidor de Cristo.–*Testimonies for the Church*, t. 3, pp. 213, 214.

Testifiquemos dondequiera que nos llame Jesús

Pero el Señor estuvo a mi lado, y me dio fuerzas para que por mí fuese cumplida la predicación, y que todos los gentiles oyesen. Así fui librado de la boca del león. 2 Timoteo 4:17.

Resuelvan, no en su fuerza sino en la fuerza y en la gracia dadas por Dios, que consagrarán a él ahora, exactamente ahora, todo poder y toda capacidad. Después seguirán a Jesús porque él se los pide, y ustedes no van a preguntar adónde, o qué recompensa se les dará. Les irá bien si obedecen la palabra "Síganme". Su tarea es dirigir a otros a la luz por medio de esfuerzos juiciosos y fieles. Bajo la tutela del Líder divino, decidan y resuelvan actuar sin un momento de vacilación.

Cuando mueran al yo, cuando se sometan a Dios, para hacer su obra, para que la luz que os ha dado resplandezca en buenas obras, no trabajarán solos. La gracia de Dios está presente para colaborar con todo esfuerzo para iluminar al ignorante y a quienes no saben que el fin de todas las cosas está cerca.

Pero Dios no hará la obra que les toca hacer a ustedes. La luz puede resplandecer en abundancia, mas la gracia proporcionada convertirá el alma únicamente en la medida en que los inste a colaborar con los instrumentos divinos... Son llamados a revestirse de la armadura cristiana y entrar en el servicio del Señor como soldados activos. El poder divino debe cooperar con el esfuerzo humano para quebrantar el embrujo del mundo que el enemigo ha lanzado sobre el alma.

...Permitan que su corazón se extienda en amor por las almas que perecen. Obedezcan el impulso dado por el Alto Cielo. No contristen al Espíritu Santo demorándose en obedecer. No resistan los métodos de Dios de recuperar almas de la esclavitud del pecado. A cada uno, de acuerdo con sus diversas capacidades, se le da una obra. Hagan lo mejor, y Dios aceptará sus esfuerzos.–*Testimonies for the Church*, t. 8, pp. 55, 56.

Jesús de identifica con el necesitado

El Rey les dirá: De cierto os digo que en cuanto lo hicisteis a uno de estos mis hermanos más pequeños, a mí lo hicisteis. Mateo 25:40.

Mientras Dios en su providencia ha cargado la tierra con sus abundantes bendiciones y llenado sus depósitos con cosas para gozar la vida, no hay en absoluto excusa para que la tesorería de Dios permanezca vacía. Los cristianos no tienen excusa al permitir que los clamores de la viuda y las oraciones del huérfano asciendan al cielo debido a las necesidades que tienen, mientras una Providencia liberal ha colocado en las manos de esos cristianos abundancia para suplir las necesidades de los pobres.

Que los clamores de la viuda y de los huérfanos no pidan la venganza del cielo sobre nosotros como pueblo. En el profeso mundo cristiano, hay demasiado dinero que se gasta en ostentaciones extravagantes, en joyas y adornos, como para suplir las necesidades de todos los hambrientos y para vestir a los desnudos en nuestras poblaciones y ciudades; y sin embargo, estos profesos seguidores del manso y humilde Jesús no necesitan privarse a sí mismos de alimento adecuado o de vestimenta confortable.

¿Qué dirán estos miembros de iglesia cuando sean confrontados en el día de Dios por los pobres honestos, los afligidos, las viudas y los huérfanos, quienes han conocido la severa pobreza para las escasas necesidades de la vida, mientras estos profesos seguidores de Cristo gastaron en ropa superflua y adornos innecesarios, que además están prohibidos expresamente en la Palabra de Dios, lo suficiente como para suplir todas sus necesidades?

Vemos damas que profesan piedad usando elegantes cadenas de oro, collares, anillos y otras alhajas... mientras la necesidad está al acecho en las calles, y a cada lado están los que sufren y los indigentes. Éstos no les interesan, no despiertan su simpatía, y sin embargo llorarán al leer el sufrimiento imaginario que se describe en la última novela. No tienen oídos para oír los clamores de los necesitados, ni ojos para contemplar el frío y las formas casi desprovistas de ropa de las mujeres y los niños que hay a su alrededor. Miran las necesidades reales como una especie de delito, y se retiran de la humanidad doliente como una enfermedad contagiosa. A los tales, Cristo les dice: "Tuve hambre, y no me disteis de comer; tuve sed, y no me disteis de beber... enfermo, y en la cárcel, y no me visitasteis" (Mat. 25:42, 43).

Pero Cristo dice a los justos: "Porque tuve hambre, y me disteis de comer; tuve sed, y me disteis de beber; fui forastero, y me recogisteis; estuve desnudo, y me cubristeis; enfermo, y me visitasteis; en la cárcel, y vinisteis a mí"... De ese modo Cristo identifica su interés con el de la humanidad doliente. Las obras de amor y caridad hechas a los dolientes son como si lo hiciéramos a él mismo.–*Review and Herald*, 21 de noviembre de 1878.

El Espíritu Santo capacitará para testificar

Y con gran poder los apóstoles daban testimonio de la resurrección del Señor Jesús, y abundante gracia era con todos ellos. Hechos 4:33.

¿Cuál fue el resultado del derramamiento del Espíritu en el día de Pentecostés? Las buenas nuevas de un Salvador resucitado fueron llevadas a las más alejadas partes del mundo habitado. El corazón de los discípulos quedó sobrecargado de una benevolencia tan completa, profunda y abarcante, que los impulsó a ir hasta los fines de la tierra testificando: "Lejos esté de mí gloriarme, sino en la cruz de nuestro Señor Jesucristo" (Gál. 6:14).

Mientras proclamaban la verdad tal cual es en Jesús, los corazones cedían al poder del mensaje. La iglesia veía a los conversos afluir a ella desde todas las direcciones. Los apóstatas se volvían a convertir. Los pecadores se unían con los cristianos en la búsqueda de la perla de gran precio. Los que habían sido acérrimos oponentes del evangelio, llegaron a ser sus campeones... La única ambición de los creyentes consistía en revelar un carácter semejante al de Cristo, y trabajar para el engrandecimiento de su reino...

Gracias a sus labores se añadieron elegidos a la iglesia, quienes, recibiendo la palabra de vida, consagraron su vida a la obra de comunicar a otros la esperanza que había llenado su corazón de paz y gozo. Centenares proclamaron el mensaje: "El reino de Dios se ha acercado". No se los podía constreñir ni intimidar con amenazas. El Señor hablaba por su medio y, dondequiera que fuesen, los enfermos eran sanados y el evangelio era predicado a los pobres. Tal es el poder con que Dios puede obrar cuando los seres humanos se entregan al dominio de su Espíritu.

A nosotros, tan ciertamente como a los primeros discípulos, nos pertenece la promesa del Espíritu. Dios dotará hoy a hombres y a mujeres del poder de lo alto, como dotó a los que, en Pentecostés, oyeron el mensaje de salvación. En este mismo momento su Espíritu y su gracia son para todos los que los necesitan y quieran aceptar su palabra al pie de la letra.

Notemos que el Espíritu fue derramado después que los discípulos hubieron llegado a la unidad perfecta, cuando ya no contendían por el puesto más elevado. Eran **unánimes**. Habían desechado todas las diferencias. Y el testimonio que se da de ellos después que les fue dado el Espíritu es el mismo. Advirtamos la expresión: "Y la multitud de los que habían creído era de **un corazón y un alma**" (Hech. 4:32). El espíritu de Aquel que había muerto para que los pecadores viviesen animaba a toda la congregación de creyentes.–*Joyas de los testimonios*, t. 3, pp. 209-211.

Dios da gracia a los que creen su Palabra

Pero sin fe es imposible agradar a Dios; porque es necesario que el que se acerca a Dios crea que le hay, y que es galardonador de los que le buscan. Hebreos 11:6.

Se me ha mostrado que muchos tienen ideas confusas con respeto a la conversión. A menudo han oído repetir desde el púlpito las frases: "Es necesario nacer otra vez". "Deben tener un nuevo corazón". Estas expresiones los han preocupado. No podían comprender el plan de salvación.

Muchos han marchado a los tumbos hacia la ruina debido a las erróneas doctrinas enseñadas por algunos pastores concernientes al cambio que ocurre en la conversión. Algunos han vivido en la tristeza durante muchos años, esperando alguna señalada evidencia de que eran aceptados por Dios. Se han separado en gran medida del mundo, y hallan placer en asociarse con el pueblo de Dios; sin embargo no osan profesar a Cristo, porque temen que sería presunción decir que son hijos de Dios. Están esperando el cambio extraordinario que han sido inducidos a creer que está relacionado con la conversión.

Después de un tiempo, algunos de éstos reciben evidencia de su aceptación por parte de Dios, y entonces son inducidos a identificarse con su pueblo. Ellos hacen datar su conversión desde ese tiempo. Pero se me ha mostrado que fueron adoptados en la familia de Dios antes de ese tiempo. Dios los aceptó cuando sintieron dolor por el pecado, y habiendo perdido su deseo por los placeres del mundo, resolvieron buscar a Dios fervientemente. Pero al no comprender la sencillez del plan de salvación, perdieron muchos privilegios y bendiciones que podrían haber reclamado si solamente hubieran creído, cuando por primera vez se volvieron a Dios, que él los había aceptado.

Otros caen en un error aún más peligroso. Son gobernados por los impulsos. Sus simpatías se despiertan y consideran esta irrupción de sentimientos como una evidencia de que son aceptados por Dios y están convertidos. Pero los principios de su vida no han cambiado. Las evidencias de una genuina obra de gracia en el corazón han de fundarse, no en los sentimientos, sino en su vida. "Por sus frutos", dijo Cristo, "los conocerán"...

La obra de la gracia en el corazón no es una obra instantánea. Se efectúa por medio de una vigilancia continua y cotidiana y creyendo en las promesas de Dios. A la persona arrepentida y creyente, que alberga fe y anhela con fervor la gracia renovadora de Cristo, Dios no la devolverá vacía. Le dará gracia. Y los ángeles ministradores la ayudarán mientras persevera en sus esfuerzos para avanzar.–*El evangelismo*, pp. 211, 212.

Un librito produce grandes resultados

El sembrador salió a sembrar. Y mientras sembraba, parte de la semilla cayó junto al camino... Pero parte cayó en buena tierra, y dio fruto, cuál a ciento, cuál a sesenta, y cuál a treinta por uno. Mateo 13:3, 4, 8, 9.

Después de haber terminado la reunión [un culto del congreso en Míchigan], una hermana me tomó sinceramente de la mano, expresando gran regocijo por encontrarse de nuevo con la Hna. White. Preguntó si yo recordaba hacer visitado una vez una casa de madera en los bosques, 22 años atrás. Ella nos sirvió un refrigerio, y yo le dejé un librito titulado *Experience and Views.*

Declaró que había prestado ese librito a sus vecinos, a medida que nuevas familias se establecían en su vecindario, hasta que el librito se gastó casi completamente; expresó su gran deseo de obtener otro ejemplar del mismo libro. Sus vecinos estaban profundamente interesados en él, y se sentían anhelosos de ver a la autora. Dijo que cuando la visité, le hablé de Jesús y de las hermosuras del cielo, y que las palabras fueron habladas con tal fervor, que quedó encantada y que nunca las había olvidado.

Desde ese tiempo el Señor había enviado a pastores para predicarles la verdad, y ahora había todo un grupo de observadores del sábado. La influencia de ese librito, ahora gastado por el uso, se había extendido de uno a otro, realizando su obra silenciosa, hasta que el terreno estaba listo para la simiente de la verdad.

Bien recuerdo el largo viaje que realizamos hace 22 años, en Míchigan. Estábamos de viaje para realizar una reunión en Vergennes. Nos encontrábamos a 20 km de nuestro destino. Nuestro conductor había recorrido repetidamente ese camino, y lo conocía bien, pero tuvo que reconocer que se había perdido. Viajamos 65 kilómetros ese día, por los bosques, sobre troncos y árboles caídos, donde apenas había un rastro de camino...

No podíamos entender por qué debíamos ser abandonados en este extraordinario errar por el desierto. Nunca nos sentimos más satisfechos que cuando distinguí un pequeño claro en el cual había una cabaña, donde encontramos a la hermana que mencioné. Bondadosamente nos dio la bienvenida a su hogar, y nos proporcionó un refrigerio, que fue recibido con agradecimiento. Mientras descansábamos, hablé con la familia y les dejé un librito. Ella lo aceptó alegremente y lo ha conservado hasta el día de hoy.

Durante 22 años las idas y venidas que caracterizaron ese viaje nos han parecido misteriosas, pero aquí encontramos a todo un grupo que ahora está compuesto por creyentes en la verdad, y que atribuyen su primer conocimiento a la influencia de ese librito.–*El evangelismo*, pp. 328, 329.

El ministerio personal es clave para ganar almas

Entonces vinieron a él unos trayendo un paralítico, que era cargado por cuatro... Al ver Jesús la fe de ellos, dijo al paralítico: Hijo, tus pecados te son perdonados. Marcos 2:3, 5.

Es necesario acercarse a la gente por medio del esfuerzo personal. Si se dedicara menos tiempo a sermonear y más al servicio personal, se conseguirían mayores resultados. Hay que aliviar a los pobres, atender a los enfermos, consolar a los afligidos y dolientes, instruir a los ignorantes y aconsejar a los inexpertos. Hemos de llorar con los que lloran y regocijarnos con los que se regocijan. Acompañada del poder de persuasión, del poder de la oración, del poder del amor de Dios, esta obra no será ni puede ser infructuosa.

Hemos de recordar siempre que el objeto de la obra médico-misionera consiste en dirigir a los enfermos del pecado hacia el Mártir del Calvario, el que quita el pecado del mundo. Contemplándole, se transmutarán a su semejanza. Debemos animar al enfermo y al doliente a que miren a Jesús y vivan. Pongan los obreros cristianos a Cristo, el divino Médico, en continua presencia de aquellos a quienes desalentó la enfermedad del cuerpo y del alma... Persuádanles a que se entreguen al cuidado de Aquel que dio su vida para que ellos puedan obtener vida eterna. Háblenles de su amor, del poder que tiene para salvar.

Este es el alto deber y el precioso privilegio del médico misionero. Y el ministerio personal prepara a menudo el camino para esta obra. Con frecuencia, Dios llega a los corazones por medio de nuestros esfuerzos por aliviar los padecimientos físicos...

En casi todas las poblaciones hay muchos que no escuchan la predicación de la Palabra de Dios ni asisten a ningún servicio religioso. Para que conozcan el evangelio, hay que llevárselo a sus casas. Muchas veces la atención prestada a sus necesidades físicas es la única manera de llegar a ellos.

Los enfermeros misioneros que cuidan a los enfermos y alivian la miseria de los pobres encontrarán muchas oportunidades para orar por ellos, leerles la Palabra de Dios y hablarles del Salvador. Pueden orar con los desamparados que no tienen fuerza de voluntad para dominar los apetitos degradados por las pasiones. Pueden llevar un rayo de esperanza a los vencidos y desalentados. Su amor abnegado, manifestado en actos de bondad desinteresada, ayudará a esos dolientes a creer en el amor de Cristo.–*El ministerio de curación*, pp. 102, 103.

Hacer claro el valor del alma

Ten cuidado de ti mismo y de la doctrina; persiste en ello, pues hacien-do esto, te salvarás a ti mismo y a los que te oyeren. 1 Timoteo 4:16.

La obra que usted realiza al ayudar a nuestras hermanas a sentir su responsabilidad individual hacia Dios es una obra buena y necesaria. Ha sido descuidada durante mucho tiempo; pero cuando esta obra es expuesta en forma clara, sencilla y definida, podemos esperar que los deberes caseros, en lugar de ser descuidados, sean hechos en forma mucho más inteligente. El Señor desea que siempre destaquemos el valor de un alma humana ante los que no comprenden este valor.

Si pudiésemos tomar las disposiciones necesarias para contar con grupos organizados e instruidos cabalmente acerca de la parte que deberían desempeñar como siervos del Maestro, nuestras iglesias tendrían una vida y vitalidad que han necesitado desde hace mucho.

Así se apreciaría la excelencia de las almas que Cristo ha salvado. Nuestras hermanas, generalmente, pasan un tiempo difícil con sus familias que aumentan y sus aflicciones que otros no comprenden. He anhelado durante mucho tiempo contar con mujeres que puedan ser educadas para que ayuden a nuestras hermanas a superar su desánimo y a sentir que pueden hacer algo para el Señor. Esto está llevando rayos de sol a su propia vida, los cuales se reflejan en el corazón de otros. Dios la bendecirá a usted y a todos los que se unan a usted en esta grandiosa obra.–*El evangelismo,* pp. 337, 338.

Muchas hermanas jóvenes, como también otras de más edad, parecen rehuir la conversación religiosa. No aprecian sus oportunidades. La Palabra de Dios debe ser su garantía, su esperanza, su paz. Cierran las ventanas del alma que deberían abrirse hacia el cielo, y abren ampliamente las que miran hacia la tierra. Pero cuando vean la excelencia del alma humana, cerrarán las ventanas que dan a la tierra, que dependen de las diversiones mundanales y las relaciones insensatas y pecaminosas, y abrirán las que dan al cielo, para contemplar las cosas espirituales. Entonces podrán decir: "Recibiré la luz del Sol de justicia, con el fin de que resplandezca sobre otros".

Las personas que trabajan con más éxito son aquellas que asumen alegremente la obra de servir a Dios en las cosas pequeñas. Cada ser humano debe trabajar con el hilo de su vida, entretejiéndolo con la trama para completar el modelo.–*Review and Herald,* 9 de mayo de 1899. (Ver *Joyas de los testimonios,* t. 2, pp. 401, 402.)

La música puede atraer a la gente al mensaje de Dios

Cantad a Jehová cántico nuevo; cantad a Jehová, toda la tierra. Cantad a Jehová, bendecid su nombre; anunciad de día en día su salvación. Salmo 96:1, 2.

Hace unas pocas noches mi mente estuvo muy preocupada con lo que podríamos hacer para llevar la verdad a los pobladores de las grandes ciudades. Estamos seguros de que si logran escuchar el mensaje, algunos aceptarán la verdad y a su vez la comunicarán a otros.

Los ministros advierten a sus congregaciones y dicen que es una doctrina peligrosa la que se está presentando, y que si van a escuchar serán engañados con esa doctrina extraña. Desaparecerían los prejuicios si consiguiésemos que la gente salga para oír. Estamos orando acerca de este asunto, y creemos que el Señor proporcionará un lugar donde estos mensajes de amonestación e instrucción sean dados a la gente en estos últimos días.

Una noche me pareció estar en una reunión donde se hablaba de estos asuntos. Y un hombre muy serio y digno vino y me dijo: "Ustedes están orando para que el Señor envíe a hombres y a mujeres de talento para que se dediquen a la obra. Tienen talentos en su medio que necesita recibir reconocimiento".

Se formularon proposiciones sabias y se pronunciaron las palabras cuyo resumen doy a continuación. Él dijo: "Llamo la atención de ustedes al talento del canto que debiera cultivarse, porque la voz humana expresada en cantos constituye uno de los talentos dados por Dios y que deben emplearse para su gloria. El enemigo de la justicia utiliza provechosamente este talento en servicio. Y lo que es un don de Dios, dado para bendecir a las almas, es pervertido, mal aplicado y sirve a los propósitos de Satanás.

"Este talento de la voz es una bendición si se consagra para servir a su causa. [Carrie Gribble] tiene talento, pero éste no es apreciado. Debiera tomarse en cuenta su posición, y su talento atraerá a la gente y así ésta oirá el mensaje de verdad".–*El evangelismo*, p. 363.

La verdad es para ser vivida, no meramente para presentarla

Decid entre las naciones: Jehová reina. También afirmó el mundo, no será conmovido; juzgará a los pueblos con justicia. Salmo 96:10.

Los hombres y las mujeres no deben empequeñecerse espiritualmente por una conexión con la iglesia, sino que deben ser fortalecidos, elevados, ennoblecidos, preparados para la obra más sagrada que alguna vez le fuera confiada a los mortales. Es el propósito de Dios tener un ejército bien entrenado, listo para ser llamado a la acción inmediatamente. Este ejército estará compuesto de hombres y mujeres bien disciplinados que se habrán colocado bajo influencias que los prepararon para el servicio.

Los obreros de Dios deben velar por las almas como algo por lo cual deben dar cuenta, y necesitan la presencia constante de Cristo en su corazón, con el fin de que puedan ganar a pecadores para Cristo. Deben haber rendido todo a Dios, para que puedan contarle, a aquellos por los cuales trabajan, la necesidad y el significado de una entrega sin reservas. Deben recordar que son obreros juntamente con el Señor, y deben guardarse contra movimientos dilatorios e inciertos. Satanás observa incansablemente con el fin de conseguir oportunidades para tener control de aquellos a quienes están buscando ganar para Cristo. Sólo por medio de una vigilancia incesante pueden los obreros de Jesús vencer al enemigo. Sólo en la fuerza del Redentor pueden conducir a los tentados hacia la cruz. No es el estudio ni la elocuencia la que realizará esto, sino la presentación de la verdad de Dios, hablada con sencillez y con poder del Espíritu.

Hay sólo un poder que puede convertir al pecador del pecado a la santidad: el poder de Cristo. Nuestro Redentor es el único que puede quitar el pecado. Él solo puede perdonar el pecado. Él solo puede hacer firmes a los hombres y a las mujeres, y mantenerlos así.

La verdad no es sencillamente para ser pronunciada por los que hacen la obra de Cristo; es para ser *vivida*. La gente está observando y pesando a los que afirman creer las verdades especiales para este tiempo. Están mirando para ver en dónde su vida representa a Cristo. Al ocuparse humildemente y con seriedad en la obra de hacer el bien a todos, el pueblo de Dios ejercerá una influencia que repercutirá en todos aquellos con los que se ponen en contacto. Si los que conocen la verdad se encargan de esta obra según se presenten las oportunidades, haciendo cada día obras de amor y bondad en el barrio donde viven, Cristo se revelará en su vida.–*Review and Herald,* 2 de junio de 1903.

Poner un blanco elevado e intentar mucho para Dios

Por la fe Enoc fue traspuesto para no ver muerte, y no fue hallado porque lo traspuso Dios; y antes que fuese traspuesto, tuvo testimonio de haber agradado a Dios. Hebreos 11:5.

El Señor tiene una gran obra que ha de ser hecha, y él recompensará en mayor escala, en la vida futura, a los que presten un servicio más fiel y voluntario en la vida presente. El Señor escoge sus propios agentes, y cada día, bajo diferentes circunstancias, los prueba en su plan de acción. En cada esfuerzo hecho de todo corazón para realizar su plan, él escoge a sus agentes, no porque sean perfectos, sino porque, mediante la relación con él, pueden alcanzar la perfección.

Dios aceptará únicamente a los que están determinados a ponerse un blanco elevado. Coloca a cada agente humano bajo la obligación de hacer lo mejor que puede. De todos exige perfección moral. Nunca debiéramos rebajar la norma de justicia con el fin de contemporizar con las malas tendencias heredadas o cultivadas. Necesitamos comprender que la imperfección de carácter es pecado. En Dios se hallan todos los atributos justos del carácter como un todo perfecto y armonioso, y cada uno de los que recibe a Cristo como su Salvador personal tiene el privilegio de poseer estos atributos...

Nadie diga: "No puedo remediar mis defectos de carácter". Si llegan a esta conclusión, dejarán ciertamente de obtener la vida eterna. La imposibilidad reside en su propia voluntad. Si no quieren, no pueden vencer. La verdadera dificultad proviene de la corrupción de un corazón no santificado y de la falta de voluntad para someterse al gobierno de Dios.

Muchos a quienes Dios ha calificado para hacer un excelente trabajo, realizan muy poco, porque intentan poco. Miles pasan por la vida como si no tuvieran objeto definido por el cual vivir, ni norma que alcanzar. Los tales recibirán una recompensa proporcional a sus obras...

Para gloria del Maestro, ambicionen cultivar todas las gracias del carácter. Deben agradar a Dios en todos los aspectos de la formación de su carácter. Pueden hacerlo, pues Enoc agradó al Señor aunque vivía en una época degenerada. Y en nuestros días también hay Enocs.–*Palabras de vida del gran Maestro*, pp. 265-267.

Testificar en cada gran reunión en las ciudades

Y se admiraban de su doctrina, porque su palabra era con autoridad.
Lucas 4:32.

Se me ha dicho que a medida que nos aproximemos al fin habrá gran hacinamiento de gente en nuestras ciudades... y que en vista de eso hay que hacer preparativos para presentar la verdad a esas muchedumbres. Cuando Cristo estuvo en el mundo aprovechó tales oportunidades. Dondequiera que la gente se reunía en grupos numerosos con cualquier propósito, allí se escuchaba su voz, clara y distinta, dando su mensaje. Y como resultado de esto, después de su crucifixión y ascensión, miles de personas se convirtieron en un solo día. La semilla sembrada por Cristo penetró profundamente en su corazón y germinó, y cuando los discípulos recibieron el don del Espíritu Santo, entonces reunieron la cosecha.

Los discípulos predicaron la Palabra en todas partes con un poder tan grande que sus enemigos quedaron sobrecogidos de temor, y no se atrevieron a realizar lo que habrían hecho si no hubieran tenido una evidencia tan clara de que Dios estaba obrando.

Algunos de nuestros ministros deberían asistir a cada reunión que congregue mucha gente. Deberían actuar sabiamente para conseguir que la gente los escuche, y para presentar la luz de la verdad al mayor número posible de personas...

A todas esas reuniones deberían asistir hombres y mujeres a quienes Dios pueda utilizar. Deberían distribuirse, con la abundancia de las hojas de otoño, folletos que expongan la verdad presente. Para muchas personas que asisten a esas reuniones, estos folletos serán como las hojas del árbol de la vida, que son para sanidad de las naciones.

Le envío esto, hermano mío, para que lo comparta con otros. Los que salen a proclamar la verdad deben recibir la bendición de Aquel que les ha dado la preocupación de proclamar esta verdad...

Ha llegado el tiempo cuando los adventistas, como nunca antes, deben levantarse y resplandecer, porque ha venido su luz, y la gloria de Dios ha nacido sobre ellos.–*El evangelismo*, pp. 30, 31.

Los seguidores de Cristo deben diferenciarse del mundo

Mas vosotros sois linaje escogido, real sacerdocio, nación santa, pueblo adquirido por Dios, para que anunciéis las virtudes de aquel que os ha llamado de las tinieblas a su luz admirable. 1 Pedro 2:9.

Mientras leemos la Palabra de Dios, con cuánta claridad se presenta que su pueblo debe ser peculiar y distinto del mundo no creyente que está a su alrededor. Nuestra posición es interesante y alarmante. Al vivir en los últimos días, cuán importante es que imitemos el ejemplo de Cristo y caminemos como él caminó. "Si alguno quiere venir en pos de mí, niéguese a sí mismo, y tome su cruz, y sígame" (Mat. 16:24). Las opiniones y la guía de los mortales no deben guiarnos ni gobernarnos. Siempre llevan lejos de la cruz.

Los siervos de Cristo no tienen ni su hogar ni su tesoro aquí. Quisiera que todos ellos pudieran entender que es sólo porque el Señor reina que se nos permite morar en paz y seguridad entre nuestros enemigos. No es nuestro privilegio pretender favores especiales del mundo. Debemos consentir en ser pobres y despreciados entre los hombres hasta que termine la lucha y se gane la victoria. Los miembros de Cristo son llamados a salir y separarse de la amistad y del espíritu del mundo; su fuerza y poder consiste en ser elegidos y aceptados por Dios...

El mundo está madurando para su destrucción. Dios puede tener paciencia con los pecadores pero por poco tiempo. Deben beber las heces de la copa de su ira sin mezcla de misericordia. Los que sean herederos de Dios, y coherederos con Cristo a la herencia inmortal, serán peculiares. Sí, tan especiales, que Dios coloca una marca sobre ellos como siendo suyos, totalmente suyos. ¿Piensan que Dios recibirá, honrará y reconocerá a un pueblo tan mezclado con el mundo que difieren de ellos sólo en el nombre? Lean de nuevo Tito 2:13-15. Pronto se va a saber quién está del lado del Señor, quién no se avergonzará de Jesús. Los que no tienen valor moral para tomar su posición concienzudamente frente a los no creyentes, para dejar las modas del mundo y para imitar la abnegada vida de Cristo, es porque están avergonzados de él y no aman su ejemplo.–*Testimonies for the Church*, t. 1, pp. 286, 287.

Ganar almas por medio de la obra de la Escuela Sabática

Respondió Jesús y le dijo: De cierto de cierto te digo, que el que no na-
ciere de nuevo, no puede ver el reino de Dios. Juan 3:3.

El maestro de Escuela Sabática debe ser un colaborador con Dios, cooperando con Cristo. No deben contentarse con una religión sólo exterior y sin vida. El objetivo de la obra de la Escuela Sabática debe ser el de
cosechar almas. Puede ser que el orden de trabajar sea sin tacha, que las
facilidades sean todo lo que se pudiera desear; pero si los niños y jóvenes
no son traídos a Cristo, la escuela es un fracaso; porque a menos que las
almas sean traídas a Cristo, llegan a ser más y más inimpresionables, bajo la influencia de una religión exterior.

El maestro debería cooperar, mientras Jesús llama a la puerta del corazón de quienes necesitan ayuda. Si los alumnos corresponden a las su-
plicas del Espíritu, y abren la puerta del corazón para que entre Jesús, él
abrirá el entendimiento de ellos con el fin de que comprendan las cosas
de Dios. La obra del maestro es una obra sencilla, pero si es hecha en el
espíritu de Jesús, le serán añadidas profundidad y eficiencia por causa de
la operación del Espíritu de Dios.

Debería hacerse mucha obra directa y personal en la Escuela Sabática. La necesidad de esta clase de obra no es reconocida ni apreciada como debe ser. Con corazón lleno de gratitud por el amor de Dios que ha
sido comunicado al alma, el maestro debería trabajar con ternura y fervor
por la conversión de sus discípulos.

¿Qué evidencia podemos dar al mundo de que la obra de la Escuela
Sabática no es una mera pretensión? Por sus frutos será juzgada. Será es-
timada por el carácter y la obra de los discípulos. En nuestras escuelas sa-
báticas debería confiárseles responsabilidades a la juventud cristiana, para que puedan desarrollar sus aptitudes y adquirir poder espiritual.

Que la juventud se entregue primero a Dios, y entonces, en su temprana experiencia, enséñeseles a ayudar a otros. Esta obra pondrá en ejercicio sus facultades y les hará capaces de aprender cómo hacer planes y
cómo ponerlos por obra para bien de sus compañeros. Busquen la compañía de quienes necesitan ayuda, no para ocuparse en conversación in-
discreta, sino para representar el carácter cristiano y ser colaboradores
con Dios, ganando a quienes no se han entregado a sí mismos a
Dios.–*Testimonios sobre la obra de la Escuela Sabática,* pp. 52, 53.

Hay una obra para hacer en las grandes ciudades

El pueblo que andaba en tinieblas, vio gran luz; los que moraban en tierra de sombra de muerte, luz resplandeció sobre ellos. Isaías 9:2.

Todo cristiano tendrá un espíritu misionero. Llevar fruto es trabajar como Cristo trabajó, amar a las almas como él nos amó. El primer impulso de un corazón renovado es llevar a otros al Salvador; y tan pronto como una persona se convierte a la verdad, siente un deseo fervoroso de que los que están en tinieblas vean la luz preciosa que brilla de la Palabra de Dios...

Se necesitan misioneros para esparcir la luz de la verdad en... las grandes ciudades, y los hijos de Dios, aquellos a los que él llama la luz del mundo, deben estar haciendo todo lo que pueden en esa dirección. Se encontrarán con desánimo, tendrán oposición. El enemigo les susurrará: ¿Qué pueden hacer estas pocas personas en esta gran ciudad? Pero si ustedes caminan en la luz, cada uno de ustedes puede ser un portador de luz para el mundo.

No traten de realizar alguna gran obra y [al mismo tiempo] descuidar las pequeñas oportunidades que tienen a mano. Podemos hacer mucho siendo ejemplos de la verdad en nuestra vida diaria. La influencia que así podemos ejercer, no puede ser resistida fácilmente.

La gente puede combatir y desafiar nuestra lógica; puede resistir nuestras súplicas, pero una vida con un propósito santo, de amor desinteresado en su favor, es un argumento en favor de la verdad que no pueden contradecir. Se puede realizar mucho más por una vida humilde, dedicada y virtuosa de lo que puede lograrse por la predicación cuando falta un ejemplo piadoso. Usted puede trabajar para edificar la iglesia, para animar a sus compañeros creyentes y hacer interesantes las reuniones de testimonios, y puede dejar que sus oraciones salgan como hoces afiladas, junto con los trabajadores en el campo de la cosecha. Cada uno debe tener un interés personal, una carga del alma, para velar y orar por el éxito de la obra.

Usted también puede con mansedumbre llamar la atención de otros a las verdades preciosas que hay en la Palabra de Dios. Debería instruirse a los jóvenes para que puedan trabajar en esas ciudades. Tal vez nunca puedan ser capaces de presentar la verdad desde su mesa de trabajo, pero pueden ir de casa en casa y señalar a la gente al Cordero de Dios que quita el pecado del mundo. El polvo y la basura del error han enterrado las preciosas gemas de la verdad; pero los obreros del Señor pueden dejar al descubierto esos tesoros, de manera que muchos puedan contemplarlos con placer y con respeto.–*Historical Sketches of the Foreign Missions of the Seventh-day Adventists*, pp. 181, 182.

Expresiones de simpatía abren los corazones al evangelio

El amor nunca deja de ser; pero las profecías se acabarán, y cesarán las lenguas, y la ciencia se acabará. 1 Corintios 13:8.

Dios espera un servicio personal de aquellos a quienes ha confiado el conocimiento de la verdad para este tiempo. No todos pueden ir como misioneros a países lejanos, pero todos pueden ser misioneros en el lugar donde viven, entre sus familiares y vecinos. Hay muchas maneras como los miembros de iglesia pueden dar el mensaje a las personas con quienes se relacionan. Uno de los recursos que tiene más éxito es vivir una vida cristiana útil y desinteresada.

Los que luchan en la batalla de la vida con desventajas pueden ser refrescados y fortalecidos por medio de pequeñas atenciones que nada cuestan. Las palabras bondadosas pronunciadas con sencillez, las pequeñas atenciones ofrecidas con gracia, eliminarán las nubes de tentación y duda que se acumulan sobre el alma. La expresión sincera de una simpatía como la manifestada por Cristo, ofrecida con sencillez, tiene poder para abrir las puertas de los corazones que necesitan el toque sincero y delicado del espíritu de Cristo.–*Testimonies for the Church*, t. 9, pp. 30, 31.

Jesús acepta con gozo los servicios de cualquier ser humano que se entrega a él. Asocia lo humano con lo divino, con el fin de comunicar al mundo los misterios del amor encarnado. Sea este amor el objeto de sus conversaciones, de sus oraciones y de sus cantos; llenen el mundo con el mensaje de su verdad, y lleven este mensaje hacia las regiones lejanas.

Los seres celestiales están listos para cooperar con nosotros, con el fin de revelar al mundo lo que pueden llegar a ser los seres humanos, y lo que puede cumplirse por medio de su influencia, para la salvación de las almas que están a punto de perecer. Una persona verdaderamente convertida está tan llena del amor de Dios, que anhela comunicar a otros el gozo que posee.

El Señor desea que su iglesia manifieste al mundo los esplendores de la santidad y que demuestre el poder de la religión cristiana. El cielo se ha de reflejar en el carácter cristiano. El cántico de agradecimiento y alabanza debe ser oído por quienes están en tinieblas. Esforzándonos por hacer bien a otros, hemos de expresar nuestra gratitud por las buenas nuevas del evangelio, por las promesas que encierra y las seguridades que nos da. Al realizar esta obra, impartiremos rayos de justicia celestial a las almas cansadas, inquietas y dolientes. Este ministerio es como un manantial abierto al viandante cansado y sediento. Los ángeles de Dios asisten a cada obra de misericordia y amor.–*Joyas de los testimonios*, t. 3, p. 298.

La ganancia de almas crea necesidad por el Espíritu Santo

Levántate, resplandece; porque ha venido tu luz, y la gloria de Jehová ha nacido sobre ti. Porque he aquí que tinieblas cubrirán la tierra, y oscuridad las naciones; mas sobre ti amanecerá Jehová, y sobre ti será vista su gloria. Isaías 60:1, 2.

Nuestro Redentor pasó noches enteras en oración con su Padre; y el fundamento de la iglesia cristiana y de la actividad misionera fue puesto en el mismísimo elemento de oración. Los discípulos estaban unánimes juntos en un lugar, invocando al Señor para que pudiera venir sobre ellos el derramamiento del Espíritu Santo.

Mientras el Espíritu Santo se da copiosamente a través de varios canales, cuanto más lo buscamos, más amplia será su difusión. Por eso, en la obra ferviente que se está haciendo para salvar almas, habrá necesidad de volver a la Fuente de poder, y de esa manera se establecerá una comunicación habitual entre el alma y Dios. Haremos uso constantemente de la fuente del agua de vida, y nunca se agotará.

La obra es progresiva: acción y reacción. El amor y la devoción a Dios vigorizarán la benevolencia, y la benevolencia incrementará la fe y la espiritualidad. Oh, ¡cuánto necesitamos divina sabiduría! "Y si alguno de vosotros tiene falta de sabiduría, pídala a Dios, el cual da a todos abundantemente y sin reproche, y le será dada. Pero pida con fe, no dudando nada; porque el que duda es semejante a la onda del mar, que es arrastrada por el viento y echada de una parte a la otra. No piense pues, quien tal haga, que recibirá cosa alguna del Señor" (Sant. 1:5-7). ¡Qué seguridad es esta! Tomemos la promesa al pie de la letra. El Señor desea que vayamos a él en plena certidumbre de fe, creyendo en su Palabra, de que hará exactamente como dijo que haría.

Ojalá que sintamos la importancia de educar a cada miembro individual de la iglesia para hacer algo. Debemos individualmente sentir la solemne obligación que tenemos como cristianos para poner en actividad todos los recursos y las capacidades que nos fueron confiados divinamente, para hacer, al máximo de su capacidad, la obra que el Señor espera que hagan los cristianos.

Necesitamos más fe, más talentos santificados. Delante de nosotros están motivos más elevados y ennoblecedores. No tenemos tiempo, ni palabras, para gastar en polémicas... Se necesita fuerza y actividad santificada. Los ejércitos de los cielos están en movimiento, ¿y dónde está el agente humano para cooperar con Dios?–*Testimonies to Southern Africa*, pp. 43, 44.

Obreros consagrados pueden hacer una gran obra en poco tiempo

Y la multitud de los que habían creído era de un corazón y un alma; y ninguno decía ser suyo propio nada de lo que poseía, sino que tenían todas las cosas en común. Hechos 4:32.

El mundo necesita misioneros, misioneros locales consagrados, y nadie será registrado en los libros del cielo como cristiano si no tiene un espíritu misionero. Pero no podemos hacer nada sin energía santificada. Tan pronto como se pierde el espíritu misionero del corazón, y el celo por la causa de Dios comienza a languidecer, la carga de nuestros testimonios y planes son un clamor por prudencia y economía, y comienza el descuido real de la obra misionera.

En vez de disminuir la obra, condúzcanse todas las juntas de tal manera que se manifieste un propósito multiplicador para llevar adelante la gran obra de amonestar al mundo, aunque pueda costar abnegación y sacrificio propio. Si cada miembro de iglesia estuviera constantemente impresionado con este pensamiento: "No soy mío, he sido comprado con precio", todos sentirían que están bajo la obligación más sagrada de mejorar cada habilidad dada por Dios, de duplicar su utilidad, año tras año, y no tendrían excusa para la negligencia espiritual. Entonces no habría falta de simpatía por el Maestro en la gran obra de salvar almas.

¿Quiénes hay entre nosotros que, teniendo percepción espiritual, pueden discernir el agitado conflicto que continúa en el mundo entre las fuerzas del bien y del mal? ¿Entienden la naturaleza del gran conflicto entre Cristo, el Príncipe de la vida, y Satanás, el príncipe de las tinieblas? ¿Se les presenta el conflicto lo mismo que se presenta ante las inteligencias celestiales?

Oh, si todos los que profesan ser seguidores de Cristo fueran en verdad canales vivos de luz para el mundo, imbuidos por el Espíritu de Dios, con corazones llenos hasta rebosar con el mensaje del evangelio, con sus semblantes radiantes con devoción a Dios y amor a los demás, ¡qué obra podría realizarse en un corto tiempo! Los mensajeros de la verdad no hablarían con vacilación, incertidumbre, sino con intrepidez y confianza. Sus palabras y el mismo tono de la voz producirían la convicción en el corazón de los oyentes.–*Review and Herald,* 23 de agosto de 1892.

Los obreros deben revelar el Espíritu de Jesús

La noche está avanzada, y se acerca el día. Desechemos, pues, las obras de las tinieblas, y vistámonos las armas de la luz. Romanos 13:12.

Después de que se han hecho los esfuerzos más fervorosos para presentar la verdad ante aquellos a los que Dios ha confiado grandes responsabilidades, no se desanimen si la rechazan. La verdad fue rechazada en los días de Cristo. Estén seguros de mantener la dignidad de la obra con planes bien ordenados y una conversación piadosa.

Nunca teman levantar el estandarte demasiado alto. Las familias que se dedican a la obra misionera debieran acercarse a los corazones. El espíritu de Jesús debiera empapar el alma del obrero. Son las palabras agradables y de simpatía, la manifestación de amor desinteresado por su alma, lo que romperá las barreras del orgullo y del egoísmo y mostrará a los incrédulos que poseemos el amor de Cristo; y entonces la verdad se abrirá camino al corazón. En esto consiste nuestra obra y el cumplimiento del plan de Dios.

Debemos poner de lado toda vulgaridad y aspereza. Debemos estimular la cortesía, el refinamiento y la urbanidad cristiana. Guárdense de ser bruscos y descorteses. No consideren esas peculiaridades como virtudes, porque Dios no las considera así. Esfuércense por no ofender innecesariamente a los que no son de nuestra fe. Nunca hagan, cuando no sea necesario, que los rasgos más objetables de nuestra fe se destaquen de manera prominente. El seguir un curso así, es sólo hacer un daño a la causa.

Todos deben buscar el tener la influencia suavizadora y subyugadora del Espíritu de Dios en el corazón: una ternura y un amor por las almas semejantes al de Cristo. Los que son enviados para trabajar juntos, deben abandonar sus nociones particulares y sus ideas preconcebidas, y tratar de trabajar juntos, con el corazón y el alma, para realizar la voluntad de Dios. Deben planear trabajar en armonía con el fin de trabajar para sacar provecho.

Necesitamos más, mucho más, del Espíritu de Cristo, y menos, mucho menos, del yo y de las peculiaridades de carácter que colocan una pared que nos mantiene separados de nuestros semejantes. Podemos hacer mucho para quebrantar esas barreras, mostrando las gracias de Cristo en nuestra vida. Jesús ha estado confiando sus bienes a la iglesia, siglo tras siglo. Una generación tras otra durante siglos ha estado recogiendo la cantidad cada vez mayor de luz y verdad hasta que las crecientes responsabilidades han pasado a nuestro tiempo... Queremos estar vestidos, no con nuestras propias ropas, sino con toda la armadura de la justicia de Cristo.—*The Atlantic Canvasser*, 18 de diciembre de 1890.

Consagrar el yo, y después buscar a las almas que perecen

Voz que clama en el desierto: Preparad camino a Jehová; enderezad calzada en la soledad a nuestro Dios. Isaías 40:3.

¿**S**ienten el poder santificador de la verdad sagrada en el corazón, la vida y el carácter? ¿Tienen la seguridad de que Dios, por causa de su querido Hijo, ha perdonado sus pecados? ¿Están luchando para vivir con una conciencia libre de ofensa hacia Dios y la humanidad? ¿Ruegan a menudo a Dios en favor de sus amigos y vecinos? Si hicieron la paz con Dios, y colocaron todo en el altar, pueden ocuparse con provecho en el servicio de ganar almas.–*The Church Officers' Gazette*, septiembre de 1914.

Al poner en práctica cualquier plan establecido para llevar a todos el conocimiento de la verdad presente, y de las maravillosas providencias relacionadas con el progreso de la causa, en primer lugar consagrémonos nosotros mismos plenamente a Aquel cuyo nombre deseamos exaltar. Oremos fervorosamente en beneficio de quienes deseamos visitar llevándolos con fe viviente, uno a uno, ante la presencia de Dios

El Señor conoce nuestros pensamientos y propósitos, ¡y con cuánta facilidad puede enternecernos! ¡Cómo su Espíritu, como un fuego, puede subyugar el corazón empedernido! ¡Cómo puede llenar el alma de amor y ternura! ¡Cómo puede darnos las gracias de su Espíritu Santo y capacitarnos para salir a trabajar por las almas!

El poder de la gracia subyugadora debe sentirse en toda la iglesia en esta época; y se sentirá si prestamos atención a los consejos de Cristo dados a sus seguidores. A medida que aprendamos a adornar la doctrina de Cristo nuestro Salvador, ciertamente veremos la salvación de Dios.

A todos los que están por encargarse de una tarea misionera especial, quiero decirles: "Sean diligentes en sus esfuerzos; vivan bajo la dirección del Espíritu Santo. Aumenten diariamente su experiencia cristiana. Que los que poseen aptitudes especiales trabajen por los que no creen, tanto en los lugares acomodados como en los lugares humildes. Busquen diligentemente a las almas que perecen. Piensen en el gran deseo que Cristo tiene de llevar a su redil nuevamente a los que se han descarriado".

Busquen a las almas como quienes saben que han de rendir cuentas por ellas. Mediante la obra misionera que realicen en la iglesia y en el vecindario, hagan brillar su luz con rayos claros y definidos con el fin de que ninguna persona pueda levantarse en el juicio y decir: "¿Por qué no me hablaron acerca de la verdad? ¿Por qué no se preocuparon de mi alma?"–*Consejos sobre mayordomía cristiana*, pp. 198, 199.

El servicio abnegado produce gozo tanto a Cristo como a nosotros

No nos cansemos, pues, de hacer bien; porque a su tiempo segaremos, si no desmayamos. Gálatas 6:9.

En esta vida, el trabajo que hacemos por Dios parece a menudo casi infructuoso. Nuestros esfuerzos para hacer el bien pueden ser fervientes y perseverantes, sin que podamos ver sus resultados. El esfuerzo puede parecernos perdido. Pero el Salvador nos asegura que nuestra obra queda anotada en el cielo, y que la recompensa no puede faltar... En las palabras del salmista leemos: "Irá andando y llorando el que lleva la preciosa semilla; mas volverá a venir con regocijo, trayendo sus gavillas" (Sal. 126:6).

Aunque la gran recompensa final se dará cuando Cristo venga, el servicio fiel hecho de todo corazón para Dios reporta una recompensa aun en esta vida. El obrero tendrá que afrontar obstáculos, oposición y amargos desalientos y descorazonamientos. Tal vez no vea los frutos de su labor. Pero aun con todo eso encuentra en su labor una bienaventurada recompensa.

Todos los que se entregan a Dios en un servicio abnegado por la humanidad están cooperando con el Señor de gloria. Este pensamiento dulcifica toda labor, fortalece la voluntad, sostiene el ánimo para cuanto haya de acontecer. Trabajando con corazón abnegado, ennoblecido por ser participantes de los padecimientos de Cristo, y compartiendo su simpatía, contribuyen a aumentar su gozo, y reportan honor y alabanza a su exaltado nombre.

En comunión con Dios, con Cristo y con los santos ángeles, están rodeados por una atmósfera celestial, una atmósfera que da salud al cuerpo, vigor al intelecto y gozo al alma.

Todos los que consagran cuerpo, alma y espíritu al servicio de Dios, estarán recibiendo constantemente una nueva dotación de fuerza física, mental y espiritual. Las inagotables bendiciones del cielo están a su disposición. Cristo les da el aliento de su propio espíritu, la vida de su propia vida. El Espíritu Santo pone a trabajar sus más elevadas energías en el corazón y la mente.–*Obreros evangélicos*, pp. 529, 530.

Cada miembro debe ayudar a extender el evangelio

Otra vez Jesús les habló, diciendo: Yo soy la luz del mundo; el que me sigue, no andará en tinieblas, sino que tendrá la luz de la vida. Juan 8:12.

Los que siguen a Jesús serán colaboradores juntamente con Dios. No caminarán en tinieblas, sino que hallarán la verdadera senda donde Jesús, la Luz del mundo, encabeza la marcha; y a medida que orienten sus pasos hacia Sion, avanzando por fe, obtendrán una brillante experiencia en las cosas de Dios. La misión de Cristo, tan oscuramente comprendida, tan débilmente interpretada, que lo llamó del trono al misterio del altar de la cruz del Calvario, se descubrirá más y más a la mente, y se verá que en el sacrificio de Cristo se halla el manantial y el principio de toda otra misión de amor. El amor de Cristo es el que ha sido el incentivo de cada verdadero misionero en las ciudades, los pueblos, las carreteras y los caminos del mundo.

La iglesia de Cristo sobre la tierra fue organizada con propósitos misioneros, y es de la mayor importancia que cada miembro individual de la iglesia sea un obrero sincero junto con Dios, lleno del Espíritu, teniendo la mente de Cristo, perfeccionado en simpatía con Cristo, y por lo tanto, concentrando cada energía de acuerdo con la habilidad que le fue confiada para la salvación de las almas. Cristo requiere que cada uno que sea llamado por su nombre, haga de su obra la primera y más alta consideración, y que coopere desinteresadamente con las inteligencias celestiales al salvar a los que perecen por los cuales murió Cristo.

Hacer mal uso de los medios o la influencia, o de cualquier capital de la mente o del cuerpo que nos ha sido confiado, es robar a Dios y robar al mundo; porque es cambiar las energías a otro canal que aquel en el que Dios planeó que debieran avanzar para la salvación del mundo. Cuando Cristo estuvo sobre la tierra, envió a sus discípulos a proclamar el reino de Dios por toda Judea, y en este ejemplo reveló claramente que es el deber de su pueblo, durante todo el tiempo, impartir a otros el conocimiento que tienen del camino, la vida y la verdad. En todos sus trabajos, Jesús procuró instruir a su iglesia para la obra misionera, y al aumentar la cantidad de los creyentes, se extendería su misión, hasta que finalmente el mensaje del evangelio, circundaría el mundo mediante sus servicios.–*Review and Herald*, 30 de octubre de 1894.

Todos debieran conocer y obedecer las leyes de la vida

Hijo mío, está atento a mis palabras; inclina tu oído a mis razones. No se aparten de tus ojos; guárdalas en medio de tu corazón; porque son vida a los que las hallan, y medicina a todo su cuerpo. Proverbios 4:20-22.

El aire puro, el sol, la abstinencia, el descanso, el ejercicio, un régimen alimentario conveniente, el agua y la confianza en el poder divino son los verdaderos remedios. Todos debieran conocer los agentes que la naturaleza provee como remedios, y saber aplicarlos. Es de suma importancia darse cuenta exacta de los principios implicados en el tratamiento de los enfermos, y recibir una instrucción práctica que le habilite a uno para hacer un uso correcto de estos conocimientos.

Es de suma importancia darse cuenta exacta de los principios implicados en el tratamiento de los enfermos, y recibir una instrucción práctica que le habilite a uno para hacer un uso correcto de estos conocimientos.

El empleo de los remedios naturales requiere más cuidados y esfuerzos de lo que muchos quieren prestar. El proceso natural de curación y reconstitución es gradual, y les parece lento a los impacientes. El renunciar a la satisfacción dañina de los apetitos impone sacrificios. Pero al fin se verá que, si no se le pone trabas, la naturaleza desempeña su obra con acierto, y los que perseveren en la obediencia a sus leyes encontrarán recompensa en la salud del cuerpo y del espíritu.

Muy escasa atención se suele dar a la conservación de la salud. Es mucho mejor prevenir la enfermedad que saber tratarla una vez contraída. Es deber de toda persona, para su propio bien y el de la humanidad, conocer las leyes de la vida y obedecerlas con toda conciencia. Todos necesitan conocer el organismo más maravilloso: el cuerpo humano. Deberían comprender las funciones de los diversos órganos y cómo éstos dependen unos de otros para que todos actúen con salud. Deberían estudiar la influencia de la mente en el cuerpo, la del cuerpo en la mente, y las leyes que los rigen.

No se nos recordará demasiado que la salud no depende del azar. Es el resultado de la obediencia a la ley. Así lo reconocen quienes participan en deportes atléticos y pruebas de fuerza, pues se preparan con todo esmero y se someten a un adiestramiento cabal y a una disciplina severa. Todo hábito físico queda regularizado con el mayor cuidado. Bien saben que el descuido, el exceso o la indolencia, que debilitan o paralizan algún órgano o alguna función del cuerpo, provocarían la derrota...

Pero si tenemos en cuenta los resultados contingentes, nada de aquello con que tenemos que ver es cosa baladí. Cada acción echa su peso en la balanza que determina la victoria o la derrota en la vida. La Escritura nos manda que corramos de tal manera que obtengamos el premio.–*El ministerio de curación*, pp. 89-91.

Los líderes deben practicar y enseñar la reforma pro salud

Venid y ved las obras de Dios, temible en hechos sobre los hijos de los hombres. Salmo 66:5.

La iglesia está haciendo historia. Cada día es una batalla y una marcha. Por todos lados estamos acosados por enemigos invisibles. O vencemos por medio de la gracia que nos da Dios, o somos vencidos. Insto a quienes están adoptando una posición neutral con respecto a la reforma pro salud a que se conviertan. Esta luz es preciosa, y el Señor me da el mensaje para instar, a todos los que llevan responsabilidades en algún ramo de la obra de Dios, a prestar oídos al hecho de que la verdad debe tener la primacía en el corazón y en la vida. Solamente así puede alguien hacer frente a las tentaciones que con toda seguridad ellos encontrarán en el mundo.

¿Por qué algunos de nuestros ministros manifiestan tan poco interés en la reforma pro salud? Porque la instrucción en la temperancia en todas las cosas se opone a su práctica de complacerse a sí mismos. En ciertos lugares ésta ha sido la gran piedra de tropiezo en la tarea de hacer que el pueblo investigue, practique y enseñe la reforma pro salud. Nadie debe ser consagrado como maestro del pueblo mientras su propia enseñanza o ejemplo contradiga el testimonio que Dios ha dado a sus siervos para que presenten con respecto al régimen, porque eso traerá confusión. Su falta de consideración por la reforma pro salud los descalifica para presentarse como mensajeros del Señor.

La luz que el Señor ha dado sobre este tema en su Palabra es clara, y los dirigentes serán probados de muchas maneras para ver si le prestarán oído. Cada iglesia, cada familia, necesita ser instruida con respecto a la temperancia cristiana. Todos deben saber cómo comer y beber para preservar la salud. Estamos en medio de las escenas finales de la historia de este mundo, y debe haber una acción armoniosa en las filas de los observadores del sábado. Los que se apartan de la gran obra de instruir al pueblo sobre este asunto, no están siguiendo en los pasos del gran Médico (se cita Mat. 16:24).

El Señor me ha manifestado que muchísimas personas serán rescatadas de la degeneración física, mental y moral por medio de la influencia práctica de la reforma pro salud. Se darán disertaciones sobre la salud, y se multiplicarán publicaciones sobre el mismo tema. Los principios de la reforma pro salud serán recibidos con favor; y muchos serán iluminados. Las influencias asociadas con la reforma pro salud la recomendarán al juicio de todos los que quieran la luz; y ellos avanzarán paso tras paso para recibir las verdades especiales para este tiempo. Así la verdad y la justicia se encontrarán.–*Consejos sobre el régimen alimenticio, pp. 545, 546, 530.*

Es tiempo de abandonar las complacencias que destruyen la salud

Fíate de Jehová de todo tu corazón, y no te apoyes en tu propia pruden- cia. Reconócelo en todos tus caminos, y él enderezará tus veredas. Proverbios 3:5, 6.

Hay un mensaje que presentar en cada iglesia con respecto a la refor- ma pro salud. Hay una obra que hacer en cada escuela. Ni al direc- tor ni a los maestros debiera encargárseles la educación de los jóvenes hasta que tengan un conocimiento práctico sobre este tema. Algunos se han sentido con libertad para criticar y poner en duda y encontrar faltas en los principios de la reforma pro salud, de la cual saben poco por expe- riencia. Ellos deben sostener, hombro a hombro y corazón a corazón, a los que están trabajando en la debida dirección.

El asunto de la reforma pro salud ha sido presentado en las iglesias; pero la luz no ha sido recibida de todo corazón. Las complacencias egoís- tas y destructoras de la salud practicadas por hombres y mujeres han con- trarrestado la influencia del mensaje que ha de preparar al pueblo para el gran día de Dios.

Si las iglesias esperan fuerza, deben vivir la verdad que Dios les ha dado. Si los miembros de nuestras iglesias no prestan atención a la luz so- bre este asunto, cosecharán el seguro resultado en una degeneración tan- to espiritual como física. Y la influencia de estos miembros de iglesia más antiguos se hará sentir sobre los que han aceptado recientemente la fe.

El Señor no obra para traer muchas almas a la verdad debido a los miembros de iglesia que nunca han estado convertidos, y a quienes una vez se convirtieron pero que han apostatado. ¿Qué influencia tendrían so- bre los nuevos conversos estos miembros no consagrados? ¿No anularían el efecto del mensaje dado por Dios que su pueblo ha de presentar?—*Con- sejos sobre el régimen alimenticio*, p. 547.

Que todos examinen sus propias prácticas para ver si no se están complaciendo en lo que es un daño positivo para ellos. Que prescindan de cada placer malsano en comer y beber. Algunos van a países distantes para encontrar un clima mejor, pero doquiera que vayan, el estómago les crea una atmósfera nociva. Provocan sufrimientos que nadie puede aliviar. Coloquen su práctica diaria en armonía con las leyes de la naturaleza, y al hacer y creer esto, podrá crearse una atmósfera alrededor del alma y del cuerpo que será un sabor de vida para vida.—*Testimonies for the Church*, t. 6, p. 371.

Compartir la luz acerca del vivir saludable

Entonces nacerá tu luz como el alba, y su salvación se dejará ver pronto; e irá tu justicia delante de ti, y la gloria de Jehová será tu retaguardia. Isaías 58:8.

Nuestros ministros deben llegar a conocer los principios de la reforma pro salud. Necesitan llegar a familiarizarse con la fisiología y la higiene; deberían entender las leyes que gobiernan la vida física y su influencia sobre la salud de la mente y del alma.

Miles y miles de personas saben poco acerca del cuerpo maravilloso que Dios les ha dado o acerca del cuidado que debe recibir; y ellos consideran de mayor importancia estudiar materias de mucho menor consecuencia. Los pastores tienen una obra que hacer aquí. Cuando ellos asuman una posición correcta sobre este asunto, mucho se podrá ganar. En su propia vida y en sus hogares deben obedecer las leyes de la vida, practicar los rectos principios y vivir en forma saludable. Entonces podrán hablar correctamente sobre este asunto, conduciendo a la gente constantemente a nuevas alturas en la obra de reforma. Viviendo en la luz ellos mismos, pueden dar un mensaje de gran valor a los que necesiten precisamente ese testimonio.

Existen preciosas bendiciones y una rica experiencia que pueden obtenerse si los ministros combinan la presentación del tema de la salud con todas sus labores en las iglesias. El pueblo debe tener la luz sobre la reforma pro salud. Esta obra ha sido descuidada, y muchos están por morir porque necesitan la luz que deberían tener y que necesitan tener antes de poder abandonar la complacencia egoísta.

Los presidentes de nuestras asociaciones necesitan darse cuenta de que ya es tiempo para asumir la debida actitud en esta materia. Los pastores y los maestros han de dar a los demás la luz que ellos han recibido. Se necesita su obra en relación con cada uno de los aspectos. Dios los ayudará; Dios fortalecerá a sus siervos que toman una firme posición, y que no serán desviados de la verdad y de la justicia para acomodarse a la complacencia propia.

La tarea de educar en el ramo médico-misionero es un paso de avance de gran importancia en la obra de despertar a los hombres y a las mujeres a sus responsabilidades morales. Si los pastores hubieran recurrido a esta labor en sus diversos departamentos de acuerdo con la luz que Dios ha dado, habría habido una reforma más decidida en el comer, el beber y el vestir... Ellos mismos y una gran cantidad de otras personas han estado sufriendo hasta la muerte, pero no todos han aprendido todavía a ser sabios.–*Consejos sobre el régimen alimenticio*, pp. 543, 544.

Régimen alimentario nutritivo para tener vigor intelectual

Y Daniel propuso en su corazón no contaminarse con la porción de la comida del rey, ni con el vino que él bebía; pidió, por tanto, al jefe de los eunucos que no se le obligase a contaminarse. Daniel 1:8.

El intelecto debe adquirir ensanchamiento, vigor, agudeza y actividad. Debe obligársele a hacer trabajo arduo; de otro modo se volverá débil y deficiente. Se requiere poder cerebral para pensar con más ahínco; se ha de exigir al cerebro el máximo de lo que da con el fin de resolver y dominar problemas difíciles, o... la mente decrecerá en fuerza y capacidad de pensar. La mente debe idear, trabajar y esforzarse con el fin de dar solidez y vigor al intelecto; y si los órganos físicos no se mantienen en la más sana condición por medio de alimentos sustanciosos y nutritivos, el cerebro no recibirá la nutrición que le corresponde para poder trabajar.

Daniel comprendía esto, y adoptó para sí un régimen alimentario sencillo y nutritivo, rechazando los manjares de la mesa del rey. Los postres, cuya preparación lleva tanto tiempo, son, muchos de ellos, perniciosos para la salud. Los alimentos sólidos que requieren masticación serán mucho mejores que los alimentos blandos o líquidos. Insisto en esto como cosa esencial...

Al intelecto se lo ha de mantener despierto con trabajo nuevo, activo y ardoroso. ¿Cómo se hace eso? El poder del Espíritu Santo debe purificar los pensamientos y limpiar el alma de su contaminación moral. Los hábitos corruptores no sólo envilecen el alma sino que también degradan el intelecto. La memoria sufre, sacrificada sobre el altar de prácticas bajas y dañinas... Cuando los maestros y estudiantes consagren a Dios alma, cuerpo y espíritu, y purifiquen sus pensamientos por medio de la obediencia a las leyes de Dios, recibirán continuamente una nueva dotación de fuerza física y mental. Entonces habrá ardientes anhelos de Dios y ferviente oración para discernir con claridad...

El estudio diligente es esencial, como también el arduo trabajo diligente... Una mente bien equilibrada no se logra por lo general consagrando las facultades físicas a las diversiones. El trabajo físico que se combina con el esfuerzo mental con el fin de ser útil, es una disciplina en la vida práctica, dulcificada siempre por el pensamiento de que está habilitando y educando la mente y el cuerpo para hacer mejor la obra que Dios se propuso que hiciésemos en ramos diversos... La mente educada así para gozarse en el esfuerzo físico en la vida práctica, se ensancha y, mediante la cultura y preparación, se disciplina bien y se abastece abundantemente para prestar servicio; adquiere además el conocimiento esencial para ser una bendición para los propios jóvenes y para otros.–*La educación cristiana*, pp. 388-391.

Un poder superior debe controlar la naturaleza física

*Todo aquel que lucha, de todo se abstiene; ellos, a la verdad, para reci-
bir una corona corruptible, pero nosotros, una incorruptible... Así que
yo... golpeo mi cuerpo, y lo pongo en servidumbre, no sea que habiendo sido heraldo para otros, yo mismo venga a ser eliminado.*
1 Corintios 9:25-27.

El progreso de la reforma depende de un claro reconocimiento de la verdad fundamental. Mientras, por una parte, hay peligro en una filosofía
estrecha y una ortodoxia dura y fría, por otra parte un liberalismo descuidado encierra gran peligro. El fundamento de toda reforma duradera es la
ley de Dios. Tenemos que presentar en líneas claras y bien definidas la necesidad de obedecer esta ley. Sus principios deben recordarse de continuo a la gente. Son tan eternos e inexorables como Dios mismo.

Uno de los efectos más deplorables de la apostasía original fue la
pérdida de la facultad del dominio propio por parte de la gente. Sólo en
la medida en que se recupere esta facultad puede haber verdadero progreso.

El cuerpo es el único medio por el cual la mente y el alma se desarrollan para la edificación del carácter. De ahí que el adversario de las almas encamine sus tentaciones al debilitamiento y a la degradación de las
facultades físicas. Su éxito en esto involucra la sujeción al mal de todo
nuestro ser. A menos que estén bajo el dominio de un poder superior, las
propensiones de nuestra naturaleza física acarrearán ciertamente la ruina
y la muerte.

El cuerpo tiene que ser puesto en sujeción. Las facultades superiores
de nuestro ser deben gobernar. Las pasiones han de obedecer a la voluntad, que a su vez ha de obedecer a Dios. El poder soberano de la razón,
santificado por la gracia divina, debe dominar en nuestra vida.

Las exigencias de Dios deben estamparse en la conciencia. Hombres
y mujeres deben despertarse y sentir su obligación de dominarse a sí mismos, su necesidad de ser puros y libertados de todo apetito depravante y
de todo hábito envilecedor. Han de reconocer que todas las facultades de
su mente y de su cuerpo son dones de Dios, y que deben conservarlas en
la mejor condición posible para servirle.

En el antiguo ritual que era el evangelio expresado en símbolos, ninguna ofrenda defectuosa podía llevarse al altar de Dios. El sacrificio que
había de representar al Cristo debía ser inmaculado. La Palabra de Dios
señala esto como ejemplo de lo que deben ser sus hijos: un "sacrificio vivo", "santo y sin mancha".–*El ministerio de curación*, pp. 91, 92.

Se necesita buena salud para lograr éxito

Yo buscaré la perdida, y haré volver al redil la descarriada, vendaré la perniquebrada, y fortaleceré la débil; mas a la engordada y a la fuerte destruiré; las apacentaré con justicia. Ezequiel 34:16.

Puesto que la mente y el alma hallan expresión por medio del cuerpo, tanto el vigor mental como el espiritual dependen en gran parte de la fuerza y la actividad físicas; todo lo que promueva la salud física, promueve el desarrollo de una mente fuerte y un carácter equilibrado. Sin salud, nadie puede comprender en forma clara ni cumplir completamente sus obligaciones hacia sí mismo, sus semejantes o su Creador. Debiera cuidarse, por lo tanto, tan fielmente la salud como el carácter. El conocimiento de la fisiología y la higiene debería ser la base de todo esfuerzo educativo.

Aunque está muy difundido el conocimiento de la fisiología, se nota una alarmante indiferencia hacia los principios higiénicos. Aun entre los que conocen esos principios, pocos... los ponen en práctica. Se sigue muy ciegamente el impulso o la inclinación, como si la vida fuera regida por la mera casualidad más bien que por leyes definidas e invariables.

La juventud, que está en la frescura y el vigor de la vida, se percata poco del valor de su abundante energía. ¡Con cuánta ligereza considera un tesoro más precioso que el oro, más esencial para el progreso que el saber, la alcurnia o las riquezas! ¡Con qué precipitación lo despilfarra! ¡Cuántos hay que, habiendo sacrificado la salud en la lucha por obtener riquezas o poder, cuando están a punto de lograr el objeto de su deseo, caen impotentes, mientras otro, poseedor de una resistencia física superior, se apropia del anhelado premio! ¡Cuántos son los que, a causa de condiciones morbosas, consecuencia del descuido de las leyes de la higiene, han adquirido malas costumbres, y han sacrificado toda esperanza para este mundo y el venidero!

Al estudiar fisiología debería enseñarse a los alumnos a apreciar el valor de la energía física, y cómo se la puede conservar y desarrollar para que contribuya en el mayor grado posible al éxito en la gran lucha por la vida.

Mediante lecciones sencillas y fáciles se debería enseñar a los niños, desde sus primeros años, los rudimentos de la fisiología y la higiene... Deberían comprender la importancia que tiene el evitar las enfermedades mediante la conservación del vigor de cada órgano, y también se les debería enseñar a actuar en caso de enfermedades comunes y accidentes. En toda escuela se debería enseñar fisiología e higiene, y en cuanto fuese posible se debería proveer material para ilustrar la estructura del cuerpo, y su empleo y cuidado.–*La educación*, pp. 195, 196.

Aspirar a la santidad, no meramente a la salud

Hermanos, os ruego por las misericordias de Dios, que presentéis vuestros cuerpos en sacrificio vivo, santo, agradable a Dios. Romanos 12:1.

Si los que están relacionados con esta empresa [el Instituto de Salud, en Battle Creek] cesaran de mirar su trabajo desde un punto de vista altamente religioso, y descendieran de los elevados principios de la verdad presente para imitar en teoría y práctica los principios que rigen a las instituciones donde se trata a los enfermos sólo para recuperar la salud, la bendición especial de Dios no descansaría sobre nuestra institución más que sobre aquellas instituciones donde se enseñan y practican teorías corruptas.

Vi que no puede realizarse una obra muy extensa en un corto tiempo, pues no sería un asunto fácil encontrar médicos a quienes Dios pueda aprobar y que trabajen juntos en forma armónica, desinteresada y celosamente por el bien de la humanidad sufriente. Siempre debe mantenerse en forma destacada que el gran propósito para ser alcanzado a través de este canal no es sólo la salud, sino la perfección, y el espíritu de santidad, lo que no puede ser alcanzado con cuerpos y mentes enfermas. Este propósito no puede asegurarse trabajando meramente desde el punto de vista mundanal. Dios suscitará hombres y los calificará para que se ocupen en la obra, no sólo como médicos del cuerpo, sino también del alma enferma de pecado; como padres espirituales para los jóvenes y los inexpertos...

Es un gran error pensar que las personas que han abusado de sus facultades mentales y fuerzas físicas, o que han padecido algún quebrantamiento físico o nervioso, necesitan suspender sus actividades corporales con el fin de recuperar la salud. En casos aislados, puede ser necesario mantener reposo completo durante un tiempo definido; pero estos casos son raros. La mayoría de las veces el cambio sería demasiado drástico para que reportara algún beneficio. Los que sufren algún quebranto como resultado de un esfuerzo mental intenso necesitan reposar de su actividad intelectual agotadora. Sin embargo, hacerles creer que para ellos sería impropio o peligroso ejercer sus facultades mentales, los induciría a considerar su condición como peor de lo que realmente es.

A las personas que han abusado de sus fuerzas físicas no se les debe aconsejar que abandonen completamente el trabajo corporal. Muchas veces privarlos totalmente del ejercicio contribuiría a estorbar la recuperación de su salud... La inactividad es la peor maldición que podría recaer sobre alguien que estuviera en una condición tal. Sus fuerzas llegan a estar tan inactivas, que les es imposible resistir la enfermedad y la languidez, que es lo que deben resistir para recobrar la salud.–*Testimonies for the Church*, t. 1, pp. 554-556. (Ver *Consejos sobre la salud*, p. 196.)

La reforma pro salud y el mensaje del tercer ángel están íntimamente unidos

El que da alimento a todo ser viviente, porque para siempre es su misericordia. Alabad al Dios de los cielos, porque para siempre es su misericordia. Salmo 136:25, 26.

El Señor, en su providencia, ha dado luz con respecto al establecimiento de sanatorios donde puedan ser tratados los enfermos con principios higiénicos. Debe enseñarse a la gente a depender de los remedios del Señor: aire puro, agua pura, alimentos sencillos y saludables.

Cada esfuerzo realizado en beneficio de la salud física y moral de la gente debería estar basado en principios morales. Los defensores de la reforma que están trabajando con la gloria de Dios en vista, colocarán firmemente sus pies sobre los principios de higiene; adoptarán una práctica correcta. La gente necesita conocimiento verdadero. Por sus hábitos incorrectos de vida, hombres y mujeres de esta generación están trayendo sobre sí mismos incontable sufrimiento.

Los médicos tienen una obra que hacer para efectuar una reforma educando a la gente para que pueda entender las leyes que gobiernan su vida física. Deberían saber cómo comer con propiedad, cómo trabajar inteligentemente, cómo vestir de una manera saludable, y debería enseñárseles a poner todos sus hábitos en armonía con las leyes de la vida y la salud, y a desechar las drogas. Hay una gran obra para hacer. Si se ponen por obra los principios de la reforma pro salud, la obra estará verdaderamente tan íntimamente unida a la del mensaje del tercer ángel, como la mano al cuerpo.

¿Por qué hay tanto desacuerdo? ¿Por qué hay tanta acción independiente, tanta ambición egoísta en este gran campo misionero? Dios es deshonrado. Debe haber una acción unida y concentrada. Esto es tan necesario en la obra del médico como en cualquier otra rama de la obra de preparación para el gran día de Dios...

Enseñen a las personas cómo prevenir la enfermedad. Díganles que dejen de rebelarse contra las leyes de la naturaleza, y, quitando cada obstáculo, denle una oportunidad para que desplieguen sus mejores esfuerzos para corregir las cosas. La naturaleza debe tener una oportunidad justa para emplear sus agencias curativas. Debemos hacer los esfuerzos más fervorosos para alcanzar una plataforma más elevada con respecto a los métodos de tratar a los enfermos. Si prevalece la luz que Dios ha dado, si la verdad triunfa sobre el error, se darán pasos de avanzada en la reforma pro salud. Esto es lo que debe hacerse.–*Manuscript Releases*, t. 13, pp. 177, 178.

El mensaje adventista debe santificar la mente y el cuerpo

Amado, yo deseo que tú seas prosperado en todas las cosas, y que tengas salud, así como prospera tu alma. 3 Juan 2.

El propósito de Dios para con sus hijos es que éstos alcancen la medida de la estatura de hombres y mujeres perfectos en Cristo Jesús. Para ello, deben hacer un uso conveniente de todas las facultades de la mente, el alma y el cuerpo. No pueden derrochar ninguna de sus energías mentales o físicas.

El asunto de la conservación de la salud tiene una importancia capital. Al estudiar esta cuestión en el temor de Dios, aprenderemos que, para nuestro mejor desarrollo físico y espiritual, conviene que nos atengamos a un régimen alimentario sencillo. Estudiemos con paciencia esta cuestión. Para obrar atinadamente en este sentido, necesitamos conocimientos y discernimiento. Las leyes de la naturaleza existen, no para ser resistidas, sino acatadas.

Los que han recibido instrucciones acerca de los peligros del consumo de carne, té, café y alimentos demasiado condimentados o malsanos, y quieran hacer con Dios un pacto con sacrificio, no continuarán satisfaciendo sus apetitos con alimentos que saben que son malsanos. Dios pide que los apetitos sean purificados y que se renuncie a las cosas que no son buenas. Esta obra debe ser hecha antes que su pueblo pueda estar delante de él como un pueblo perfecto.

El pueblo remanente de Dios debe ser un pueblo convertido. La presentación de este mensaje debe tener por resultado la conversión y santificación de las almas. El poder del Espíritu de Dios debe hacerse sentir en este movimiento. Poseemos un mensaje maravilloso y precioso; tiene una importancia capital para quien lo recibe, y debe ser proclamado con fuerte voz. Debemos creer con una fe firme y permanente que este mensaje irá cobrando siempre mayor importancia hasta la consumación de los tiempos...

Una solemne responsabilidad descansa sobre los que tienen conocimiento de la verdad: la de velar para que sus obras correspondan a su fe, que su vida sea refinada y santificada, y que sean preparados para la obra que debe cumplirse rápidamente en el curso de estos últimos días del mensaje. No tienen ni tiempo ni fuerzas que gastar en la satisfacción de sus apetitos. Estas palabras debieran repercutir con fuerza ahora en nuestros oídos: "Arrepentíos y convertíos, para que sean borrados vuestros pecados; para que vengan de la presencia del Señor tiempos de refrigerio" (Hech. 3:19).–*Joyas de los testimonios, t. 3*, pp. 354, 355.

Deben observarse condiciones para tener buena salud

Si oyeres atentamente la voz de Jehová tu Dios, e hicieres lo recto delante de sus ojos, y dieres oído a sus mandamientos, y guardares todos sus estatutos, ninguna enfermedad de las que envié a los egipcios te enviaré a ti; porque yo soy Jehová tu sanador. Éxodo 15:26.

Cristo había sido Guía y Maestro del antiguo Israel, y le enseñó que la salud es la recompensa de la obediencia a las leyes de Dios. El gran Médico que sanó a los enfermos en Palestina había hablado a su pueblo desde la columna de nube, diciéndole lo que debían hacer y lo que Dios haría por ellos [Éxo. 15:26]... Cristo dio a Israel instrucciones definidas acerca de sus hábitos de vida y le aseguró: "Y quitará Jehová de ti toda enfermedad" (Deut. 7:15). Cuando el pueblo cumplió esas condiciones, se le cumplió la promesa: "No hubo en sus tribus enfermo" (Sal. 105:37).

Estas lecciones son para nosotros. Hay condiciones que deben observar todos los que quieran conservar la salud. Todos deben aprender cuáles son esas condiciones. Al Señor no le agrada que se ignoren sus leyes, naturales o espirituales. Hemos de colaborar con Dios para devolver la salud al cuerpo tanto como al alma.

Y debemos enseñar a otros a conservar y recobrar la salud. Para los enfermos debemos usar los remedios que Dios proveyó en la naturaleza, y debemos señalarles a Aquel que es el único que puede sanar. Nuestra obra consiste en presentar los enfermos y dolientes a Cristo en los brazos de nuestra fe. Debemos enseñarles a creen en el gran Médico. Debemos echar mano de su promesa, y orar por la manifestación de su poder. La misma esencia del evangelio es la restauración, y el Salvador quiere que invitemos a los enfermos, los imposibilitados y los afligidos a echar mano de su fuerza.

El poder del amor estaba en todas las obras de curación de Cristo, y únicamente participando de ese amor por la fe podemos ser instrumentos apropiados para su obra. Si dejamos de ponernos en relación divina con Cristo, la corriente de energía vivificante no puede fluir en ricos raudales de nosotros a la gente...

Una de las primeras condiciones para recibir su poder consiste en tomar su yugo. La misma vida de la iglesia depende de su fidelidad en cumplir el mandato del Señor. Descuidar esta obra es exponerse con seguridad a la debilidad y decadencia espirituales. Donde no hay labor activa por los demás, se desvanece el amor y se empaña la fe.–*El Deseado de todas las gentes,* pp. 764, 765.

El desarrollo propio es esencial para realizar el mayor bien

Pero todo el que quiera salvar su vida, la perderá; y todo el que pierda su vida por causa de mí, éste se salvará. Pues, ¿qué aprovecha al hombre si gana todo el mundo, y se destruye o se pierde a sí mismo? Lucas 9:24, 25.

Se nos concede una sola vida; y la pregunta que cada uno debe hacerse es: "¿Cómo puedo invertir mis facultades de manera que rindan el mayor provecho? ¿Cómo puedo hacer más para la gloria de Dios y el beneficio de mis semejantes?" Pues la vida es valiosa sólo en la medida en que se la usa para el logro de estos propósitos.

Nuestro primer deber hacia Dios y nuestros semejantes es el desarrollo individual. Cada facultad con que el Creador nos ha dotado debemos cultivarla hasta el más alto grado de perfección, para realizar la mayor suma de bien de la cual seamos capaces. Por tanto, está bien invertido el tiempo que se usa en la adquisición y la conservación de la salud física o mental. No podemos permitirnos empequeñecer o inhabilitar ninguna función del cuerpo o de la mente. Con la misma seguridad con que lo hagamos, deberemos sufrir las consecuencias.

Cada persona tiene la oportunidad, en alto grado, de hacer de sí mismo lo que elija ser. Las bendiciones de esta vida, y también las del estado inmortal, están a su alcance. Puede formar un carácter de gran excelencia, y adquirir nueva fuerza a cada paso. Puede avanzar diariamente en conocimiento y sabiduría, consciente de que el progreso le proporcionará nuevas delicias, y añadir una virtud a otra, una gracia a otra... Su inteligencia, conocimiento y virtud se desarrollarán así para adquirir mayor fuerza y más perfecta simetría.

Por otra parte, puede permitir que sus facultades se herrumben por falta de uso, o que sean pervertidas por malos hábitos, y por falta de dominio propio o de vigor moral y religioso. Entonces marcha hacia abajo; es desobediente a la ley de Dios y a las leyes de la salud. El apetito lo domina. La inclinación lo desvía. Le resulta más fácil permitir que los poderes del mal, que están siempre activos, lo arrastren hacia atrás que luchar contra ellos y avanzar. Sigue luego la disipación, la enfermedad y la muerte. Esta es la historia de muchas vidas que podrían haber sido útiles en la causa de Dios y la humanidad.–*Consejos sobre el régimen alimenticio*, pp. 15, 16.

Los hábitos de temperancia y el ejercicio físico producen vigor

*Amados, puesto que tenemos tales promesas, limpiémonos de toda con-
taminación de carne y de espíritu, perfeccionando la santidad en el temor de Dios. 2 Corintios 7:1.*

Muchos sufren a causa de un severo recargo mental, que no ha sido
aliviado mediante el ejercicio físico. El resultado es un deterioro de
sus facultades, y una tendencia a evitar las responsabilidades. Lo que necesitan es un trabajo más activo. Esto no se limita sólo a los que tienen sus
cabezas blancas con la escarcha del tiempo, sino también a los jóvenes
que han caído en la misma condición y se han debilitado mentalmente.
Los estrictos hábitos de temperancia, combinados con el ejercicio de los
músculos, así como el de la mente, preservarán tanto el vigor mental como el físico, y darán poder de resistencia a los que están ocupados en el
ministerio, a los redactores y a todos los que tengan hábitos sedentarios.

Los predicadores, maestros y alumnos no se enteran como debieran
de la necesidad del ejercicio al aire libre. Descuidan este deber, que es de
lo más esencial para la conservación de la salud. Se aplican detenidamen-
te al estudio de los libros, e ingieren la alimentación de un trabajador manual. Con tales hábitos, algunos adquieren corpulencia porque el organismo está obstruido. Otros enflaquecen y se debilitan, porque sus fuerzas vitales se agotan con el trabajo de desechar el exceso de alimentos... Si el
ejercicio físico se combinase con el mental, se apresuraría la circulación
de la sangre, la acción del corazón sería más perfecta, las impurezas se eli-
minarían, y todo el cuerpo experimentaría nueva vida y vigor...

La obra en la cual estamos ocupados es sagrada... Es un deber que tenemos para con Dios el de guardar el espíritu puro, como templo del Espíritu Santo. Si el corazón y la mente están dedicados al servicio de Dios,
obedeciendo todos sus mandamientos, amándolo con todo el corazón, el
poder, la mente y la fortaleza, y a nuestros prójimos como a nosotros mismos, seremos hallados leales y fieles a los requerimientos del cielo.

Ahora estamos en el taller de Dios. Muchos de nosotros somos piedras ásperas sacadas de la cantera. Pero a medida que sintamos la influencia de la verdad de Dios, desaparecerá toda imperfección, y estaremos
preparados para brillar como piedras vivas en el templo celestial, donde
nos asociaremos no sólo con los santos ángeles, sino también con el mismo Rey del cielo. El estar consciente de obrar correctamente es la mejor
medicina para los cuerpos y las mentes enfermas. La bendición especial
de Dios que reposa sobre el que la recibe es salud y fortaleza. La persona
cuya mente está tranquila y satisfecha en Dios, está en camino de la buena
salud.–*Christian Temperance and Bible Hygiene*, pp. 160, 161.

Seguir el ejemplo dado por los cuatro hebreos

Compara luego nuestros rostros con los rostros de los muchachos que comen de la ración de la comida del rey... Y al cabo de los diez días pareció el rostro de ellos mejor y más robusto que el de los otros muchachos que comían de la porción de la comida del rey. Daniel 1:13, 15.

"A estos cuatro muchachos Dios les dio conocimiento e inteligencia en todas las letras y las ciencias; y Daniel tuvo entendimiento en toda visión y sueños. Pasados, pues, los días al fin de los cuales había dicho el rey que los trajesen, el jefe de los eunucos los trajo delante de Nabucodonosor. Y el rey habló con ellos, y no fueron hallados entre todos ellos otros como Daniel, Ananías, Misael y Azarías; así, pues, estuvieron delante del rey. En todo asunto de sabiduría e inteligencia que el rey les consultó, los halló diez veces mejores que todos los magos y astrólogos que había en todo su reino" (Dan. 1:17-20).

Este registro contiene mucho de importancia sobre el tema de la reforma pro salud. En la experiencia de los cuatro jóvenes hebreos se da una lección acerca de la necesidad de abstenerse de todos los licores embriagantes y de la complacencia del apetito pervertido. La posición que tomaron esos jóvenes hebreos fue vindicada, y al fin de los diez días se los encontró más hermosos y mucho mejor en conocimiento que todo el resto de los jóvenes a quienes estaba examinando el rey.

En nuestros días, el Señor se complacería si los que se están preparando para la futura vida inmortal siguieran el ejemplo de Daniel y sus compañeros al procurar mantener la fuerza del cuerpo y la claridad de la mente. Cuanto más cuidadosos aprendamos a ser al tratar nuestros cuerpos, más rápidamente seremos capaces de evitar los males que están en el mundo por causa de la concupiscencia... Preguntémonos: "¿Cuál es el propósito de la educación superior?" ¿No es que podamos estar en una recta relación con Dios? La prueba de toda educación debería ser: ¿Es conveniente para nosotros mantener nuestra mente fija sobre el premio del supremo llamamiento de Dios en Cristo Jesús?...

Debemos aprender cómo nivelar el trabajo hecho por el cerebro, los huesos y los músculos. Si usted pone a trabajar las facultades de la mente, recargándolas con cargas pesadas, mientras no hace ejercicio con sus músculos, ese proceder contará su historia tan seguramente como el sabio proceder de los jóvenes hebreos contó su historia. Los padres deberían seguir una conducta consistente en la educación de sus hijos. Debe enseñarse a nuestros jóvenes desde su misma niñez a ejercitar de una manera proporcionada el cuerpo y la mente.–*The General Conference Bulletin*, 30 de mayo de 1909.

Controlar el apetito por medio del poder de Cristo

Así que arrepentíos y convertíos, para que sean borrados vuestros peca-
dos; para que vengan de la presencia del Señor tiempos de refrigerio.
Hechos 3:19.

Sólo el poder de Cristo puede obrar, en el corazón y la mente, la transformación que deben experimentar todos los que quieran participar con él
de la nueva vida en el reino de los cielos... Para servirle convenientemente
es necesario haber nacido del Espíritu divino. Entonces seremos inducidos
a velar. Nuestro corazón será purificado, nuestra mente renovada, y recibiremos nuevas aptitudes para conocer y amar a Dios. Obedeceremos espon-
táneamente todos sus requerimientos. En esto consiste el culto verdadero.
Dios exige que su pueblo progrese constantemente. Debemos aprender que la satisfacción de nuestros apetitos es el mayor obstáculo que se
opone a nuestro progreso intelectual y a la santificación del alma. No obstante todo lo que profesemos en lo que concierne a la reforma pro salud,
algunos de entre nosotros se alimentan mal. El halago de los apetitos es la
causa principal de la debilidad física y mental, del agotamiento y de las
muertes prematuras. Toda persona que busca la pureza de la mente debe
recordar que en Cristo hay un poder capaz de dominar los apetitos...
Los alimentos preparados basados en la carne perjudican la salud física, y debemos aprender a vivir sin ellos. Los que están en situación de
seguir un régimen vegetariano, pero prefieren seguir sus propias inclinaciones en este asunto, comiendo y bebiendo como quieren, irán descui-
dando gradualmente la instrucción que el Señor ha dado tocante a otras
fases de la verdad presente, perderán su percepción de lo que es verdad y,
con toda seguridad, segarán lo que hayan sembrado...
Me dirijo tanto a los jóvenes como a los adultos y ancianos: Abstén-
ganse de las cosas que pueden dañarlos. Sirvan al Señor con sacrificio. Los
niños deben participar con inteligencia en esta obra. Todos somos miembros de la familia del Señor; y él quiere que sus hijos ancianos y jóvenes
resuelvan sacrificar sus apetitos y economizar el dinero necesario para
construir capillas y sostener a misioneros
Estoy comisionada para decir a los padres: Colóquense enteramente,
alma y espíritu, del lado del Señor en este asunto. Debemos recordar en
estos días de prueba que estamos en juicio delante del Señor del universo.
¿No renunciarán a las costumbres que les causan daño? Las palabras valen
poco; muestren por sus actos de abnegación que quieren obedecer las órdenes que el Señor da a su pueblo peculiar.–*Review and Herald,* 24 de febrero de 1910. (Ver *Joyas de los testimonios,* t. 3, pp. 356-358.)

Los cristianos deben ser estrictamente temperantes, gobernados por principios

Si, pues, coméis o bebéis, o hacéis otra cosa, hacedlo todo para gloria de Dios. 1 Corintios 10:31.

El apóstol Pablo escribe: "¿No sabéis que todos los que corren en el estadio, todos a la verdad corren, pero uno solo lleva el premio? Corred de tal manera que lo obtengáis. Todo aquel que lucha, de todo se abstiene; ellos, a la verdad, para recibir una corona corruptible, pero nosotros, una incorruptible. Así que, yo de esta manera corro, no como a la ventura; de esta manera peleo, no como quien golpea el aire, sino que golpeo mi cuerpo, y lo pongo en servidumbre, no sea que habiendo sido heraldo para otros, yo mismo venga a ser reprobado" (1 Cor. 9:24-27).

Hay muchos en el mundo que complacen hábitos perniciosos. El apetito es la ley que los gobierna. Y debido a sus hábitos erróneos, el sentido moral es oscurecido y el poder de discernir cosas sagradas es destruido en gran medida. Pero es necesario que los cristianos sean estrictamente temperantes. Deben colocar la norma alta. La temperancia en el comer, el beber y el vestir es esencial. Los principios deben tener la primacía en lugar del apetito o el antojo. Los que comen demasiado, o que ingieren alimentos de una clase objetable, son fácilmente inducidos a la disipación, y a las otras "codicias necias y dañosas, que hunden a los hombres en destrucción y perdición" (1 Tim. 6:9). Los "colaboradores de Dios" deben usar todo ápice de su influencia para estimular la siembra de los verdaderos principios de la temperancia.

Significa mucho ser leal a Dios. Él tiene derechos sobre todos los que están empeñados en su servicio. Él desea que la mente y el cuerpo sean preservados en la mejor condición de salud, y que toda facultad y atributo se hallen bajo el dominio de lo divino, y que sean tan vigorosos como los hábitos de cuidado y estricta temperancia puedan hacerlos. Estamos bajo una obligación ante Dios: la de hacer una consagración sin reserva de nosotros mismos a él, en cuerpo y alma, con todas las facultades apreciadas como dones que él nos confiara, para ser empleados en su servicio.

Todas nuestras energías y capacidades han de ser constantemente fortalecidas y mejoradas durante este período de prueba. Solamente los que aprecian estos principios, y han sido educados a cuidar de sus cuerpos inteligentemente y en el temor de Dios, deben ser elegidos para asumir responsabilidades en esta obra... Toda iglesia necesita un testimonio claro y preciso, que dé a la trompeta un sonido certero.–*Consejos sobre el régimen alimenticio*, pp. 184, 185.

El alimento debe ser integral y apetitoso

¿Por qué gastáis el dinero en lo que no es pan, y vuestro trabajo en lo que no sacia? Oídme atentamente, y comed del bien, y se deleitará vuestra alma con grosura. Isaías 55:2.

Algunos de nuestros miembros se abstienen concienzudamente de alimentos que no son higiénicos, pero no suministran a su organismo los elementos que necesita para sustentarse. Los que llevan al extremo la reforma pro salud corren el riesgo de preparar alimentos insípidos y que no satisfagan. Los alimentos deben ser preparados de modo que sean apetitosos y nutritivos. No debe despojárselos de lo que nuestro organismo necesita. Yo hago uso de un poco de sal y siempre lo he hecho, porque la sal, lejos de ser nociva, es indispensable para la sangre. Las legumbres debieran hacerse más agradables aderezándolas con un poco de leche o crema, o su equivalente.

Si bien se han dado advertencias con relación a los peligros de enfermedad que derivan de la mantequilla y al mal que ocasiona el uso copioso de huevos por parte de las criaturas, no debe considerarse como una violación de nuestros principios el consumo de huevos provenientes de gallinas bien cuidadas y convenientemente alimentadas. Los huevos contienen ciertos principios que obran eficazmente contra determinados venenos.

Algunos, al abstenerse de leche, huevos y mantequilla, no proveyeron a su cuerpo de una alimentación adecuada, y como consecuencia se han debilitado e incapacitado para el trabajo. De esta manera, la reforma pro salud ha sido desacreditada. La obra que nos hemos esforzado por levantar sólidamente se confunde con las extravagancias que Dios no ha ordenado, y las energías de la iglesia se ven estorbadas. Pero Dios intervendrá para contrarrestar los resultados de ideas tan extremistas. El propósito del evangelio es reconciliar a la raza pecaminosa. Debe llevar a pobres y a ricos a los pies de Jesús. Llegará el tiempo cuando tal vez tengamos que dejar algunos de los alimentos que usamos ahora, como la leche, la crema y los huevos; pero no necesitamos crearnos dificultades por restricciones prematuras y exageradas. Esperemos hasta que las circunstancias lo exijan y que el Señor prepare el camino...

No contrarrestemos la reforma pro salud al no reemplazar por manjares sanos y agradables los alimentos nocivos que hemos abandonado. En manera alguna debe fomentarse el uso de estimulantes. Comamos solamente alimentos sencillos y sanos, y demos gracias a Dios constantemente por los principios de la reforma pro salud. Seamos fieles e íntegros en todas las cosas y alcanzaremos preciosas victorias.–*Joyas de los testimonios*, t. 3, pp. 361-363.

El control del apetito debe comenzar en la niñez

El principio de la sabiduría es el temor de Jehová; los insensatos despre-
cian la sabiduría y la enseñanza. Proverbios 1:7.

No sólo se ha transmitido la enfermedad de padres a hijos, generación tras generación, sino que los padres legan a sus hijos sus propios hábitos erróneos, apetitos pervertidos y pasiones corruptas. Los hombres y las mujeres son lentos para aprender sabiduría de la historia del pasado. La extraña ausencia de principios que caracteriza a la generación actual, el descuido de las leyes de la vida y la salud, es asombroso. Aunque puede obtenerse fácilmente un conocimiento de estas cosas, prevalece, en cuanto a esto, una ignorancia deplorable.

La principal ansiedad de la mayoría es: "¿Qué comeré? ¿Qué beberé? ¿Con qué me vestiré?" A pesar de todo lo que se ha dicho y escrito sobre la importancia de la salud y los medios para conservarla, el apetito es la gran ley que generalmente gobierna a los hombres y a las mujeres.–*Review and Herald*, 13 de diciembre de 1881.

¿Qué puede hacerse para detener la marea de enfermedad y crimen que está arrastrando a nuestra especie a la ruina y a la muerte? Como la gran causa del mal ha de hallarse en la complacencia del apetito y la pasión, la primera y gran obra de reforma debe ser aprender y poner en práctica las lecciones de la temperancia y el dominio propio.

Si ha de efectuarse un cambio permanente para el mejoramiento de la sociedad, la educación de las masas debe empezar en la época temprana de la vida. Es casi seguro que los hábitos formados en la infancia y la juventud, los gustos adquiridos, el dominio propio logrado, los principios inculcados desde la cuna, han de determinar el futuro del hombre o de la mujer. El crimen y la corrupción resultantes de la intemperancia y las costumbres relajadas podrían ser evitados por la debida educación de la juventud.

La salud física perfecta es una de las más grandes ayudas para formar en la juventud caracteres puros y nobles, fortaleciéndolos para dominar el apetito y refrenar los excesos degradantes; y, por otra parte, estos mismos hábitos de dominio propio son esenciales para el mantenimiento de la salud...

La juventud es, por excelencia, la época de almacenar los conocimientos que han de ser puestos diariamente en práctica durante toda la vida. La juventud es la época para establecer buenos hábitos, para corregir los malos ya contraídos, para lograr y mantener el poder del dominio propio y trazar el plan de acostumbrarse a la práctica de ordenar todos los actos de la vida de acuerdo con la voluntad de Dios y el bienestar de nuestros semejantes.–*Mensajes para los jóvenes*, pp. 231, 232.

Los estimulantes producen finalmente malos resultados

No os ha sobrevenido ninguna tentación que no sea humana; pero fiel es Dios, que no os dejará ser tentados más de lo que podáis resistir, sino que dará también juntamente con la tentación la salida, para que podáis soportar. 1 Corintios 10:13.

Como pueblo, a pesar de que profesamos practicar la reforma pro salud, comemos demasiado. La complacencia del apetito es la causa más importante de la debilidad física y mental, y es el cimiento de la flaqueza que se nota por doquiera.

La intemperancia comienza en nuestras mesas, por causa del consumo de alimentos malsanos. Después de un tiempo, por causa de la complacencia continua del apetito, los órganos digestivos se debilitan y el alimento ingerido no satisface. Se establecen condiciones malsanas y se anhela ingerir alimentos más estimulantes. El té, el café y la carne producen un efecto inmediato. Bajo la influencia de estos venenos, el sistema nervioso se excita y, en algunos casos, el intelecto parece vigorizado momentáneamente y la imaginación resulta más vívida. Por el hecho de que estos estimulantes producen resultados pasajeros tan agradables, muchos piensan que los necesitan realmente, y continúan consumiéndolos.

Pero siempre hay una reacción. El sistema nervioso, habiendo sido estimulado indebidamente, obtuvo fuerzas de las reservas para su empleo inmediato. Todo este pasajero fortalecimiento del organismo va seguido de una depresión. En la misma proporción en que estos estimulantes vigorizan temporalmente el organismo, se producirá una pérdida de fuerzas de los órganos excitados después que pase el estímulo. El apetito se acostumbra a desear algo más fuerte, lo cual tenderá a aumentar la sensación agradable, hasta que satisfacerlo llega a ser un hábito y de continuo se desean estimulantes más fuertes, como el tabaco, los vinos y licores...

El principal motivo que tuvo Cristo para soportar aquel largo ayuno en el desierto fue enseñarnos la necesidad de la abnegación y la temperancia. Esta obra debe comenzar en nuestra mesa, y debe llevarse estrictamente a cabo en todas las circunstancias de la vida. El Redentor del mundo vino del cielo para ayudarnos en nuestras debilidades, para que, con el poder que Jesús vino a traernos, logremos fortalecernos para vencer el apetito y la pasión, y podamos ser vencedores en todo.–*Joyas de los testimonios*, t. 1, pp. 417-419.

Por Jesús llega la salud y el alivio de las perplejidades

Y llegaron a Mara, y no pudieron beber las aguas de Mara, porque eran amargas; por eso le pusieron el nombre de Mara. Entonces el pueblo murmuró contra Moisés, y dijo: ¿Qué hemos de beber? Éxodo 15:23, 24.

El Señor tenía una lección para enseñarles a los hijos de Israel. Las aguas de Mara eran una lección objetiva, representando las enfermedades que se acarrearon los seres humanos por causa del pecado. No es misterio que los habitantes de la tierra están sufriendo de enfermedades de toda índole y tipo. Es porque transgreden la ley de Dios.

Así hicieron los hijos de Israel. Derribaron las barreras que Dios en su providencia había erigido para preservarlos de la enfermedad, con el fin de que pudieran vivir con salud y santidad y de esa manera aprendiesen obediencia en su caminar por el desierto. Viajaron bajo la dirección especial de Cristo, quien se había dado como sacrificio para preservar a un pueblo que siempre tuviera a Dios en su memoria, a pesar de las magistrales tentaciones de Satanás. Envueltos en la columna de nube guiadora, era el deseo de Cristo guardar bajo sus alas protectoras de cuidado a todos los que hicieran su voluntad.

No fue por casualidad que en su viaje los hijos de Israel llegaron a Mara. Antes que dejaran Egipto, el Señor comenzó sus lecciones de instrucción, para poder llevarlos a que se dieran cuenta de que él era su Dios, su Libertador, su Protector. Murmuraron contra Moisés y contra Dios, pero aún así el Señor trató de mostrarles que aliviaría todas sus perplejidades si querían mirarlo a él. Los males que encontraron y por los que pasaron eran parte del gran plan de Dios, por medio de los cuales deseaba probarlos.

Cuando llegaron a las aguas de Mara, "el pueblo murmuró contra Moisés, y dijo: ¿Qué hemos de beber? Y Moisés clamó a Jehová, y Jehová le mostró un árbol; y lo echó en las aguas, y las aguas se endulzaron. Allí les dio estatutos y ordenanzas, y allí los probó" (Éxo. 15:24, 25). Aunque invisible a los ojos humanos, Dios era el líder de los israelitas, su poderoso Sanador. Él fue quien puso en el árbol las propiedades que endulzaron las aguas. De esa manera deseaba mostrarles que por medio de su poder podía curar los males del corazón humano.

Cristo es el gran Médico, no sólo del cuerpo sino del alma. Nos devuelve a nuestro Dios. Dios permitió que su Hijo unigénito fuera magullado, con el fin de que las propiedades curativas pudieran fluir de él para curar todas nuestras enfermedades.–*Manuscript Releases*, t. 15, pp. 29-31.

Obedecer las leyes de la naturaleza para gozar de salud

Ninguno tenga en poco tu juventud, sino sé ejemplo de los creyentes en palabra, conducta, amor, espíritu, fe y pureza. 1 Timoteo 4:12.

No hay uno en mil, casado o soltero, que se dé cuenta de la importancia de tener pureza de hábitos, para preservar la limpieza del cuerpo y la pureza de pensamiento. La dolencia y la enfermedad son el resultado seguro de la desobediencia a las leyes de la naturaleza y del descuido de las leyes de la vida y la salud. Necesitamos preservar la casa en la cual vivimos, para que pueda honrar a Dios que nos redimió. Necesitamos saber cómo mantener en buen estado la maquinaria viviente, para que nuestra alma, nuestro cuerpo y nuestro espíritu puedan estar consagrados a su servicio.

Como seres racionales somos lamentablemente ignorantes del cuerpo y de sus necesidades. Mientras las escuelas que hemos establecido se han dedicado al estudio de la fisiología, no han tomado la materia con esa energía resuelta con la que debieran tomarla. No han practicado inteligentemente lo que han recibido en conocimiento. Y no se dan cuenta de que, a menos que se practique eso, el cuerpo se deteriorará.

A pesar de toda la luz que brilla de las Escrituras sobre este tema; a pesar de las lecciones que tenemos en la historia de Daniel, Sadrac, Mesac y Abed-nego; a pesar del resultado de un régimen alimentario sencillo y saludable, se hace poco caso de las lecciones escritas por aquellos a quienes Dios inspiró. Generalmente se descuidan los hábitos dietéticos de la gente; hay un aumento del uso del tabaco, de las bebidas alcohólicas y de sustentarse a base de carne...

Ustedes son la propiedad del Señor, suyos por creación y por redención. "Amarás a tu prójimo como a ti mismo". Aquí se pone a la vista la ley del respeto de sí mismo para la propiedad del Señor. Y esto llevará a respetar las obligaciones bajo las que está cada ser humano para mantener en buen estado la maquinaria viviente que está tan formidable y maravillosamente hecha. Es necesario entender esta maquinaria viva. Cada parte de su maravilloso mecanismo debe ser estudiado cuidadosamente. Debe practicarse la preservación propia...

La transgresión de la ley física es la transgresión de la ley de Dios. Nuestro Creador es Jesucristo. Él es el Autor de nuestro ser. Él ha creado la estructura humana. Él es el Autor de las leyes físicas así como es el Autor de la ley moral. Y el ser humano que es descuidado en los hábitos y las prácticas que conciernen a su vida y salud físicas, peca contra Dios.–*The Kress Collection*, pp. 45, 46.

Seguir el consejo divino para conservar la salud

Entonces el suegro de Moisés le dijo: No está bien lo que haces. Desfallecerás del todo, tú y también este pueblo... porque el trabajo es demasiado pesado para ti; no podrás hacerlo tú solo. Éxodo 18:17, 18.

Cuando hacemos todo lo que está de nuestra parte para tener salud, entonces podemos esperar que sigan benditos resultados, y podemos pedir a Dios con fe que bendiga nuestros esfuerzos para la preservación de la salud. Él entonces contestará nuestra oración si su nombre puede ser glorificado por ello. Pero entiendan todos que tienen una obra que hacer. Dios no obrará de una manera milagrosa para preservar la salud de personas que están siguiendo una conducta que los lleva con seguridad a la enfermedad.

Una cuidadosa conformidad de nuestra parte a las leyes que Dios ha implantado en nuestro ser, asegurará la salud, y no se producirá un quebrantamiento de la constitución.

Muchos me han preguntado: ¿Cuál es el mejor proceder que puedo seguir para conservar mi salud? Mi respuesta es la siguiente: Dejen de transgredir las leyes de su ser; dejen de gratificar un apetito depravado; coman alimentos sencillos; vístanse en forma saludable, lo cual exigirá modesta sencillez; trabajen en forma sana, y no estarán enfermos... Muchos están sufriendo como consecuencia de la transgresión de sus padres. No pueden ser censurados por los pecados de sus padres, pero no obstante es su deber indagar en qué punto violaron sus padres las leyes de su ser, y en dónde estuvieron equivocados los hábitos de sus padres. Entonces debieran cambiar su propio proceder y colocarse, por medio de hábitos correctos, en una relación mejor con la salud.

La acción armoniosa y saludable de todas las facultades del cuerpo y la mente produce felicidad; mientras más elevadas y limpias sean estas facultades, más pura y genuina será la felicidad. Una existencia sin propósitos es una muerte en vida. La mente debería preocuparse de los temas que se refieren a nuestros intereses eternos. Esto contribuirá a la salud del cuerpo y de la mente. El Señor se ha comprometido a mantener esta maquinaria viviente en funcionamiento saludable si el agente humano obedece sus leyes y colabora con Dios. El Señor le ha dado a su pueblo un mensaje en cuanto a la reforma pro salud. Esta luz ha estado brillando sobre su sendero por [muchos] años, y el Señor no puede sostener a sus siervos en un proceder que la contrarreste... La luz que Dios ha dado sobre la reforma pro salud no puede ser tratada con ligereza, sin perjuicio para los que intentan jugar con ella, y ningún ser humano puede esperar triunfar en la obra de Dios mientras, por precepto y por ejemplo, actúa en oposición a la luz que Dios ha enviado.–*Healthful Living*, pp. 30-32 (1897, 1898).

El efecto sigue a la causa, y produce salud o enfermedad

O haced el árbol bueno, y su fruto bueno, o haced el árbol malo, y su fruto malo; porque por el fruto se conoce al árbol. Mateo 12:33.

Adán y Eva en el Edén eran de noble estatura, y perfectos en simetría y belleza. Eran sin pecado y tenían perfecta salud. ¡Qué contraste con la raza humana actual! La belleza ha desaparecido. La perfecta salud es desconocida. Doquiera que miremos vemos enfermedad, deformidad e imbecilidad...

Desde la caída ha existido la intemperancia en todas sus formas. El apetito ha dominado a la razón. La familia humana ha seguido una conducta de desobediencia, y como Eva, ha sido engañada por Satanás para descuidar las prohibiciones que Dios ha establecido, haciéndose la ilusión de que las consecuencias no serían tan terribles como se había creído. La familia humana ha violado las leyes de la salud y ha ido a los excesos en casi todo. La enfermedad ha estado aumentando firmemente. La causa ha sido seguida por el efecto.

Dios dio a nuestros padres los alimentos que él se propuso que debía comer la raza humana. Era contrario a su plan quitar la vida de alguna criatura. No debía haber muerte en el Edén. Los frutos de los árboles del jardín constituían el alimento que requerían sus necesidades. Dios no le dio permiso para comer animales hasta después del diluvio...

Muchos se maravillan de que la humanidad haya degenerado tanto, física, mental y moralmente. No entienden que es la violación de la constitución y las leyes de Dios, y la transgresión de las leyes de la salud, lo que ha producido esta triste degeneración. La transgresión de los mandamientos de Dios ha hecho que el Señor retrajera su mano que imparte prosperidad. La intemperancia en el comer y el beber, y la complacencia de las bajas pasiones, ha entumecido las delicadas sensibilidades de manera que las cosas sagradas han sido puestas al nivel de las cosas humanas...

Muchos han esperado que Dios los preservara de la enfermedad meramente porque le pidieron que lo hiciera. Pero Dios no escuchó sus oraciones, porque su fe no se perfeccionó por medio de las obras... Dios no obrará un milagro para preservar de la enfermedad a quienes no se cuidan a sí mismos, sino que están continuamente violando las leyes de la salud y no hacen ningún esfuerzo para prevenir la enfermedad.—*Review and Herald*, 2 de abril de 1914. (Ver *Consejos sobre el régimen alimenticio*, pp. 171, 95, 73, 29.)

Para tener una mente sana, seguir los principios
de la temperancia

Y el mismo Dios de paz os santifique por completo; y todo vuestro ser, espíritu, alma y cuerpo, sea guardado irreprensible para la venida de nuestro Señor Jesucristo. 1 Tesalonicenses 5:23.

El apóstol nos suplica: "Así que, hermanos, os ruego por las misericordias de Dios, que presentéis vuestros cuerpos en sacrificio vivo, santo agradable a Dios, que es vuestro culto racional"...

Cuando practicamos un régimen de comida y bebida que disminuye el vigor mental y físico, o somos hechos presa de hábitos que tienden hacia ese resultado, deshonramos a Dios, porque le robamos el servicio que él exige de nosotros. Los que adquieren y fomentan el apetito artificial por el tabaco, lo hacen a expensas de la salud. Están destruyendo la energía nerviosa, cercenando la fuerza vital y sacrificando la fortaleza mental.

Los que profesan ser seguidores de Cristo y tienen este terrible pecado en la puerta, no pueden tener una elevada apreciación de la expiación y una alta estima de las cosas eternas. Las mentes que están ofuscadas y parcialmente paralizadas por sustancias malsanas, son vencidas fácilmente por la tentación, y no pueden gozar de la comunión con Dios.

Los que fuman tienen argumentos muy pobres para disuadir al adicto al alcohol. Dos tercios de los borrachos de nuestro país contrajeron el vicio del licor por causa del hábito de fumar. Los que aseguran que el tabaco no les perjudica pueden convencerse de su error absteniéndose del mismo durante unos pocos días: los nervios agitados, la cabeza aturdida y la irritabilidad que sienten les probarán que esta complacencia pecaminosa los ha reducido a la servidumbre. Ha vencido el poder de su voluntad. Son esclavos de un vicio terrible en sus resultados...

Dios requiere que su pueblo sea templado en todas las cosas. El ejemplo de Cristo, durante su largo ayuno en el desierto, debería enseñar a sus seguidores a rechazar a Satanás cuando viene bajo el disfraz del apetito. Entonces podrían tener influencia para reformar a los que han sido extraviados por la indulgencia, y han perdido el poder moral para vencer la debilidad y el pecado que han tomado posesión de ellos. Así los cristianos pueden asegurarse su salud y felicidad en una vida pura y bien ordenada, y con una mente clara y sin mancha delante de Dios.–*Signs of the Times*, 6 de enero de 1876. (Ver también *La temperancia*, pp. 57, 64, 55, 142.)

El trabajo físico ayuda a desarrollar la mente y el carácter

Edificarán casas, y morarán en ellas; plantarán viñas, y comerán el fruto de ellas. No edificarán para que otro habite, ni plantarán para que otro coma; porque según los días de los árboles serán los días de mi pueblo, y mis escogidos disfrutarán la obra de sus manos. Isaías 65:21, 22.

Ahora, como en los días de Israel, todo joven debe ser instruido en los deberes de la vida práctica. Cada uno debe adquirir cierto conocimiento de algún ramo manual por medio del cual, si fuera necesario, pudiese ganarse la vida. Esto es esencial, no sólo como una salvaguardia contra las vicisitudes de la vida, sino por su influencia sobre el desarrollo físico, mental y moral. Aun cuando fuese seguro de que uno no habría de necesitar recurrir al trabajo manual para su sustento, se le debiera enseñar a trabajar. Sin ejercicio físico, nadie puede tener una constitución sana y salud vigorosa; y la disciplina del trabajo bien regulado no es menos esencial para obtener un espíritu fuerte y activo que para adquirir un carácter noble.

Los alumnos que han obtenido conocimiento de los libros sin adquirir un conocimiento del trabajo práctico no pueden aseverar que tienen una educación simétrica. Las energías que debieran haberse consagrado a los quehaceres de los diversos ramos, han sido descuidadas. La educación no consiste en usar solamente el cerebro. El trabajo físico también es parte de la educación esencial para todo joven. Falta una fase importante de la educación si no se enseña al alumno a dedicarse a un trabajo útil.

El ejercicio saludable de todo el ser dará una educación amplia y abarcante. Todo estudiante debe dedicar una parte de cada día al trabajo activo. Así adquirirá hábitos de laboriosidad y se fomentará en él un espíritu de confianza propia, y al mismo tiempo estará a salvo de muchas prácticas malas y degradantes que son a menudo el resultado de la ociosidad. Y todo esto está de acuerdo con el objetivo primordial de la educación, porque al estimular la actividad, la diligencia y la pureza, nos ponemos en armonía con el Creador...

La disciplina que para la vida práctica se obtiene del trabajo físico combinado con el esfuerzo mental, queda endulzada al reflexionar en que ella hace a la mente y al cuerpo más idóneos para cumplir la obra que Dios requiere que hagan los humanos. Cuanto más perfectamente sepan los jóvenes cumplir los deberes de la vida práctica, tanto mayor será el gozo que tendrán día tras día por ser útiles a otros. La mente educada para disfrutar del trabajo provechoso se amplía; por la preparación y la disciplina se hace idónea para ser útil; porque adquiere el conocimiento esencial que permite a su poseedor beneficiar a otros.–*Mensajes para los jóvenes,* pp. 175-177.

Es esencial la temperancia en todas las cosas

*Conforme a mi anhelo y esperanza de que en nada seré avergonzado;
antes bien con toda confianza, como siempre, ahora también será magnificado Cristo en mi cuerpo, o por vida o por muerte.* Filipenses 1:20.

Hoy hay muchos bajo la sombra de la muerte que se habían preparado para hacer una obra en favor del Maestro, pero que no sintieron
la responsabilidad sagrada de observar las leyes de la salud. Las leyes del
organismo físico son en la verdad las leyes de Dios; pero este hecho parece haber sido olvidado. Algunos se limitaron a un régimen que no podía
mantenerlos en buena salud. No proveyeron alimentos nutritivos para
reemplazar las sustancias perjudiciales; y no consideraron que para preparar satisfactoriamente los alimentos hay que ejercer ingenio. El organismo
tiene que ser debidamente nutrido con el fin de poder realizar su obra...

Hay muchos en el mundo que complacen hábitos perniciosos. El apetito es la ley que los gobierna. Y debido a sus hábitos erróneos, el sentido moral se oscurece y el poder de discernir cosas sagradas se destruye en gran medida... Es necesario que los cristianos sean estrictamente temperantes. Deben
colocar la norma alta. Es esencial la temperancia en el comer, el beber y el
vestir. Los principios deben tener la primacía en lugar del apetito o el antojo...

Significa mucho ser leal a Dios. Él tiene derechos sobre todos los que
están empeñados en su servicio. Él desea que la mente y el cuerpo sean
preservados en la mejor condición de salud, y que toda facultad y atributo se hallen bajo el dominio de lo divino, y que sean tan vigorosos como
los hábitos de cuidado y estricta temperancia puedan hacerlos. Estamos
bajo una obligación ante Dios: la de hacer una consagración sin reserva
de nosotros mismos a él, en cuerpo y alma, con todas las facultades apreciadas como dones que él nos confiara, para ser empleados en su servicio.
Todas nuestras energías y capacidades han de ser constantemente fortalecidas y mejoradas durante este período de prueba...

Si podemos despertar la sensibilidad moral de nuestros hermanos sobre
el tema de la temperancia, se ganará una gran victoria. Ha de enseñarse y
practicarse la temperancia en todas las cosas de esta vida. La temperancia
en el comer, el beber, el dormir y el vestir es uno de los grandes principios
de la vida religiosa. La verdad colocada en el santuario del alma guiará en
el tratamiento del cuerpo. Nada que concierna a la salud del agente humano ha de considerarse con indiferencia. Nuestro bienestar eterno depende
del uso que hagamos durante esta vida de nuestro tiempo, nuestra energía y
nuestra influencia.–*Review and Herald,* 11 de junio de 1914. (Ver también
Consejos sobre el régimen alimenticio, pp. 250, 185, 186.)

Nuestro pensar queda afectado por nuestra comida

He aquí yo les traeré sanidad y medicina; y los curaré, y les revelaré abundancia de paz y de verdad. Jeremías 33:6.

Los principios del sano vivir tienen una gran importancia para nosotros como individuos y como pueblo. Cuando me llegó el mensaje de la reforma pro salud, yo era débil y predispuesta a frecuentes desmayos. Suplicaba al Señor que me ayudara, y él me presentó el vasto plan de la reforma pro salud. Me mostró que los que guardan sus mandamientos deben entrar en una relación sagrada con él, y por medio de la temperancia en el comer y el beber, guardar su cuerpo y su mente en las condiciones más favorables para servirle...

No prescribimos un régimen definido, pero decimos que en los países donde abundan las frutas, los cereales y las nueces [frutos secos: nueces, almendras, avellanas, etc.], la carne no es el alimento adecuado para el pueblo de Dios. Se me ha indicado que la carne propende a animalizar la naturaleza, a despojar a los hombres y a las mujeres del amor y la simpatía que debieran sentir por cada cual, y hace predominar las pasiones bajas sobre las facultades más elevadas del ser. Si el comer carne fue alguna vez saludable, no lo es ahora. Los cánceres, los tumores y las enfermedades pulmonares se deben mayormente a la costumbre de comer carne.

No hacemos del consumo de la carne una condición para la admisión de los miembros; pero debiéramos considerar la influencia que ejercen sobre otros los creyentes profesos que usan carne. Como mensajeros de Dios, ¿no diremos al pueblo: "Si, pues, coméis o bebéis, o hacéis otra cosa, hacedlo todo para la gloria de Dios" (1 Cor. 10:31)?

¿No daremos un testimonio decidido contra la complacencia del apetito pervertido? ¿Quiere cualquiera de los que son ministros del evangelio, y que proclaman la verdad más solemne que haya sido dada a los mortales, dar el ejemplo de volver a las ollas de Egipto? ¿Quieren los que son sostenidos por el diezmo de la tesorería de Dios permitir que la gula envenene la corriente vital que fluye por sus venas? ¿Harán caso omiso de la luz y las amonestaciones que Dios les ha dado?

La salud del cuerpo debe considerarse como esencial para el crecimiento en la gracia y la adquisición de un carácter templado. Si no se cuida debidamente el estómago, será trabada la formación de un carácter moral íntegro. El cerebro y los nervios están en relación íntima con el estómago. De los errores practicados en el comer y beber resultan pensamientos y hechos erróneos.–*Joyas de los testimonios*, t. 3, pp. 359, 360.

Preparar un régimen alimentario sano sin carnes

¿No hay bálsamo en Galaad? ¿No hay allí médico? ¿Por qué, pues, no hubo medicina para la hija de mi pueblo? Jeremías 8:22.

Todos somos probados en este tiempo. Hemos sido bautizados en Cristo; y si estamos dispuestos a separarnos de todo aquello que tienda a degradarnos y hacernos lo que no debemos ser, recibiremos fuerza para crecer en Cristo, nuestra cabeza viviente, y veremos la salvación de Dios.

Sólo cuando demostremos ser inteligentes tocante a los principios de una vida sana, podremos discernir los males que resultan de un régimen alimentario impropio. Quienes habiéndose percatado de sus errores tengan el valor de modificar sus costumbres, encontrarán que la reforma exige luchas y mucha perseverancia. Pero una vez que hayan adquirido gustos sanos, verán que el consumo de la carne, en el que antes no veían mal alguno, preparaba lenta pero seguramente la dispepsia y otras enfermedades.

Padres y madres, oren y velen. Guárdense mucho de la intemperancia en cualesquiera de sus formas. Enseñen a sus hijos los principios de una verdadera reforma pro salud. Enséñenles lo que deben evitar para conservar la salud. La ira de Dios ya ha comenzado a caer sobre los rebeldes. ¡Cuántos crímenes, cuántos pecados y prácticas inicuas se manifiestan por todas partes! Como denominación, debemos preservar con cuidado a nuestros hijos de toda compañía depravada.

Deben hacerse más esfuerzos para enseñar a la gente los principios de la reforma pro salud. Deberían instituirse clases culinarias para dar a las familias instrucciones tocantes al arte de preparar alimentos sanos. Las personas jóvenes y las de edad adulta deberían aprender a cocinar con mayor sencillez. En todo lugar donde la verdad sea presentada, debe enseñarse a la gente a preparar alimentos de un modo sencillo a la vez que apetitoso. Se les debe demostrar que un régimen nutritivo puede ser alcanzado sin hacer uso de la carne...

Se requiere mucho tacto y juicio para preparar un régimen nutritivo destinado a reemplazar el que seguían antes las personas que ahora están aprendiendo a seguir la reforma pro salud. Se necesita fe en Dios, una voluntad firme y el deseo de ser útiles. Un régimen deficiente arroja descrédito sobre la reforma pro salud. Somos mortales, y debemos proveer a nuestros cuerpos una alimentación fortificante.–*Joyas de los testimonios*, t. 3, pp. 360, 361.

Deben cultivarse las facultades mentales y físicas

¿O ignoráis que vuestro cuerpo es templo del Espíritu Santo, el cual está en vosotros, el cual tenéis de Dios, y que no sois vuestros? 1 Corintios 6:19.

La salud es un gran tesoro. Es la más rica posesión que los mortales tienen. Si se adquiere riqueza, honor o conocimiento a costa de la salud, se está pagando un precio muy alto. Ninguno de estos logros puede dar felicidad si se carece de salud. Abusar de la salud que Dios nos ha dado es un pecado terrible, porque cada vez que abusamos de ella nos incapacitamos para hacerle frente a la vida, aunque hayamos obtenido una educación esmerada... En muchos casos, la pobreza es una bendición, porque evita que jóvenes y niños sean arruinados por la inactividad. Las facultades físicas y mentales deben ser cultivadas y desarrolladas adecuadamente. La preocupación básica y constante de los padres debiera ser que sus hijos tengan cuerpos bien desarrollados, de modo que lleguen a ser hombres y mujeres saludables. Es imposible que este objetivo se alcance sin ejercicio físico.

Para beneficio de su salud física y moral, aunque no se tenga necesidad económica, a los niños se les debe enseñar a trabajar. Si han de poseer caracteres puros y virtuosos, deben tener la disciplina de un trabajo bien regulado que ejercite todos los músculos. La satisfacción que los niños tendrán al sentirse útiles y al negarse a sí mismos para ayudar a otros, será el placer más saludable que puedan experimentar... El trabajo físico no impedirá el desarrollo del intelecto. Al contrario, los beneficios recibidos por causa del trabajo físico mantendrán el equilibrio de la persona e impedirán que la mente se sobrecargue. Los músculos realizarán el trabajo trayendo alivio al cerebro cansado...

Para ser una señorita no se necesita ser una chica inútil, que habla sin ton ni son, que viste en forma exagerada y actúa en forma ridícula. Para tener un intelecto saludable se requiere un cuerpo sano. La salud física y un conocimiento práctico de todos los quehaceres del hogar, nunca le harán sombra a un intelecto bien desarrollado; ambos son de suma importancia para una señorita.–*Consejos sobre la salud*, pp. 182-185.

Todos los poderes de la mente deberían ser puestos en ejercicio y desarrollados, para que los seres humanos tengan mentes bien equilibradas. El mundo está lleno de hombres y mujeres desequilibrados que han llegado a ese estado porque cultivaron un conjunto de sus facultades, mientras otras se empequeñecieron por la inactividad... Si [la mente humana] no es activa en la dirección correcta, será activa en la incorrecta. Y para preservar el equilibrio de la mente, en nuestras escuelas debe unirse el trabajo con el estudio.–*Counsels on Education*, pp. 20-23 (edición de 1968).

El aire puro y fresco fomenta la salud de la mente y el cuerpo

No seas sabio en tu propia opinión; teme a Jehová y apártate del mal;
porque será medicina a tu cuerpo, y refrigerio para tus huesos.
Proverbios 3:7, 8.

Una mente contenta y un espíritu alegre son salud para el cuerpo y fortaleza para el alma. No hay causa de enfermedad tan fructífera como la depresión, la lobreguez y el pesar. La depresión mental es terrible...

El aire, esa preciosa bendición del cielo que todos podemos disfrutar, nos beneficiará con su influencia bienhechora si tan sólo se lo permitimos. Debemos darle la bienvenida al aire, cultivar un cariño por él, y nos daremos cuenta de que es un bálsamo precioso para los nervios. El aire debe estar en constante circulación para mantenerse puro. La influencia del aire puro y fresco permite que la sangre circule saludablemente a través del sistema. Además refresca el cuerpo y promueve la buena salud. Su influencia abarca la mente y le imparte cierto grado de compostura y serenidad. El aire puro despierta el apetito, permite una digestión más completa de los alimentos, e induce un sueño más sereno y profundo.

Las consecuencias de vivir en habitaciones cerradas y mal ventiladas son éstas: el organismo se debilita y pierde la salud, la circulación de la sangre se hace más lenta en el cuerpo porque no está purificada ni vitalizada por el limpio y vigorizante aire del cielo...

¿Cree usted que el fin de todas las cosas se acerca, que las escenas de la historia de esta tierra se están cerrando rápidamente? Si es así, muestre su fe por sus obras...

"La fe sin obras está muerta" [Sant. 2:26]. Pocos tienen esa fe genuina que obra por amor y purifica el alma. Pero todos los que sean contados dignos de la vida eterna deben obtener una idoneidad moral para esa vida. "Amados, ahora somos hijos de Dios, y aún no se ha manifestado lo que hemos de ser; pero sabemos que cuando él se manifieste, seremos semejantes a él, porque le veremos como él es. Y todo aquel que tiene esta esperanza en él, se purifica a sí mismo, así como él es puro" (1 Juan 3:2, 3). Esta es la obra que está ante usted, y usted no tendrá demasiado tiempo extra si se ocupa en la obra con toda su alma.–*Testimonies for the Church*, t. 1, pp. 702-705.

El amor a Dios es esencial para una salud perfecta

Porque habéis sido comprados por precio; glorificad, pues, a Dios en vuestro cuerpo y en vuestro espíritu, los cuales son de Dios.
1 Corintios 6:20.

Nuestro cuerpo pertenece a Dios. Él pagó el precio de la redención por el cuerpo como también por el alma... El Creador vigila la maquinaria humana, manteniéndola en movimiento. Si no fuera por su cuidado constante, cesarían nuestras pulsaciones, la acción del corazón se detendría y el cerebro no desempeñaría su labor por más tiempo.

El cerebro es el órgano e instrumento de la mente, y controla todo el cuerpo. Para que las otras partes del organismo estén saludables, el cerebro debe tener salud. Y para que el cerebro tenga salud, la sangre debe estar pura. Si por medio de hábitos correctos de comer y beber la sangre se mantiene pura, el cerebro se nutrirá en forma adecuada.

Es la falta de una acción armoniosa en el organismo humano lo que ocasiona la enfermedad. La imaginación puede controlar las otras partes del cuerpo para su propio mal. Todas las partes del organismo deben funcionar armoniosamente. Las diferentes partes del cuerpo, especialmente las alejadas del corazón, deben recibir una libre circulación de la sangre. Las extremidades realizan una actividad importante, y deben recibir una atención esmerada.

Dios es el gran Cuidador de la maquinaria humana. En el cuidado de nuestro cuerpo debemos cooperar con él. El amor por Dios es esencial para la vida y la salud... Para tener una salud perfecta, nuestro corazón debe rebosar de amor, esperanza y gozo...

Los que aplican toda su alma a la obra médico-misionera, que trabajan incansablemente en peligros, en privaciones, en vigilias, en cansancio y en dolores, corren el riesgo de olvidar que deben ser guardianes fieles de sus propias facultades mentales y físicas. No deben permitirse recargo de trabajo. Pero están llenos de celo y dedicación y algunas veces actúan imprudentemente, colocando sobre sus hombros una carga muy pesada. A menos que tales obreros hagan un cambio, el resultado será la enfermedad y el quebranto...

Tenemos un llamamiento tanto más elevado que los egoístas intereses comunes, cuanto los cielos son más altos que la tierra. Pero este pensamiento no debe inducir a los siervos de Dios, dispuestos y trabajadores, a llevar todas las cargas que puedan colocar sobre ellos mismos sin tomar períodos de reposo.–*El ministerio médico*, pp. 387-389.

Aunque caigamos, podemos vencer

De mañana sácianos de tu misericordia, y cantaremos y nos alegraremos todos los días. Salmo 90:14.

Si los hijos de Dios quisieran reconocer cómo los trata él y aceptasen sus enseñanzas, sus pies hallarían una senda recta, y una luz los conduciría a través de la oscuridad y el desaliento. David aprendió sabiduría de la manera en que Dios lo trató, y se postró con humildad bajo el castigo del Altísimo. La descripción fiel que de su verdadero estado hizo el profeta Natán, le dio a conocer a David sus propios pecados y le ayudó a desecharlos. Aceptó mansamente el consejo y se humilló delante de Dios. "La ley de Jehová", exclamó él, "es perfecta, que convierte el alma" (Sal. 19:7).

Los pecadores que se arrepienten no tienen motivo para desesperar porque se les recuerden sus transgresiones y se los amoneste acerca de su peligro. Los mismos esfuerzos hechos en su favor demuestran cuánto los ama Dios y desea salvarlos. Ellos sólo deben pedir su consejo y hacer su voluntad para heredar la vida eterna. Dios presenta a su pueblo que yerra los pecados que comete con el fin de que vea su enormidad según la luz de la verdad divina. Entonces, su deber es renunciar a ellos para siempre.

Dios es hoy tan poderoso para salvar del pecado como en los tiempos de los patriarcas, de David y de los profetas y apóstoles. La multitud de casos registrados en la historia sagrada, en los cuales Dios libró a su pueblo de sus iniquidades, deben hacer sentir al cristiano de esta época el anhelo de recibir instrucción divina y celo para perfeccionar un carácter que soportará la detenida inspección del juicio.

La historia bíblica sostiene al corazón que desmaya con la esperanza de la misericordia divina. No necesitamos desesperarnos cuando vemos que otros lucharon con desalientos semejantes a los nuestros, o que cayeron en tentaciones como nosotros, pues aun así recobraron sus fuerzas y recibieron bendición de Dios. Las palabras de la inspiración consuelan y alientan al alma que yerra.

Aunque los patriarcas y los apóstoles estuvieron sujetos a las flaquezas humanas, por la fe obtuvieron buen renombre, pelearon sus batallas con la fuerza del Señor y vencieron gloriosamente. Así también podemos nosotros confiar en la virtud del sacrificio expiatorio y ser vencedores en el nombre de Jesús. La humanidad fue humanidad en todas partes del mundo, desde el tiempo de Adán hasta la generación actual; y a través de todas las edades el amor de Dios no tiene parangón.–*Joyas de los testimonios*, t. 1, pp. 442, 443.

Ir adelante en fe y unidad

Por tanto, si hay alguna consolación en Cristo, si algún consuelo de amor, si alguna comunión del Espíritu, si algún afecto entrañable, si alguna misericordia, completad mi gozo, sintiendo lo mismo, teniendo el mismo amor, unánimes, sintiendo una misma cosa. Filipenses 2:1, 2.

Recuerdo bien cómo cuando estábamos viviendo en Carrol House [en Takoma Park, Maryland], cerca de la torre del agua, los jóvenes que trabajaban en el terreno del colegio se reunían en una gran sala en esta casa a las 5 y media cada mañana para el culto familiar. Al adorar a Dios juntos, sabíamos que el Espíritu Santo estaba entre nosotros.

Buscábamos al Señor con todo el corazón y él estaba muy cerca de nosotros. Presentábamos la promesa: "Pedid, y se os dará; buscad, y hallaréis; llamad, y se os abrirá" (Mat. 7:7) ¿No es esta seguridad lo suficientemente fuerte? Llevábamos esta promesa con nosotros al lugar de oración, pidiendo al Señor que nos guiara y dirigiera en la obra que se iba a hacer aquí... Si alguno de ustedes tiene una fe débil, recuerde que es porque no trabaja sobre el lado positivo. De nada nos vale pensar que podemos llevar adelante la gloriosa obra de Dios sin una fe fuerte e inquebrantable. El mundo está llegando a ser rápidamente como fue en los días de Noé. Satanás está trabajando con esfuerzos intensos, sabiendo que le queda poco tiempo. La maldad prevalece en una forma espantosa. El pueblo de Dios es apenas un puñado comparado con los impíos, y sólo podremos obtener éxito en la medida en que cooperemos con los ángeles celestiales, quienes irán delante de todos los que avanzan para hacer lo que Dios ha dicho que debe ser hecho...

Cuando pienso en todo lo que Dios ha hecho por nosotros, digo: "Alabado sea Dios, de quien fluyen todas las bendiciones". Mientras se abre la obra en varios lugares, que siempre podamos recordar que tenemos que tirar en forma pareja. Los que se han educado a sí mismos para permanecer sobre el lado negativo, deberían arrepentirse y convertirse sin demora... Recuerden que cuando permanecen sobre el lado negativo, acusando y condenando, dan lugar a las agencias del poder de las tinieblas. Tiene que gastarse un tiempo precioso luchando contra esas agencias, porque hubo quienes rehusaron colocarse en el lado positivo...

"Nada hagáis por contienda o por vanagloria" [Fil. 2:3]. Satanás está detrás de toda contienda y vanagloria. Abandonemos su compañía y permanezcamos con los que dicen: "La victoria es para nosotros, y nos aferraremos al brazo de la omnipotencia".–*Review and Herald,* 15 de junio de 1905.

Hacer interesante el culto familiar

Has aumentado, oh Jehová Dios mío, tus maravillas; y tus pensamientos
para con nosotros, no es posible contarlos ante ti. Si yo anunciare y ha-
blare de ellos, no pueden ser enumerados. Salmo 40:5.

Deben enseñar a sus hijos a ser bondadosos, serviciales, accesibles a las súplicas y, sobre todo lo demás, respetuosos de las cosas religiosas, y deben sentir la importancia de los requerimientos de Dios. Se les debe enseñar a respetar la hora de la oración; se debe exigir que se levanten por la mañana para estar presentes en el culto familiar.

El padre, que es el sacerdote de su casa, debiera dirigir los cultos matutino y vespertino. No hay razón para que éste no sea el ejercicio más interesante y agradable de la vida hogareña, y Dios es deshonrado cuando se lo hace seco y tedioso. Sean cortas y animadas las reuniones del culto familiar. No permitan que sus hijos o cualquier otro miembro de la familia les tengan miedo por ser tediosos o faltos de interés. Cuando se lee un capítulo largo y se lo explica y se eleva una larga oración, este precioso servicio se hace cansador y es un alivio cuando termina.

Los jefes de la familia debieran ocuparse especialmente de que la hora del culto sea sumamente interesante. Dedicándole algo de atención y cuidadosa preparación, cuando nos presentamos ante la presencia de Dios, el culto familiar podrá ser agradable y estará lleno de resultados que únicamente revelará la eternidad...

Elija el padre una porción de las Escrituras que sea interesante y fácil de entender; serán suficientes unos pocos versículos para dar una lección que pueda ser estudiada y practicada durante el día... Por lo menos debieran cantarse unas pocas estrofas de un himno animado, y la oración debe elevarse corta y al punto. El que dirige en oración no debiera orar por todas las cosas, sino que debiera expresar sus necesidades con palabras sencillas y su alabanza a Dios con gratitud.

Para despertar y fortalecer el amor hacia el estudio de la Biblia, mucho depende del uso que se haga de la hora del culto. Las horas del culto matutino y las del vespertino deberían ser las más dulces y útiles del día. Entiéndase que no deben interponerse a esa hora pensamientos inquietos y faltos de bondad; reúnanse los padres y los niños para encontrarse con Jesús y para invitar a los santos ángeles a estar presentes en el hogar.

Los cultos deberían ser breves y llenos de vida, adaptados a la ocasión y variados. Todos deberían tener parte en la lectura de la Biblia, aprender y repetir a menudo la ley de Dios. Los niños tendrán más interés si a veces se les permite que escojan la lectura.–*La conducción del niño*, pp. 493, 494.

El culto familiar diario rinde preciosos resultados

Y por haber oído estos decretos, y haberlos guardado y puestos por obra, Jehová tu Dios guardará contigo el pacto y la misericordia que juró a tus padres. Deuteronomio 7:12.

Por alguna razón, a muchos padres les desagrada el dar instrucción religiosa a sus hijos; y los dejan obtener de la Escuela Sabática el conocimiento que es su privilegio y deber impartir. Estos padres no cumplen con la responsabilidad que se les ha impuesto: el dar a sus hijos una educación completa. Dios ordena hoy a su pueblo que críe a sus hijos en el nutrimento y la admonición del Señor...

Padres, sean sencillas las instrucciones que dan a sus hijos, y asegúrense de que las comprenden claramente. Las lecciones que aprenden de la Palabra de Dios deben presentarlas a su mente juvenil con tal claridad, que no puedan dejar de comprenderlas. Por medio de sencillas lecciones sacadas de la Palabra de Dios y de su propia experiencia, pueden enseñarles a conformar su vida a la norma más alta. Aun en la infancia y la adolescencia pueden aprender a vivir vidas llenas de reflexión y fervor, vidas que den una rica mies de bien.

Dios debe ser honrado en todo hogar cristiano con los sacrificios matutinos y vespertinos de oración y alabanza. Debe enseñarse a los niños a respetar y a reverenciar la hora de oración. Es deber de los padres cristianos levantar mañana y noche, por medio de oración ferviente y fe perseverante, un cerco en derredor de sus hijos.

En la iglesia del hogar los niños han de aprender a orar y a confiar en Dios. Enséñenles a repetir la ley de Dios. Así se instruyó a los israelitas acerca de los mandamientos: "Y las repetirás a tus hijos, y hablarás de ellas estando en tu casa, y andando por el camino, y al acostarte, y cuando te levantes" (Deut. 6:7).

Vengan con humildad, con un corazón lleno de ternura, con una comprensión de las tentaciones y los peligros que hay delante de ustedes mismos y de sus hijos; por la fe vincúlenlos al altar, suplicando el cuidado del Señor por ellos. Eduquen a los niños a ofrecer sus sencillas palabras de oración. Díganles que Dios se deleita en que lo invoquen.

¿Pasará por alto el Señor del cielo tales hogares, sin dejar una bendición en ellos? No, por cierto. Los ángeles ministradores guardarán a los niños así dedicados a Dios. Ellos oyen las alabanzas ofrecidas y la oración de fe, y llevan las peticiones a Aquel que ministra en el Santuario en favor de su pueblo y ofrece sus méritos en su favor.—*Consejos para los maestros*, pp. 104-106 (edición de 1991).

Adorar fielmente cada mañana y cada noche

Cualquiera, pues, que me oye estas palabras, y las hace, le compararé a un hombre prudente, que edificó su casa sobre la roca. Mateo 7:24.

Que los miembros de cada familia tengan siempre en cuenta que están íntimamente unidos con el cielo. El Señor tiene un interés especial en la familia de sus hijos terrenales. Los ángeles ofrecen el humo del fragante incienso de las oraciones de los santos. Por lo tanto, que en cada familia la oración ascienda hacia el cielo, tanto a la mañana como en la hora fresca de la puesta de sol, presentando delante del Señor los méritos del Salvador en favor de nosotros. Mañana y noche, el universo celestial toma nota de cada familia que ora.

Antes de salir de casa para ir a trabajar, toda la familia debe ser convocada y el padre, o la madre en ausencia del padre, debe rogar con fervor a Dios que los guarde durante el día. Acudan con humildad con un corazón lleno de ternura presintiendo las tentaciones y los peligros que les acechan a ustedes y a sus hijos, y por la fe aten a estos últimos al altar, solicitando para ellos el cuidado del Señor. Los ángeles ministradores guardarán a los niños así dedicados a Dios...

En cada familia debería haber una hora fija para los cultos matutino y vespertino. ¿No conviene a los padres reunir en derredor suyo a sus hijos antes del desayuno para agradecer al Padre celestial por su protección durante la noche, y para pedirle su ayuda y cuidado durante el día? ¿No es propio también, cuando llega el anochecer, que los padres y los hijos se reúnan una vez más delante de Dios para agradecerle las bendiciones recibidas durante el día que termina?

El culto familiar no debiera ser gobernado por las circunstancias. No han de orar ocasionalmente y descuidar la oración en un día de mucho trabajo. Al hacer esto, inducen a sus hijos a considerar la oración como algo no importante. La oración significa mucho para los hijos de Dios, y las acciones de gracias debieran elevarse mañana y noche delante de Dios...

No pasemos por alto nuestras obligaciones hacia Dios al esforzarnos por atender la comodidad y felicidad de nuestros huéspedes. Ninguna consideración debería hacernos desatender la hora de la oración. No hablen ni se entretengan con otras cosas hasta el punto de estar todos demasiado cansados para gozar de un momento de devoción. Hacer esto es presentar a Dios una ofrenda imperfecta. Deberíamos presentar nuestras súplicas y elevar nuestras voces en alabanza feliz y agradecida, a una hora temprana de la noche, cuando podamos orar sin prisa e inteligentemente.–*Conducción del niño*, pp. 491-493.

Los padres deben comenzar la reforma en el hogar

Hazme oír por la mañana tu misericordia, porque en ti he confiado; hazme saber el camino por donde ande, porque a ti he elevado mi alma. Salmo 143:8.

Cuando Dios dio a Jesús al mundo, incluyó todo el cielo en ese don. No nos lo dejó para retener nuestros defectos y deformidades de carácter, o para servirlo como mejor pudiéramos en la corrupción de nuestra naturaleza pecaminosa. Hizo provisión para que pudiéramos estar completos en su Hijo, no teniendo nuestra propia justicia, sino la justicia de Cristo. En Cristo, todo el almacén del conocimiento y de la gracia está a nuestra disposición; porque en él habita "corporalmente toda la plenitud de la Deidad" [Col. 2:9].

Cristo dio su vida por nosotros; somos su propiedad. "¿O ignoráis", dice él, "que vuestro cuerpo es templo del Espíritu Santo, el cual está en vosotros, el cual tenéis de Dios, y que no sois vuestros? Porque habéis sido comprados por precio; glorificad, pues, a Dios en vuestro cuerpo y en vuestro espíritu, los cuales son de Dios" (1 Cor. 6:19, 20). Los hijos de Dios deben mostrar su amor por él, cumpliendo sus demandas, entregándose a él. Sólo entonces puede él usarlos en su servicio, para que otros, por medio de ellos, puedan discernir la verdad y regocijarse en ella.

Pero el pueblo de Dios está adormecido a su bien presente y eterno. El Señor les dice: "Levántate, resplandece; porque ha venido tu luz, y la gloria de Jehová ha nacido sobre ti" [Isa. 60:1]. Les desea que vayan a trabajar en unidad, en fe, en amor. Desea que la obra de reforma comience en el hogar, con los padres y las madres, y entonces la iglesia se dará cuenta de que el Espíritu Santo está trabajando. La influencia de esta obra se extenderá a través de la iglesia como la levadura. Los padres y las madres necesitan convertirse. No se han educado para formar y modelar los caracteres de sus hijos en forma conveniente.

Como ministros de Dios, queridos padres, deben usar los preciosos momentos de tiempo que quedan para hacer la obra que él les ha dejado. Dios desea que, por medio de métodos sabios en su hogar, instruyan a sus hijos para él. Aprendan de Jesús, sean hacedores de la Palabra...

Los niños necesitan que la religión sea algo atractivo, no repulsivo. La hora del culto familiar debería ser la más feliz del día. Que la lectura de las Escrituras esté bien elegida y que sea sencilla; que los niños se unan en el canto, y que las oraciones sean cortas y al punto... Consideren... que están en el servicio de Dios, que tienen acceso a Aquel que es nuestro pronto auxilio en las tribulaciones.–*Review and Herald,* 18 de marzo de 1902.

El tiempo para la adoración debe ponerse aparte como sagrado

Yo soy el pan vivo que descendió del cielo; si alguno comiere de este pan, vivirá para siempre; y el pan que yo daré es mi carne, la cual yo daré por la vida del mundo. Juan 6:51.

El incienso que ascendía con las oraciones de Israel representaba los méritos y la intercesión de Cristo, su perfecta justicia, la cual por medio de la fe es acreditada a su pueblo, y es lo único que puede hacer aceptable ante Dios el culto de los seres humanos. Delante del velo del Lugar Santísimo había un altar de intercesión perpetua; y delante del Lugar Santo, un altar de expiación continua. Había que acercarse a Dios mediante la sangre y el incienso, pues estas cosas simbolizaban al gran Mediador, por medio de quien los pecadores pueden acercarse a Jehová, y por cuya intervención tan sólo puede otorgarse misericordia y salvación al alma arrepentida y creyente.

Mientras de mañana y de tarde los sacerdotes entraban en el Lugar Santo a la hora del incienso, el sacrificio diario estaba listo para ser ofrecido sobre el altar de afuera, en el atrio. Esta era una hora de intenso interés para los adoradores que se congregaban ante el tabernáculo. Antes de allegarse a la presencia de Dios por medio del ministerio del sacerdote, debían hacer un ferviente examen de su corazón y luego confesar sus pecados. Se unían en oración silenciosa, con los rostros vueltos hacia el Lugar Santo. Así sus peticiones ascendían con la nube de incienso, mientras la fe aceptaba los méritos del Salvador prometido, simbolizado por el sacrificio expiatorio.

Las horas designadas para el sacrificio matutino y vespertino se consideraban sagradas, y llegaron a observarse como momentos dedicados al culto por toda la nación judía. Y cuando en tiempos posteriores los judíos fueron diseminados como cautivos en distintos países, aún entonces, a la hora indicada, dirigían el rostro hacia Jerusalén y elevaban sus oraciones al Dios de Israel. En esta costumbre los cristianos tienen un ejemplo para su oración matutina y vespertina. Si bien Dios condena la mera ejecución de ceremonias que carezcan del espíritu de culto, mira con gran satisfacción a los que le aman y se postran de mañana y tarde para pedir el perdón de los pecados cometidos y las bendiciones que necesitan.–*Patriarcas y profetas*, pp. 366, 367.

El pueblo de Dios será purificado por el tiempo de angustia

Oh Jehová, ten misericordia de nosotros, a ti hemos esperado; tú, brazo de ellos en la mañana, sé también nuestra salvación en tiempo de la tribulación. Isaías 33:2.

La historia de Jacob nos da además la seguridad de que [en el tiempo final de angustia] Dios no rechazará a los que han sido engañados, tentados y arrastrados al pecado, pero que hayan vuelto a él con verdadero arrepentimiento. Mientras Satanás trata de acabar con esta clase de personas, Dios enviará a sus ángeles para consolarlas y protegerlas en el tiempo de peligro.

Los asaltos de Satanás son feroces y resueltos, sus engaños terribles, pero el ojo de Dios descansa sobre su pueblo y su oído escucha su súplica. Su aflicción es grande, las llamas del horno parecen estar a punto de consumirlos; pero el Refinador los sacará como oro purificado por el fuego. El amor de Dios para con sus hijos durante el período de prueba más dura es tan grande y tan tierno como en los días de su mayor prosperidad; pero necesitan pasar por el horno de fuego; debe consumirse su mundanalidad, para que la imagen de Cristo se refleje perfectamente.

Los tiempos de apuro y angustia que nos esperan requieren una fe capaz de soportar el cansancio, la demora y el hambre, una fe que no desmaye a pesar de las pruebas más duras. El tiempo de gracia les es concedido a todos con el fin de que se preparen para aquel momento. Jacob prevaleció porque fue perseverante y resuelto. Su victoria es prueba evidente del poder de la oración importuna. Todos los que se aferren a las promesas de Dios como lo hizo él, y que sean tan sinceros como él lo fue, tendrán tan buen éxito como él. Los que no están dispuestos a negarse a sí mismos, a luchar desesperadamente ante Dios y a orar mucho y con empeño para obtener su bendición, no lo conseguirán.

¡Cuán pocos cristianos saben lo que es luchar con Dios! ¡Cuán pocos son los que jamás suspiraron por Dios con ardor hasta tener como en tensión todas las facultades del alma! Cuando olas de indecible desesperación envuelven al suplicante, ¡cuán raro es verlo atenerse con fe inquebrantable a las promesas de Dios!

Los que sólo ejercitan poca fe, están en mayor peligro de caer bajo el dominio de los engaños satánicos y del decreto que violentará sus conciencias. Y aun en caso de soportar la prueba, en el tiempo de angustia se verán sumidos en mayor aflicción porque no se habrán acostumbrado a confiar en Dios. Las lecciones de fe que hayan descuidado, tendrán que aprenderlas bajo el terrible peso del desaliento.–*El conflicto de los siglos,* pp. 678, 679.

Consagrar la familia a Dios y mirar al Calvario

Y conoceremos, y proseguiremos en conocer a Jehová; como el alba está dispuesta su salida, y vendrá a nosotros como la lluvia, como la lluvia tardía y temprana a la tierra. Oseas 6:3.

Ustedes nunca deben separar a Cristo de su vida y su familia, y cerrar las puertas contra él por medio de palabras y acciones pecaminosas. Están los que profesan la verdad pero que descuidan la oración de familia. Pero, ¿cómo pueden aventurarse a ir al trabajo sin entregar el cuidado de su alma a su Padre celestial? Deben mostrar que confían en él. Deben consagrar a sus familias a Dios antes de salir de sus hogares.

Cada oración que ofrecen a Dios con fe, será seguramente oída y contestada por su Padre celestial. Cuando se le dijo a Abraham que fuera a un lugar que no conocía, en cada lugar donde colocaba su tienda, erigía un altar y ofrecía su oración matutina y vespertina; y el Señor dijo de Abraham: "Porque yo sé que mandará a sus hijos y a su casa después de sí, que guarden el camino de Jehová, haciendo justicia y juicio" (Gén. 18:19).

Esta es la misma obra que debe ser hecha en cada familia, pero que es extrañamente descuidada. Deseemos vivir como a la vista de Dios en este mundo. Es de la mayor importancia que hagamos constantemente preparación aquí para la vida futura inmortal. Podremos tener la vida que se mide con la vida de Dios; si somos fieles, tendremos la herencia inmortal, un bien eterno; veremos al Rey en su hermosura; contemplaremos los encantos incomparables de nuestro bendito Salvador.

Debemos sentir la importancia de educar e instruir a nuestros hijos para que vean y aprecien la vida eterna. Su voluntad debe ser puesta en sujeción a la voluntad de Dios, y deben tratar constantemente de reprimir todo lo que sea malo en sus naturalezas. Si los padres y las madres desean que sus hijos sean semejantes a Cristo en disposición, deben darles el ejemplo. Todos sus actos deberían ser para darles, a ellos y a sus hijos, idoneidad para el cielo, y [se nos promete que] los padres tendrán ayuda especial en este asunto.

El Salvador desea que su gozo sea cumplido; por lo tanto, les dice que permanezcan en él, y él en ustedes. Abran la puerta de su corazón, y dejen entrar a Jesús y los brillantes rayos de su justicia. Nos ama con un amor que es inefable, y si en algún momento comienzan a temer por su salvación, que Jesús no lo ama, miren al Calvario.–*Review and Herald*, 5 de agosto de 1890.

El camino se abre cuando avanzamos por fe

El que sacrifica alabanza me honrará; y al que ordenare su camino, le mostraré la salvación de Dios. Salmo 50:23.

Todos los habitantes del cielo se unen para alabar a Dios. Aprendamos el canto de los ángeles ahora, para que podamos cantarlo cuando nos unamos a sus huestes resplandecientes. Digamos con el salmista: "Alabaré a Jehová en mi vida; cantaré salmos a mi Dios mientras viva. Te alaben los pueblos oh Dios; todos los pueblos te alaben" (Sal. 146:2; 67:5).

En su providencia Dios mandó a los hebreos que se detuvieran frente a la montaña junto al mar, con el fin de manifestar su poder al liberarlos y humillar señaladamente el orgullo de sus opresores. Hubiera podido salvarlos de cualquier otra forma, pero escogió este procedimiento para acrisolar la fe del pueblo y fortalecer su confianza en él. El pueblo estaba cansado y atemorizado; sin embargo, si hubieran retrocedido cuando Moisés les ordenó avanzar, Dios no les habría abierto el camino. Fue por la fe como "pasaron el Mar Rojo como por tierra seca" (Heb. 11:29). Al avanzar hasta el agua misma, demostraron creer en la palabra de Dios dicha por Moisés. Hicieron todo lo que estaba a su alcance, y entonces el Poderoso de Israel dividió el mar para abrir un sendero para sus pies.

En esto se enseña una gran lección para todos los tiempos. A menudo la vida cristiana está acosada de peligros, y se hace difícil cumplir el deber. La imaginación concibe la ruina inminente delante, y la esclavitud o muerte detrás. No obstante, la voz de Dios dice claramente: "Avanza". Debemos obedecer este mandato aunque nuestros ojos no puedan penetrar las tinieblas, y aunque sintamos las olas frías a nuestros pies. Los obstáculos que impiden nuestro progreso no desaparecerán jamás ante un espíritu que se detiene y duda.

Los que postergan la obediencia hasta que toda sombra de incertidumbre desaparezca y no haya ningún riesgo de fracaso o derrota, no obedecerán nunca. La incredulidad nos susurra: "Esperemos que se quiten los obstáculos y podamos ver claramente nuestro camino", pero la fe nos impele valientemente a avanzar esperándolo todo y creyéndolo todo.–*Patriarcas y profetas*, pp. 294, 295.

Los ángeles en el cielo adoran con nosotros

Y a todo lo creado que está en el cielo, y sobre la tierra... oí decir: Al que está sentado en el trono, y al Cordero, sea la alabanza, la honra, la gloria y el poder, por los siglos de los siglos. Apocalipsis 5:13.

La iglesia de Dios en la tierra es una con la iglesia de Dios en el cielo. Los creyentes en la tierra y los seres del cielo que nunca han caído constituyen una sola iglesia. Todo ser celestial está interesado en las asambleas de los santos que en la tierra se congregan para adorar a Dios en espíritu y en verdad y en la belleza de la santidad. En el atrio interior del cielo escuchan el testimonio que dan los testigos de Cristo en el atrio exterior de la tierra, y las alabanzas de los adoradores de este mundo hallan su complemento en la antífona celestial, y el loor y el regocijo repercuten por todos los atrios celestiales porque Cristo no murió en vano por los caídos hijos de Adán.

Mientras los ángeles beben en el manantial principal, los santos de la tierra beben los raudales puros que fluyen del trono y alegran la ciudad de nuestro Dios. ¡Ojalá que todos pudiesen comprender cuán cerca está el cielo de la tierra! Aun cuando los hijos nacidos en la tierra no lo saben, tienen ángeles de luz por compañeros; porque los mensajeros celestiales son enviados para ministrar a los que serán herederos de salvación.

Un testigo silencioso vela sobre toda alma tratando de ganarla y atraerla a Cristo. Los ángeles nunca dejan a los tentados que sean presa del enemigo que destruiría el alma de hombres y mujeres si se le permitiera. Mientras hay esperanza, hasta que los seres humanos resistan al Espíritu Santo para eterna ruina suya, son guardados por los seres celestiales.

Recordemos todos que en cada asamblea de los santos realizada en la tierra, hay ángeles de Dios escuchando los testimonios, los himnos y las oraciones. Recordemos que nuestras alabanzas quedan suplidas por los coros de las huestes angélicas en lo alto.

La imagen de Cristo, grabada sobre el corazón, será reflejada día tras día en el carácter y en la vida práctica, porque representamos a un Salvador personal. Se promete el Espíritu Santo a todos los que lo pidan. Cuando escudriñan las Escrituras, el Espíritu Santo está a su lado, representando a Jesucristo.

Si le abrimos la puerta a Jesús, vendrá y morará con nosotros. Nuestra fuerza siempre será reforzada por su representante presente, el Espíritu Santo.–*The General Conference Bulletin,* 15 de febrero de 1895. (Ver *Joyas de los testimonios,* t. 3, p. 32.)

La sangre de Cristo y su justicia purifica nuestra adoración

El punto principal... es que tenemos tal sumo sacerdote, el cual se sentó a la diestra del trono de la Majestad en los cielos. Hebreos 8:1.

Se presenta a Cristo Jesús como que está continuamente de pie ante el altar, ofreciendo momento tras momento el sacrificio por los pecados del mundo. Él es ministro del verdadero tabernáculo que el Señor levantó y no el hombre. Las sombras simbólicas del tabernáculo judío ya no tienen virtud alguna. No se necesita hacer más una expiación simbólica diaria y anual, pero es esencial el sacrificio expiatorio mediante un Mediador debido a que constantemente se cometen pecados. Jesús está oficiando en la presencia de Dios, ofreciendo su sangre derramada, como si hubiera sido un cordero [literal] sacrificado. Jesús presenta la oblación ofrecida por cada culpa y por cada falta del pecador.

Cristo, nuestro Mediador, y el Espíritu Santo están constantemente intercediendo en favor de la humanidad; pero el Espíritu no ruega por nosotros como lo hace Cristo, quien presenta su sangre derramada desde la fundación del mundo; el Espíritu actúa sobre nuestro corazón extrayendo oraciones y arrepentimiento, alabanza y agradecimiento. La gratitud que fluye de nuestros labios es el resultado de que el Espíritu hace resonar las cuerdas del alma con santos recuerdos que despiertan la música del corazón.

Los servicios religiosos, las oraciones, la alabanza y la contrita confesión del pecado ascienden de los verdaderos creyentes como incienso hacia el Santuario celestial; pero al pasar por los canales corruptos de la humanidad se contaminan tanto, que a menos que se purifiquen con sangre nunca pueden tener valor ante Dios. No ascienden con pureza inmaculada, y a menos que el Intercesor que está a la diestra de Dios presente y purifique todo con su justicia, no son aceptables ante Dios.

Todo el incienso que procede de los tabernáculos terrenales debe ser humedecido con las gotas purificadoras de la sangre de Cristo. Él sostiene ante el Padre el incensario de sus propios méritos, en el cual no hay mancha de contaminación terrenal. Él junta en el incensario las oraciones, las alabanzas y las confesiones de su pueblo, y con ellas pone su propia justicia inmaculada. Entonces asciende el incienso delante de Dios completa y enteramente aceptable, perfumado con los méritos de la propiciación de Cristo. Entonces se reciben bondadosas respuestas.

Ojalá que todos pudieran comprender que todo lo que hay en la obediencia, la contrición, la alabanza y el agradecimiento debe ser colocado sobre el resplandeciente fuego de la justicia de Cristo. La fragancia de esa justicia asciende como una nube alrededor del propiciatorio.–*Comentario bíblico adventista*, t. 6, pp. 1.077, 1.078.

Hablar de Jesús y reflejar el gozo de ser cristiano

Gracia y paz a vosotros, de Dios nuestro Padre y del Señor Jesucristo... el cual nos consuela en todas nuestras tribulaciones, para que podamos también nosotros consolar a los que están en cualquier tribulación, por medio de la consolación con que nosotros somos consolados por Dios.
2 Corintios 1:3, 4.

Si nuestro pueblo no disfruta de mucho trabajo ministerial, es de la mayor importancia que se coloquen... en una recta relación con Dios, de modo que puedan recibir sus bendiciones y llegar a ser canales de luz para otros. La frase "obra misionera" incluye mucho más de lo que se supone comúnmente. Cada verdadero seguidor de Cristo es un misionero, y hay casi una infinita variedad de formas en las cuales trabajar. Pero hay algo que con frecuencia se pasa por alto y se descuida: la obra de hacer las reuniones de oración y testimonios tan interesantes como debieran ser. Si todos cumplieran su deber con fidelidad, estarían tan llenos de paz, fe, valor, y tendrían tales experiencias para relatar en las reuniones, que otros quedarían refrescados por su claro y fuerte testimonio en favor de Dios.

Nuestras reuniones de oración y testimonios no son lo que deberían ser: momentos de ayuda especial y de ánimo de unos para los otros. Cada uno tiene un deber que cumplir para hacer esas reuniones tan interesantes y provechosas como sea posible. Esto puede ser hecho mejor al tener una experiencia renovada diariamente en las cosas de Dios, y no vacilando en hablar de su amor en las asambleas de sus santos.

Si no permiten que las tinieblas y la incredulidad entren en su corazón, no se manifestará en las reuniones. No le den satisfacción al enemigo espaciándose en los lados sombríos de su experiencia, sino confíen en Jesús más plenamente para que les dé ayuda para resistir la tentación. Si pensáramos y habláramos más de Jesús y menos de nosotros mismos, tendríamos mucho más de su presencia en nuestras reuniones.

Cuando hacemos que nuestra experiencia cristiana le parezca a los no creyentes, o al uno con el otro, como una experiencia lúgubre, llena de pruebas, dudas y perplejidades, deshonramos a Dios; no representamos correctamente a Jesús o la fe cristiana. Tenemos un amigo en Jesús, que nos ha dado la evidencia más palpable de su amor, y que puede y está dispuesto a dar vida y salvación a todos los que acuden a él...

No es necesario para nosotros estar siempre tropezando y arrepintiéndonos y describiendo cosas amargas contra nosotros. Es nuestro privilegio creer las promesas de la Palabra de Dios, y aceptar las bendiciones que Jesús desea impartir, para que nuestro gozo sea pleno.–*Review and Herald*, 20 de julio de 1886.

Jesús en el corazón hace fragante la vida

Oh Jehová, de mañana oirás mi voz; de mañana me presentaré delante de ti, y esperaré. Salmo 5:3.

Lector cristiano, el gran propósito que constreñía a Pablo a avanzar ante las penalidades y dificultades debe inducir a cada obrero cristiano a consagrarse enteramente al servicio de Dios. Cualquier cosa que le venga a sus manos para hacer, hágala con todas sus fuerzas. Que su oración diaria sea: "Señor, ayúdame a hacer lo mejor posible. Enséñame a cómo trabajar mejor. Ayúdame a introducir en mi servicio el amante ministerio del Salvador". La responsabilidad de cada agente humano se mide por los dones que le fueron confiados. Todos deben ser obreros, pero sobre el obrero que ha tenido las mayores oportunidades, la mente más clara para entender las Escrituras, descansa una mayor responsabilidad. Los que las reciban deberían sentirse responsables ante Dios, y usar sus talentos para la gloria de Dios.

El éxito en la obra de Dios no es el resultado de la casualidad, del accidente o del destino; es la operación de la providencia de Dios, la recompensa de la fe y la discreción, de la virtud y el esfuerzo perseverante. Es la práctica de la verdad lo que da éxito y poder moral. Los rayos brillantes del Sol de justicia deben ser bienvenidos como la luz de la mente; los principios del carácter de Cristo deben ser hechos los principios del carácter humano...

"Porque de tal manera amó Dios al mundo, que ha dado a su Hijo unigénito, para que todo aquel que en él cree, no se pierda, mas tenga vida eterna" (Juan 3:16). Este es el amor que es el cumplimiento de la ley. Cada persona cuyo corazón está lleno con compasión por la humanidad caída, cuyo amor es real, no mero sentimentalismo, revelará ese amor por medio de la realización de obras semejantes a las de Cristo. El verdadero cristianismo difunde el amor en el ser entero. Alcanza cada parte vital: el intelecto, el corazón, las manos ayudadoras, los pies, capacitándonos para mantenernos firmemente donde Dios requiere que estemos, no sea que el cojo se salga del camino. La contemplación de Aquel que nos amó y se entregó a sí mismo por nosotros, hará la vida fragante y dará poder para perfeccionar una experiencia cristiana.

Podemos, **podemos** revelar la semejanza de nuestro divino Señor. Podemos conocer la ciencia de la vida espiritual. Podemos glorificar a Dios en nuestros cuerpos y en nuestro espíritu, los cuales son de él. Cristo nos ha mostrado lo que podemos lograr mediante la cooperación con él. "Permaneced en mí", nos dice, "y yo en vosotros" [Juan 15:4].–*Review and Herald,* 4 de abril de 1912.

El culto familiar puede ayudar a crear armonía

¿Y quién podrá soportar el tiempo de su venida? ¿o quién podrá estar en pie cuando él se manifieste? Porque él es como fuego purificador, y como jabón de lavadores. Malaquías 3:2.

Nos estamos acercando rápidamente al fin de la historia de esta tierra. El fin está muy cerca, más cerca de lo que muchos suponen, y siento la carga de insistir en la necesidad que tiene nuestro pueblo de buscar fervientemente al Señor. Muchos están dormidos, ¿y qué puede decirse para despertarlos de su sopor carnal? El Señor quiere que su iglesia esté purificada antes que sus juicios caigan más señaladamente sobre el mundo...

Cristo quitará de en medio todo falso pretexto. Ninguna mezcla de lo verdadero con lo falso puede engañarlo. "Él es como fuego purificador", separando lo precioso de lo vil, la escoria del oro.

Al igual que los levitas, el pueblo elegido de Dios ha sido puesto aparte para él, para hacer su obra especial. Cada verdadero cristiano lleva las credenciales sacerdotales. Todos son honrados con la sagrada responsabilidad de representar ante el mundo el carácter de su Padre celestial. Deben oír bien las palabras: "Sed, pues, vosotros perfectos, como vuestro Padre que está en los cielos es perfecto" (Mat. 5:48)...

Se me ha ordenado que exhorte a nuestro pueblo de la manera más ferviente acerca de la necesidad que tienen de practicar la religión en el hogar. Entre los miembros de familia, siempre debe haber una consideración amable y atenta. Que todos los corazones se unan mañana y noche en adoración reverente. Que cada miembro de la familia escudriñe bien su corazón en el momento del culto vespertino. Que se aclare y corrija cada mal que se haya cometido. Si durante el día uno ha agraviado a otro, o le ha hablado en forma descortés, que el transgresor pida perdón al que agravió. Con frecuencia se albergan en la mente los resentimientos y se crean malentendidos y congojas que no necesitan crearse. Si al que se sospecha que hizo mal se le da una oportunidad, podrá dar las explicaciones que traerán alivio a otros miembros de la familia.

"Confiesen sus ofensas unos a otros, y oren unos por otros, para que sean sanados" de todas las flaquezas espirituales, para que las disposiciones pecaminosas puedan ser cambiadas [ver Sant. 5:16]. Hagan una obra diligente para la eternidad. Oren de la manera más ferviente al Señor y manténganse firmes en la fe. No confíen en el brazo de carne, sino confíen implícitamente en la dirección del Señor. Que cada uno diga ahora: "En cuanto a mí, saldré, y me separaré del mundo. Serviré al Señor con todo mi corazón".–*Review and Herald,* 8 de noviembre de 1906.

Victoria segura para los que obedecen las órdenes de Cristo

Estad siempre gozosos. Orad sin cesar. Dad gracias en todo, porque esta es la voluntad de Dios para con vosotros en Cristo Jesús. No apaguéis al Espíritu. No menospreciéis las profecías. Examinadlo todo; retened lo bueno. 1 Tesalonicenses 5:16-21.

Cristo vino a nuestro mundo como el garante de la humanidad preparando el camino para que todos obtengan la victoria, dándoles poder moral. No es su voluntad que alguien sea colocado en desventaja. No quiere que quienes están luchando para vencer sean intimidados y desanimados por los asaltos astutos de la serpiente. "Confiad", dice, "yo he vencido al mundo" (Juan 16:33).

Con semejante General que nos dirige a la victoria, podemos tener verdaderamente gozo y valor. Él vino como nuestro Campeón. Él considera debidamente la batalla que debemos librar todos los que estamos en enemistad con Satanás. Extiende ante sus seguidores un plan de batalla, señalando sus peculiaridades y severidad, y les advierte que no se unan a su ejército sin primero calcular el costo. Les dice que la vasta confederación del mal está en orden de batalla contra ellos, y les muestra que están luchando por un mundo invisible, y que su ejército no está compuesto solamente por seres humanos. Sus soldados son cooperadores con los seres celestiales, y Uno mayor que los ángeles está en sus filas; porque el Espíritu Santo, el representante de Cristo, está allí. Después Cristo convoca a cada seguidor decidido, a cada verdadero soldado, a luchar por él, asegurando que hay liberación para todos los que obedezcan sus órdenes. Si los soldados de Cristo miran fielmente a su Capitán para recibir sus órdenes, les acompañará el éxito en su lucha contra el enemigo. No importa la manera como puedan ser acosados, al fin serán triunfadores.

Sus debilidades pueden ser muchas, sus pecados grandes, su ignorancia aparentemente insuperable; pero si se dan cuenta de su debilidad y acuden a Jesús por ayuda, él será su eficiencia. Él siempre está dispuesto a iluminar su torpeza y a vencer su pecaminosidad. Si se aprovechan de su poder, sus caracteres serán transformados; serán cercados con una atmósfera de luz y santidad. Por medio de sus méritos y del poder que les imparte, serán "más que vencedores". Les será dada ayuda sobrenatural, capacitándolos en su debilidad para hacer las obras de la omnipotencia.

Los que luchan por Cristo están luchando a la vista del universo celestial, y deben ser soldados, no cobardes... Deben mirar por la fe con calma sobre cada enemigo, exclamando: "Luchamos la buena batalla de la fe bajo la orden de un Poder omnipotente. Porque él vive, nosotros también viviremos".–*Signs of the Times,* 27 de mayo de 1897.

En cada situación Jesús da bendiciones oportunas

¿Por qué te abates, oh alma mía, y por qué te turbas dentro de mí? Espera en Dios; porque aún he de alabarle, salvación mía y Dios mío.
Salmo 42:11.

Hemos aprendido, en medio de las oscuras providencias, que no es sabio seguir nuestro propio camino, ni hacer conjeturas y reflexiones acerca de la fidelidad de Dios. Creo que podemos simpatizar entre nosotras y entendernos. Nos ha unido la gracia de nuestro Señor Jesucristo, y nos han unido lazos sagrados nacidos en la aflicción...

A menudo las misericordias vienen disfrazadas de aflicciones; no podemos saber lo que hubiera ocurrido sin ellas. Cuando Dios, en su misteriosa providencia, cambia nuestros planes y torna nuestro gozo en tristeza, debemos inclinarnos en sumisión y decir: "Sea hecha tu voluntad, Señor". Debemos mantener una calmada confianza en Aquel que nos ama y dio su vida por nosotros. "De día mandará Jehová su misericordia, y de noche su cántico estará conmigo, y mi oración al Dios de mi vida. Diré a Dios: Roca mía, ¿por qué te has olvidado de mí? ¿Por qué andaré yo enlutado por la opresión del enemigo?" (Sal. 42:8, 9)...

El Señor contempla nuestras aflicciones; con su gracia las reparte y discrimina sabiamente. Como un orfebre vigila el fuego hasta que la purificación se complete. El horno es para purificar y refinar, no para consumir y destruir. Los que confían en él podrán alabar sus misericordias aun en medio de sus juicios.

El Señor siempre está vigilando para impartir, cuando más se las necesite, nuevas y frescas bendiciones: fuerza en el tiempo de debilidad; socorro en la hora de peligro; amigos en tiempos de soledad; simpatía, divina y humana, en tiempos de tristeza.

Estamos en camino al hogar. Aquel que nos amó tanto como para morir por nosotros, también nos ha preparado una ciudad. La Nueva Jerusalén es nuestro hogar de descanso; y no hay tristezas en la ciudad de Dios; ni siquiera un lamento. No se escucharán endechas por causa de esperanzas quebrantadas o afectos sepultados.–*Hijas de Dios*, pp. 237, 238.

En amor y misericordia Jesús ruega con y por nosotros

Por la misericordia de Jehová no somos consumidos, porque nunca decayeron sus misericordias, nuevas son cada mañana; grande es tu fidelidad. Lamentaciones 3:22, 23.

// "**S**ed, pues, misericordiosos, como también vuestro Padre es misericordioso" (Luc. 6:36). El Señor honra a sus agentes humanos tomándolos como sus asociados. El corazón de Cristo está lleno de misericordia perdonadora y de verdad. Se aflige con las aflicciones de su pueblo. Debemos ser compasivos y encontrar gozo en manifestar un interés bondadoso por vendar las heridas de los que han sigo perseguidos y dejado medio muertos por la mano despiadada del destructor. Debemos estar listos para curar las heridas que ha causado el pecado.

Los que hacen esto son ministros de Cristo, y el mundo tiene ante sí un testimonio viviente del amor de Dios en sus representantes. Los que practican las obras de Cristo revelan a Dios ante el mundo, y por medio de sus mensajeros él es conocido como el Dios de misericordia, bondad y perdón (se cita Rom. 8:32).

Dios en Cristo es nuestro, y sus abundantes bendiciones de amor y misericordia nos inextinguibles. Desea que cada uno se beneficie de las ricas provisiones que ha hecho para quienes lo aman. Nos invita a todos nosotros a participar con él en su gloria. La dicha del cielo ha sido provista para todos los que aman a Dios por encima de todas las cosas y a sus semejantes como a sí mismos.

Los hombres y las mujeres no serían por más tiempo esclavos del pecado si tan sólo se volvieran de las atracciones seductoras y engañosas de Satanás y miraran a Jesús por un tiempo suficiente como para ver y entender su amor. Se formarían nuevos hábitos, y las fuertes propensiones hacia el mal serían tenidas a raya. Nuestro Líder es un vencedor y nos guía a una victoria segura.

Jesús, nuestro Abogado, esta intercediendo ante el Padre de su trono en nuestro beneficio y también está intercediendo con el pecador, diciendo: "Volveos... ¿por qué moriréis?" [Eze. 33:11]. ¿No ha hecho Dios por medio de Cristo todo lo posible para arrancarnos del engaño satánico?... ¿No es él un Salvador resucitado, que vive siempre para hacer intercesión por nosotros? ¿No está continuando siempre su gran obra de expiación por medio de la obra del Espíritu Santo en cada corazón? El arco de la misericordia aun circunda el trono de Dios, testificando del hecho de que cada alma que cree en Cristo como su Salvador personal tendrá vida eterna. La misericordia y la justicia se mezclan en los tratos de Dios con su herencia.–*Signs of the Times,* 19 de septiembre de 1895.

Esparcir la luz a través del mundo oscuro

Porque pasando y mirando vuestros santuarios hallé también un altar en el cual estaba esta inscripción: AL DIOS NO CONOCIDO. Al que vosotros adoráis, pues, sin conocerle, es a quien yo os anuncio. Hechos 17:23.

Jesús enseñó a sus discípulos que eran deudores tanto de los judíos como de los griegos, de los sabios y de los incultos, y les hizo entender que las distinciones de raza, casta y líneas divisorias hechas por los seres humanos no eran aprobadas por el Cielo y no habrían de tener influencia en la obra de diseminar el evangelio. Los discípulos de Cristo no habrían de hacer distinciones entre sus prójimos y sus enemigos, sino que debían considerar a toda persona como un prójimo necesitado de ayuda, y al mundo como su campo de labor, buscando salvar a los perdidos.

Jesús ha dado a cada hombre y a cada mujer su obra, tomándolo del estrecho círculo que le había trazado su egoísmo, anulando líneas divisorias y todas las otras distinciones artificiales de la sociedad; no pone límite para el celo misionero, sino que ordena a sus seguidores extender sus labores hasta lo último de la tierra...–*En los lugares celestiales*, p. 321.

El campo de labor presenta una vasta comunidad de seres humanos que están en las tinieblas del error, que están llenos de anhelos, que oran a Aquel a quien no conocen. Necesitan escuchar la voz de los que son obreros juntamente con Dios, diciéndoles, como Pablo les dijo a los atenienses: "Al que vosotros adoráis, pues, sin conocerle, es a quien yo os anuncio" (Hech. 17:23).

Los miembros de la iglesia de Cristo deben ser obreros fieles en el gran campo de cosecha. Deben estar trabajando diligentemente y orando fervientemente, progresando y difundiendo luz en medio de las tinieblas morales del mundo, porque ¿no están los ángeles del cielo impartiéndoles inspiración divina? Nunca deben pensar, y mucho menos hablar de fracaso en su obra... Deben estar llenos de esperanza, sabiendo que no cuentan con habilidades humanas o con recursos finitos, sino que cuentan con la ayuda divina prometida: el ministerio de los seres celestiales que se han comprometido a abrir el camino delante de ellos...

Los ángeles de Dios abrirán el camino delante de nosotros, preparando los corazones para el mensaje del evangelio, y el poder prometido acompañará al obrero, y "la gloria de Jehová será tu retaguardia" (Isa. 58:8).–*Review and Herald,* 30 de octubre de 1894.

Sólo Dios debe ser adorado

Sus altares destruiréis, y quebraréis sus estatuas, y destruiréis sus imágenes de Asera, y quemaréis sus esculturas en el fuego. Porque tú eres pueblo santo para Jehová tu Dios. Deuteronomio 7:5, 6.

Dios quería que su pueblo entendiera que sólo él debía ser objeto de adoración; y que cuando vencieran a las naciones idólatras que los rodeasen, no debían conservar ni una sola de sus imágenes de su culto, sino que debían destruirlas completamente. Muchas de esas deidades paganas eran muy costosas, y artísticamente confeccionadas, como para tentar a los que habían presenciado el culto idólatra, tan común en Egipto, para que consideraran esos objetos inanimados con cierto grado de reverencia. El Señor quería que su pueblo supiera que a causa de la idolatría de esas naciones, que los había inducido a practicar toda clase de impiedades, él usaría a los israelitas como su instrumento para castigarlos y destruir sus dioses...

"Y fijaré tus límites desde el Mar Rojo hasta el mar de los filisteos, y desde el desierto hasta el Éufrates; porque pondré en tus manos a los moradores de la tierra, y tú los echarás de delante de ti" (Éxo. 23:31)...

Dios dio estas promesas a su pueblo con la condición de que le obedeciera. Si servía al Señor plenamente, haría grandes cosas por él.

Después que Moisés hubo recibido los juicios de Dios, y los hubo escrito para el pueblo, juntamente con las promesas que se cumplirían si obedecían, el Señor le dijo: "Sube ante Jehová, tú, y Aarón, Nadab y Abiú, y setenta de los ancianos de Israel; y os inclinaréis desde lejos. Pero Moisés solo se acercará a Jehová; y ellos no se acerquen, ni suba el pueblo con él. Y Moisés vino y contó al pueblo todas las palabras de Jehová y todas las leyes; y todo el pueblo respondió a una voz y dijo: Haremos todas las palabras que Jehová ha dicho" (Éxo. 24:1-3).

Moisés no escribió los Diez Mandamientos sino los juicios que Dios les había intimado a observar, y las promesas que se cumplirían con la condición de que los obedecieran. Se las leyó al pueblo, y éste se comprometió a obedecer todas las palabras que el Señor había dicho. Moisés escribió entonces en un libro la solemne promesa de ellos, y ofreció sacrificios al Altísimo en favor del pueblo. "Y tomó el libro del pacto y lo leyó a oídos del pueblo, el cual dijo: Haremos todas las cosas que Jehová ha dicho, y obedeceremos" (Éxo. 24:7).–*La historia de la redención*, pp. 146, 147.

La vida abnegada de Cristo es nuestro libro de texto

Bueno es alabarte oh Jehová, y cantar salmos a tu nombre, oh Altísimo;
anunciar por la mañana tu misericordia, y tu fidelidad cada noche.
Salmo 92:1, 2.

El cristianismo práctico significa trabajar junto con Dios cada día; trabajar por Cristo, no de vez en cuando, sino continuamente. Ser negligentes en revelar la justicia práctica en nuestra vida es una negación de nuestra fe y del poder de Dios. Dios está buscando un pueblo santificado, un pueblo puesto aparte para su servicio, un pueblo que va a escuchar y aceptar la invitación: "Llevad mi yugo sobre vosotros, y aprended de mí" [Mat. 11:29].

¡Con qué fervor Cristo realizó la obra de nuestra salvación! ¡Qué devoción reveló su vida mientras procuraba dar estimación a la humanidad caída mediante la imputación de los méritos de su propia inmaculada justicia a cada pecador arrepentido y creyente! ¡Cuán incansablemente trabajó! En el templo y en la sinagoga, en las calles de las ciudades, en los mercados, en el taller, a la orilla del mar y entre las colinas predicó el evangelio y sanó a los enfermos. Dio todo de sí, con el fin de poder obrar el plan de la gracia redentora.

Cristo no estaba bajo obligación para realizar este gran sacrificio. Se prestó voluntariamente para sufrir el castigo del transgresor de su ley. Su amor era su única obligación, y sin una queja soportó cada tormento y recibió con regocijo cada ultraje, los cuales eran parte del plan de salvación. La de Cristo fue una vida de servicio abnegado, y su vida es nuestro libro de texto. Tenemos que continuar la obra que él comenzó.

Al contemplar su vida de trabajo y sacrificio, ¿vacilarán los que profesan su nombre en negarse a sí mismos, tomar su cruz y seguirlo? Él se humilló a sí mismo hasta lo más profundo para que pudiéramos ser levantados a las alturas de la pureza, la santidad y la integridad. Se hizo pobre con el fin de poder llenar con la plenitud de sus riquezas nuestra mísera alma. Sufrió la cruz de vergüenza para que pudiera darnos paz, descanso y gozo y hacernos partícipes de las glorias de su trono.

¿No deberíamos apreciar el privilegio de trabajar para él, y estar ávidos de practicar la abnegación y el renunciamiento por Dios? ¿No deberíamos devolverle a Dios todo lo que él ha redimido, los afectos que ha purificado y el cuerpo que ha comprado para ser guardados en santificación y santidad?.–*Review and Herald*, 4 de abril de 1912. (Ver también *La maravillosa gracia de Dios*, p. 174; *En los lugares celestiales*, p. 45.)

Memorizar las Escrituras, preparándonos para el futuro

Y seréis aborrecidos de todos por causa de mi nombre; mas el que persevere hasta el fin, éste será salvo. Marcos 13:13.

Los siervos de Cristo no habían de preparar discurso alguno para pronunciarlo cuando fuesen llevados a juicio. Debían hacer su preparación día tras día al atesorar las preciosas verdades de la Palabra de Dios, y al fortalecer su fe por medio de la oración. Cuando fuesen llevados a juicio, el Espíritu Santo les haría recordar las verdades que necesitasen. Un esfuerzo diario y ferviente para conocer a Dios, y a Jesucristo a quien él envió, iba a impartir poder y eficiencia al alma. El conocimiento obtenido a través del escrutinio diligente de las Escrituras iba a cruzar como un rayo en la memoria al debido momento. Pero si algunos hubiesen descuidado el familiarizarse con las palabras de Cristo y nunca hubiesen probado el poder de su gracia en la dificultad, no podrían esperar que el Espíritu Santo les hiciese recordar sus palabras. Habían de servir a Dios diariamente con afecto indiviso y luego confiar en él.

Tan acérrima sería la enemistad hacia el evangelio, que aun los vínculos terrenales más tiernos serían pisoteados. Los discípulos de Cristo serían entregados a la muerte por parte de los miembros de sus propias familias... Pero él les ordenó no exponerse innecesariamente a la persecución. Con frecuencia, él mismo dejaba un campo de labor para ir a otro, con el fin de escapar a los que estaban buscando su vida. Cuando fue rechazado en Nazaret y sus propios conciudadanos trataron de matarlo, se fue a Capernaum, y allí la gente se asombró de su enseñanza; "porque su palabra era con autoridad" (Luc. 4:32). Asimismo, sus siervos no debían desanimarse por causa de la persecución, sino buscar un lugar donde pudiesen seguir trabajando por la salvación de las almas.

El siervo no es superior a su señor. El Príncipe del cielo fue llamado Belcebú, y de la misma manera sus discípulos serán calumniados. Pero cualquiera que sea el peligro, los que siguen a Cristo deben confesar sus principios. Deben despreciar el ocultamiento. No pueden dejar de darse a conocer hasta que estén seguros de que pueden confesar la verdad sin riesgo. Son puestos como centinelas, para advertir a hombres y a mujeres de su peligro. La verdad recibida de Cristo debe ser impartida a todos, libre y abiertamente.–*El Deseado de todas las gentes*, pp. 321, 322.

Podemos recibir la gracia ilimitada de Dios para hacer el bien

Pues si vosotros, siendo malos, sabéis dar buenas dádivas a vuestros hijos, ¿cuánto más vuestro Padre que está en los cielos dará buenas cosas a los que le pidan? Mateo 7:11.

Todos estamos bajo la obligación de negarnos diariamente por causa de Cristo. Dice Jesús: "Si alguno quiere venir en pos de mí, niéguese a sí mismo, tome su cruz cada día, y sígame... Y el que no lleva su cruz y viene en pos de mí, no puede ser mi discípulo" (Luc. 9:23; 14:27).

Mientras invoquemos a Dios a cada paso, suplicando la sabiduría divina mientras avanzamos, buscando luz y gracia para que en todas y cada una de las circunstancias hagamos a otros como quisiéramos que nos hicieran si estuviéramos en su lugar, sentiremos la necesidad de cumplir la anchura y la profundidad de los requerimientos de la santa ley de Dios. De esa manera perderemos de vista el yo y miraremos a Jesús, el Autor y Consumador de nuestra fe; echaremos los fundamentos de las obras de misericordia, benevolencia, compasión y amor que se comparan al oro, la plata y las piedras preciosas, que el fuego del último día no podrá consumir.

El Señor Jesús es nuestra eficiencia en todo; su Espíritu ha de ser nuestra inspiración; y al ponernos en sus manos para ser conductos de luz, nuestros medios para hacer el bien nunca se agotarán, porque las fuentes del poder de Cristo están a nuestras órdenes. Podemos aprovechar su plenitud y recibir la gracia que no tiene límite. El Capitán de nuestra salvación quiere enseñarnos a cada paso que hay un poder omnipotente que está a disposición de la fe viva. Dice Jesús: "Separados de mí nada podéis hacer"; pero de nuevo declara que "aun mayores hará, porque yo voy al Padre" (Juan 15:5; 14:12).

Debemos orar sin cesar. Al suplicar al trono de la gracia en el nombre de Cristo, la promesa es segura: "Todo cuanto pidiereis al Padre en mi nombre, os lo dará. Hasta ahora nada habéis pedido en mi nombre; pedid, y recibiréis, para que vuestro gozo sea cumplido" (Juan 16:23, 24). Cuando hacen de Dios su confianza, cuando claman a él con todo su corazón, lo encontrarán. "Entonces invocarás, y te oirá Jehová; clamarás, y dirá él: Heme aquí" (Isa. 58:9).–*Review and Herald*, 30 de octubre de 1894.

Para alimentar el alma, tener comunión constante con Jesús

Dios, Dios mío eres tú; de madrugada te buscaré; mi alma tiene sed de ti, mi carne te anhela, en tierra seca y árida donde no hay aguas. Salmo 63:1.

No hay agente humano que pueda proporcionar lo que satisfaga el hambre y la sed del alma. Pero dice Jesús: "He aquí, yo estoy a la puerta y llamo; si alguno oye mi voz y abre la puerta, entraré a él, y cenaré con él, y él conmigo". "Yo soy el pan de vida; el que a mí viene, nunca tendrá hambre; y el que en mí cree, no tendrá sed jamás" (Apoc. 3:20; Juan 6:35).

Así como necesitamos alimentos para sostener nuestras fuerzas físicas, también necesitamos a Cristo, el pan del cielo, para mantener la vida espiritual y para obtener energía con que hacer las obras de Dios. Y de la misma manera como el cuerpo recibe constantemente el alimento que sostiene la vida y el vigor, así el alma debe comunicarse sin cesar con Cristo, sometiéndose a él y dependiendo enteramente de él.

Al modo como el viajero fatigado que, hallando en el desierto la buscada fuente, apaga su sed abrasadora, el cristiano buscará y obtendrá el agua pura de la vida, cuyo manantial es Cristo.

Al percibir la perfección del carácter de nuestro Salvador, desearemos transformarnos y renovarnos completamente a semejanza de su pureza. Cuanto más sepamos de Dios, tanto más alto será nuestro ideal del carácter, y tanto más ansiaremos reflejar su imagen. Un elemento divino se une con lo humano cuando el alma busca a Dios y el corazón anheloso puede decir: "Alma mía, en Dios solamente reposa; porque de él es mi esperanza" (Sal. 62:5).

Si en nuestra alma sentimos necesidad, si tenemos hambre y sed de justicia, ello es una indicación de que Cristo influyó en nuestro corazón para que le pidamos que haga, por intermedio del Espíritu Santo, lo que nos es imposible a nosotros...

Las palabras de Dios son las fuentes de la vida. Mientras buscamos esas fuentes vivas, el Espíritu Santo nos pondrá en comunión con Cristo. Verdades ya conocidas se presentarán a nuestra mente con nuevo aspecto; ciertos pasajes de las Escrituras revestirán nuevo significado, como iluminados por un relámpago; comprenderemos la relación entre otras verdades y la obra de redención, y sabremos que Cristo nos está guiando, que un Instructor divino está a nuestro lado.–*El discurso maestro de Jesucristo*, pp. 21, 22.

Ser cortés, alzando las cargas de otros como hizo Jesús

Finalmente, sed todos de un mismo sentir, compasivos, amándoos frater-
nalmente, misericordiosos, amigables; no devolviendo mal por mal, ni
maldición por maldición, sino por el contrario, bendiciendo, sabiendo
que fuisteis llamados para que heredaseis bendición. 1 Pedro 3:8, 9.

Los que trabajan por Cristo deben ser puros, rectos y dignos de confianza, y ser también de corazón tierno, compasivos y corteses. Hay una
gracia especial en el trato de los que son verdaderamente corteses. Las palabras bondadosas, las miradas placenteras, un comportamiento cortés,
son de valor inestimable. Los cristianos descorteses, por el descuido en el
trato con los demás, muestran que no están en unión con Cristo. Es imposible estar en unión con Cristo y a la vez ser descorteses.

Lo que Cristo fue en su vida sobre esta tierra es lo que debe ser todo
cristiano. Él es nuestro ejemplo, no solamente en su impecable pureza sino en su paciencia, en su bondad y en lo atractivo de su disposición. Él
era firme como una roca en lo que concernía a la verdad y al deber, pero
invariablemente bondadoso y cortés. Su vida era una verdadera ilustración
de la verdadera cortesía. Siempre tenía una mirada bondadosa y una palabra de aliento para el necesitado y oprimido.

Su presencia introducía una atmósfera más pura en el hogar, y su vida era una levadura activa entre los elementos de la sociedad. Inocente e
incorruptible, caminaba entre los descuidados, los rudos, los descorteses;
en medio de los injustos publicanos, los arbitrarios samaritanos, los soldados paganos, los rudos campesinos y la multitud mixta. Hablaba una
palabra de simpatía aquí, y otra palabra allí, mientras veía a la gente cansada y obligada a llevar cargas pesadas. Compartía sus cargas y les repetía
las lecciones que había aprendido de la naturaleza, acerca del amor, la
bondad y la amabilidad de Dios.

Trataba de inspirar esperanza en el más rudo, y en el que menos prometía, dándoles la seguridad de que podían llegar a ser irreprensibles e
inocentes, y a adquirir un carácter que los revelara como hijos de Dios...

El amor de Cristo suaviza el corazón y aligera toda dureza de la disposición. Aprendamos de él cómo combinar un alto sentido de pureza e
integridad con un temperamento alegre. Un cristiano bondadoso y cortés
es el argumento más poderoso que pueda presentarse en favor del evangelio.–*Mensajes selectos,* t. 3, pp. 270-272.

Debemos crecer en piedad, pureza y amor

Desead como niños recién nacidos la leche espiritual no adulterada, para que por ella crezcáis para salvación, si es que habéis gustado la benignidad del Señor. 1 Pedro 2:2, 3.

Dios hizo toda provisión para la salvación de cada alma; pero si rechazamos el don de la vida eterna, comprada para nosotros a un costo infinito, llegará el momento cuando Dios también nos rechazará de su presencia, seamos ricos o pobres, de clase alta o baja, cultos o ignorantes. Los principios de justicia eterna serán los que tendrán pleno dominio en el gran día de la ira de Dios.

No escucharemos ningún cargo contra nosotros sobre la base de las acciones pecaminosas que hemos cometido, sino que el cargo contra nosotros se hará por el descuido y la negligencia de los deberes buenos y nobles impuestos sobre nosotros por el Dios de amor. Serán tenidas en cuenta las deficiencias de nuestro carácter. Se conocerá entonces que todos los que serán así condenados tuvieron luz y conocimiento, se les habían confiado los bienes de su Señor y fueron hallados infieles a lo que se les confió. Se verá que no apreciaron el depósito celestial, que no usaron su capital en un servicio amante hacia otros, que no cultivaron la fe y la devoción, por precepto y por ejemplo, en aquellos con quienes se relacionaron. Serán juzgados y castigados de acuerdo con la luz que tuvieron.

Dios exige que cada ser humano mejore todos los medios de gracia que el cielo le ha provisto, y llegue a ser cada vez más eficiente en la obra de Dios. Se ha hecho toda provisión para que aumente siempre la piedad, la pureza y el amor de los seguidores de Cristo, que puedan duplicarse sus talentos, y que pueda aumentar su capacidad en el servicio de su divino Maestro.

Pero aunque se hizo esta provisión, muchos que profesan creer en Jesús no lo ponen de manifiesto por medio del crecimiento que da testimonio del poder santificador de la verdad sobre la vida y el carácter. Cuando por primera vez recibimos a Jesús en nuestro corazón, somos como bebés en religión, pero no debemos permanecer como si siempre fuéramos bebés. Debemos crecer en gracia y en conocimiento de nuestro Señor y Salvador Jesucristo; debemos alcanzar la medida de la plenitud de hombres y mujeres en él. Debemos avanzar; debemos obtener, por medio de la fe, nuevas y ricas experiencias, creciendo en responsabilidad, confianza y amor, conociendo a Dios y a Jesús, a quien él envió.–*The Youth's Instructor*, 8 de junio de 1893.

La Palabra de Dios y el amor abrirán corazones para Jesús

Con mi alma te he deseado en la noche, y en tanto que me dure el espíritu dentro de mí, madrugaré a buscarte; porque luego que hay juicios tuyos en la tierra, los moradores del mundo aprenden justicia. Isaías 26:9.

Es el amor del Salvador el que constriñe al mensajero a llevar el mensaje a los perdidos. ¡Oh, qué maravillosa es la insistencia de Cristo con los pecadores! Aunque su amor es rechazado por la negativa de los corazones endurecidos y porfiados, él vuelve a interceder con mayor fuerza. "He aquí, yo estoy a la puerta y llamo" [Apoc. 3:20]. Su amor atrae con una fuerza vencedora hasta que las almas son constreñidas a venir.

Los que llegan a la cena se vuelven al bendito Jesús y dicen: "Tu benignidad me ha engrandecido" (Sal. 18:35). Los gana por la palabra de su amor y poder, porque la palabra de Dios es la vara de su poder. Dice él: "¿No es mi palabra como fuego, dice Jehová, y como martillo que quebranta la piedra?" (Jer. 23:29).

Cuando la palabra de Dios es llevada directamente al corazón por el Espíritu Santo, es poderosa para derribar las fortalezas de Satanás. Los seres humanos finitos nada pueden hacer en la gran contienda si no fuera por la palabra de Dios. No pueden razonar con éxito con el corazón de los seres humanos que son tan duros como el acero, que están cerrados y trancados no sea que Jesús pueda entrar en ellos; pero el Señor capacita a hombres y a mujeres con su sabiduría, y el más débil puede llegar a ser como David por la fe en Dios.

El Señor toma a los que se dedican a él, aunque tal vez no tengan educación, hombres y mujeres humildes, y los envía con su mensaje de amonestación. Mueve su corazón por medio de su Espíritu, les da músculos y tendones espirituales, y los capacita para salir con la Palabra de Dios y para constreñir a los seres humanos a entrar. De esa manera, muchas almas humildes y débiles, que están pereciendo de hambre por falta del Pan de Vida, son hechas fuertes en su debilidad, y se hacen valientes en la lucha, y ponen en fuga a ejércitos de extraños.

"Mirad que no desechéis al que habla" (Heb. 12:25). Cada vez que no atienden y rehúsan escuchar, cada vez que dejan de abrir la puerta de su corazón, se fortalecen en la incredulidad, llegan a estar menos y menos dispuestos a escuchar su voz que les habla, y disminuyen la oportunidad de responder al último llamamiento de la misericordia... No llore Cristo por ustedes como lloró sobre Jerusalén, diciendo: "¡Cuántas veces quise juntar a tus hijos, como la gallina junta sus polluelos debajo de las alas, y no quisiste! He aquí vuestra casa os es dejada desierta" (Mat. 23:37, 38).—*Review and Herald*, 24 de septiembre de 1895.

Hoy se necesita una dotación especial de gracia y poder

Inicuo cuyo advenimiento es por obra de Satanás, con gran poder y señales y prodigios mentirosos, y con todo engaño de iniquidad para los que se pierden, por cuanto no recibieron el amor de la verdad para ser salvos. 2 Tesalonicenses 2:9, 10.

El gran conflicto entre el bien y el mal aumentará en intensidad hasta la consumación de los tiempos. En todas las edades la ira de Satanás se ha manifestado contra la iglesia de Cristo; y Dios ha derramado su gracia y su Espíritu sobre su pueblo para robustecerlo contra el poder del maligno. Cuando los apóstoles estaban por llevar el evangelio por el mundo entero y consignarlo por escrito para provecho de todos los siglos venideros, fueron dotados especialmente con la luz del Espíritu.

Pero a medida que la iglesia se vaya acercando a su liberación final, Satanás obrará con mayor poder. Descenderá "con gran ira, sabiendo que tiene poco tiempo" (Apoc. 12:12)... Por espacio de seis mil años esa inteligencia maestra, después de haber sido la más alta entre los ángeles de Dios, no ha servido más que para el engaño y la ruina. Y en el conflicto final se emplearán contra el pueblo de Dios todos los recursos de la habilidad y sutileza satánicas, y toda la crueldad desarrollada en esas luchas seculares.

Durante este tiempo de peligro los discípulos de Cristo tienen que dar al mundo la amonestación del segundo advenimiento del Señor; y un pueblo ha de ser preparado "sin mancha e irreprensibles" (2 Ped. 3:14). Entonces el derramamiento especial de la gracia y el poder divinos no será menos necesario a la iglesia que en los días apostólicos...

Los esfuerzos de Satanás por desfigurar el carácter de Dios, para dar a los hombres y a las mujeres un concepto falso del Creador y hacer que lo consideren con temor y odio más bien que con amor; sus esfuerzos para suprimir la ley de Dios, y hacer creer al pueblo que no está sujeto a las exigencias de ella; sus persecuciones dirigidas contra los que se atreven a resistir los engaños, han seguido con rigor implacable. Se pueden ver en la historia de los patriarcas, de los profetas y apóstoles, de los mártires y reformadores.–*El conflicto de los siglos*, pp. 12, 13.

Cuando tenemos sed de justicia, Jesús se acerca

Alma mía, en Dios solamente reposa, porque de él es mi esperanza. Él solamente es mi roca y mi salvación. Es mi refugio, no resbalaré. Salmo 62:5, 6.

El Señor tiene verdades trascendentales para revelar a los que quieran entender las cosas del Espíritu. Sus lecciones son para todos, y están adaptadas a las necesidades de todos. Aunque sus lecciones están revestidas de un lenguaje tan sencillo que un niño podría entenderlas, la verdad es tan profunda que el más sabio puede muy bien quedar hechizado, y adorar al Autor de la sabiduría sin igual. Aunque los más sabios pueden encontrar alimento abundante para el intelecto en sus declaraciones más sencillas, los más humildes pueden comprender su verdad, y apropiar sus promesas a la necesidad del alma.

Jesús enseñaba a hombres y a mujeres con el propósito de despertar el deseo de entender las cosas de Dios, para que pudieran contemplar la excelencia del carácter divino, y suplicar la justicia de Cristo, en la cual podrían ser aceptados delante de Jehová el Señor.

¿Tienen el sentimiento de una necesidad en su alma? ¿Tienen hambre y sed de justicia? Entonces esto es una evidencia de que Cristo está actuando en su corazón y ha creado ese sentimiento de necesidad con el fin de que pueda ser buscado para hacer por ustedes, mediante la dádiva de su Espíritu Santo, las cosas que son imposibles que hagan por sí mismos...

Se ha dejado constancia de las parábolas de Cristo, y para el investigador honesto y diligente de la verdad, su significado se hará claro, se revelará su misterio. Los que no buscan la verdad como un tesoro escondido, manifiestan el hecho de que no desean sinceramente conocer qué es verdad. Cristo aún les dice a sus verdaderos seguidores: "A vosotros os es dado saber los misterios del reino de los cielos... Porque a cualquiera que tiene, se le dará, y tendrá más" (Mat. 13:11, 12).

Los que respondan a la atracción de Cristo se encontrarán indagando qué cosa es verdad, para que sus pies puedan ser dirigidos en la senda de justicia. Cristo está atrayendo a todos, pero no todos responden a su atracción. Quienes rinden su voluntad a la voluntad de Dios, quienes están dispuestos a seguir donde el Espíritu de Dios los dirija, quienes reciben la luz y caminan en ella, buscarán aún más iluminación celestial y "tendrán más en abundancia".–*Signs of the Times,* 7 de noviembre de 1892.

Los ángeles se unen con nosotros cuando ayudamos a los necesitados

¿O forzará alguien mi fortaleza? Haga conmigo paz; sí, haga paz conmigo. Isaías 27:5.

Hay muchos que yerran, y que sienten su vergüenza e insensatez. Miran sus faltas y errores hasta ser arrastrados casi a la desesperación. No debemos descuidar a esas almas. Cuando uno tiene que nadar contra la corriente, toda la fuerza de ésta lo rechaza. Extiéndasele una mano auxiliadora como se extendió la mano del Hermano Mayor hacia Pedro cuando se hundía. Diríjansele palabras llenas de esperanza, palabras que establezcan la confianza y despierten en ellos el amor.

Tu hermano, enfermo de espíritu, te necesita, como tú mismo necesitaste el amor de un hermano... El conocimiento de nuestra propia debilidad debe ayudarnos a auxiliar a otros en su amarga necesidad. Nunca debemos pasar por alto a un alma que sufre sin tratar de impartirle el consuelo con que nosotros somos consolados de Dios.

Es la comunión con Cristo, el contacto personal con un Salvador vivo, lo que habilita a la mente, el corazón y el alma para triunfar sobre la naturaleza inferior... [El errante] necesita asir una mano cálida, confiar en un corazón lleno de ternura. Mantengan su mente fija en el pensamiento de una presencia divina que está siempre a su lado, que siempre lo mira con amor compasivo...

Cuando se dedican a esta obra, tienen compañeros invisibles a los ojos humanos. Los ángeles del cielo estaban al lado del samaritano que atendió al extranjero herido. Y están al lado de todos los que prestan servicio a Dios, ministrando a sus semejantes. Y tienen la cooperación de Cristo mismo. Él es el Restaurador, y mientras trabajen bajo su dirección verán grandes resultados.

De nuestra fidelidad en esta obra no sólo depende el bienestar de otros, sino nuestro propio destino eterno. Cristo está tratando de elevar a todos los que quieran ser elevados a un compañerismo consigo, para que podamos ser uno con él, como él es uno con el Padre. Nos permite llegar a relacionarnos con el sufrimiento y la calamidad con el fin de sacarnos de nuestro egoísmo; trata de desarrollar en nosotros los atributos de su carácter: la compasión, la ternura y el amor. Aceptando esta obra de ministración, nos colocamos en su escuela, con el fin de ser hechos idóneos para las cortes de Dios.—*Palabras de vida del gran Maestro*, pp. 319-321.

Jesús, el Príncipe de los pastores, conoce a cada oveja

Habrá más gozo en el cielo por un pecador que se arrepiente, que por noventa y nueve justos que no necesitan arrepentimiento. Lucas 15:7.

El ministro debe ser un pastor. A nuestro Redentor se lo llama el Príncipe de los pastores. El apóstol escribe: "Y el Dios de paz, que resucitó de los muertos a nuestro Señor Jesucristo, el gran pastor de las ovejas, por la sangre del testamento eterno, os haga aptos en toda obra buena para que hagáis su voluntad, haciendo él en vosotros lo que es agradable delante de él por Jesucristo; al cual sea la gloria por los siglos de los siglos" (Heb. 13:20, 21). No importa cuán humildes o cuán elevados podamos estar, si estamos en la sombra de la adversidad o en el brillo de la prosperidad, somos sus ovejas, ovejas de su prado, y estamos bajo el cuidado del Príncipe de los pastores.

Pero el gran Pastor tiene sus subpastores, a quienes ha comisionado para que cuiden de sus ovejas y corderos. El gran Pastor nunca pierde ninguna que está a su cuidado, nunca es indiferente ni siquiera con la más débil de su rebaño. La hermosa parábola que presentó Cristo de la oveja perdida, del pastor que dejó las noventa y nueve y fue en busca de la que se había perdido, ilustra el cuidado y la solicitud del gran Pastor. No miró descuidadamente el rebaño que estaba seguro en el redil y dijo: "Tengo noventa y nueve, y me sería una molestia demasiado grande ir en busca de la extraviada; que regrese, y yo le abriré la puerta del redil y la dejaré entrar; pero no puedo ir a buscarla".

No, tan pronto como se extravía la oveja, el rostro del pastor se llena de pesar y ansiedad. Cuenta y vuelve a contar el rebaño, y no dormita cuando descubre que ha perdido una oveja; cuanto más oscura y tempestuosa es la noche, y más peligroso y desagradable el camino; cuanto más larga y tediosa la búsqueda, no se cansa, no vacila, hasta que encuentra a la oveja perdida. Pero cuando la encuentra, ¿actúa con indiferencia? ¿La llama y le ordena que lo siga? ¿La amenaza y la golpea, o la arrea delante de él narrando la amargura, frustración y ansiedad que tuvo a causa de la oveja? No; pone sobre su hombro a la oveja cansada, exhausta y extraviada, y con alegre gratitud de que su búsqueda no fue en vano, la lleva de vuelta al redil. Su gratitud encuentra expresión en cantos melodiosos de regocijo, y los coros celestiales responden a la nota de gozo del pastor.

Cuando se encuentra lo que se había perdido, el cielo y la tierra se unen en alborozo y agradecimiento... Dice Jesús: "Yo soy el buen Pastor; y conozco mis ovejas, y las mías me conocen" (Juan 10:14). Así como un pastor terrenal conoce sus ovejas, así el gran Pastor conoce su rebaño esparcido por todo el mundo.–*Review and Herald*, 23 de agosto de 1892.

Los verdaderos cristianos se concentran en Cristo, no en el yo

Y llamando a la gente y a sus discípulos, les dijo: Si alguno quiere venir en pos de mí, niéguese a sí mismo, y tome su cruz, y sígame.
Marcos 8:34.

La Palabra de Dios presenta la descripción de un verdadero cristiano, que corresponde con la obra del Espíritu Santo en el corazón y la vida. Los hijos de Dios saben inmediatamente que tienen en su corazón la evidencia de que han nacido de Dios... Seguir al Cordero dondequiera que vaya significa profundidad y anchura de la experiencia. Siempre se encontrarán la abnegación y el renunciamiento en el sendero que pasa por la puerta estrecha hacia las extensas praderas de los campos de pastoreo del Señor.

Para los que creen, Cristo es precioso. El trabajo de su Espíritu en la mente y corazón de los creyentes está en perfecta correspondencia con lo que está escrito en la Palabra. El Espíritu y la Palabra concuerdan perfectamente. De esa manera el Espíritu da testimonio a nuestro espíritu de que hemos nacido de Dios.

Los que no encuentran en su corazón parecido alguno con la gran norma moral de justicia, la Palabra de Dios, no tienen Cristo que confesar. Su lenguaje, sus pensamientos, no están en armonía con el Espíritu de Cristo. Su profesión de fe es una falsificación. ¿Alguna vez encontró crema elevándose por sobre el agua? El alma debe tener las influencias vivificadoras del pan de vida de Cristo para revelar en la conversación que Cristo se ha formado adentro, la esperanza de gloria.

Uno nunca recoge uvas de los cardos. Las palabras de los cristianos deben estar en conformidad con su gozar de Cristo. Los que siempre están expresando dudas y exigiendo evidencias adicionales para disipar su nube de incredulidad, no edifican sobre la Palabra. Su fe descansa en circunstancias casuales; está fundada en los sentimientos. Pero los sentimientos, aunque sean siempre placenteros, no son la fe. La Palabra de Dios es el fundamento sobre el cual deben construirse nuestras esperanzas del cielo.

Es una gran calamidad ser un incrédulo crónico, manteniendo la vista y los pensamientos sobre el yo. Mientras se contempla a sí mismo, mientras este sea el tema de sus pensamientos y su conversación, no puede esperar ser conformado a la imagen de Cristo. El yo no es su salvador. Usted no tiene cualidades redentoras en sí mismo. "Yo" es una barca que hace mucha agua para que su fe se embarque en él. En el momento en que pone su confianza en una barca así, se irá a pique. ¡El bote salvavidas, al bote salvavidas! Esta es su única seguridad, Jesús es el Capitán del bote salvavidas, y él nunca perdió un pasajero.–*Manuscript Releases*, t. 21, pp. 23, 24.

La gente verdaderamente convertida aspira a la perfección

Sed, pues... perfectos, como vuestro Padre... es perfecto. Mateo 5:48.

Significa mucho ser un cristiano consecuente. Significa caminar prudentemente ante Dios, avanzar hacia el blanco del premio de nuestra soberana vocación en Cristo. Significa llevar mucho fruto para la gloria del Padre, quien dio a su Hijo para que muriera por nosotros. Como hijos e hijas de Dios, los cristianos deben luchar para alcanzar el elevado ideal que se coloca ante ellos en el evangelio. No deben contentarse con nada menos que la perfección...–*The Youth's Instructor*, 26 de septiembre de 1901.

Hagamos de la sagrada Palabra de Dios nuestro tema de estudio, aplicando sus santos principios en nuestra vida. Andemos delante de Dios con mansedumbre y humildad, corrigiendo diariamente nuestras faltas... No acaricien ningún sentimiento de altiva supremacía, considerándose mejor que los otros. "El que piensa estar firme, mire que no caiga" (1 Cor. 10:12). Hallarán descanso y paz al someter su voluntad a la voluntad de Cristo. El amor de Cristo reinará entonces en el corazón, poniendo las motivaciones secretas de la acción bajo el dominio del Salvador. El aceite de la gracia de Cristo suavizará y subyugará el genio precipitado, fácilmente irritable. La comprensión de que los pecados fueron perdonados proporcionará esa paz que desafía toda comprensión. Habrá una seria lucha por vencer todo lo que se opone a la perfección cristiana. Desaparecerán todas las desavenencias. El que otrora criticaba a los que lo rodeaban, verá que existen en su propio carácter faltas mucho mayores.

Hay quienes prestan atención a la verdad y se convencen de que han estado viviendo en oposición a Cristo. Se sienten condenados y se arrepienten de sus transgresiones. Confiando en los méritos de Cristo y poniendo por obra la verdadera fe en él, reciben el perdón del pecado. A medida que cesan de hacer el mal y aprenden a hacer el bien, crecen en la gracia y en el conocimiento de Dios. Ven que tienen que hacer sacrificios para separarse del mundo, y, después de calcular el costo, consideran todo como pérdida con tal de ganar a Cristo. Se han alistado en el ejército de Cristo. Tienen delante una guerra y la emprenden animosa y alegremente, luchando contra sus inclinaciones naturales y sus deseos egoístas, y sometiendo su voluntad a la voluntad de Cristo. Buscan diariamente al Señor para que les dé gracia para obedecerle, y son fortalecidos y ayudados.

Esta es verdadera conversión. El que ha recibido un nuevo corazón, confía en la ayuda de Cristo con humilde y agradecida dependencia. Revela en su vida el fruto de la justicia. Antes se amaba a sí mismo. Se deleitaba en el placer mundanal. Ahora su ídolo ha sido destronado y Dios reina supremo.–*Mensajes para los jóvenes*, pp. 71, 72.

Los pecadores convertidos viven una vida nueva

Esparciré sobre vosotros agua limpia, y seréis limpiados de todas vuestras inmundicias; y de todos vuestros ídolos os limpiaré. Os daré corazón nuevo, y pondré espíritu nuevo dentro de vosotros; y quitaré de vuestra carne el corazón de piedra, y os daré un corazón de carne. Ezequiel 36:25, 26.

Muchos que hablan a otros de la necesidad de un nuevo corazón, no saben ellos mismos lo que significan estas palabras. En esta frase, "un nuevo corazón", tropiezan especialmente los jóvenes. No saben lo que significa. Esperan que se efectúe un cambio especial en sus sentimientos. A esto llaman conversión. Miles han tropezado, para su ruina, en este error, no comprendiendo la expresión: "Os es necesario nacer de nuevo" (Juan 3:7). Satanás induce a las personas a pensar que, porque han experimentado un arrobamiento de los sentimientos, están convertidas. Pero su vida no cambia. Sus actos siguen siendo los mismos que antes. Su vida no demuestra buen fruto. Oran frecuente y largamente, y se refieren constantemente a los sentimientos que experimentaron en tal o cual ocasión. Pero no viven la nueva vida. Están engañadas. Su experiencia no va más allá de los sentimientos. Edifican sobre la arena, y cuando soplan vientos adversos, su casa se derrumba.

Muchas pobres almas andan a tientas en las tinieblas, en busca de los sentimientos que otros dicen haber experimentado. Pasan por alto el hecho de que el creyente en Cristo debe obrar su propia salvación con temor y temblor. El pecador convicto tiene algo que hacer. Debe arrepentirse y manifestar verdadera fe. Cuando Cristo habla del nuevo corazón, se refiere a la mente, a la vida, al ser entero. Experimentar un cambio de corazón es apartar los afectos del mundo y fijarlos en Cristo. Tener un nuevo corazón es tener una mente nueva, nuevos propósitos, nuevos motivos. ¿Cuál es la señal de un corazón nuevo? Una vida transformada. Se produce día tras día, hora tras hora, una muerte al orgullo y al egoísmo.

Algunos incurren en un gran error al suponer que una elevada profesión sustituye al verdadero servicio. Pero una religión que no es práctica, no es genuina. La verdadera conversión nos hace estrictamente honrados en nuestro trato con nuestros semejantes. Nos hace fieles en nuestro trabajo diario. Todo sincero seguidor de Cristo mostrará que la religión de la Biblia lo habilita para usar sus talentos en el servicio del Maestro... Son los principios nobles de acuerdo con los cuales se hace el trabajo, los que lo tornan totalmente acepto a la vista del Señor. El verdadero servicio liga al más humilde de los siervos del Señor en la tierra, con el más encumbrado de sus siervos en las cortes celestiales.–*Mensajes para los jóvenes*, pp. 69, 70.

Arrepintámonos y recibamos el manto de justicia de Cristo

Pedid, y se os dará; buscad, y hallaréis; llamad, y se os abrirá. Porque todo aquel que pide, recibe; y el que busca, halla; y al que llama, se le abrirá. Lucas 11:9, 10.

Hemos de entregar nuestro corazón a Dios para que pueda renovarnos y santificarnos, y prepararnos para los atrios celestiales. No hemos de esperar que llegue algún tiempo especial, sino que hoy hemos de entregarnos a él, rehusando ser siervos del pecado. ¿Se imaginan que pueden desprenderse del pecado poco a poco? ¡Oh, despréndanse de esa cosa maldita inmediatamente! Aborrezcan las cosas que aborrece Cristo, amen las cosas que ama Cristo. Por su muerte y sufrimiento, ¿acaso no ha provisto lo necesario para su limpieza del pecado?

Cuando comenzamos a comprender que somos pecadores, y caemos sobre la Roca para ser quebrantados, nos rodean los brazos eternos y somos colocados cerca del corazón de Jesús. Entonces seremos cautivados por su belleza y quedaremos disgustados con nuestra propia justicia. Necesitamos acercarnos a los pies de la cruz. Mientras más nos humillemos allí, más excelso nos parecerá el amor de Dios. La gracia y la justicia de Cristo no serán de utilidad para el que se siente sano, para el que piensa que es razonablemente bueno, que está contento con su propia condición. No hay lugar para Cristo en el corazón de aquel que no comprende su necesidad de luz y ayuda divinas.

Jesús dice: "Bienaventurados los pobres en espíritu, porque de ellos es el reino de los cielos" (Mat. 5:3). Hay plenitud de gracia de Dios, y podemos tener el espíritu y el poder divinos en gran medida. No se alimenten con las cáscaras de la justicia propia, sino vayan al Señor. Él tiene el mejor manto para ponerles, y sus brazos están abiertos para recibirlos...

Ustedes son probados por Dios mediante la Palabra de Dios. No han de esperar emociones maravillosas antes de creer que Dios les ha oído. Los sentimientos no han de ser la norma de ustedes, pues las emociones son tan mutables como las nubes. Deben tener algo sólido como fundamento de su fe. La Palabra del Señor es una Palabra de infinito poder, en ella pueden confiar; y él ha dicho: "Pidan y recibirán". Miren al Calvario. ¿No ha dicho Cristo que es el Abogado de ustedes? ¿No ha dicho que si piden cualquier cosa en su nombre, la recibirán?... Han de venir a Dios como un pecador arrepentido, mediante el nombre de Jesús, el divino Abogado, a un Padre misericordioso y perdonador, creyendo que cumplirá lo que ha prometido. Todos los que deseen la bendición de Dios, llamen al trono de la misericordia y esperen con firme seguridad.–*Mensajes selectos*, t. 1, pp. 384-386.

Jesús llama amorosamente, pero muchos esperan demasiado para responder

Pero tengo contra ti, que has dejado tu primer amor. Recuerda, por tanto, de donde has caído, y arrepiéntete, y haz las primeras obras; pues si no, vendré pronto a ti, y quitaré tu candelero de su lugar, si no te hubieres arrepentido. Apocalipsis 2:4, 5.

El Redentor del mundo declara que hay pecados mayores que aquellos por los cuales fueron destruidas Sodoma y Gomorra. Los que oyen la invitación del evangelio que llama a los pecadores al arrepentimiento, y no hacen caso de ella, son más culpables ante Dios que los habitantes del valle de Sidim. Mayor aun es el pecado de los que aseveran conocer a Dios y guardar sus mandamientos, y sin embargo niegan a Cristo en su carácter y en su vida diaria. De acuerdo con lo indicado por el Salvador, la suerte de Sodoma es una solemne advertencia, no meramente para los que son culpables de pecados manifiestos, sino para todos los que están jugando con la luz y los privilegios que vienen del Cielo...

Con una compasión más tierna que la que conmueve el corazón de un padre terrenal que perdona a su hijo pródigo y doliente, el Salvador anhela que respondamos a su amor y al perdón que nos ofrece. Dice a los extraviados: "Volveos a mí, y yo me volveré a vosotros" (Mal. 3:7). Pero si el pecador se niega obstinadamente a responder a la voz que lo llama con compasivo y tierno amor, será abandonado al fin en las tinieblas.

El corazón que ha menospreciado por mucho tiempo la misericordia de Dios se endurece en el pecado, y ya no es susceptible a la influencia de la gracia divina. Terrible será la suerte de aquel de quien por último el Salvador declare: "Es dado a ídolos" (Ose. 4:17). En el día del juicio, la suerte de las ciudades de la llanura será más tolerable que la de quienes reconocieron el amor de Cristo y, sin embargo, se apartaron para seguir los placeres de un mundo pecador.

Ustedes que desprecian los ofrecimientos de la misericordia, piensen en la larga serie de asientos que se acumulan contra ustedes en los libros del cielo; pues allá se registra la impiedad de las naciones, las familias y los individuos. Dios puede soportar mucho mientras se lleva la cuenta, y puede enviar llamados al arrepentimiento y ofrecer perdón; sin embargo, llegará el momento cuando habrá completado la cuenta; cuando el alma habrá hecho su elección; cuando por su propia decisión la persona habrá fijado su destino. Entonces se dará la señal para ejecutar el juicio.–*Patriarcas y profetas*, pp. 160-162.

Cuando el pecador se arrepiente, el Cielo se regocija

Como tú me enviaste al mundo, así yo los he enviado al mundo. Y por ellos yo me santifico a mí mismo, para que también ellos sean santificados en la verdad. Juan 17:18, 19.

En la parábola de la oveja perdida, Cristo enseña que la salvación no se debe a nuestra búsqueda de Dios, sino a su búsqueda de nosotros. "No hay quien entienda, no hay quien busque a Dios; todos se desviaron" (Rom. 3:11, 12). No nos arrepentimos para que Dios nos ame, sino que él revela su amor para que nos arrepintamos...

Los rabinos tenían el dicho de que hay regocijo en el cielo cuando es destruido uno que ha pecado contra Dios; pero Jesús enseñó que la obra de destrucción es una obra extraña; aquello en lo cual todo el cielo se deleita es la restauración de la imagen de Dios en las almas que él ha hecho.

Cuando alguien que se haya extraviado grandemente en el pecado trate de volver a Dios, encontrará crítica y desconfianza. Habrá quienes pongan en duda la veracidad de su arrepentimiento, o que murmurarán: "No es firme; no creo que se mantendrá". Tales personas no están haciendo la obra de Dios, sino la de Satanás, que es el acusador de los hermanos. Mediante sus críticas, el maligno trata de desanimar a aquella alma, y llevarla aún más lejos de la esperanza y de Dios. Contemple el pecador arrepentido el regocijo del cielo por su regreso. Descanse en el amor de Dios, y en ningún caso se descorazone por las burlas y las sospechas de los fariseos.

Los rabinos entendieron que la parábola de Cristo se aplicaba a los publicanos y pecadores; pero también tiene un significado más amplio. Cristo representa con la oveja perdida no sólo al pecador individual, sino también al mundo que ha apostatado y ha sido arruinado por el pecado. Este mundo no es sino un átomo en los vastos dominios que Dios preside. Sin embargo, este pequeño mundo caído, la única oveja perdida, es más precioso a su vista que los noventa y nueve que no se descarriaron del aprisco.

Cristo, el amado Comandante de las cortes celestiales, descendió de su elevado estado, puso a un lado la gloria que tenía con el Padre, con el fin de salvar al único mundo perdido. Para esto dejó allá arriba los mundos que no habían pecado, los noventa y nueve que le amaban, y vino a esta tierra para ser "herido... por nuestras rebeliones" y "molido por nuestros pecados" (Isa. 53:5). Dios se dio a sí mismo en su Hijo para poder tener el gozo de recobrar a la oveja que se había perdido...

Cada alma que Cristo ha rescatado está llamada a trabajar en su nombre para la salvación de los perdidos. Esta obra había sido descuidada en Israel. ¿No es descuidada hoy día por los que profesan ser los seguidores de Cristo?–*Palabras de vida del gran Maestro*, pp. 148-150.

La conversión crea nuevos intereses y nuevos amores

En cuanto a la pasada manera de vivir, despojaos del viejo hombre, que está viciado conforme a los deseos engañosos. Efesios 4:22.

Dios lo invita a arrepentirse y a ser celoso en la obra. La conducta que siga ahora determinará su felicidad eterna. ¿Puede rechazar la misericordiosa invitación que ahora se le extiende? ¿Puede elegir su propio camino? ¿Acariciará orgullo y vanidad y perderá finalmente su alma? La Palabra de Dios nos dice con claridad que pocos se salvarán, y que la mayoría, incluso de los llamados, demostrará ser indigna de la vida eterna. No tendrán parte en el cielo, sino que su porción será con Satanás, y experimentarán la muerte segunda.

Hombres y mujeres pueden evitar esta condenación si lo desean. Es verdad que Satanás es el gran originador del pecado; pero esto no excusa a nadie por pecar voluntariamente, porque él no puede obligar a los seres humanos a hacer el mal. Los tienta a hacerlo, y presenta el pecado como algo atractivo y agradable; pero tiene que dejar que ellos decidan si lo van a cometer o no. No obliga a la gente a embriagarse, ni la obliga a no asistir a las reuniones religiosas, sino que presenta sus tentaciones de manera que las seduce al mal, pero los seres humanos son agentes morales libres que pueden aceptar o rechazar sus insinuaciones.–*Testimonies for the Church*, p. 293.

La conversión es una obra que la mayoría no aprecia. No es cosa de poca monta transformar una mente terrenal que ama al pecado, e inducirla a comprender el indescriptible amor de Cristo, los encantos de su gracia y la excelencia de Dios, de tal manera que el alma se impregne del amor divino y sea cautivada por los misterios celestiales. Cuando una persona comprende estas cosas, su vida anterior le parece desagradable y odiosa. Aborrece el pecado y, quebrantando su corazón delante de Dios, abraza a Cristo, vida y gozo del alma. Renuncia a sus placeres anteriores. Tiene una mente nueva, nuevos afectos, nuevo interés, nueva voluntad; sus tristezas, sus deseos y su amor son todos nuevos. Se aparta ahora de los deseos de la carne, de los deseos de los ojos y de la vanagloria de la vida, que hasta entonces prefirió a Cristo, y éste es el encanto de su vida, la corona de su regocijo.

Considera ahora, en toda su riqueza y gloria, el cielo que no le atraía antes, y lo contempla como su patria futura, donde verá, amará y alabará a Aquel que lo redimió con su sangre preciosa.–*Joyas de los testimonios*, t. 1, p. 250.

Las almas arrepentidas odian el pecado y aman la justicia

Al oír esto, se compungieron de corazón, y dijeron a Pedro y a los otros apóstoles: Varones hermanos, ¿qué haremos? Pedro les dijo: Arrepentíos, y bautícese cada uno de vosotros en el nombre de Jesucristo para perdón de los pecados; y recibiréis el don del Espíritu Santo.

Hechos 2:37, 38.

¿Cómo se justificará una persona con Dios? ¿Cómo se hará justo el pecador? Sólo por intermedio de Cristo podemos ser puestos en armonía con Dios y con la santidad; pero, ¿cómo debemos ir a Cristo? Muchos formulan hoy la misma pregunta que hizo la multitud el día de Pentecostés, cuando, convencida de pecado, exclamó: "¿Qué haremos?" La primera palabra de la contestación del apóstol Pedro fue: "Arrepentíos". Poco después, en otra ocasión, dijo: "Arrepentíos y convertíos" (Hech. 3:19).

El arrepentimiento comprende tristeza por el pecado y abandono del mismo. No renunciamos al pecado a menos que veamos su pecaminosidad. Mientras no lo repudiemos de corazón, no habrá cambio real en nuestra vida.

Muchos no entienden la naturaleza verdadera del arrepentimiento. Muchas personas se entristecen por haber pecado, y aun se reforman exteriormente, porque temen que su mala vida les acarree sufrimientos. Pero esto no es arrepentimiento en el sentido bíblico. Lamentan el dolor más bien que el pecado. Tal fue el pesar de Esaú cuando vio que había perdido su primogenitura para siempre. Balaam, aterrorizado por el ángel que estaba en su camino con la espada desenvainada, reconoció su culpa porque temía perder la vida, mas no experimentó un sincero arrepentimiento del pecado; no cambió de propósito ni aborreció el mal. Judas Iscariote, después de traicionar a su Señor, exclamó: "He pecado entregando sangre inocente" (Mat. 27:4). Esta confesión fue arrancada a su alma culpable por un tremendo sentimiento de condenación y una pavorosa expectación de juicio. Las consecuencias que habría de cosechar le llenaban de terror, pero no experimentó profundo quebrantamiento de corazón ni dolor en su alma por haber traicionado al Hijo inmaculado de Dios y negado al Santo de Israel... Todos los mencionados lamentaban los resultados del pecado, pero no experimentaban pesar por el pecado mismo.

Pero cuando el corazón cede a la influencia del Espíritu de Dios, la conciencia se vivifica y el pecador discierne algo de la profundidad y santidad de la sagrada ley de Dios, fundamento de su gobierno en los cielos, y en la tierra... [El pecador] ve el amor de Dios, la belleza de la santidad y el gozo de la pureza. Ansía ser purificado y restituido a la comunión del cielo.–*El camino a Cristo*, pp. 23, 24 (Ediciones Interamericanas, 1961).

La humanidad, aliada con la Deidad, puede guardar la ley

Entonces Jesús vino de Galilea a Juan al Jordán, para ser bautizado por él. Mas Juan se le oponía diciendo: Yo necesito ser bautizado por ti, ¿y tú vienes a mí? Pero Jesús le respondió: Deja ahora, porque así conviene que cumplamos toda justicia. Entonces le dejó. Mateo 3:13-15.

Al cumplir "toda justicia", Cristo no llevó la justicia a un fin. Cumplió todas las exigencias de Dios en arrepentimiento, fe y bautismo, los pasos en la gracia en la conversión genuina. En su humanidad, Cristo colmó la medida de las exigencias de la ley. Fue la cabeza de la humanidad, su sustituto y garante. Los seres humanos, al unir su debilidad a la naturaleza divina de Cristo, pueden llegar a ser participantes de su carácter.

Cristo vino para dar un ejemplo de perfecta conformidad con la ley de Dios, tal como se requiere de todos, desde Adán, el primer hombre, hasta la última persona que viva en la tierra. Declaró que su misión no consistía en destruir la ley sino en cumplirla mediante una perfecta y cabal obediencia.

De esa manera, la magnificó y engrandeció. Por medio de su vida manifestó su naturaleza espiritual. A la vista de los seres celestiales, de los mundos que no han caído y de un mundo desobediente, desagradecido e impío, él cumplió los abarcantes principios de la ley. Vino para demostrar el hecho de que la humanidad, aliada por la fe viviente con la Deidad, puede guardar los mandamientos de Dios.

Las ofrendas simbólicas señalaban a Cristo, y cuando se hizo el sacrificio perfecto, las ofrendas por los sacrificios ya no eran más aceptables para Dios. El tipo se encontró con el antitipo en la muerte del unigénito Hijo de Dios. Vino para poner en claro el carácter inmutable de la ley de Dios, para declarar que la obediencia y la transgresión nunca serán premiadas por Dios con la vida eterna. Vino como hombre a la humanidad, para que ésta pudiera tocar la humanidad.

Pero en ningún caso vino para disminuir la obligación de los mortales de ser perfectamente obedientes. No destruyó la validez de las Escrituras del Antiguo Testamento. Cumplió lo que había sido predicho por Dios mismo. Vino, no para liberar a los seres humanos de los requerimientos de la ley, sino para abrir un camino por medio del cual pudieran obedecer esa ley y enseñar a otros a hacer lo mismo.—*Manuscript Releases*, t. 10, pp. 292, 293.

Las personas serias deben guardarse de ser engañadas

Velad y orad, para que no entréis en tentación; el espíritu a la verdad está dispuesto, pero la carne es débil. Marcos 14:38.

Los que profesan tener nueva luz, que aseveran ser reformadores, ejercerán gran influencia sobre ciertas personas que reconocen las herejías de la época actual y no están satisfechas con la condición espiritual que existe en las iglesias. Con corazón veraz y sincero, desean ver un cambio hacia lo mejor, elevarse a una norma superior. Si los fieles siervos de Cristo les presentasen la verdad en su forma pura y sin adulteración, estas personas la aceptarían y se purificarían obedeciéndola. Pero Satanás, que vela siempre, sigue el rastro de estas almas investigadoras. Se les presenta alguien que hace una alta profesión de fe, como Satanás cuando fue a Cristo disfrazado de ángel de luz, y las atrae aún más lejos de la senda recta... El mundo está contaminado por sus habitantes. Casi han colmado la medida de su iniquidad; pero lo que atraerá la retribución más grave es la práctica de la iniquidad bajo el manto de la piedad. El Redentor del mundo no despreció nunca el verdadero arrepentimiento, por grande que fuera la culpa; pero lanzó ardientes denuncias contra los fariseos y los hipócritas. Hay más esperanza para el que peca abiertamente que para esta clase de personas...

Este hombre [un pseudo reformador] y los engañados por él no aman la verdad sino que se deleitan en la injusticia. ¿Y qué engaño más grande podría venir sobre ellos, que creer que no hay nada que ofenda a Dios en el libertinaje y el adulterio?... Pablo le escribe a Tito de los que "profesan conocer a Dios, pero con los hechos lo niegan, siendo abominables y rebeldes, reprobados en cuanto a toda buena obra" (Tito 1:16)... En esta época de corrupción, cuando nuestro adversario... ronda como león rugiente buscando a quien devorar, veo la necesidad de elevar mi voz en amonestación: "Velad y orad, para que no entréis en tentación" (Mat. 26:41). Son muchos los que poseen talentos brillantes y que los dedican impíamente al servicio de Satanás... Muchos de ellos albergan pensamientos impuros, imaginaciones profanas, deseos no santificados y bajas pasiones. Dios aborrece el fruto que lleva un árbol tal. Los ángeles, puros y santos, miran la conducta de los tales con aborrecimiento, mientras Satanás se regocija.

¡Ojalá que los hombres y las mujeres considerasen lo único que pueden ganar al transgredir la ley de Dios! En cualquier circunstancia, la transgresión deshonra a Dios y resulta en una maldición para la humanidad. Debemos considerarla así, por hermoso que sea su disfraz y cualquiera sea la persona que la cometa.–*Testimonies for the Church*, t. 5, pp. 144-146. (Ver *Joyas de los testimonios*, t. 2, pp. 36, 37.)

Arrepentimiento: compunción y abandono del pecado

Porque la tristeza que es según Dios produce arrepentimiento para salvación... pero la tristeza del mundo produce muerte. 2 Corintios 7:10.

El amor de Dios nunca inducirá a alguien a dar poca importancia al pecado; nunca cubrirá o excusará un error inconfeso. Acán aprendió demasiado tarde que la ley de Dios, como su Autor, es inmutable. Tiene que ver con todos nuestros actos, pensamientos y sentimientos. Nos sigue y llega hasta cada motivo secreto de acción. Por causa de la complacencia en el pecado, los hombres y las mujeres son inducidos a considerar livianamente la ley de Dios. Muchos ocultan sus transgresiones del prójimo y se lisonjean a sí mismos suponiendo que Dios no será estricto en señalar la iniquidad. Pero su ley es la gran norma de justicia, y cada acto de la vida deberá compararse con ella en aquel día cuando Dios traiga a juicio toda obra con cada cosa secreta, ya sea buena o mala. La pureza de corazón inducirá a la pureza de la vida. Son vanas todas las excusas por el pecado. ¿Quién puede defender al pecador cuando Dios testifica contra él?

Hay muchos profesos cristianos cuyas confesiones por el pecado son similares a las de Acán. Reconocen su indignidad en forma general, pero rehúsan confesar sus pecados cuya culpabilidad descansa sobre su conciencia, y que han provocado el enojo de Dios sobre su pueblo...

El genuino arrepentimiento proviene del reconocimiento del carácter ofensivo del pecado. Las confesiones generales no son el fruto de una verdadera humillación... delante de Dios. Dejan al pecador con un espíritu de complacencia propia que los hace proseguir como antes, hasta que su conciencia se endurece y las advertencias que una vez lo sacudieron apenas producen un sentimiento de peligro, y después de un tiempo su conducta pecaminosa parece correcta. Descubrirá sus pecados demasiado tarde, en el día cuando no puedan ser expiados con sacrificio ni ofrenda. Hay una gran diferencia entre admitir los hechos después que se prueban, y confesar los pecados que sólo son conocidos por Dios y nosotros... Acán, la parte culpable, no sintió aflicción. Tomó todo muy fríamente. No encontramos nada en el relato que indique que se sintió perturbado. No hay evidencia de que sintiera remordimiento o que razonara de causa a efecto, diciendo: "Es mi pecado lo que ha traído el disgusto de Dios sobre el pueblo"... No pensaba reparar su falta mediante la confesión del pecado y la humillación del alma. La confesión de Acán (demasiado tardía como para proporcionarle la salvación) vindicó el carácter de Dios en su forma de proceder con él, y cerró la puerta a la tentación, que... acosaba a los hijos de Israel, de achacar a los siervos de Dios la obra que Dios mismo había ordenado que se hiciera.–*Comentario bíblico adventista*, t. 2, pp. 990, 991.

Por la gracia se puede alcanzar el ideal de Cristo

Porque así dijo el Señor... En descanso y en reposo seréis salvos; en quietud y en confianza será vuestra fortaleza. Y no quisisteis. Isaías 30:15.

El Señor reconocerá todo esfuerzo que hagan por alcanzar el ideal que él tiene para ustedes. Cuando fracasen, cuando por traición sean inducidos a pecar, no se sientan imposibilitados de orar, no se sientan indignos de presentarse ante el Señor. "Hijitos míos, estas cosas os escribo para que no pequéis; y si alguno hubiere pecado, abogado tenemos para con el Padre, a Jesucristo el justo" (1 Juan 2:1). Él espera con los brazos extendidos para dar la bienvenida al hijo pródigo. Vayan a él y cuéntenle sus errores y fracasos. Pídanle que los fortifique para un renovado esfuerzo. Nunca los chasqueará, nunca burlará la confianza de ustedes.

Tendrán pruebas. De ese modo pule el Señor la tosquedad del carácter. No murmuren. Con las quejas hacen más dura la prueba. Honren a Dios con una sumisión alegre. Soporten pacientemente la presión. Aunque sean perjudicados, mantengan el amor de Dios en el corazón...

Cristo conoce la fuerza de las tentaciones y el poder de ustedes para resistir. Su mano está siempre tendida con compasiva ternura hacia cada criatura que sufre. Dice a los tentados y desanimados: Hijo por quien he sufrido y muerto, ¿no puedes tener confianza en mí? "Como tus días serán tus fuerzas" (Deut. 33:25)... No se puede describir con palabras el gozo y la paz del que acepta al pie de la letra lo que Dios dice. Las pruebas no lo perturban, los desaires no lo afectan. Ha crucificado al yo. Día tras día pueden hacerse sus deberes más abrumadores, sus tentaciones más fuertes, sus pruebas más severas; pero no vacila, pues recibe fuerza igual a su necesidad... Cristo no nos ha dado la seguridad de que sea asunto fácil lograr la perfección del carácter. Un carácter noble, completo, no se hereda. No lo recibimos accidentalmente. Un carácter noble se obtiene mediante esfuerzos individuales, realizados por los méritos y la gracia de Cristo. Dios da los talentos, las facultades mentales; nosotros formamos el carácter. Lo desarrollamos sosteniendo rudas y severas batallas contra el yo. Hay que sostener conflicto tras conflicto contra las tendencias hereditarias. Tendremos que criticarnos a nosotros mismos severamente, y no permitir que quede sin corregir un solo rasgo desfavorable.

Nadie diga: No puedo remediar mis defectos de carácter. Si llegan a esa conclusión, dejarán ciertamente de obtener la vida eterna. La imposibilidad reside en la propia voluntad. Si no quieren, no pueden vencer. La verdadera dificultad proviene de la corrupción de un corazón no santificado y de la falta de voluntad para someterse al gobierno de Dios.–*Mensajes para los jóvenes*, pp. 95-97.

El pueblo de Dios, piedras pulidas en su templo espiritual

Por tanto, Jehová esperará para tener piedad de vosotros, y por tanto, será exaltado teniendo de vosotros misericordia; porque Jehová es Dios justo; bienaventurados todos los que confían en él. Isaías 30:18.

El evangelio es para todos, y unirá a la iglesia a hombres y a mujeres que son diferentes en preparación, en carácter y en disposición. Entre ellos habrá algunos que son naturalmente negligentes, que creen que la autoridad es orgullo y que no es tan necesario ser exigentes. Dios no descenderá hasta sus bajas normas. Les ha dado un tiempo de prueba y las direcciones necesarias en su Palabra, y requiere que sean transformados, que perfeccionen caracteres santos. Cada uno que se convierta del pecado a la justicia, del error a la verdad, ejemplificará en palabras y actos el poder santificador de la verdad.

El pueblo de Dios tiene una vocación elevada y santa. Es el representante de Cristo. Pablo se dirige a la iglesia de Corinto como a los que son "santificados en Cristo Jesús, llamados a ser santos" (1 Cor. 1:2)... Dice Pedro: "Mas vosotros sois linaje escogido, real sacerdocio, nación santa, pueblo adquirido por Dios, para que anunciéis las virtudes de aquel que os llamó de las tinieblas a su luz admirable" (1 Ped. 2:9).

Estos pasajes están calculados para impresionar la mente con el carácter sagrado y exaltado de la obra de Dios, y con la elevada y santa posición que debe ocupar su pueblo. ¿Podrían decirse estas cosas de los que no buscan ser refinados por medio de la verdad?

El templo judío fue construido con piedras labradas sacadas de las montañas. Cada una había sido preparada para que encajara en su lugar en el templo; cortada, lustrada y probada antes de traerla a Jerusalén. Y cuando llegaba al terreno, el edificio crecía armoniosamente sin el sonido del hacha o el martillo.

Este edificio representa el templo espiritual de Dios, que se compone de material recogido entre todas las naciones, lenguas y pueblos, y de todo nivel: alto y bajo, rico y pobre, culto e indocto. No hay elementos inútiles que modelar con martillo y cincel. Son piedras vivas, extraídas de la cantera del mundo por la verdad; y el gran Arquitecto, el Señor del templo, está ahora labrándolas y preparándolas para que ocupen sus respectivos lugares en el templo espiritual. Cuando esté terminado, será perfecto en todas sus partes, el objeto de admiración de los ángeles, los hombres y las mujeres, puesto que su constructor y hacedor es Dios. Verdaderamente, los que han de componer su glorioso edificio son "llamados a ser santos".–*Review and Herald,* 6 de mayo de 1884. (Ver *Alza tus ojos,* p. 279.)

Adelantar el reino por llevar pecadores al arrepentimiento

Mi mano hizo todas estas cosas, y así todas estas cosas fueron, dice Jehová; pero miraré a aquel que es pobre y humilde de espíritu, y que tiembla a mi palabra. Isaías 66:2.

Dios ha mostrado en su Palabra la única manera como se puede hacer esta tarea. Como quienes tenemos que dar cuenta, debemos realizar una obra fervorosa y fiel para trabajar en favor de las almas. "¡Arrepentíos, arrepentíos!" fue el mensaje que proclamó Juan en el desierto...

El mensaje de Cristo a la gente fue: "Si no os arrepentís, todos pereceréis igualmente" (Luc. 13:3). Y a los apóstoles se les ordenó que predicaran por todas partes que los pecadores debían arrepentirse. El Señor quiere que sus siervos prediquen hoy las antiguas doctrinas del evangelio: el dolor por el pecado, el arrepentimiento y la confesión. Necesitamos sermones de estilo antiguo, costumbres de estilo antiguo, padres y madres en Israel como los de antes, que posean la ternura de Cristo.

Hay que trabajar con el pecador en forma perseverante, ferviente, sabia, hasta que se dé cuenta de que es transgresor de la ley de Dios y manifieste arrepentimiento hacia el Altísimo y fe hacia nuestro Señor Jesucristo. Cuando el pecador sea consciente de su condición desesperada, y sienta su necesidad del Salvador, acudirá con fe y esperanza al "Cordero de Dios, que quita el pecado del mundo" (Juan 1:29). Cristo aceptará al alma que acude a él verdaderamente arrepentida. No rechazará el corazón quebrantado.

Ya resuena el grito de guerra por todas partes. Avance hacia el frente cada soldado de la cruz, no con suficiencia propia, sino con mansedumbre y humildad de corazón. Su obra, mi obra, no terminará con esta vida. Podremos descansar por un poco de tiempo en la sepultura; pero cuando venga el llamado, emprenderemos nuestra obra en el reino de Dios para promover la gloria de Cristo. Esta santa obra debe comenzar sobre la tierra. No debemos analizar nuestro propio placer o conveniencia. Nuestra pregunta debe ser: "¿Qué puedo hacer para llevar a otros a Cristo? ¿Cómo puedo hacerles conocer el amor de Dios que sobrepasa todo conocimiento?"–*Signs of the Times*, 27 de diciembre de 1899. (Ver *Cada día con Dios*, p. 370.)

Miremos a Jesús y él nos dará la victoria

¿Quién es el mayordomo fiel y prudente...? Bienaventurado aquel siervo al cual, cuando su señor venga, le halle haciendo así. Lucas 12:42, 43.

Ninguno tenga la idea de que está ganando el favor de Dios por confesar sus pecados, o que hay una virtud especial en confesarse ante seres humanos. Debe haber en la experiencia esa fe que obra por amor y purifica el alma. El amor de Cristo subyugará las inclinaciones de la naturaleza carnal. La verdad no sólo lleva dentro de sí misma la evidencia de su origen celestial, sino que demuestra, por medio de la gracia del Espíritu de Dios, que la verdad es eficaz en la purificación del alma. El Señor quiere que vayamos día a día a él con todas nuestras aflicciones y confesiones de pecado, y él nos dará descanso... Su Espíritu Santo llenará el alma con su influencia clemente, y cada pensamiento será llevado cautivo a la obediencia de Cristo. Me temo que por causa de algún error de su parte, la bendición que Dios les ha dado... se convierta en maldición; que adquieran alguna idea falsa, de manera que dentro de pocos meses se encuentren en una condición peor de la que estaban antes de esa obra de reavivamiento. Si no cuidan constantemente su alma, los incrédulos tendrán la peor impresión de ustedes. Dios no será glorificado con esta clase de servicio espasmódico. Tengan cuidado de no llevar las cosas a los extremos y causar un oprobio duradero a la preciosa causa de Dios.

El fracaso en el cual caen muchos es que, después que han sido bendecidos por Dios, no tratan de ser una bendición para otros imitando la humildad de Cristo. Ahora que se han sembrado palabras de vida eterna en su corazón, les ruego que caminen humildemente con Dios, hagan las obras de Cristo y lleven mucho fruto para justicia. Confío y oro con el fin de que se comporten como hijos e hijas del Altísimo, y que no lleguen a ser extremistas o a hacer alguna cosa que contriste al Espíritu de Dios.

No fijen su vista en los seres humanos ni pongan sus esperanzas en ellos, pensando que son infalibles. En vez de eso, miren constantemente a Jesús. No digan nada que arroje oprobio sobre nuestra fe. Confiesen sus pecados secretos solos ante Dios. Reconozcan las idas y venidas de su corazón a Aquel que conoce perfectamente cómo tratar sus casos. Si han hecho mal a su prójimo, reconozcan... su pecado y muestren frutos de arrepentimiento haciendo restitución. Después, reclamen la bendición. Vayan a Dios, tal como son, y permítanle que él cure todas sus debilidades. Insistan en su caso ante el trono de la gracia y permitan que la obra sea consumada. Sean sinceros en el trato con Dios y su propia alma. Si van a él con un corazón verdaderamente contrito, él les dará la victoria.—*Testimonies for the Church*, t. 5, pp. 648, 649.

Levantar el estandarte a medida que arrecia el gran conflicto

Porque nada podemos contra la verdad, sino por la verdad. Por lo cual nos gozamos de que seamos nosotros débiles, y que vosotros estéis fuertes; y aun oramos por vuestra perfección. 2 Corintios 13:8, 9.

Dios ha señalado apóstoles, pastores, evangelistas y maestros para la perfección de los santos, para la obra del ministerio, para la edificación del cuerpo de Cristo, hasta que todos lleguen a la unidad de la fe. Dios declara a su pueblo: "Y vosotros sois labranza de Dios, edificio de Dios" (2 Cor. 3:9). Debe haber un progreso constante. Paso a paso sus seguidores deben hacer senderos rectos para sus pies, no sea que lo que es cojo salga fuera del camino. Los que trabajan para Dios deben actuar inteligentemente para superar sus propias deficiencias y glorificar al Señor Dios de Israel estando en la luz, trabajando en la luz del Sol de justicia. Así llevarán a la iglesia hacia adelante, hacia arriba y hacia el cielo, haciendo que su separación del mundo sea más y más nítida.

A medida que asemejan su carácter al del Modelo divino, los hombres y las mujeres no protegerán su propia dignidad personal. Con un interés celoso, vigilante, lleno de amor y consagrado, protegerán los santos intereses de la iglesia del mal que amenaza enturbiar y oscurecer la gloria que Dios se propone que brille a través de ella. Verán que los planes de Satanás no tienen lugar ni apoyo en ella, pues la iglesia no estimula una actitud que busca las faltas, la chismografía, la maledicencia y la acusación de los hermanos; pues esas cosas la debilitarían y la derribarían.

Nunca habrá un tiempo en la historia de la iglesia de Dios cuando el obrero de Dios pueda cruzarse de brazos y estarse cómodo, diciendo: "Todo es paz y seguridad". Es entonces cuando sobreviene la repentina destrucción. Todas las cosas pueden estar avanzando en medio de una prosperidad aparente; pero Satanás está completamente despierto, y estudia y consulta con sus malos ángeles otra forma de ataque por medio de la cual pueda tener éxito. El conflicto se hará más y más severo por parte de Satanás; porque él es movido por un poder de abajo.

A medida que la obra del pueblo de Dios avance con energía santificada e irresistible, implantando el estandarte de la justicia de Cristo en la iglesia, movida por un poder que procede del trono de Dios, el gran conflicto se irá haciendo cada vez más severo, y cada vez más determinado. La mente se opondrá a la mente, los planes a los planes, los principios de origen celestial a los principios de Satanás. La verdad, en sus diferentes fases, estará en conflicto con el error en sus formas siempre cambiantes y progresivas, las que, si fuera posible, engañarán a los mismos escogidos.–*Testimonios para los ministros*, pp. 413, 414.

Santificación bíblica: humildad y crecimiento constante

Sin embargo, si quisiera gloriarme, no sería insensato, porque diría la verdad; pero lo dejo, para que nadie piense de mí más de lo que en mí ve, u oye de mí. 2 Corintios 12:6.

Los discípulos de Cristo han de volverse semejantes a él; es decir, adquirir por la gracia de Dios un carácter conforme a los principios de su santa ley. Esto es lo que la Biblia llama santificación. Esta obra no se puede realizar sino por medio de la fe en Cristo, por medio del poder del Espíritu de Dios que habita en el corazón... El cristiano sentirá las tentaciones del pecado, pero luchará continuamente contra él. Aquí es donde se necesita la ayuda de Cristo. La debilidad humana se une con la fuerza divina, y la fe exclama: "Mas gracias sean dadas a Dios..." (se cita 1 Cor. 15:57).

Las Santas Escrituras enseñan claramente que la obra de la santificación es progresiva. Cuando el pecador encuentra en la conversión la paz con Dios por medio de la sangre expiatoria, la vida cristiana recién empieza. Ahora debe llegar "al estado de un varón perfecto"; crecer "a la medida de la estatura de la plenitud de Cristo"... Pedro nos presenta los peldaños por los cuales se llega a la santificación de que habla la Biblia: "Poniendo por toda diligencia esto mismo, añadid a vuestra fe virtud; a la virtud, conocimiento; al conocimiento, dominio propio; al dominio propio, paciencia; a la paciencia, piedad; a la piedad, afecto fraternal; y al afecto fraternal, amor... Porque haciendo estas cosas, no caeréis jamás" (2 Ped. 1:5-10).

Los que experimenten la santificación bíblica manifestarán un espíritu de humildad. Como Moisés, contemplaron la terrible majestad de la santidad y se dan cuenta de su propia indignidad en contraste con la pureza y alta perfección de Dios... El profeta Daniel fue ejemplo de verdadera santificación. Llenó su... vida del noble servicio que rindió a su Maestro. Era... "muy amado" (Dan. 10:11) en el Cielo. Sin embargo... este profeta tan honrado de Dios se identificó con los mayores pecadores de Israel cuando intercedió... en favor de su pueblo... Y cuando más tarde el Hijo de Dios apareció para instruirle, Daniel dijo: "Mi fuerza se cambió en desfallecimiento, y no tuve vigor alguno" (Dan. 9:18, 15, 20; 10:8)...

No puede haber glorificación de sí mismos, ni arrogantes pretensiones de estar libres de pecado, por parte de quienes andan a la sombra de la cruz del Calvario. Harto cuenta se dan de que fueron sus pecados los que causaron la agonía del Hijo de Dios y destrozaron su corazón; y este pensamiento les inspira profunda humildad. Los que viven más cerca de Jesús son también los que mejor ven la fragilidad y culpabilidad de la humanidad, y su sola esperanza se cifra en los méritos de un Salvador crucificado y resucitado.–*El conflicto de los siglos*, pp. 523-525.

Al arrepentimiento le debe seguir un cambio en el carácter

Convertíos, y apartaos de todas vuestras transgresiones, y no os será la iniquidad causa de ruina. Ezequiel 18:30.

El docto Nicodemo había leído esas precisas profecías con una mente anublada, pero ahora empezaba a comprender su verdadero significado, y a entender que, aun un hombre justo y honorable como era él, debía experimentar un nuevo nacimiento por medio de Jesucristo como la única condición sobre la cual pudiera ser salvado y tener asegurada una entrada en el reino de Dios. Jesús habló en forma absoluta, indicando que a menos que una persona nazca de nuevo, no puede percibir el reino que Cristo vino a establecer en la tierra. Una precisión rígida en obedecer la ley no le da derecho a nadie a entrar en el reino de los cielos.

Debe haber un nuevo nacimiento, una nueva mente mediante la operación del Espíritu de Dios que purifica la vida y ennoblece el carácter. Esta conexión con Dios habilita a los mortales para el glorioso reino de los cielos. Ningún invento humano puede encontrar nunca un remedio para el alma pecadora. Sólo por medio del arrepentimiento y la humillación, de una sumisión a los requerimientos divinos, puede llevarse a cabo la obra de la gracia. La iniquidad es tan ofensiva a la vista de Dios, a quien el pecador ha insultado y agraviado por tanto tiempo, que un arrepentimiento proporcional al carácter de los pecados cometidos a menudo produce una agonía de espíritu que es difícil de soportar.

Nada menos que una aceptación práctica y una aplicación de la verdad divina abre el reino de Dios a los seres humanos. Allí sólo puede entrar un corazón puro y humilde, obediente y amante, firme en la fe y en el servicio del Altísimo. Jesús también declaró que, "como Moisés levantó la serpiente en el desierto, así es necesario que el Hijo del Hombre sea levantado, para que todo aquel que en él cree, no se pierda, mas tenga vida eterna" (Juan 3:14, 15)...

La serpiente en el desierto fue levantada sobre un palo ante el pueblo, para que todos los que habían sido mordidos fatalmente por las serpientes ardientes pudieran mirar a esa serpiente de bronce, símbolo de Cristo, y ser sanados instantáneamente. Pero debían mirar con fe, o no les serviría de nada. De la misma manera la gente hoy debe mirar al Hijo del Hombre como su Salvador para tener la vida eterna. El pecado ha separado a la raza humana de Dios. Cristo trajo su divinidad a la tierra, velada por su humanidad, para rescatar a la raza de su condición perdida. La naturaleza humana es vil, y el carácter debe ser cambiado antes de que pueda armonizar con lo puro y santo en el reino inmortal de Dios. Esta transformación es el nuevo nacimiento.–*Signs of the Times*, 15 de noviembre de 1883.

Tanto el arrepentimiento como el perdón son dones de Cristo

A éste, Dios ha exaltado con su diestra por Príncipe y Salvador, para dar a Israel arrepentimiento y perdón de pecados. Hechos 5:31.

Hay muchos que tienen ideas erróneas con respecto a la naturaleza del arrepentimiento. Piensan que no pueden ir a Cristo a menos que se arrepientan primero, y que el arrepentimiento los prepara para el perdón de sus pecados. Es verdad que el arrepentimiento precede al perdón de los pecados; porque sólo el corazón contrito y quebrantado es el que sentirá la necesidad de un Salvador.

Pero, ¿deben esperar los pecadores hasta que se arrepientan antes de que puedan ir a Jesús? ¿Debe ser el arrepentimiento un obstáculo entre el pecador y el Salvador? Dijo Jesús: "Y yo, si fuere levantado de la tierra, a todos atraeré a mí mismo" (Juan 12:32). Cristo está constantemente atrayendo gente hacia sí mismo, mientras que Satanás está buscando con diligencia cada estratagema imaginable para alejarlos de su Redentor. Cristo debe ser revelado a los pecadores como el Salvador que muere por los pecados del mundo; y mientras contemplan al Cordero de Dios en la cruz del Calvario, los misterios de la redención comienzan a desplegarse a la mente, y la bondad de Dios los conduce al arrepentimiento.

Aunque el plan de salvación requiere el estudio más profundo del filósofo, no es demasiado profundo para la comprensión de un niño. Al morir por los pecadores, Cristo manifestó un amor que es incomprensible; y al contemplar este amor, el corazón queda impresionado, la conciencia se despierta y el alma es llevada a preguntarse: "¿Qué es el pecado, que requiere semejante sacrificio para la redención de su víctima?"... El apóstol Pablo dio instrucciones con respecto al plan de salvación. Declaró (se cita Hech. 20:20, 21). Juan, hablando del Salvador, dice: "Y sabéis que él apareció para quitar nuestros pecados, y no hay pecado en él" (1 Juan 3:5).

Los pecadores deben ir a Cristo, porque lo ven como su Salvador, su único Ayudador, con el fin de que puedan ser capacitados para arrepentirse; porque si se pudieran arrepentir sin ir a Cristo, también podrían salvarse sin Cristo. Es la virtud que sale de Cristo la que los conduce al arrepentimiento verdadero... El arrepentimiento es tanto un don de Dios como el perdón, y no puede encontrarse en el corazón en el que no ha trabajado Jesús. No somos más capaces de arrepentirnos sin que el Espíritu de Cristo despierte la conciencia, de lo que podemos ser perdonados sin Cristo. Cristo atrae al pecador por medio de la manifestación de su amor en la cruz, y esto ablanda el corazón, impresiona la mente e inspira contrición y arrepentimiento en el alma.–*Review and Herald*, 1° de abril de 1890.

Dios requiere arrepentimiento y una vida santa

Porque yo sé que mandará a sus hijos y a su casa después de sí, que guarden el camino de Jehová, haciendo justicia y juicio... Génesis 18:19.

El plan de Dios para nuestra salvación es perfecto en todo sentido. Si realizamos fielmente los deberes que nos han sido asignados, nos irá bien en todo. Lo que causa la discordia y provoca desdicha y ruina es nuestra apostasía. Dios nunca usa su poder para oprimir a las criaturas que son obra de sus manos; nunca requiere más de lo que podemos realizar; nunca castiga a sus hijos desobedientes más de lo que es necesario para inducirlos al arrepentimiento o para disuadir a otros para que no sigan su ejemplo. Es inexcusable la rebelión contra Dios.–*Comentario bíblico adventista*, t. 2, p. 993.

Los juicios de Dios siguen rápidamente sobre la transgresión. Sus consejos y reproches, las manifestaciones de su amor y misericordia, y las demostraciones a menudo repetidas de su poder, todas son una parte del plan de Dios para proteger a su pueblo del pecado, para hacerlos puros y santos, con el fin de que él pueda ser su fuerza y escudo y galardón sobremanera grande. Pero las transgresiones persistentes de los israelitas, su prontitud para desviarse de Dios y el olvido de sus misericordias mostraron que muchos habían elegido ser siervos del pecado, más bien que hijos del Altísimo. Dios los había creado, Cristo los había redimido. De la casa de servidumbre, su clamor de angustia ascendió al trono de Dios, y él extendió su brazo para rescatarlos en consideración a ellos, trayendo desolación sobre toda la tierra de Egipto. Les concedió altos honores. Los hizo su pueblo peculiar, y derramó sobre ellos innumerables bendiciones. Si le obedecían, los haría una gran nación; una alabanza y excelencia en toda la tierra. Dios tenía la intención de magnificar su nombre mediante su pueblo elegido, mostrando la vasta diferencia entre los justos y los impíos, los siervos de Dios y los adoradores de ídolos.

Josué trató de mostrar a su pueblo la inconsistencia de su curso de apostasía. Les deseó que sintieran que había llegado el tiempo para hacer un cambio decidido, para que abandonaran todo vestigio de idolatría y se volvieran al Señor con todo su corazón. Se esforzó para impresionar sobre su mente el hecho de que la apostasía abierta no sería más ofensiva ante Dios que la hipocresía, y una forma de adoración sin vida.

Si tener el favor de Dios era digno de algo, era digno de todo; así lo había decidido Josué, y después de pesar todo el asunto, había decidido servir a Dios con todo el corazón. Y más que esto, se esforzaría por inducir a su familia a seguir el mismo proceder.–*Signs of the Times*, 19 de mayo de 1881.

Dios espera recibir a todos los que se arrepientan

Y les daré un corazón, y un espíritu nuevo pondré dentro de ellos; y quitaré el corazón de piedra de en medio de su carne, y les daré un corazón de carne, para que anden en mis ordenanzas y guarden mis decretos y los cumplan, y me sean por pueblo, y yo sea a ellos por Dios.
Ezequiel 11:19, 20.

El Señor ha revelado claramente su voluntad con relación a la salvación del pecador. Y la actitud que asumen muchos al expresar dudas e incredulidad en cuanto a si el Señor los salvará, es un reproche acerca del carácter de Dios. Los que se quejan de su severidad, prácticamente están diciendo: "No es recto el camino del Señor". Pero Dios devuelve inmediatamente la acusación sobre el pecador: "¿No son vuestros caminos torcidos?" (Eze. 18:25). ¿Puedo perdonar sus iniquidades cuando no se arrepienten ni se convierten de sus pecados?...

El Señor recibirá al pecador cuando se arrepienta y abandone sus pecados, de manera que Dios pueda obrar con sus esfuerzos para la perfección del carácter... El único propósito que tuvo Dios al entregar a su Hijo por los pecados del mundo fue que el ser humano pueda ser salvado, no en la transgresión y la iniquidad, sino en el abandono del pecado, lavando las vestiduras de su carácter y emblanqueciéndolas en la sangre del Cordero. Se propone quitar de los pecadores lo ofensivo que él aborrece, pero ellos deben cooperar con Dios en esta obra. El pecado debe ser abandonado, odiado, y debe aceptarse la justicia de Cristo por medio de la fe. De esa manera lo divino cooperará con lo humano.

Debemos tener cuidado de no dar lugar a la duda y la incredulidad, y en nuestra actitud de desesperación quejarnos de Dios y desfigurarlo ante el mundo. Si hacemos esto, nos colocamos del lado de Satanás. "Pobres almas", dice él, "las compadezco, afligiéndose por el pecado; pero Dios no tiene compasión. Anhelan algún rayo de esperanza, pero Dios les deja perecer, y halla satisfacción en su desdicha".

Este es un terrible engaño. No presten oído al tentador, sino digan: "Jesús murió para darme vida. Me ama y no desea que perezca. Tengo un Padre celestial compasivo, y aunque abusé de su amor, aunque he despilfarrado las bendiciones que bondadosamente me ha dado, me levantaré, e iré a mi Padre y le diré: 'He pecado... ya no soy digno de ser llamado tu hijo; hazme como a uno de tus jornaleros' (Luc. 15:18, 19)".

La parábola nos dice cómo será recibido el extraviado... Así representa la Biblia la buena voluntad de Dios para recibir al pecador que vuelve arrepentido.–*Testimonies for the Church*, t. 5, pp. 631, 632.

El amor de Jesús atrae a los pecadores al arrepentimiento

Ahora es el juicio de este mundo; ahora el príncipe de este mundo será echado fuera. Y yo, si fuere levantado de la tierra, a todos atraeré a mí mismo. Juan 12:31, 32.

Cristo vino para manifestar el amor de Dios al mundo, para atraer los corazones de todos hacia él... El primer paso hacia la salvación es responder a la atracción del amor de Cristo. Dios envía a la gente mensaje tras mensaje para suplicarle que se arrepientan, para poder perdonarles y escribir perdón al lado de sus nombres. ¿No habrá arrepentimiento? ¿Serán desoídas sus exhortaciones? ¿Serán ignoradas sus propuestas de misericordia y será completamente rechazado su amor?

¡Oh, así los pecadores quedarían del todo separados del medio por el cual pueden lograr la vida eterna, pues sólo Dios perdona al penitente! Mediante la manifestación de su amor, mediante los ruegos de su Espíritu, los invita fervientemente a que se arrepientan, pues el arrepentimiento es don de Dios; y a quienes él perdona, los hace arrepentirse previamente. El ser humano disfruta del gozo más dulce debido a su sincero arrepentimiento ante Dios por causa de la transgresión de su ley, y debido a la fe en Cristo como el Redentor y Abogado de los pecadores.

Cristo atrae a los pecadores mediante la manifestación de su amor para que puedan comprender el gozo del perdón, la paz de Dios. Si responden a su atracción, entregando el corazón a la gracia divina, los guiará paso tras paso a un conocimiento pleno de Dios, y esto es vida eterna.

Cristo vino a revelar la justicia y el amor de Dios al pecador para que el Salvador diera a Israel arrepentimiento y remisión de pecados. Cuando el pecador contempla a Jesús levantado en la cruz, sufriendo la culpabilidad de los transgresores, llevando el castigo del pecado; cuando contempla el aborrecimiento de Dios por el mal, manifestado en la terrible muerte en la cruz, y cuando contempla el amor de Dios por la humanidad caída, es inducido al arrepentimiento hacia Dios debido a la transgresión de la ley que es santa, justa y buena. Él ejerce fe en Cristo porque el divino Salvador ha llegado a ser su Sustituto, su Garantía y su Abogado, Aquel en quien se centraliza su misma vida. Dios puede mostrar su misericordia y verdad al pecador arrepentido y puede conferirle su perdón y su amor...

El amor ilimitado de Cristo hacia los seres humanos está probado por sus sufrimientos y su muerte. Él está dispuesto y puede salvar hasta lo sumo a todo el que viene a Dios por él.–*Mensajes selectos*, t. 1, pp. 380-382.

Al reavivamiento deben seguirle buenas obras

Si confesamos nuestros pecados, él es fiel y justo para perdonar nuestros pecados, y limpiarnos de toda maldad. 1 Juan 1:9.

El alma que vive por la fe en Cristo no desea un bien mayor que el de conocer y hacer la voluntad de Dios. Es la voluntad de Dios que la fe en Cristo se perfeccione mediante las obras: él relaciona la salvación y la vida eterna de los que creen con esas obras, y por medio de ellas proporciona la luz de la verdad para ir a todos los países y a todas las gentes. Ese es el fruto de la operación del Espíritu de Dios.

La verdad se ha apoderado del corazón. No es un impulso espasmódico, sino un verdadero volverse al Señor, y la voluntad perversa de los seres humanos queda subyugada a la voluntad de Dios. Robarle a Dios en diezmos y ofrendas es una violación del claro mandato del Señor y causa el daño más profundo a los que lo hacen, privándolos de la bendición de Dios que está prometida para todos los que tratan honestamente con él...

Si Satanás no puede mantener a las almas atadas en el hielo de la indiferencia, tratará de hacerlas caer en el fuego del fanatismo. Cuando el Espíritu del Señor viene sobre su pueblo, el enemigo aprovecha la oportunidad para trabajar también sobre las diversas mentes y conducirlas a mezclar sus propias características peculiares de carácter con la obra de Dios. Así siempre existe el peligro de que permitan que su propio espíritu se mezcle con la obra y se hagan movimientos imprudentes. Muchos realizan una obra de su propio diseño que no es sugerida por Dios.

Si Satanás puede empujar a las personas a que vayan a un extremo, queda bien complacido. De esa manera puede hacer un daño mayor que si no hubiera habido un reavivamiento religioso. Sabemos que nunca ha habido un esfuerzo religioso en el cual Satanás no haya tratado de hacer lo mejor que podía para entremeterse en él; y en estos últimos días hará eso como nunca antes. Sabe que tiene poco tiempo, y obrará con todo engaño de iniquidad para mezclar errores y puntos de vista incorrectos con la obra de Dios, y para hacer caer a hombres y a mujeres en posiciones falsas...

Los corazones que están bajo la influencia del Espíritu de Dios estarán en dulce armonía con su voluntad. Me ha sido mostrado que cuando el Señor obra por medio de su Santo Espíritu, no habrá nada en su operación que degrade al pueblo de Dios ante el mundo, sino que más bien lo exaltará. La religión de Cristo no hace toscos y descorteses a los que la profesan. Los súbditos de la gracia no son incapaces de aprender, sino que siempre están dispuestos a aprender de Jesús y a aconsejarse entre ellos .–*Testimonies for the Church*, t. 5, pp. 644-647.

Jesús paga la deuda de los pecadores arrepentidos

¿O menosprecias las riquezas de su benignidad, paciencia y longanimidad, ignorando que su benignidad te guía al arrepentimiento?
Romanos 2:4.

Entre los discípulos que sirvieron a Pablo en Roma estaba Onésimo, un esclavo fugitivo de la ciudad de Colosas. Pertenecía a un cristiano llamado Filemón... Había robado a su amo y escapado a Roma... En la bondad de su corazón, el apóstol trató de aliviar al desdichado fugitivo en su pobreza y desgracia, y procuró derramar la luz de la verdad en su mente entenebrecida. Onésimo escuchó atentamente las palabras de vida que una vez había despreciado y se convirtió a la fe de Cristo. Ahora confesó su pecado contra su amo, y aceptó agradecido el consejo del apóstol.

Onésimo se hizo apreciar por Pablo en virtud de su piedad, mansedumbre y sinceridad, no menos que por su tierno cuidado por la comodidad del apóstol y su celo en promover la causa del evangelio. Pablo vio en él rasgos de carácter que lo capacitarían para ser un colaborador útil en la obra misionera, y con gran alegría lo habría tenido con él en Roma. Pero no haría esto sin el total consentimiento de Filemón. Por lo tanto decidió que Onésimo debía volver enseguida a su amo... Fue una prueba severa para este siervo entregarse así a su amo, a quien había perjudicado, pero estaba verdaderamente convertido y, por penoso que fuera, no desistió de cumplir con este deber. Pablo hizo a Onésimo el portador de una carta a Filemón, en la cual, con gran tacto y bondad, defendía la causa del esclavo arrepentido y expresaba sus propios deseos en cuanto a Onésimo...

Le solicitó a Filemón que lo recibiera como a su propio hijo. Expresó su deseo de retener a Onésimo como uno que podía servirle durante su encarcelamiento, como Filemón mismo lo hubiera hecho. Pero no deseaba sus servicios a menos que Filemón por propia iniciativa dejara al esclavo libre, porque pudo ser que en la providencia de Dios Onésimo había huido de su amo por un tiempo de una forma tan impropia, que, estando convertido, pudiera en su regreso ser perdonado y recibido con tal afecto, que eligiera permanecer con Filemón desde entonces, "no ya como esclavo, sino como más que esclavo, como hermano amado" (File. 16)...

¡Qué adecuada ilustración del amor de Cristo hacia el pecador arrepentido! Así como el siervo que había defraudado a su amo no tenía nada con qué hacer la restitución, así los pecadores que han robado a Dios años de servicio no tienen medios de cancelar su deuda. Jesús se interpone entre ellos y la justa ira de Dios, y dice: "Yo pagaré la deuda. Perdona el castigo de su culpa; yo sufriré en su lugar".–*Sketches from the Life of Paul*, pp. 284-287. (Ver *Los hechos de los apóstoles*, pp. 376-380.)

El pueblo de Dios reflejará su gloria

El Espíritu de Jehová el Señor está sobre mí, porque me ungió Jehová; me ha enviado a predicar buenas nuevas a los abatidos, a vendar a los quebrantados de corazón, a publicar libertad a los cautivos, y a los presos apertura de la cárcel. Isaías 61:1.

Al Señor no le agrada que los suyos sean un grupo de plañideras. Él quiere que se arrepientan de sus pecados para que puedan disfrutar de la libertad de los hijos de Dios. Entonces serán llenados con las alabanzas de Dios y serán una bendición para otros. El Señor Jesús también fue ungido para dar "a los afligidos de Sion... gloria en lugar de ceniza, óleo de gozo en lugar de luto, manto de alegría en lugar del espíritu angustiado", y para que fueran llamados "árboles de justicia, plantío de Jehová, para gloria suya" (Isa. 61:3)...

¡Ojalá éste pudiera ser el propósito de nuestra vida! Si fuera así, cuidaríamos aún la expresión de nuestro semblante, nuestras palabras y hasta el tono de nuestra voz. Todas nuestras transacciones comerciales se efectuarían con fe e integridad. Entonces el mundo se convencería de que hay un pueblo que es leal al Dios del cielo...

Dios exhorta a todos para que se pongan en armonía con él. Los recibirá si abandonan sus malas prácticas. Mediante una unión con la naturaleza divina de Cristo pueden escapar de las influencias corruptas de este mundo. Es tiempo de que cada uno de nosotros decida en qué lado está. Los agentes de Satanás trabajarán en cada mente que les dé cabida. Pero también hay agentes celestiales listos para comunicar los brillantes rayos de la gloria de Dios a todos los que estén dispuestos a recibir al Señor. Lo que necesitamos es la verdad, la preciosa verdad en todo su encanto. La verdad impartirá libertad y alegría.–*Comentario bíblico adventista, t. 4, p. 1.175.*

Cada uno debe trabajar por los perdidos

Y nosotros hemos conocido y creído el amor que Dios tiene para con nosotros. Dios es amor; y el que permanece en amor, permanece en Dios, y Dios en él. 1 Juan 4:16.

"**S**i nos amamos unos a otros, Dios permanece en nosotros, y su amor se ha perfeccionado en nosotros" (1 Juan 4:12), y ese amor no puede ser reprimido... Sólo llegando a ser participantes de la naturaleza divina puede cumplirse la ley de Dios en los seres humanos. Sólo los que aman a Dios con todo su corazón, alma, mente y fuerza, y a sus prójimos como a sí mismos, pueden dar gloria a Dios en las alturas, y en la tierra paz, buena voluntad para con los hombres. Esta fue la obra de Cristo, y cuando su obra es apreciada y representada por sus seguidores, se alcanzará el gran resultado en el "gozo que le fue propuesto", es decir, en la salvación de las almas por las que entregó su vida.

El Señor ha estado trabajando constantemente de generación en generación para despertar en el alma de los seres humanos un sentido de su parentezco divino, y de esa manera establecer un orden y una armonía divinas proporcionales a la grande y eterna liberación que ha efectuado para cada uno que lo recibe. El Señor exhorta a todos los que profesan creer en él a ser colaboradores con él, que usen cada habilidad dada por Dios, cada oportunidad y privilegio para llevar a Jesucristo a las almas que perecen y que están dentro de la esfera de su influencia.

Aquí está la única esperanza para la transformación del carácter; esto dará paz y gozo al creer, y los capacitará para la sociedad de los ángeles celestiales en el reino de Dios. ¡Oh, cuán fervientes, perseverantes e incansables deberían ser los esfuerzos de cada alma que ha sido perdonada del pecado para tratar de llevar a otras almas a Jesucristo, para que sus vecinos lleguen a ser coherederos con Jesús!

Quienquiera que sea su prójimo, hay que buscarlo y trabajar por él. ¿Son ignorantes? Que su comunicación, su relación con ellos, los haga más inteligentes. Los parias o marginados, los jóvenes, llenos de defectos de carácter, son los mismos a quienes Dios nos ordena ayudar. Cristo dijo: "No he venido a llamar justos, sino a pecadores al arrepentimiento" (Luc. 5:32)...

La misma nobleza del mundo considerará un honor ir al cielo en la compañía de quienes sean lo suficientemente humildes como para aprender, y ángeles de Dios cooperarán con los que son obreros juntamente con Dios. Necesitamos tener hambre y sed de justicia, para que podamos tener a Cristo en nosotros como un pozo de agua que salta para vida eterna.–*Special Instructions Relating to the Review and Herald Office and the Work in Batle Creek*, pp. 4, 5.

El arrepentimiento es esencial durante el Día de la Expiación

Ha venido la salvación, el poder y el reino de... Dios, y la autoridad de su Cristo... ha sido lanzado fuera el acusador de nuestros hermanos, el que los acusaba delante de nuestro Dios día y noche. Apocalipsis 12:10.

Dios está apartando a sus hijos de las abominaciones del mundo para que puedan guardar su ley; a causa de esto, la ira del "acusador de nuestros hermanos" no tiene límite. "Porque el diablo ha descendido a vosotros con gran ira, sabiendo que tiene poco tiempo" (Apoc. 12:10, 12). La verdadera tierra de promisión está delante de nosotros, y Satanás está resuelto a destruir al pueblo de Dios y privarlo de su herencia. Nunca fue más necesario que hoy oír la advertencia: "Velad y orad, para que no entréis en tentación" (Mar. 14:38).–*Patriarcas y profetas*, p. 745.

Estamos viviendo ahora en el gran Día de la Expiación. Cuando en el servicio simbólico el sumo sacerdote hacía la propiciación por Israel, todos debían afligir su alma arrepintiéndose de sus pecados y humillándose ante el Señor, si no querían verse separados del pueblo.

De la misma manera, todos los que desean que sus nombres sean conservados en el libro de la vida, deben ahora, en los pocos días que les quedan de este tiempo de gracia, afligir su alma ante Dios con verdadero arrepentimiento y dolor por sus pecados. Hay que escudriñar honda y sinceramente el corazón. Hay que deponer el espíritu liviano y frívolo al que se entregan tantos cristianos de profesión. Empeñada lucha espera a todos los que quieran subyugar las malas inclinaciones que tratan de dominarlos.

La obra de preparación es una obra individual. No somos salvados en grupos. La pureza la devoción de uno no suplirá la falta de estas cualidades en otro. Si bien todas las naciones deben pasar en juicio ante Dios, sin embargo él examinará el caso de cada individuo de un modo tan detenido y penetrante como si no hubiese otro ser en la tierra. Cada cual tiene que ser probado y encontrado sin mancha, ni arruga, ni cosa semejante.

Solemnes son las escenas relacionadas con la obra final de la expiación. Incalculables son los intereses que ésta involucra. El juicio se lleva ahora adelante en el Santuario celestial... Pronto, nadie sabe cuando, les tocará ser juzgados a los vivos... Cuando quede concluida la obra del juicio investigador, quedará también decidida la suerte de todos para vida o para muerte. El tiempo de gracia terminará poco antes de que el Señor aparezca en las nubes del cielo. Al mirar hacia ese tiempo, Cristo declara en el Apocalipsis: "...He aquí yo vengo pronto, y mi galardón conmigo, para recompensar a cada uno según sea su obra" (Apoc. 22:12).–*El conflicto de los siglos*, pp. 544, 545; *Gospel Herald*, agosto de 1910.

La ley de Dios conduce al arrepentimiento verdadero

*Quizás oigan y se vuelvan cada uno de su mal camino, y me arrepentiré
yo del mal que pienso hacerles por la maldad de sus obras.*
Jeremías 26:3.

[El apóstol Pablo escribió]: "Yo no conocí el pecado sino por la ley;
porque tampoco conociera la codicia, si la ley no dijera: No codiciarás" (Rom. 7:7)... La ley que prometía vida al obediente, proclamaba la
muerte del transgresor. "De manera", dice, "que la ley a la verdad es santa, y el mandamiento santo, justo y bueno" (Rom. 7:12).

Cuán amplio es el contraste entre estas palabras de Pablo y las que se
proclaman en muchos púlpitos hoy. Se le enseña a la gente que la ley de
Dios no es necesaria para la salvación; que sólo tienen que creer en Jesús
y son salvos. Sin la ley, los seres humanos no tienen convicción de pecado y no sienten necesidad de arrepentimiento. No viendo su condición
perdida como violadores de la ley de Dios, no sienten la necesidad de la
sangre expiatoria de Cristo como su única esperanza de salvación.

La ley de Dios es un agente en cada conversión genuina. No puede
existir verdadero arrepentimiento sin convicción de pecado. Las Escrituras
dicen que "el pecado es infracción de la ley" (1 Juan 3:4), y que "por la ley
es el conocimiento del pecado" (Rom. 3:20). Para ver su culpa, los pecadores deben someter a prueba su carácter por la gran norma de justicia de
Dios. Para descubrir sus defectos, deben mirarse en el espejo de los estatutos divinos. Pero si bien la ley revela sus pecados, no proporciona el remedio. Únicamente el evangelio de Cristo puede ofrecer perdón. Para estar
perdonados, los pecadores deben valerse del arrepentimiento hacia Dios,
cuya ley ha sido transgredida, y de la fe en Cristo, su sacrificio expiatorio.

Sin arrepentimiento verdadero no puede haber conversión verdadera.
Muchos se equivocan aquí, y demasiado a menudo toda su experiencia
demuestra ser un engaño. Es por esto que tantos que se unen a la iglesia
nunca se han unido a Cristo.

"Los designios de la carne son enemistad contra Dios, porque no se
sujetan a la ley de Dios, ni tampoco pueden" (Rom. 8:7). En el nuevo nacimiento, el corazón es renovado por la gracia divina y puesto en armonía
con Dios y colocado en sujeción a su ley. Cuando ha tenido lugar este
cambio poderoso, el pecador ha pasado de muerte a vida, de pecado a
santidad, de transgresión y rebelión a la obediencia y lealtad. Ha terminado la vieja vida de alejamiento de Dios y ha comenzado la nueva vida de
reconciliación, de fe y amor. Entonces, "la justicia de la ley" se cumple en
"nosotros, que no andamos conforme a la carne, sino conforme al Espíritu" (Rom. 8:4).–*The Spirit of Prophecy*, t. 4, pp. 297, 298.

El manto de la justicia de Cristo es para los arrepentidos

Mejorad ahora vuestros caminos y vuestras obras, y oíd la voz de Jehová vuestro Dios, y se arrepentirá Jehová del mal que ha hablado contra vosotros. Jeremías 26:13.

Aunque como pecadores estamos bajo la condenación de la ley, sin embargo Cristo, mediante la obediencia que prestó a la ley, demanda para el alma arrepentida los méritos de su propia justicia. Con el fin de obtener la justicia de Cristo, es necesario que el pecador sepa lo que es ese arrepentimiento que efectúa un cambio radical en la mente, en el espíritu y en la acción. La obra de la transformación debe comenzar en el corazón y manifestar su poder mediante cada facultad del ser. Sin embargo, los seres humanos no son capaces de originar un arrepentimiento tal como éste, y sólo pueden experimentarlo mediante Cristo, que ascendió a lo alto, llevó cautiva la cautividad y dio dones a la humanidad.

¿Quién desea llegar al verdadero arrepentimiento? ¿Qué debe hacer? Debe ir a Jesús, tal como es, sin demora. Debe creer que la palabra de Cristo es verdadera y, creyendo en la promesa, pedir, para de esa manera recibir. Cuando un sincero deseo mueve a las personas a orar, no orarán en vano. El Señor cumplirá su palabra, y dará el Espíritu Santo para conducir al arrepentimiento hacia Dios y la fe hacia nuestro Señor Jesucristo. El pecador orará, velará y se apartará de sus pecados, haciendo manifiesta su sinceridad por medio del vigor de su esfuerzo para obedecer los mandamientos de Dios. Mezclará la fe con la oración, y no sólo creerá en los preceptos de la ley sino que los obedecerá. Se declarará del lado de Cristo en esta controversia. Renunciará a todos los hábitos y las compañías que tiendan a desviar de Dios el corazón.

El que quiera llegar a ser hijo de Dios, debe recibir la verdad que enseña que el arrepentimiento y el perdón han de obtenerse nada menos que mediante la expiación de Cristo. Asegurado de esto, el pecador debe realizar un esfuerzo en armonía con la obra hecha en beneficio de él y, con una súplica incansable, debe acudir al trono de la gracia para que el poder renovador de Dios llegue hasta su alma.

Únicamente Cristo perdona al arrepentido, pero primero hace que se arrepienta aquel a quien perdona. La provisión hecha es completa y la justicia eterna de Cristo es acreditada a cada alma creyente. El manto costoso e inmaculado, tejido en el telar del cielo, ha sido provisto para el pecador arrepentido y creyente, y él puede decir: "En gran manera me gozaré en Jehová, mi alma se alegrará en mi Dios; porque me vistió con vestiduras de salvación, me rodeó de manto de justicia" (Isa. 61:10).–*Mensajes selectos*, t. 1, pp. 460, 461.

Todos los que se arrepientan serán perdonados y aceptados

A todos los sedientos: Venid a las aguas; y los que no tienen dinero, venid, comprad y comed. Venid, comprad sin dinero y sin precio, vino y leche. Isaías 55:1.

Aunque David había caído, el Señor lo levantó. Estaba ahora más plenamente en armonía con Dios y en simpatía con sus semejantes que antes de su caída. En el gozo de su liberación cantó: "Mi pecado te declaré y no encubrí mi iniquidad. Dije: Confesaré mis transgresiones a Jehová; y tú perdonaste la maldad de mi pecado... Tú eres mi refugio; me guardarás en la angustia; con cánticos de liberación me rodearás" (Sal. 32:5, 7).

Muchos murmuran contra lo que llaman la injusticia de Dios al salvar a David, cuya culpa era tan grande, después de haber rechazado a Saúl por lo que a ellos les parece ser pecados mucho menos flagrantes. Pero David se humilló y confesó su pecado, en tanto que Saúl menospreció el reproche y endureció su corazón en la impenitencia.

Este pasaje de la historia de David rebosa de significado para el pecador arrepentido. Es una de las ilustraciones más poderosas que se nos hayan dado de las luchas y las tentaciones de la humanidad, y de un verdadero arrepentimiento hacia Dios y una fe sincera en nuestro Señor Jesucristo. A través de todos los siglos ha resultado ser una fuente de aliento para las almas que, habiendo caído en el pecado, han tenido que luchar bajo el peso agobiador de su culpa. Miles de los hijos Dios han sido los que, después de haber sido entregados traidoramente al pecado y cuando estaban a punto de desesperar, recordaron cómo el arrepentimiento sincero y la confesión de David fueron aceptados por Dios, no obstante haber tenido que sufrir las consecuencias de su transgresión; y también cobraron ánimo para arrepentirse y procurar nuevamente andar por los senderos de los mandamientos de Dios.

Quienquiera que bajo la represión de Dios humille su alma con la confesión y el arrepentimiento, tal como lo hizo David, puede estar seguro de que hay esperanza para él. Quienquiera que acepte por fe las promesas de Dios, hallará perdón. Jamás rechazará el Señor a un alma verdaderamente arrepentida. Él ha dado esta promesa: "¿O forzará alguien mi fortaleza? Haga conmigo paz; sí, haga paz conmigo" (Isa. 27:5). "Deje el impío su camino, y el hombre inicuo sus pensamientos, y vuélvase a Jehová, el cual tendrá de él misericordia, y al Dios nuestro, el cual será **amplio** en perdonar" (Isa. 55:7).–*Patriarcas y profetas*, pp. 785, 786.

ÍNDICE DE REFERENCIAS BÍBLICAS

374

GUÍA PARA EL
AÑO BÍBLICO EN ORDEN CRONOLÓGICO

ENERO

- [ ] 1 Gén. 1, 2
- [ ] 2 Gén. 3-5
- [ ] 3 Gén. 6-9
- [ ] 4 Gén. 10, 11
- [ ] 5 Gén. 12-15
- [ ] 6 Gén. 16-19
- [ ] 7 Gén. 20-22
- [ ] 8 Gén. 23-26
- [ ] 9 Gén. 27-29
- [ ] 10 Gén. 30-32
- [ ] 11 Gén. 33-36
- [ ] 12 Gén. 37-39
- [ ] 13 Gén. 40-42
- [ ] 14 Gén. 43-46
- [ ] 15 Gén. 47-50
- [ ] 16 Job 1-4
- [ ] 17 Job 5-7
- [ ] 18 Job 8-10
- [ ] 19 Job 11-13
- [ ] 20 Job 14-17
- [ ] 21 Job 18-20
- [ ] 22 Job 21-24
- [ ] 23 Job 25-27
- [ ] 24 Job 28-31
- [ ] 25 Job 32-34
- [ ] 26 Job 35-37
- [ ] 27 Job 38-42
- [ ] 28 Éxo. 1-4
- [ ] 29 Éxo. 5-7
- [ ] 30 Éxo. 8-10
- [ ] 31 Éxo. 11-13

FEBRERO

- [ ] 1 Éxo. 14-17
- [ ] 2 Éxo. 18-20
- [ ] 3 Éxo. 21-24
- [ ] 4 Éxo. 25-27
- [ ] 5 Éxo. 28-31
- [ ] 6 Éxo. 32-34
- [ ] 7 Éxo. 35-37
- [ ] 8 Éxo. 38-40
- [ ] 9 Lev. 1-4
- [ ] 10 Lev. 5-7
- [ ] 11 Lev. 8-10
- [ ] 12 Lev. 11-13
- [ ] 13 Lev. 14-16
- [ ] 14 Lev. 17-19
- [ ] 15 Lev. 20-23
- [ ] 16 Lev. 24-27
- [ ] 17 Núm. 1-3
- [ ] 18 Núm. 4-6
- [ ] 19 Núm. 7-10
- [ ] 20 Núm. 11-14
- [ ] 21 Núm. 15-17
- [ ] 22 Núm. 18-20
- [ ] 23 Núm. 21-24
- [ ] 24 Núm. 25-27
- [ ] 25 Núm. 28-30
- [ ] 26 Núm. 31-33
- [ ] 27 Núm. 34-36
- [ ] 28 Deut. 1-3

MARZO

- [ ] 1 Deut. 4-6
- [ ] 2 Deut. 7-9
- [ ] 3 Deut. 10-12
- [ ] 4 Deut. 13-16
- [ ] 5 Deut. 17-19
- [ ] 6 Deut. 20-22
- [ ] 7 Deut. 23-25
- [ ] 8 Deut. 26-28
- [ ] 9 Deut. 29-31
- [ ] 10 Deut. 32-34
- [ ] 11 Jos. 1-3

❑	12	Jos. 4-6
❑	13	Jos. 7-9
❑	14	Jos. 10-12
❑	15	Jos. 13-15
❑	16	Jos. 16-18
❑	17	Jos. 19-21
❑	18	Jos. 22-24
❑	19	Juec. 1-4
❑	20	Juec. 5-8
❑	21	Juec. 9-12
❑	22	Juec. 13-15
❑	23	Juec. 16-18
❑	24	Juec. 19-21
❑	25	Rut 1-4
❑	26	1 Sam. 1-3
❑	27	1 Sam. 4-7
❑	28	1 Sam. 8-10
❑	29	1 Sam. 11-13
❑	30	1 Sam. 14-16
❑	31	1 Sam. 17-20

ABRIL

❑	1	1 Sam. 21-24
❑	2	1 Sam. 25-28
❑	3	1 Sam. 29-31
❑	4	2 Sam. 1-4
❑	5	2 Sam. 5-8
❑	6	2 Sam. 9-12
❑	7	2 Sam. 13-15
❑	8	2 Sam. 16-18
❑	9	2 Sam. 19-21
❑	10	2 Sam. 22-24
❑	11	Sal. 1-3
❑	12	Sal. 4-6
❑	13	Sal. 7-9
❑	14	Sal. 10-12
❑	15	Sal. 13-15
❑	16	Sal. 16-18
❑	17	Sal. 19-21
❑	18	Sal. 22-24
❑	19	Sal. 25-27
❑	20	Sal. 28-30
❑	21	Sal. 31-33

❑	22	Sal. 34-36
❑	23	Sal. 37-39
❑	24	Sal. 40-42
❑	25	Sal. 43-45
❑	26	Sal. 46-48
❑	27	Sal. 49-51
❑	28	Sal. 52-54
❑	29	Sal. 55-57
❑	30	Sal. 58-60

MAYO

❑	1	Sal. 61-63
❑	2	Sal. 64-66
❑	3	Sal. 67-69
❑	4	Sal. 70-72
❑	5	Sal. 73-75
❑	6	Sal. 76-78
❑	7	Sal. 79-81
❑	8	Sal. 82-84
❑	9	Sal. 85-87
❑	10	Sal. 88-90
❑	11	Sal. 91-93
❑	12	Sal. 94-96
❑	13	Sal. 97-99
❑	14	Sal. 100-102
❑	15	Sal. 103-105
❑	16	Sal. 106-108
❑	17	Sal. 109-111
❑	18	Sal. 112-114
❑	19	Sal. 115-118
❑	20	Sal. 119
❑	21	Sal. 120-123
❑	22	Sal. 124-126
❑	23	Sal. 127-129
❑	24	Sal. 130-132
❑	25	Sal. 133-135
❑	26	Sal. 136-138
❑	27	Sal. 139-141
❑	28	Sal. 142-144
❑	29	Sal. 145-147
❑	30	Sal. 148-150
❑	31	1 Rey. 1-4

JUNIO

- [ ] 1 Prov. 1-3
- [ ] 2 Prov. 4-7
- [ ] 3 Prov. 8-11
- [ ] 4 Prov. 12-14
- [ ] 5 Prov. 15-18
- [ ] 6 Prov. 19-21
- [ ] 7 Prov. 22-24
- [ ] 8 Prov. 25-28
- [ ] 9 Prov. 29-31
- [ ] 10 Ecl. 1-3
- [ ] 11 Ecl. 4-6
- [ ] 12 Ecl. 7-9
- [ ] 13 Ecl. 10-12
- [ ] 14 Cant. 1-4
- [ ] 15 Cant. 5-8
- [ ] 16 1 Rey. 5-7
- [ ] 17 1 Rey. 8-10
- [ ] 18 1 Rey. 11-13
- [ ] 19 1 Rey. 14-16
- [ ] 20 1 Rey. 17-19
- [ ] 21 1 Rey. 20-22
- [ ] 22 2 Rey. 1-3
- [ ] 23 2 Rey. 4-6
- [ ] 24 2 Rey. 7-10
- [ ] 25 2 Rey. 11-14: 20
- [ ] 26 Joel 1-3
- [ ] 27 2 Rey. 14: 21-25
      Jon. 1-4
- [ ] 28 2 Rey. 14: 26-29
      Amós 1-3
- [ ] 29 Amós 4-6
- [ ] 30 Amós 7-9

JULIO

- [ ] 1 2 Rey. 15-17
- [ ] 2 Ose. 1-4
- [ ] 3 Ose. 5-7
- [ ] 4 Ose. 8-10
- [ ] 5 Ose. 11-14
- [ ] 6 2 Rey. 18, 19

- [ ] 7 Isa. 1-3
- [ ] 8 Isa. 4-6
- [ ] 9 Isa. 7-9
- [ ] 10 Isa. 10-12
- [ ] 11 Isa. 13-15
- [ ] 12 Isa. 16-18
- [ ] 13 Isa. 19-21
- [ ] 14 Isa. 22-24
- [ ] 15 Isa. 25-27
- [ ] 16 Isa. 28-30
- [ ] 17 Isa. 31-33
- [ ] 18 Isa. 34-36
- [ ] 19 Isa. 37-39
- [ ] 20 Isa. 40-42
- [ ] 21 Isa. 43-45
- [ ] 22 Isa. 46-48
- [ ] 23 Isa. 49-51
- [ ] 24 Isa. 52-54
- [ ] 25 Isa. 55-57
- [ ] 26 Isa. 58-60
- [ ] 27 Isa. 61-63
- [ ] 28 Isa. 64-66
- [ ] 29 Miq. 1-4
- [ ] 30 Miq. 5-7
- [ ] 31 Nah. 1-3

AGOSTO

- [ ] 1 2 Rey. 20, 21
- [ ] 2 Sof. 1-3
- [ ] 3 Hab. 1-3
- [ ] 4 2 Rey. 22-25
- [ ] 5 Abd. y Jer. 1, 2
- [ ] 6 Jer. 3-5
- [ ] 7 Jer. 6-8
- [ ] 8 Jer. 9-12
- [ ] 9 Jer. 13-16
- [ ] 10 Jer. 17-20
- [ ] 11 Jer. 21-23
- [ ] 12 Jer. 24-26
- [ ] 13 Jer. 27-29
- [ ] 14 Jer. 30-32
- [ ] 15 Jer. 33-36

❑	16	Jer. 37-39
❑	17	Jer. 40-42
❑	18	Jer. 43-46
❑	19	Jer. 47-49
❑	20	Jer. 50-52
❑	21	Lam.
❑	22	1 Crón. 1-3
❑	23	1 Crón. 4-6
❑	24	1 Crón. 7-9
❑	25	1 Crón. 10-13
❑	26	1 Crón. 14-16
❑	27	1 Crón. 17-19
❑	28	1 Crón. 20-23
❑	29	1 Crón. 24-26
❑	30	1 Crón. 27-29
❑	31	2 Crón. 1-3

SEPTIEMBRE

❑	1	2 Crón. 4-6
❑	2	2 Crón. 7-9
❑	3	2 Crón. 10-13
❑	4	2 Crón. 14-16
❑	5	2 Crón. 17-19
❑	6	2 Crón. 20-22
❑	7	2 Crón. 23-25
❑	8	2 Crón. 26-29
❑	9	2 Crón. 30-32
❑	10	2 Crón. 33-36
❑	11	Eze. 1-3
❑	12	Eze. 4-7
❑	13	Eze. 8-11
❑	14	Eze. 12-14
❑	15	Eze. 15-18
❑	16	Eze. 19-21
❑	17	Eze. 22-24
❑	18	Eze. 25-27
❑	19	Eze. 28-30
❑	20	Eze. 31-33
❑	21	Eze. 34-36
❑	22	Eze. 37-39
❑	23	Eze. 40-42
❑	24	Eze. 43-45

❑	25	Eze. 46-48
❑	26	Dan. 1-3
❑	27	Dan. 4-6
❑	28	Dan. 7-9
❑	29	Dan. 10-12
❑	30	Est. 1-3

OCTUBRE

❑	1	Est. 4-7
❑	2	Est. 8-10
❑	3	Esd. 1-4
❑	4	Hag. 1, 2
		Zac. 1, 2
❑	5	Zac. 3-6
❑	6	Zac. 7-10
❑	7	Zac. 11-14
❑	8	Esd. 5-7
❑	9	Esd. 8-10
❑	10	Neh. 1-3
❑	11	Neh. 4-6
❑	12	Neh. 7-9
❑	13	Neh. 10-13
❑	14	Mal. 1-4
❑	15	Mat. 1-4
❑	16	Mat. 5-7
❑	17	Mat. 8-11
❑	18	Mat. 12-15
❑	19	Mat. 16-19
❑	20	Mat. 20-22
❑	21	Mat. 23-25
❑	22	Mat. 26-28
❑	23	Mar. 1-3
❑	24	Mar. 4-6
❑	25	Mar. 7-10
❑	26	Mar. 11-13
❑	27	Mar. 14-16
❑	28	Luc. 1-3
❑	29	Luc. 4-6
❑	30	Luc. 7-9
❑	31	Luc. 10-13

NOVIEMBRE

- ❏ 1 Luc. 14-17
- ❏ 2 Luc. 18-21
- ❏ 3 Luc. 22-24
- ❏ 4 Juan 1-3
- ❏ 5 Juan 4-6
- ❏ 6 Juan 7-10
- ❏ 7 Juan 11-13
- ❏ 8 Juan 14-17
- ❏ 9 Juan 18-21
- ❏ 10 Hech. 1, 2
- ❏ 11 Hech. 3-5
- ❏ 12 Hech. 6-9
- ❏ 13 Hech. 10-12
- ❏ 14 Hech. 13, 14
- ❏ 15 Sant. 1, 2
- ❏ 16 Sant. 3-5
- ❏ 17 Gál. 1-3
- ❏ 18 Gál. 4-6
- ❏ 19 Hech. 15-18: 11
- ❏ 20 1 Tes. 1-5
- ❏ 21 2 Tes. 1-3
  Hech. 18: 12-19: 20
- ❏ 22 1 Cor. 1-4
- ❏ 23 1 Cor. 5-8
- ❏ 24 1 Cor. 9-12
- ❏ 25 1 Cor. 13-16
- ❏ 26 Hech. 19: 21-20: 1
  2 Cor. 1-3
- ❏ 27 2 Cor. 4-6
- ❏ 28 2 Cor. 7-9
- ❏ 29 2 Cor. 10-13
- ❏ 30 Hech. 20: 2
  Rom. 1-4

DICIEMBRE

- ❏ 1 Rom. 5-8
- ❏ 2 Rom. 9-11
- ❏ 3 Rom. 12-16
- ❏ 4 Hech. 20: 3-22:30
- ❏ 5 Hech. 23-25
- ❏ 6 Hech. 26-28
- ❏ 7 Efe. 1-3
- ❏ 8 Efe. 4-6
- ❏ 9 Fil. 1-4
- ❏ 10 Col. 1-4
- ❏ 11 Heb. 1-4
- ❏ 12 Heb. 5-7
- ❏ 13 Heb. 8-10
- ❏ 14 Heb. 11-13
- ❏ 15 File.
  1 Ped. 1, 2
- ❏ 16 1 Ped. 3-5
- ❏ 17 2 Ped. 1-3
- ❏ 18 1 Tim. 1-3
- ❏ 19 1 Tim. 4-6
- ❏ 20 Tito 1-3
- ❏ 21 2 Tim. 1-4
- ❏ 22 1 Juan 1, 2
- ❏ 23 1 Juan 3-5
- ❏ 24 2 Juan
  3 Juan y Judas
- ❏ 25 Apoc. 1-3
- ❏ 26 Apoc. 4-6
- ❏ 27 Apoc. 7-9
- ❏ 28 Apoc. 10-12
- ❏ 29 Apoc. 13-15
- ❏ 30 Apoc. 16-18
- ❏ 31 Apoc. 19-22